NIEPOKORNA KSIĘŻNA

Polecamy następujące powieści autorki:

Zakazana królowa

Królewska kochanka

NIEPOKORNA KSIĘŻNA

ANNE O'BRIEN

Tłumaczenie:
Alina Patkowska

Tytuł oryginału:
The Scandalous Duchess

Pierwsze wydanie: MIRA Books, 2014

Opracowanie graficzne okładki:
Robert Dąbrowski

Redaktor prowadzący:
Grażyna Ordęga

Opracowanie redakcyjne:
Władysław Ordęga

Korekta:
Sylwia Kozak-Śmiech

Harlequin Polska sp. z o.o.
02-516 Warszawa, ul. Starościńska 1B lokal 24-25

Skład i łamanie: COMPTEXT®, Warszawa

Druk: ABEDIK

ISBN: 978-83-276-1131-4

Dla George'a.
Dziękuję, że przez cały rok spokojnie znosiłeś moją fascynację Janem z Gandawy, godząc się na rolę „tego drugiego". Ale przecież wiesz, że to Ty jesteś moim prawdziwym bohaterem.

Rody de Roetów, Swynfordów i Chaucerów

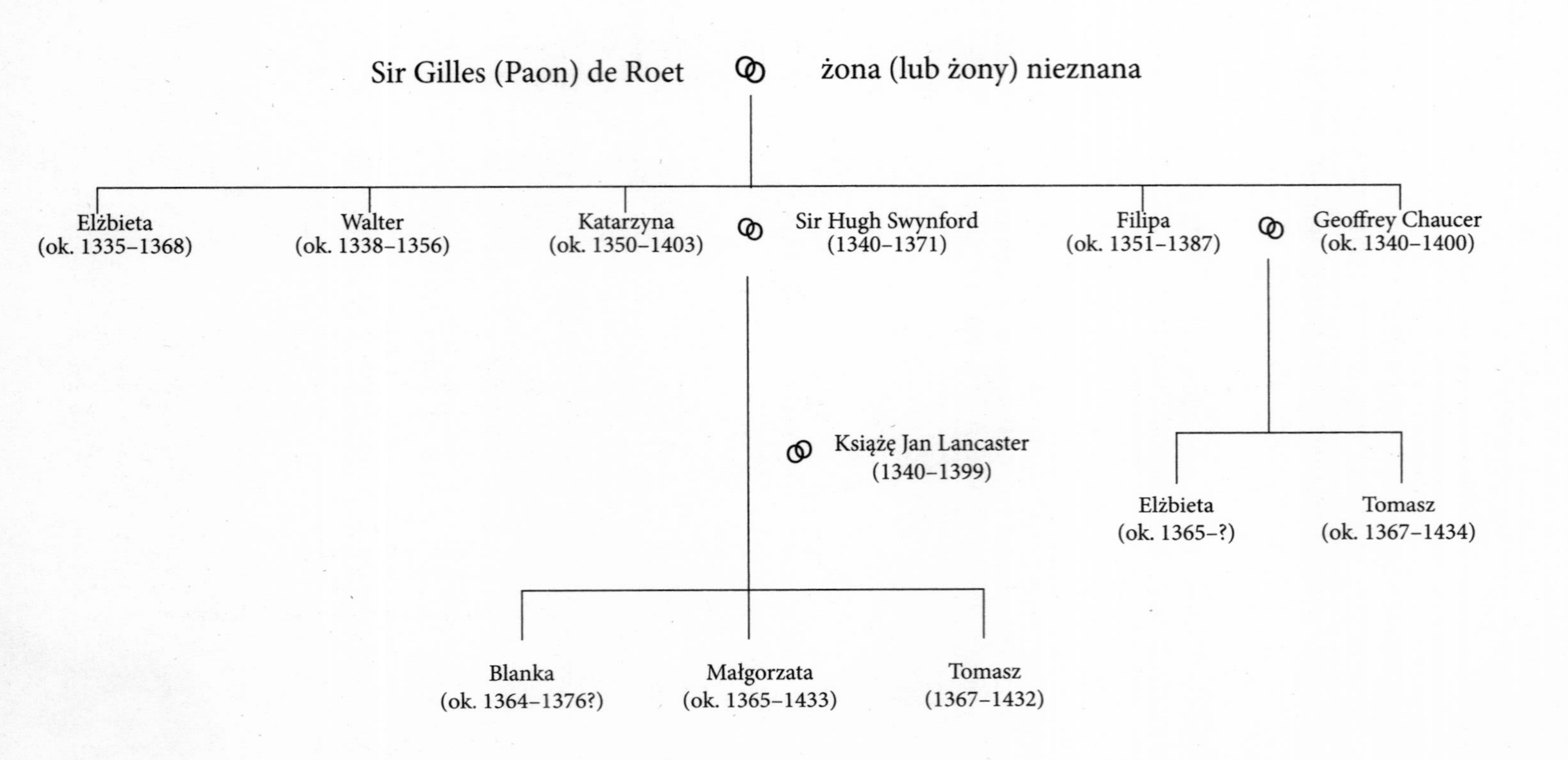

Lancasterowie, Beaufortowie i Tudorowie, potomkowie księcia Jana Lancastera

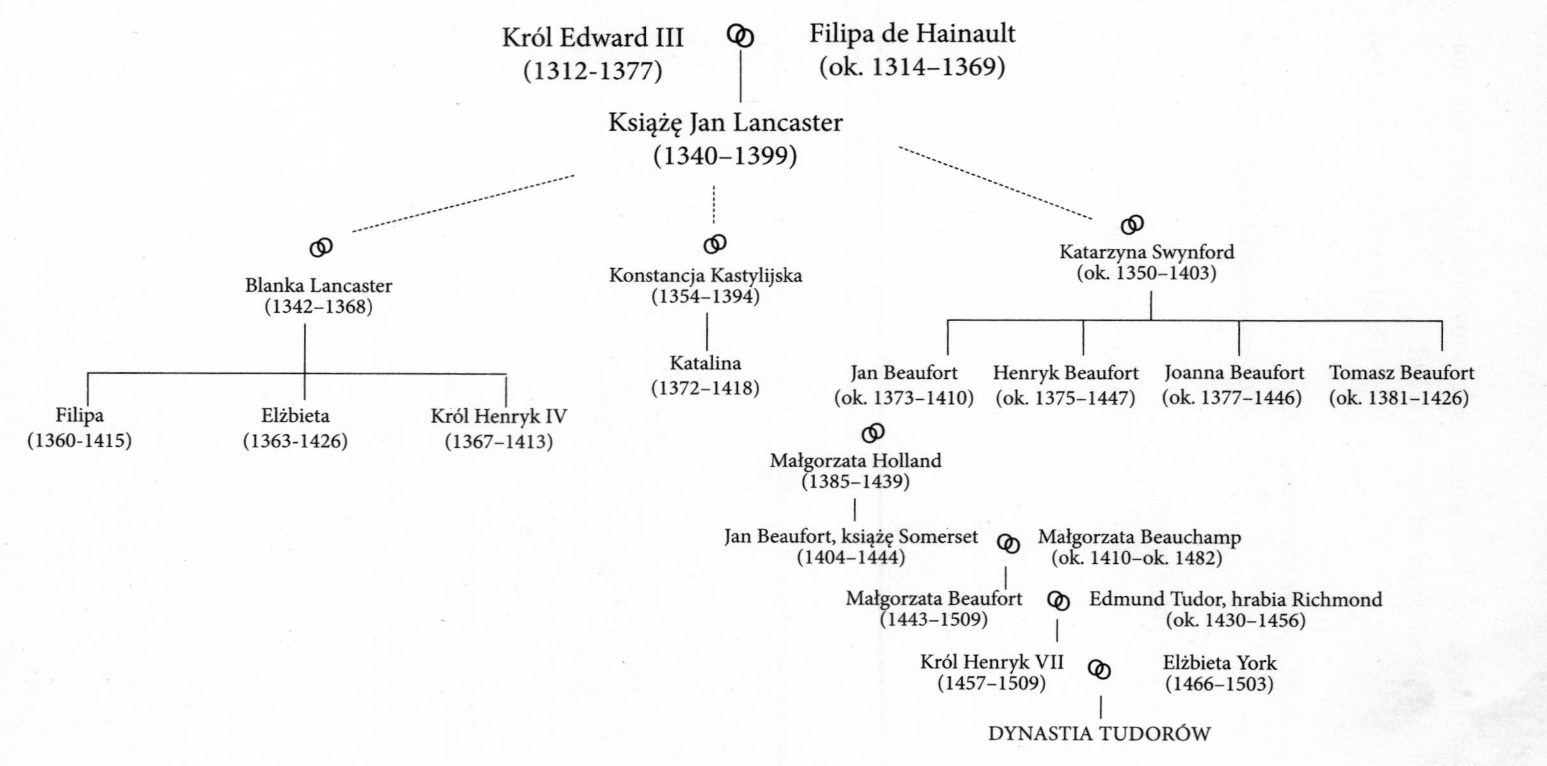

...[Jan, książę Lancaster] zaślepiony pożądaniem, nie obawiał się ni Boga, ni wstydu u ludzi.

Knighton's Chronicle 1337–1396

...diablica i czarownica...

The Anonimalle Chronicle 1333–1381

...niemożebna konkubina...

Thomas Walsingham *Chronicon Angliae*

PROLOG

Styczeń 1372, posiadłość Kettlethorpe w Lincolnshire

Woda, która zalała dziedziniec podczas nocnej burzy, przesączyła się do butów i zmoczyła mi pończochy. Podciągnęłam spódnicę, spoglądając ze złością na błoto i śmieci pływające w kałużach. Nawet kury, przycupnięte na stercie drewna, zdawały się zapadać w ponury nastrój.

– Kto tutaj to zostawił? – Skórzana uprząż, pociemniała i ociekająca wodą, wisiała na haku przy drzwiach stajni. Moja nieliczna służba kryła się po kątach, a ponieważ i tak nic nie można było zrobić, dopóki deszcz nie przestanie padać, wróciłam do domu.

Kettlethorpe, żałosne dziedzictwo mojego syna. Po niedawnej śmierci męża, który nie zdążył wyznaczyć administratora, cały ciężar zarządzania posiadłością spadł na moje barki. Poruszyłam ramionami i przemoknięty, ubłocony płaszcz nieprzyjemnie otarł się o szyję. Cień szczura przemknął po ścianie i zniknął szybko za przegrodą mleczarni.

– Co ja mam zrobić? – zapytałam na głos i skrzywiłam się, gdy usłyszałam w swoim głosie desperację. W pobliżu nie było nikogo, kto mógłby udzielić mi rady. Próbowałam sobie wyobrazić, co powiedziałaby królowa Filipa, żona Edwarda III. Wychowałam się i wykształciłam pod jej okiem na dworze angielskim. Choć nie była przystojna, widziałam w niej wzór kobiecości, bo piękno jej duszy było niezrównane.

– Obowiązek, Katarzyno – powiedziałaby z pewnością. – Twoim zadaniem jest nieść ten ciężar. Masz dwadzieścia dwa lata i jesteś panią na Kettlethorpe. Wychodząc za sir Hugh Swynforda, przyjęłaś na siebie związane z tym obowiązki. Nie możesz ich porzucić tylko dlatego, że buty ci przemokły, a dokoła twoich kostek śmigają szczury. Nie tak cię wychowałam. Masz dość determinacji, by zmienić Kettlethorpe w kwitnącą posiadłość, i wiem, że tego dokonasz.

Westchnęłam. Nie czułam zbyt wielkiej determinacji, ale musiałam przyznać, że Filipa dobrze mnie znała. Nie, to oczywiste, że nie mogłam opuścić posiadłości. To nie byłoby do mnie podobne. Zasady wpojone przez królową mocno wyryły się w moim sercu. Brakowało mi tylko środków finansowych, żeby poprawić swój los.

Bliska załamania stanęłam pośrodku sali przed paleniskiem, na którym płonęło wilgotne drewno, i powoli obróciłam się dokoła, odrzucając kaptur na ramiona. Nigdy nieczyszczone ściany pokrywała gruba warstwa sadzy i dymu, a w niektórych miejscach wilgoć, przez co pomieszczenie wypełniał ostry zapach. Nie było mnie stać na to, żeby coś z tym zrobić. Mogłam tylko marzyć o wybudowaniu komina.

– Bóg obdarzy cię łaską, a Najświętsza Panienka współczuciem. Podejdź do klęcznika, Katarzyno. – Królowa Filipa znów objęła moją twarz, próbując mi przekazać siłę i nieustępliwość, czego sama miała aż w nadmiarze.

Naturalnie, że uklęknę, nim ten dzień przeminie. Czyż Najświętsza Panienka nie była mi pociechą we wszelkich przeciwnościach? Ale teraz równie mocno, jak błogosławieństwa Panienki, potrzebowałam funduszy. Zatarłam pokaleczone dłonie. Na nadgarstku widniało brzydkie oparzenie od pochodni, która nagle wystrzeliła płomieniem. Kiedyś moje dłonie były miękkie, a paznokcie równo przycięte. Kiedyś nosiłam miękko szeleszczące suknie z jedwabnego atłasu. Teraz jedynym strojem odpowiednim do wykonywania moich obowiązków była gruba i szorstka wełna. Nie sposób w jedwabnych sukniach odcinać głowę chudej kurze przeznaczonej na kolację.

Westchnęłam. Kiedyś żyłam wśród zaszczytów na dworze Lancasterów jako towarzyszka księżnej Blanki. Ukryłam twarz w dłoniach, odcinając się od obrazów tamtego luksusowego życia w pałacu Savoy. Teraz tu było moje miejsce. W pałacu Savoy nigdy nie musiałam sprzątać zanieczyszczeń pozostawionych przez parę gołębi, które przysiadły na noc na belkach pod dachem, a teraz budziły się, łopocząc skrzydłami. Spłoszyłam je klaskaniem, żeby już bardziej nie zabrudziły posadzki.

Oczywiście istniał sposób, by zaradzić mojej obecnej sytuacji. Księżna Blanka nie żyła już od trzech lat, ale książę pojął nową żonę. Może znalazłoby się dla mnie miejsce na dworze i może udałoby mi się zarobić tyle, żeby zaprowadzić ład w Kettlethorpe? Może służba u księcia pozwoliłaby mi nawet zapewnić lepszy dom mojemu synowi?

Dlaczego nie? Dlaczego nie miałabym wrócić do świata, który znałam i kochałam? Miałam już doświadczenie i z pewnością mogłabym się do czegoś przydać. Królowa Filipa uznałaby, że w tych okolicznościach jest to nadzwyczaj praktyczna decyzja.

Pomachałam rękami, żeby rozproszyć dym. W powietrzu wciąż fruwało kilka piór. Wspięłam się po schodach do sypialni i zrzuciłam ciężki płaszcz. Otworzyłam kufer i przejrzałam dworskie suknie. Niestety, choć starannie przekładałam je lawendą i szałwią, delikatne tkaniny poznaczone były śladami moli i pleśni. Sięgnęłam po cenne lusterko. Puzderko z kości słoniowej zmatowiało od nieużywania. Wytarłam zwierciadło o suknię, spojrzałam w nie i wydęłam usta.

– Kim jesteś, Katarzyno de Roet?

Rzecz jasna, od zamążpójścia nazywałam się Katarzyna Swynford, obecnie wdowa.

Naraz coś przykuło moją uwagę. Odwróciłam głowę. Ciszę przerwały dziecinne głosy podniesione w tonie skargi, zaraz jednak dobiegł mnie wybuch śmiechu i znów spojrzałam w zwierciadło. Popatrzyłam na włosy upięte dokoła głowy w ciasno splecionych warkoczach, pociemniałe od wilgoci i potargane od kaptura. Następnie moją uwagę przykuły ciemne brwi. Kiedyś wyskubywałam je, żeby miały doskonały kształt, ale zaniechałam tego. Twarz okrągła, o miękkich policzkach i ustach, kąciki nieco się zapadły od niedawnych przeżyć. Usta były pełne i skore do śmiechu, choć ostre i bardzo zdecydowane spojrzenie zaprzeczało temu wrażeniu. Uniosłam nieco brwi. Nikt nie mógłby uznać mnie za bezwolnie nieśmiałą czy na odwrót, frywolną. Wiedziałam, jak postępować zgodnie z etykietą i moralnością. Zostałam wychowana według najsurowszych zasad przyzwoitości. Lubiłam jednak wygody, które niosły ze sobą bogactwo i pozycja, a czego teraz zostałam pozbawiona.

Z całego serca znów zapragnęłam zająć należną mi pozycję.

Twarz, która na mnie patrzyła ze zwierciadła, nie była zwykłą twarzą. Co prawda starałam się upiększać, jak niegdyś na dworze, jednak w gruncie rzeczy mogła to być twarz zwykłej dziewki kuchennej. Potarłam rękawem brodę, na której zauważyłam smugę brudu. Lustro znów zaszło mgłą. Wytarłam je o suknię. Mówiono, że jestem piękna, podobna do nieżyjącej matki, której nigdy nie znałam. Może tak było, choć zawsze uważałam, że moja siostra jest piękniejsza ode mnie.

Czego właściwie szukałam w lustrze? Cóż kazało mi w nie zerknąć? Nie wpatrywałam się z upodobaniem w symetrię mojej twarzy, lecz chciałam zobaczyć, jaką kobietą się stałam. Przechyliłam głowę na bok, zastanawiając się, co widzę.

Szczerość – taką miałam nadzieję. Odwagę, która pozwoli mi skorzystać z okazji, by dobrze pokierować swoim losem, a także determinację, by żyć tak, jak mnie nauczono, czyli uczciwie i rozsądnie. To miałam nadzieję zobaczyć i być może zobaczyłam. A także poczucie obowiązku wobec mojego nazwiska i wobec Najświętszej Panienki, której na każdym kroku okazywałam cześć.

Pojadę do pałacu Savoy i poproszę księcia, by znów przyjął mnie na dwór przez wzgląd na dawną służbę u księżnej Blanki. Moja duma była wielka, ale przy tej okazji odłożę ją na bok. Uczynię to dla siebie, a także dla moich dzieci. Jeśli słusznie uważałam się za szczerą, to musiałam przyznać, że perspektywa życia na odludziu, w niedostatku i monotonii ciągnącej się aż do końca moich dni, napełniała mnie niechęcią, by nie rzec: odrazą, zaś życie na królewskim dworze, w najbliższym otoczeniu księcia, pośród dawnych przyjaciół, było, mówiąc wprost, niezmiernie kuszące.

Ta myśl wywołała uśmiech na mojej twarzy, zaraz jednak zadowolenie przybladło. Odłożyłam lustro do kufra, rozważając słowa, które nasunęły się na myśl. Serce mi się ścisnęło pod ich ciężarem. Uczciwość. Umiarkowanie. Przyzwoitość. Takie miało być moje życie. To było wszystko, co znałam. Jako szacowna wdowa musiałam się nienagannie prowadzić, chyba że szczęście mi dopisze i pewnego dnia znów wyjdę za mąż. Królowa Filipa byłaby dumna z siły mojej woli i determinacji.

Dłonie zatrzymały się na pokrywie kufra, jakby nie miały ochoty zamykać odbicia kobiety skrytej za znajomymi rysami twarzy. Jakże nudne i bezbarwne wydawało się wybrane przeze mnie życie, płaskie i wyzute z podniecenia niczym banalna melodia. Jakże sztywna i pruderyjna wydawała się kobieta, która dzień za dniem i noc za nocą miała snuć taki los. Czy to naprawdę byłam ja? Czy właśnie tego pragnęłam? Zdawało się, że sama skazałam się na egzystencję w odcieniach czerni i szarości, w ryzach pobożności, choć energia i podniecenie krążyły w moim ciele, rozbudzając marzenia o tym, że znów mogłabym śpiewać i tańczyć, być adorowaną, flirtować i wymieniać pocałunki z przystojnym mężczyzną, który by mnie pożądał.

Może taka właśnie była prawdziwa Katarzyna Swynford – pełna życia, frywolna i kochająca przyjemności, nie zaś zastygła wdowa, która niczego już nie oczekuje od życia i przesuwa między palcami paciorki różańca, modląc się o łaski Najświętszej Panienki dla siebie i swoich dzieci. Myśl o powrocie do pałacu Savoy i o tym, że mogłabym znów zamieszkać na dworze Lancasterów, zaczęła mi się wydawać jeszcze bardziej pociągająca.

A potem, jakby przywołany moim radosnym nastrojem, przypłynął do mnie obraz samego księcia Lancastera. Ujrzałam go w mojej sypialni, na tle słońca wpadającego przez okno, tak wyraźnie, jakby naprawdę tu był. Wysoki, dumny i pod każdym względem godny podziwu, zdawał się utkany z promieni światła rozszczepionych w kroplach deszczu. Przyjrzałam mu się oczami wyobraźni. Książę Jan Lancaster, mężczyzna, którego znałam i podziwiałam przez całe życie. Tak, to było odpowiednie słowo, bo czy to, co do niego czułam, nie było podziwem? Bogaty, potężny i uderzająco przystojny, wzbudzał szczery podziw lub równie szczerą niechęć w każdym, z kim skrzyżowały się jego ścieżki. Czy chciałabym znów żyć w pobliżu tak silnej osobowości? Właściwie dlaczego nie? Przytłaczały mnie jego autorytet i charyzma, ale znałam też jego nieskazitelnie rycerski charakter i byłam przekonana, że mnie nie odtrąci. Mogłam wracać do Savoyu bez żadnych obaw.

Otworzyłam oczy i obraz znikł. Zamknęłam kufer na klucz i choć pończochy wciąż miałam mokre, z lekkim sercem podeszłam do otwartych drzwi.

– Panie Ingoldsby, chciałabym zamienić z tobą dwa słowa!

Po raz pierwszy od długiego czasu poczułam dreszcz podniecenia. Miałam dla mojego ochmistrza ważniejsze zadanie niż zamiatanie gołębich odchodów. Wybierałam się do pałacu Savoy.

Uświadomiłam sobie, że znów się uśmiecham.

ROZDZIAŁ PIERWSZY

Styczeń 1372, pałac Savoy, Londyn

Wyglądało to jak proklamacja królewskiego dekretu – sztandary, heroldowie i fanfary. Wszystkie mięśnie miałam napięte, oddech ostro świstał mi w gardle i przestałam się uśmiechać.

Jego głos był nieskazitelnie uprzejmy, ale słowa, które wypowiedział, przebiły się z precyzją rapiera przez wszystkie troski, które zajmowały moje myśli w ostatnich dwóch miesiącach. Nie wierzyłam własnym uszom. W ten zimowy poranek książę Plantagenet niechcący sprawił, że ziemia zatrzęsła się pod moimi stopami. Ale czy rzeczywiście zrobił to niechcący? Podniosłam oczy na jego twarz. Spojrzenie księcia było bezpośrednie i rozważne. Przeszył mnie dreszcz. Nie, w żadnym razie nie była to bezmyślność. Książę powiedział to, co chciał powiedzieć.

Ja ze swojej strony zupełnie tego nie przewidziałam. Bo niby jak mogłabym to przewidzieć?

Właściwie nie był to cios rapiera, ostry i precyzyjny, lecz raczej wybuch piekielnego ognia. Wszystkie dotychczasowe zmartwienia i kłopoty wydały mi się nagle banalne i przyziemne. Pewność, że potrafię skryć swoje myśli za płaszczem ostrożnego opanowania, zbladła i skurczyła się w obliczu niebezpieczeństwa zawartego w słowach, które Jan Plantagenet, królewskiej krwi książę Lancaster, rzucił do moich stóp niczym garść złowieszczo lśniących klejnotów.

Aż do chwili wybuchu tego werbalnego kataklizmu audiencja u księcia przebiegała zgodnie z moimi nadziejami i oczekiwaniami. Powitał mnie z właściwym sobie wdziękiem. Znaliśmy się od lat, bowiem ja, Katarzyna de Roet, wychowywałam się na dworze jego matki, królowej Filipy. Nasze ścieżki często się przecinały. Widywaliśmy się przy wspólnych posiłkach i podczas świąt. Należałam do królewskiego domu, byłam tu lubiana i szanowana zarówno w dzieciństwie, jak i później jako dama dworu księżnej Blanki, żony księcia. Byłam pewna, że bez względu na to, jaka będzie odpowiedź na moją prośbę, książę pozwoli mi czuć się w jego obecności swobodnie.

Gdy wszedł do sali audiencyjnej, dygnęłam nisko i przedstawiłam swoją prośbę ze spuszczonym wzrokiem i oddechem płytkim ze zdenerwowania. Byłam tu dobrze traktowana, ale gdyby książę odmówił, nie wiedziałam, dokąd jeszcze mogłabym się udać po wsparcie. Trudno mi było prosić o wspomożenie, choć mój dobroczyńca miał opinię wielkodusznego i hojnego człowieka.

– Lady Katarzyna.

– Tak, panie. Jestem ci niezmiernie wdzięczna.

W polu mojego widzenia znalazły się miękkie buty i haftowany złotem skraj sięgającej ud fałdzistej szaty z wzorzystego adamaszku, odpowiedniej na dworskie ceremonie. Podniosłam wzrok zaniepokojona szorstkim tonem jego głosu. Wyraz twarzy księcia również nie był zachęcający. Proste brwi miał ściągnięte na czole, a usta zaciśnięte. Serce znów zatrzepotało mi w piersi. A zatem zamierzał odmówić. Nie było dla mnie miejsca na dworze. Po długiej, daremnej podróży miałam następnego dnia znów wrócić do nędzy w Lincolnshire. Chciał być miły, ale jednak zamierzał mi odmówić.

Dostrzegł niepokój na mojej twarzy i uśmiechnął się.

– Rozchmurz się, lady Katarzyno. Nigdy nie lubiłaś się zamartwiać. Czy sądziłaś, że odpędzę cię od moich drzwi?

Szorstki ton zniknął, gdy przelotnie dotknął mojego ramienia. Trzepot mojego serca zmienił się w głośny łomot.

– Dziękuję ci, panie – wymamrotałam.

– Wiadomość o śmierci twojego męża napełniła mnie niewyobrażalnym smutkiem.

– Dziękuję, panie – powtórzyłam. Nie mogłam powiedzieć nic więcej, nie ryzykując przy tym, że znów zaleją mnie emocje. Mój mąż zaledwie przed dwoma miesiącami zginął na polu bitwy gdzieś w Akwitanii.

– Sir Hugh... Bardzo wysoko go ceniłem. – Książę urwał na chwilę. – Twoje usługi również były nieocenione. Dla ciebie, Katarzyno – zwrócił się do mnie w bardziej familiarny sposób, porzucając tytuł, który zyskałam przez małżeństwo – zawsze znajdzie się tutaj miejsce. Zasłużyłaś na to służbą na dworze księżnej Blanki. Musisz znów do nas wrócić – dodał łagodnie.

Ulga napełniła moje serce jak strumień płynnego miodu. Westchnęłam cicho. Wszystkie obawy, które dręczyły mnie od tygodni, przez które nie mogłam niczego zaplanować i nie widziałam przed sobą żadnej przyszłości, rozwiały się. Nie będę już dłużej zależna od skromnych dochodów z Kettlethorpe i Coleby. Będę miała pieniądze na najważniejsze remonty, a moim dzieciom niczego nie zabraknie.

– Dziękuję, panie – powtórzyłam po raz trzeci, zupełnie jakbym nie potrafiła znaleźć innych słów. Poczułam cień rozbawienia. Zawsze uważano mnie za elokwentną osobę. – Wybacz – dodałam. – Nie potrafię wyrazić, jak wiele to dla mnie znaczy.

– Czy Kettlethorpe jest w bardzo złym stanie? – zapytał, zdradzając, że zna moją sytuację.

– Nawet nie potrafisz sobie tego wyobrazić, panie.

Podniosłam na niego wzrok i napotkałam uważne spojrzenie. Na moje policzki napłynął rumieniec, a ulga zabarwiła się warstewką niepewności. Może książę oczekiwał bardziej wylewnych podziękowań? W końcu nie miałam żadnych praw, by domagać się pomocy. Nie łączyły nas ani więzy krwi, ani zależności feudalnej. Niektórzy mogliby uważać, że książę dość już uczynił dla mnie i mojej rodziny.

A może uznał, że moje ambicje sięgają zbyt wysoko? Damy dworu w królewskich rodach musiały się wyróżniać elegancją i urodą, a także posiadać rozmaite umiejętności praktyczne. Ich wygląd i zachowanie musiały być godne zajmowanej pozycji. Zrobiłam, co mogłam. Wyczyściłam ciemną suknię, aż nie pozostał na niej nawet ślad błota z Lincolnshire. Co do dłoni i twarzy, jedynych części ciała nieosłoniętych przez obfite szaty, gorączkowo próbowałam zatrzeć widoczne na nich ślady trudnego życia w Kettlethorpe za pomocą wszystkiego, co znalazłam w spiżarni. Miałam nadzieję, że książę, znając sytuację, nie osądzi mnie zbyt surowo. Jednak jego oczy, gdy na mnie patrzył, wyglądały jak oczy drapieżnego ptaka. By odwrócić jego uwagę, szybko zaczęłam mówić to, czego jak sądziłam, oczekiwał ode mnie:

– Nie potrafię wyrazić, jak bardzo jestem ci wdzięczna, milordzie. Obawiałam się, że moje dzieci będą musiały żyć w niedostatku. Sądziłam, że nie mam już żadnych praw do twojej hojności, bo choć Hugh był w twojej służbie, to przecież już uczyniłeś nam wielki zaszczyt i zostałeś ojcem chrzestnym mojej córki Blanki. Wiem, że pragniesz, by syn twojego rycerza, Tomasz, poradził sobie w świecie, i przysięgam przed Bogiem, że nic mu nie mogę dać prócz niezmiernie szczupłego dochodu z posiadłości Swynfordów. Tomasz jest jeszcze bardzo mały, Hugh, jego ojciec, nie żyje, a ja nie mam doświadczenia w zarządzaniu majątkiem, no i rzecz jasna pieniędzy...

Zamilkłam. Jeszcze przed chwilą nie potrafiłam nic wykrztusić, a teraz z moich ust wypłynął niedorzeczny potok słów. Przecież książę powiedział, że znajdzie dla mnie miejsce na dworze. Moje problemy były rozwiązane i mogłam się uspokoić, ale serce wciąż tłukło się jak oszalałe, jak schwytana w pułapkę wiewiórka, do której myśliwy podchodzi z drapieżnym błyskiem w oczach. Wydawało mi się, że taki właśnie błysk dostrzegam w królewskich oczach księcia, ale zaraz zbeształam się w myślach. Zapewne był to tylko promień słońca, który wpadł do komnaty przez okno, albo może rozbawienie wywołane banalnością mojej przemowy.

– Wybacz mi, panie – powtórzyłam po raz kolejny.

Jego odpowiedź była prosta:

– Wystarczy już tych przeprosin, moja pani. Słusznie uczyniłaś, przychodząc do mnie. Znajdzie się dla ciebie miejsce wśród dam dworu mojej żony. – Zawahał się i zamilkł na dłuższą chwilę.

Milczenie zdawało się wypełniać całą salę. Tym razem bez żadnych wątpliwości zmarszczył czoło. Znów poczułam przypływ niepokoju. Gardło miałam wyschnięte, jakbym połknęła kłąb wełny.

– Nie – rzekł w końcu szorstkim tonem i znów poczułam zdenerwowanie. – Nie tego chcę. – Wyciągnął do mnie rękę. – Zapomniałem już, jaka jesteś piękna. Twoja twarz ma w sobie wdzięk i przejrzystość, której wcześniej nie zauważałem. Gdybyś zechciała uśmiechnąć się do mnie raz na jakiś czas, twój uśmiech rozświetliłby wszystkie zakamarki tej sali.

Na te słowa zatraciłam umiejętność uśmiechu i nie byłam w stanie składnie odpowiedzieć. Nie rozumiałam, dlaczego książę tak mi pochlebia – o ile to było pochlebstwo... Usłyszałam tylko, że odbiera mi to, co zaproponował chwilę wcześniej. Niepewnie cofnęłam się o krok, choć przeszło mi przelotnie przez myśl, że książę oczekuje, bym włożyła dłoń w jego dłoń i odpowiedziała na najmniej szokującą część jego przemowy.

– Wybacz mi moje natręctwo, milordzie. – Starałam się zachować równy ton głosu. – Wyjadę stąd, dopóki nie uznasz, że mogę ci w jakiś sposób służyć. Może kiedyś, w przyszłości. Jestem pewna, że z wiosną, gdy nastanie bardziej sucha pogoda, warunki w Kettlethorpe nie będą mi się wydawać aż tak przytłaczające. – Zamknęłam usta zła na siebie, że sprowokował mnie do okazania słabości. Nie zamierzałam błagać ani znów się usprawiedliwiać. Powtarzanie prośby, gdy raz już mi odmówiono, nie leżało w mojej naturze. Dygnęłam szybko na pożegnanie. – Wdzięczna ci jestem, że zechciałeś mnie wysłuchać, panie. – Ruszyłam ku drzwiom, zastanawiając się nad dziwnym obrotem sytuacji. Książę nie uchodził za człowieka, który igrałby z uczuciami poddanych.

– Nie odchodź, Katarzyno.

To nie była prośba. Jego ton był bardzo osobisty. Zatrzymałam się.

– Nie odchodź.

Spojrzałam przez ramię, ale nie odwróciłam się. Myślałam tylko o tym, by jak najszybciej wyjść z tej sali i zostawić za sobą upokarzającą odmowę.

– Powiedziałeś przecież, milordzie, że nie chcesz, bym pozostała w twoim domu.

– Nie.

– W takim razie czego chcesz, panie?

Być może to pytanie było niestosowne i zbyt kategoryczne, ale nie potrafiłam już dłużej ukrywać irytacji. Choć ciemne włosy opadały mu na czoło i zwijały się w pukle na karku, choć elegancka sylwetka wyglądała jak uosobienie ziemskiej władzy, choć był najdumniejszym mężczyzną, jakiego znałam, to jednak był tylko mężczyzną i zdarzały mu się chwile dziwnej niekonsekwencji. Jakby chcąc mi udowodnić, że się nie mylę, powiedział coś, co zaprzeczało wszelkim wpojonym mi zasadom:

– Nie chcę cię na bonę moich dzieci. Nie chcę cię na damę dworu mojej żony. Chcę ciebie. Chcę cię mieć dla siebie.

Powiedział to tonem, jakim wydaje się rozkazy na polu bitwy i jakiego używa się w parlamencie podczas płomiennych sporów z kupcami na temat wysokości podatków. Zarówno słowa, jak i ton dotarły do moich uszu, i jasno zrozumiałam ich znaczenie.

– Chcę ciebie, lady Katarzyno.

Wszystkie moje zmysły zastygły. Nie będąc w stanie oderwać oczu od jego oczu, powoli cała obróciłam się w jego stronę.

– Chcę ciebie. – Postąpił krok naprzód i pochwycił moje dłonie, nim zdążyłam schować je za plecami. – Czy rozumiesz, co mówię? Chcę cię całować, i nie mam na myśli konwencjonalnego całowania czubków twoich niewątpliwie ładnych palców. – Co zresztą natychmiast uczynił. – Chcę cię zabrać do łoża.

Moje palce w jego uścisku były zupełnie bez czucia. Rozchyliłam usta, ale nie wypowiedziałam ani słowa. Gdy książę podniósł rękę, jakby chciał dotknąć mojego policzka, cała zastygłam z szoku i oburzenia, ale tylko przesunął palcem po skraju mojego welonu i poprawił jego fałdy.

Odetchnęłam, ale wtedy zapytał:

– Sądzę, że nie jesteś mi przeciwna? – Nie brzmiało to jak pytanie. – Katarzyno! – westchnął z niecierpliwością, którą dobrze pamiętałam. Jego głos i twarz były gładkie jak jedwab, jaki kiedyś nosiłam i jaki miałam nadzieję znów włożyć. – Czy zechcesz do mnie przyjść? Jesteś wdową, nie spoczywa na tobie obowiązek małżeńskiej wierności. Nie masz opiekuna. Czy zechcesz oddać się w moje ręce i uczynisz mi zaszczyt, przyjmując na swojego kochanka?

Patrzyłam na niego z coraz większym niedowierzaniem. Jan Lancaster, rycerz bez skazy, najbardziej honorowy i szarmancki ze wszystkich synów króla Edwarda III, zaledwie przed kilkoma miesiącami poślubiony Konstancji Kastylijskiej, i ja – dwudziestodwuletnia wdowa o dobrej reputacji, wychowana przez jego królewską matkę według wszelkich zasad pobożności i cnotliwości. I on mnie pytał, czy zechcę być jego faworytą!

– Gdy na ciebie patrzę, Katarzyno Swynford, czuję poruszenie w lędźwiach.

Cóż, tego zdania nie sposób było nie zrozumieć. Zrozumiałam je aż nazbyt dobrze. Czyżby książę zamierzał skorzystać z czegoś w rodzaju prawa pierwszej nocy, z lubieżną perfidią traktując za dziewiczy mój wdowi stan, i domagał się mego posłuszeństwa? Mogłam odpowiedzieć tylko w jeden sposób i uczyniłam to, nie zastanawiając się ani chwili.

– Nie – rzekłam najbardziej stanowczym tonem, na jaki potrafiłam się zdobyć.

– Czy to przemyślana odpowiedź?

– Tak. Moja odpowiedź brzmi nie, milordzie.

– Dlaczego?

Uniósł brwi z wyraźnym zdziwieniem, gdy się zarumieniłam.

– Nie – powtórzyłam. – Nie muszę się nad tym zastanawiać. – Jan Lancaster znany był z kapryśnego temperamentu, toteż zebrałam odwagę i dodałam na wypadek, gdyby nie zrozumiał mnie właściwie: – Moja odpowiedź nie podlega dyskusji. Nie, milordzie, nie zrobię tego. Jak możesz mnie o to prosić?

Wyrwałam dłonie z jego uścisku w nadziei, że uda mi się uciec, zanim rozpęta się burza, ale było już za późno. Książę Plantagenet uniósł dumnie głowę, jakby moja odmowa do niego nie dotarła, a gdy zesztywniałam w oczekiwaniu na stek obelg, który jak sądziłam, za chwilę na mnie spadnie, wybuchnął gromkim śmiechem odbijającym się od ścian. To było zupełnie niezrozumiałe. Czyżby ze mnie kpił?

– Nie widzę tu nic zabawnego – zauważyłam chłodno.

Przestał się śmiać i odetchnął głęboko. W jego oczach wciąż błyszczała wesołość.

– Masz ciekawy sposób wyrażania się, lady Katarzyno.

– Dlatego że odmówiłam?

– Tak. Bardzo jasno dałaś mi do zrozumienia, co myślisz o mojej propozycji. – Zanim zdołałam go powstrzymać, znów pochwycił mnie za rękę i gnąc się w dwornym ukłonie, ucałował czubki moich palców. – Jednak będę musiał zadowolić się tylko tym – skomentował, wiodąc kciukiem po moich palcach.

– To wszystko, co mogę ci zaoferować, milordzie – odrzekłam, skrywając dreszcz.

Książę znów się zaśmiał, tym razem krótko. Jego rozbawienie minęło.

– Zdaje się, że moja propozycja padła przedwcześnie. Teraz na mnie kolej prosić o wybaczenie. Wybacz moją niedelikatność... – Urwał z poważnym wyrazem twarzy i mocno zacisnął zęby, zaraz jednak w jego oczach znów pojawił się błysk. – Ale powinienem cię ostrzec, lady Katarzyno, że nie przyjmę odmowy. To byłoby wbrew mojej naturze.

Wyszedł z sali audiencyjnej. Słyszałam jego powoli cichnące kroki w sąsiedniej sali, a potem na schodach na piętro. Zostałam sama, niepewna, czy tylko sobie nie wyobraziłam całego tego irytującego incydentu, ale gdy usłyszałam echo ostatnich słów księcia, które odbiło się od schodów, nie mogłam udawać, że nie wiem, co chciał mi powiedzieć. Było niemożliwe, bym niewłaściwie zrozumiała ten niewytłumaczalny epizod. Ostatnie słowa księcia, które przypłynęły do mnie tak wyraźnie, jakby wciąż stał przede mną, były równie jednoznaczne jak cała reszta.

Osunęłam się na jeden z dwóch stołków stojących przy ścianie, splatając dłonie tak mocno, że na tle ciemnej spódnicy kostki wydawały się zupełnie białe, i wpatrzyłam się w tapiserię, przepiękny obraz utkany z jedwabiu i wełny.

Dlaczego spośród wszystkich tapiserii we wspaniale urządzonym pałacu Savoy musiała to być właśnie ta, frywolny obraz dworskiej miłości? Dama i jej kochanek siedzieli na łące pod kwitnącym drzewem. U ich stóp kicały jedwabne króliki. Kobieta zarzucała ramiona na szyję mężczyzny, który spoczywał w jej objęciach z sokołem na dłoni. Ich włosy zmieszały się ze sobą. W haftowanych oczach mężczyzny malował się podziw, pełne czerwone usta kobiety wyrażały tęsknotę. Wyobrażałam sobie, że nie są sobie poślubieni, ale grzeszny charakter ich związku nie ciąży im na sumieniu. Wyglądali na zupełnie nieporuszonych wymogami pobożności i cnoty.

– Założę się, że gotowa byłabyś dzielić łoże ze swoim kochankiem, nie czekając, aż zostanie pokropione wodą święconą – powiedziałam kąśliwie do rudowłosej lubieżnicy.

Wydawało mi się, że uśmiechnęła się drwiąco, i wyobraziłam sobie jej odpowiedź:

– A czy ty, Katarzyno Swynford, byłabyś gotowa spocząć w ramionach kochanka?

Z pewnością nie byłam na to gotowa. Nie byłam Alice Perrers, niesławną kochanicą króla, która jawnie i bezbożnie dzieliła jego łoże, nie zważając na ludzkie języki. Moje zachowanie nie mogło ściągnąć na mnie ani cienia krytyki, bym mogła z czystym sercem uklęknąć w klęczniku albo przed księdzem. Dlaczego książę ważył się poniżyć siebie i mnie, proponując tak oburzające miejsce na swoim dworze? Nie byłam ladacznicą!

– Chcę cię całować – powiedział.

Wystarczyło mu śmiałości, by stawiać takie żądania, choć od stóp do głów spowita byłam wdowim welonem świadczącym o głębokiej żałobie. A gdyby nawet ciemne szaty nie świadczyły o moim stanie przed całym światem, to podwika zasłaniająca większą część twarzy i długi welon powinny być dla każdego mężczyzny o niecnych intencjach równie oczywiste, jak uderzenie w policzek. Nie byłam dziewką uliczną, gotową przyjąć każde zaoferowane miejsce na dworze, byle tylko zapewnić sobie wygodne życie.

Rozprostowałam palce i wygładziłam ciemną tkaninę na kolanach. Hugh nie żył od bardzo niedawna. Zginął w Akwitanii, w służbie u księcia. Czy książę naprawdę sądził, że splamię pamięć męża, przy pierwszej sposobności wskakując do jego łoża czy też do łoża innego mężczyzny? Nie sądziłam, by jakikolwiek z moich dotychczasowych uczynków mógł wzbudzić w nim przekonanie, że nie dbam o swoją reputację i nie obawiam się kary Bożej za jawne cudzołóstwo.

Cudzołóstwo. Przeszył mnie zimny dreszcz i z coraz większym oburzeniem przywołałam na myśl wszystko, co wiedziałam o księciu. Miał reputację dwornego i szlachetnego galanta. Uwielbiał pierwszą żonę, Blankę, po jej przedwczesnej śmierci przed trzema laty pogrążył się w rozpaczy. Gdyby nadal stała przy jego boku, nigdy nie zboczyłby na manowce. A teraz miał nową żonę, Konstancję Kastylijską. Pojął ją zaledwie przed trzema miesiącami, ale nosiła już jego dziecko. Gdyby udało mu się odzyskać tron Kastylii w imieniu Konstancji, mógłby zostać niezależnym władcą. Książę był człowiekiem wielkich ambicji i jako koronowany władca nie zrobiłby nic, co mogłoby narazić na szwank jego władzę w tym odległym królestwie. Z pewnością nie wziąłby sobie kochanki po zaledwie trzech miesiącach dzielenia łoża z nową żoną.

To wszystko razem zupełnie nie miało sensu. Jan Lancaster nie był bezmyślnym, gładkim i zainteresowanym wyłącznie amorami nicponiem z tapiserii. A jednak musiałam przyznać, że potężny książę, od kołyski rozpieszczany po królewsku, miał wolę silną jak stal.

– Nie przyjmę odmowy – powiedział. – To byłoby wbrew mojej naturze.

Ta myśl była niepokojąca, a w jeszcze większe zdenerwowanie wprawiła mnie następna: Czy to mogła być moja wina? Może nieświadomie dałam księciu do zrozumienia, że jednak zgodzę się na tak nieprzyzwoitą propozycję? Wydawało mi się, że byłam przebiegła i ostrożna. Nie mogłam sobie przypomnieć żadnego lekkomyślnego słowa, żadnego gestu, który mógłby być odebrany jako zaproszenie do flirtu. Z pewnością nie dałam księciu powodów do przypuszczeń, że skłonna byłabym porzucić zasady właściwego zachowania. Niestosowne pragnienia i tęsknoty, nawet jeśli tliły się w zakamarkach mojej duszy, pozostawały pod kontrolą i nie wiedział o nich nikt prócz mego spowiednika.

Wróciłam myślami do trzech lat, które minęły, odkąd opuściłam dwór po śmierci księżnej Blanki. Wszystkie byłyśmy spowite w żałobną czerń i przygniecione żalem. Od tamtej pory widziałam księcia tylko raz, przed dwoma laty, podczas pochówku królowej Filipy w opactwie westminsterskim. Przypiął wtedy żałobną broszę do mojego gorsetu. Nie była to okazja do niestosownych flirtów.

Może zatem niewłaściwie zrozumiałam to, co zaszło w ciągu ostatniej godziny, i niepotrzebnie zaprzątałam sobie głowę? Ale to było niemożliwe. Musiałabym być zupełnie pozbawiona rozumu, żeby niewłaściwie zrozumieć ostatnie słowa księcia:

– Nie podobasz mi się w tych wdowich szatach – rzucił, oddalając się ode mnie. – Nie do twarzy ci w nich. Gdybym był twoim kochankiem, ubrałbym cię całą w jedwab i złotogłów.

Nie, po tak intymnym komentarzu na temat mojego wyglądu i stroju nie mogłam mieć żadnych złudzeń. Jakim prawem tak mówił, skoro obyczaj wymagał, bym nosiła żałobę przez rok? Grzeszna próżność rozpaliła we mnie płomyk gniewu. Z niezadowoleniem rozpostarłam ciężkie, fałdziste spódnice, krzywiąc się na myśl, że w podwice i welonie moja cera wydaje się blada. Wiedziałam, że nie wyglądam najlepiej, i miałam w sobie wystarczająco wiele kobiecej próżności, by tego żałować. Ale jak książę śmiał to komentować? I dlaczego kpił z mojej odmowy? Byłam wściekła i wytrącona z równowagi, bo moja przyszłość wciąż od niego zależała, a on nie odpowiedział jeszcze na moją prośbę. Czyżby zmienił decyzję w obliczu mojej zdecydowanej odmowy?

Ze świstem znienawidzonych wdowich spódnic odwróciłam się plecami do nieprzytomnie zakochanej pary, życząc zadowolonemu z siebie kochankowi, żeby spoczął w ziemi pod tą kwiecistą łąką, i wyszłam, chcąc wrócić do normalności i towarzystwa ludzi, których znałam, do domowników księcia, których darzyłam głębokim uczuciem. Odrobina zdrowego rozsądku i kobiecych plotek powinna poprawić mi nastrój. A co się tyczyło kochanków, te urocze króliki wkrótce zjedzą wszystkie kwiaty, i co wtedy?

Pośpieszyłam do pokoi dziecinnych. Kiedyś przechodziłam przez te drzwi, zupełnie się nad tym nie zastanawiając. Teraz miałam ochotę zapukać, ale powstrzymałam odruch, a kiedy stanęłam w progu, moim oczom ukazał się znajomy widok: pokojówka, niańka, guwernantka, dama dworu, dziewczyna do posług i szwaczka – wszystkie zajęte opieką nad trójką sennych małych Lancasterów. Kiedyś, jako dama dworu księżnej Blanki, byłam jedną z nich i pragnęłam, by znów się tak stało. Pod ich opieką znajdowały się trzy dziewczynki, w dwóch płynęła królewska krew. Wszystkie znacznie urosły, odkąd widziałam je po raz ostatni. Córki księcia, Filipa i Elżbieta, miały jedenaście i osiem lat. Siedziały z poważnymi spojrzeniami utkwionymi w psałterzach, choć trzeba powiedzieć, że Filipa była bardziej skupiona na lekturze niż jej siostra, która bawiła się z kotkiem trzymanym na kolanach. Z kolei czteroletni Henryk – jakże on urósł! – stał obok damy, która wyjaśniała mu obrazki w książce. Była jeszcze trzecia dziewczynka, której wiek znałam bardzo dokładnie...

Przez chwilę stałam w progu, patrząc na tę scenę ze łzami w oczach i sercem przepełnionym miłością. Cały dzień był pełen emocji. Przełknęłam łzy i weszłam o krok dalej.

– Dzień dobry, pani – dygnęłam.

Dama z irytacją podniosła wzrok znad książki. Rozpoznała mnie dopiero po chwili. Powoli zamknęła książkę, usunęła ją z zasięgu rączek Henryka i westchnęła głęboko.

– Na moje życie, to Katarzyna!

Uśmiechnęłam się. Dobrze pamiętałam to wyrażenie lady Alice. Tymczasem Alyne, żona Edwarda Gerberge'a, jednego z giermków księcia, zerwała się z miejsca i podbiegła do mnie. Wszystkie oczy wpatrywały się we mnie z zaciekawieniem i radością. Filipa uśmiechnęła się. Elżbieta prawie mnie nie pamiętała, Henryk z całą pewnością w ogóle. A co do czwartego dziecka...

Nie spuszczając oczu z promiennej twarzyczki dziewczynki, znów dygnęłam przed lady Alice.

– Wybacz, pani, że ci przeszkadzam.

– Nonsens!

Podniosła się i uścisnęła mnie mocno. Alyne zdjęła ze mnie płaszcz i rękawiczki, po czym złożyły mi wyrazy współczucia.

– Przypominam sobie dzień twojego ślubu – z westchnieniem rzekła lady Alice. – Hugh był dobrym człowiekiem i sądzę, że był dla ciebie dobrym mężem. Ale życie żony żołnierza bywa trudne.

Na widok szczerego współczucia na wszystkich twarzach wybuchnęłam szlochem. Płakałam nad losem zmarłego rycerza, który był moim mężem, i nad własnym losem. Nie potrafiłam powstrzymać strumienia łez, które popłynęły dopiero teraz.

– Wybacz mi, lady Alice.

Alice FitzAlan, lady Wake, nalała mi kubek piwa. Alyne otarła mi łzy i posadziła na swoim krześle. Podała piwo i delikatnie, lecz stanowczo odsunęła Henryka, który zamierzał wspiąć się na moje kolana. W końcu udało mi się roześmiać. Pociągnęłam nosem, wciąż nie odrywając oczu od trzeciej dziewczynki, która stanęła przy moim kolanie i pochwyciła mnie za spódnicę. Miała siedem lat, a właściwie już prawie osiem. Wiedziałam to dokładnie, bowiem tą dziewczynką była Blanka, moja najstarsza córka, którą spotkał zaszczyt wychowywania się razem z córkami księcia. Moja urocza Blanka, nazwana imieniem księżnej, której wiernie i z miłością służyłam.

Odstawiłam kubek na bok, porwałam ją w ramiona i ucałowałam.

– Moja córka – powiedziałam, dotykając jej twarzy. – Moja mała Blanka. Już nie taka mała. Pamiętasz mnie jeszcze?

Zawahała się, jakby zastanawiała się nad tym bardzo poważnie, a potem ukryła twarz na mojej szyi. Znów poczułam napływające do oczu łzy.

– Przynosi ci zaszczyt – zauważyła lady Alice, spokojna jak zawsze.

– Któregoś dnia dobrze wyjdzie za mąż – dodała Alyne. – Jest bardzo ładna, tak jak jej matka.

Objęłam twarz Blanki, ucałowałam ją w policzki i wsunęłam kosmyki włosów pod płócienny czepek. Rzeczywiście była podobna do mnie. Jej włosy miały ten sam kolor ciemnego złota lub jesiennego zboża dojrzałego w gorących promieniach słońca, ale rysy twarzy były jeszcze po dziecinnemu miękkie i nieuformowane.

– Czy umiesz już czytać i pisać?

– Tak, pani – odpowiedziała ze spokojną pewnością siebie, po czym szepnęła mi do ucha: – Lepiej niż lady Elżbieta. Ona się nie stara, bo woli kociaki.

Przez chwilę czułam się zaskoczona, że śmierć ojca, zdawało się, zupełnie jej nie poruszyła. Ale z drugiej strony rzadko go widywała w swoim krótkim życiu i zapewne prawie nie pamiętała, a tego dnia, przy tak radosnej okazji, nie chciałam obciążać jej rozmową o jego śmierci.

– Damy nie powinny plotkować o swoich paniach – odszepnęłam.

– Wiem – odrzekła wyraźnym, dźwięcznym głosem. – Ale to prawda. To nie jest żadna tajemnica.

Ukryłam uśmiech.

– Czy to prawda, Elżbieto, że nie przykładasz się do lekcji?

Popatrzyła na mnie bystro.

– Czasami się przykładam. Nauczyłam się tańczyć i śpiewać. – W jej oczach pojawił się łobuzerski błysk. Wsunęła kociaka pod ramię i zademonstrowała kilka po dziecinnemu nieskoordynowanych kroków tanecznych.

Wiedziałam jednak, że któregoś dnia wyrośnie z niej elegancka dama.

– A ty, Filipo?

– Zawsze staram się, jak mogę – zapewniła dziewczynka, a jej twarz rozpromieniła się w uśmiechu, jakby ktoś zapalił za nią świeczkę. Ona również zapowiadała się na piękność. – Bardzo się cieszę, że cię widzę, lady Katarzyno. Brakowało nam ciebie. Gdybyś do nas wróciła, Elżbieta bardziej przykładałaby się do książek.

Roześmiałam się, zupełnie zapominając o łzach i złości. Wróciłam do domu. Dobrze było znowu się śmiać.

– Wrócisz do nas? – zapytała Alyne. – Skoro zostałaś wdową...

– Taką miałam nadzieję – odrzekłam niepewnie.

– Czy rozmawiałaś już z lordem Janem? – dociekała lady Alice.

– Tak. – Poczułam, że policzki mi płoną. Próbowałam ukryć rumieniec, chowając twarz w wysuwających się spod czepka lokach Blanki.

– Kettlethorpe nigdy nie przynosiło wielkich dochodów – zauważyła lady Alice.

– To prawda, a teraz wcale nie jest lepiej – przyznałam z westchnieniem. – Teraz, gdy nie ma już Hugh...

– Lord Jan będzie dla ciebie hojny. – Lady Alice poklepała mnie po dłoni, jakbym była jedną z jej podopiecznych.

Ja jednak nie byłam tego taka pewna. Odrzuciłam przecież jego propozycję. A gdyby moje towarzyszki wiedziały, co to za propozycja, nie witałyby mnie jak dawno utraconej siostry. Lady Alice, guwernantka książęcych dzieci, była kuzynką księcia i damą surowych zasad. Zawsze też przestrzegała dobrych manier. Przypuszczałam, że wyrzuciłaby mnie z pokoju, a może nawet z pałacu.

Nie miałam kogo się poradzić.

ROZDZIAŁ DRUGI

Przy drzwiach powstało zamieszanie. Usłyszałam męskie głosy i książę wkroczył do sali, w której tego poranka – następnego po moim przybyciu do Savoyu – dzieci uczyły się katechizmu pod czujnym okiem lady Alice, a ja siedziałam przy oknie nad szyciem. Jego spojrzenie natychmiast zatrzymało się na mojej twarzy. Poczułam ściskanie w żołądku i serce zabiło mi mocniej pod żałobną czernią, która nie zyskała przychylności w jego oczach. Tchórzliwie nie odrywałam wzroku od robótki, jakby obrębianie skraju kapy na ołtarz mogło mnie ocalić przed upokorzeniem.

Czy zaoferuje mi pozycję, na którą miałam nadzieję? Czy zostanę szanowaną, nobliwą i dobrze opłacaną damą dworu? A może przyszedł tylko po to, by powtórzyć zdumiewającą propozycję z poprzedniego dnia? Nie, nie zrobi tego publicznie, pomyślałam. Nie bądź głupia, Katarzyno.

I rzeczywiście nie miałam powodów do obaw, bo zaraz jego wzrok powędrował dalej. Moje zmartwienia nie były dla niego najważniejsze, miał do załatwienia bardziej istotne sprawy. Jego obejście było nietypowo szorstkie, a między brwiami rysowała się zmarszczka, choć zdobył się na uśmiech w stronę dzieci, ucałował policzki Filipy i Elżbiety i przesunął dłonią po potarganych włosach Henryka. Był to jednak blady uśmiech. Podniosłam się, odkładając robótkę na bok, i wraz z lady Alice i Alyne dygnęłam, jak należało.

– Wyjeżdżam. – Jego uwaga skupiona była na lady Alice. – Jak zwykle zostawiam dzieci pod twoją opieką.

Był w stroju podróżnym z wełny i skóry. Miękki aksamit pokrywał brygantynę, rodzaj pancerza, kurtkę z naszytymi metalowymi płytkami. W takim stroju nie mógł ujechać daleko.

– Czy dostałeś jakieś złe wieści, Janie? – zapytała lady Alice.

– Mogłyby być lepsze. – Skrzywił się. – Stan zdrowia mojego brata Edwarda nie poprawia się, a król... – Wzruszył ramionami.

Wszyscy znaliśmy powody jego troski. Książę, spadkobierca tronu i wojownik o znakomitej reputacji, wrócił do domu z kampanii akwitańskiej ciężko chory, a jego syn Ryszard był zaledwie w wieku Henryka. Lionel, drugi syn króla, przed trzema laty zginął w Antwerpii. Po śmierci królowej Filipy siły coraz bardziej opuszczały króla Edwarda. Nagle bezpieczeństwo dziedziczenia korony zaczęło się kruszyć. Król i jego bezpośredni spadkobierca niedomagali, a przyszły król był jeszcze małym dzieckiem. Nie wróżyło to dobrze Anglii i stawiało księcia w delikatnej sytuacji. Niektórzy twierdzili, że miał ambicje sięgające tronu. Nikt rozsądny nie mógł zakładać, że król i jego sukcesor pożyją długo. Gdyby miało dojść do najgorszego, to lepiej, żeby koronę założył trzydziestodwuletni mężczyzna w pełni sił niż dziecko, które nie miało nawet tylu lat, co palców u jednej ręki.

Patrząc na autorytet bijący z całej postaci księcia, od czubka schludnie uczesanej głowy do butów z najlepszej skóry, zastanawiałam się, jak daleko sięgają jego ambicje. Nie potrafiłam tego odgadnąć.

– Sytuacja w Akwitanii i Gaskonii waży się na czubku noża – ciągnął, jakby odczytał moje myśli. – Nasze oddziały bez mocnego przywództwa nie posuwają się naprzód. Wybieram się do Kennington, by porozmawiać z następcą tronu. Jeśli zapadnie decyzja, że mam poprowadzić wyprawę, nie wrócę już do domu. Zwycięstwo nad Francją jest nam bardzo potrzebne. Możliwe, że trzeba będzie zwołać parlament, by sfinansował tak długą kampanię. Nie będzie to popularne, choć wszyscy życzyliby sobie zwycięstwa.

Szedł już w stronę drzwi, jakby ciężar tych decyzji napędzał go do działania.

– Przyślę wiadomość, gdy będę już wiedział, jakie mam plany.

Postawił mój świat na głowie, a teraz zamierzał wyjechać, nie podejmując żadnej dotyczącej mnie decyzji. Nie byłam pewna, co zrobić. Musiałam się dowiedzieć, na czym stoję, a z drugiej strony nie powinnam mu zawracać głowy swoimi nieistotnymi potrzebami, gdy na jego barkach spoczywał los całej Anglii.

Poszłam za nim do drzwi.

– Milordzie?

Obrócił głowę z ręką na klamce.

– Lady Katarzyno. – Śpieszyło mu się do wyjścia, ale popatrzył na mnie z błyskiem w oczach. – Widzę, że wciąż wyglądasz jak zimowy kruk.

– Jestem wdową i będę tak wyglądać, dopóki nie upłynie rok żałoby – odrzekłam cierpko.

– Jak sobie życzysz, pani.

Myśli wyraźnie miał zajęte czym innym. Pod wdowim welonem poczułam irytację. Jeśli nawet poprzedniego dnia ogarnął go przypływ niestosownego pożądania, nie trwało to długo. Ta myśl nie była dla mnie pochlebna.

– Lady Katarzyno? – Jego czoło wygładziło się. – Mój czas jest cenny.

Zadałam mu więc tylko jedno pytanie – to, które dręczyło mnie najbardziej i na które musiałam usłyszeć odpowiedź. Nie zapytałam, dlaczego naraził na szwank mój honor ani czy zechce obdarzyć mnie jakąś godną pozycją na dworze swej żony, czy choćby jakimkolwiek zajęciem w którejś ze swoich licznych posiadłości. Zadałam pytanie, które najbardziej pobudziło moje kobiece zainteresowanie.

– Mój panie, dlaczego śmiałeś się ze mnie wczoraj? Czy chciałeś po prostu ze mnie zadrwić?

Może chciał wytrącić mnie z równowagi tylko po to, by przekonać się, co powie szacowna wdowa, jeśli dostanie szansę, by się stać niegodną szacunku ladacznicą? Nie mogłam uwierzyć, że zachował się tak niehonorowo, ale musiał mieć ku temu jakiś powód, którego w tej chwili nie dostrzegałam.

– Czy rozbawiło cię moje zdenerwowanie? – powtórzyłam.

Zastanawiał się nad tym dość długo, a gdy już jego spojrzenie zbiło mnie z tropu na tyle, że policzki pokryły się rumieńcem, powtórzył:

– Czy mnie rozbawiłaś? – Potrząsnął głową, a jego usta przybrały ironiczny wyraz. – Zupełnie nie byłem rozbawiony. – Tym razem w jego głosie nie pobrzmiewał śmiech, raczej tuszowane zniecierpliwienie.

– Śmiałeś się ze mnie, panie.

– W takim razie muszę cię prosić o wybaczenie, lady Katarzyno. – Nie brzmiało to jak przeprosiny. – Jeśli się śmiałem, to dlatego, że wydawało mi się niemożliwe, by coś takiego mogło mnie spotkać po raz drugi w życiu.

– Co takiego? – zapytałam, starając się zachować równowagę pod jego przenikliwym spojrzeniem.

Opuścił rękę i zwrócił się twarzą do mnie. Przynajmniej wystarczyło mu przyzwoitości, żeby ściszyć głos.

– To, że kobieta, u stóp której gotów byłem uklęknąć z rycerską adoracją, z miejsca mnie odrzuciła.

– Mój panie...!

Nie miałam pojęcia, co powiedzieć. Los obdarzył mnie przekleństwem jasnej skóry, która oczywiście zapłonęła jeszcze wyraźniejszym rumieńcem. Na szczęście z niezręcznej sytuacji wybawił mnie William Parr, który otworzył drzwi, stanął za ramieniem księcia i oznajmił:

– Twoja eskorta gotowa, panie.

– Jedną chwileczkę.

Ale Will Parr, przyzwyczajony do zachowania księcia, nie ustępował.

– Wybacz, panie, ale właśnie otrzymaliśmy wiadomość, że król również wybiera się do Kennington i prosi, byś mu towarzyszył.

– Oczywiście. Już idę.

Wyciągnął do mnie rękę. Klejnoty, którymi obszyty był brzeg jego rękawicy, zalśniły. Nie miałam innego wyjścia, oparłam dłoń na kosztownej skórze. Z lekkim ukłonem dotknął ustami moich palców.

– Byłoby z mojej strony niewybaczalne, gdybym z ciebie kpił, madame. Sprawiłabyś mi wielką przyjemność, gdybym znów mógł zobaczyć uśmiech w twoich oczach.

W następnej chwili odwrócił się do mnie plecami. Nie podjął żadnej decyzji dotyczącej mojej przyszłości, a ja go o to nie zapytałam. Ale jak mogłabym, skoro miał inne, państwowe sprawy na głowie? Pomysł, że książę będzie mnie adorował aż do śmierci, brzmiał niezmiernie romantycznie, ale musiałam zaczekać, aż znajdzie na to wolną chwilę.

Zabrałyśmy dzieci na schody prowadzące z wielkiej sali na wewnętrzny dziedziniec, żeby popatrzyły na wyjazd orszaku. Ponieważ książę miał wyruszyć traktem lądowym do Westminsteru, a dopiero stamtąd popłynąć Tamizą na południe do pałacu następcy tronu w Kennington, podniesiono wielką kratę w bramie. Na dziedzińcu kłębiły się konie i służba w błękitno-białych liberiach Lancasterów. Podniosłam małego Henryka w ramionach, żeby zobaczył, jak książę wsiada na siodło ulubionego gniadego ogiera. Eskorta uformowała się w szyk.

Niewątpliwie nawet ci, którzy nie byli przychylni księciu, musieliby uznać, że wyglądał wspaniale. Emanował władzą, która przypadła mu z urodzenia, po prostu dźwigał ją z równą elegancją i swobodą, co kosztowny łańcuch na piersi. A także niósł tę władzę ze swoistą arogancją, którą widać było za każdym razem, gdy podnosił rękę, by przywołać któregoś ze swych towarzyszy. Wielu uważało, że jest zbyt wyniosły i arogancki. Książę miał tyle samo wrogów, co przyjaciół.

– Czy księżna Blanka odrzuciła oświadczyny lorda Jana? – zapytałam lady Alice, uznając, że powinnam poszukać informacji u najlepszego źródła. Lady Alice była kuzynką zarówno księcia, jak i Blanki Lancaster. Wydawało mi się, że to pytanie brzmi dość niewinnie.

– Podobno tak.

Przeniosła na mnie wzrok, ale w jej spojrzeniu nie dostrzegłam podejrzliwości.

– Nie słyszałam o tym – dodałam. – Pewnie byłam jeszcze zbyt młoda.

Królowa Filipa wysłała mnie do domu księżnej Blanki tuż po jej ślubie z księciem. Miałam wtedy zaledwie dziesięć lat. Jeśli nawet krążyły na ten temat jakieś plotki, nie rozumiałam ich.

John Tyas, herold w liberii Lancasterów, zadął w róg. Książę skinął głową i orszak ruszył. Na dziedzińcu zapanował spokój.

A więc Blanka najpierw odrzuciła księcia, dumałam, on jednak nie pogodził się z odmową kobiety, którą kochał. Nie ustawał w konkurach i w końcu ją zdobył. Dlaczego jednak postawił mnie w jednym szeregu z księżną Blanką? Z pewnością nie kochał mnie równie mocno. Być może wzbudziłam w nim pożądanie, ale czy przypływy niekontrolowanej żądzy nie zdarzają się wszystkim mężczyznom?

– Dlaczego jakakolwiek kobieta miałaby odrzucić oświadczyny księcia Jana? – Lady Alice po dłuższej chwili jak gdyby nigdy nic podjęła rozmowę. Często tak czyniła, taki miała zwyczaj. –

Moim zdaniem jest wcieleniem tego wszystkiego, czego można pragnąć od męża. Ma wyjątkową urodę, wdzięk, dobre maniery, ogromny majątek... a także wysokie urodzenie, najwyższe, wszak płynie w nim królewska krew. Ma też to wszystko, co za tym idzie. – Leciutko skrzywiła usta. – Konstancja Kastylijska przyjęła go bez wahania.

– Zatem dlaczego?

– Przecież mówię. A także dlatego, och, w pierwszym rzędzie dlatego, że Konstancja chce, aby książę odzyskał dla niej Kastylię i...

– Nie mówię o Konstancji. Dlaczego lady Blanka odmówiła?

– Któż to może wiedzieć? – Lady Alice przytrzymała za rękę Elżbietę, która miała ochotę wymknąć się spod pieczy. – Podobno książę zakochał się w niej, kiedy jeszcze byli dziećmi, i pozostał wierny aż do dnia jej śmierci.

Wiedziałam o tym. Pamiętałam tę śmierć. Pogrążony w rozpaczy książę stał przy łóżku konającej małżonki, a potem, kiedy wystawiono zwłoki w opactwie St. Albans i nic nie mógł już dla niej zrobić, wpatrywał się niewidzącym wzrokiem w drewniany posąg księżnej w ceremonialnym stroju. Malowana twarz wyglądała zupełnie jak żywa.

– Tamtego dnia wszyscy byliśmy przygnieceni rozpaczą – szepnęłam. Uwielbiałam księżną Blankę, jak wszyscy, którzy ją znali.

– Może Blanka nie uwierzyła mu, gdy po raz pierwszy wyznał jej miłość – ciągnęła lady Alice. – Może sądziła, że z jego strony to tylko sentyment z dzieciństwa, a ona chciała czegoś więcej. Zmusiła go do czekania i do prawdziwych zalotów. A potem, gdy już była pewna jego uczucia, zgodziła się, bo szczerze, bezgranicznie go kochała.

– Jaki to ma sens, kazać mężczyźnie czekać? – zdziwiła się Alyne.

– Dlaczego nie? Jeśli jego miłość jest prawdziwa... – odrzekła lady Alice.

– Nie mam w tej sprawie żadnych doświadczeń. – Alyne westchnęła żałośnie.

– Ja też nie. – Moje małżeństwo było zaaranżowane, podobnie jak małżeństwo Alyne. Nie miałam żadnego wyboru. Nie mogłam odrzucić narzuconego mi kawalera; Hugh Swynford miał zostać moim mężem i nim został. Nie mogłam też wodzić go na sznurówce od gorsetu, jak Blanka wodziła księcia. Jakie to musi być wspaniałe uczucie, gdy się jest tak pewnym miłości bliskiego sercu mężczyzny, że nawet unikanie go nie może zniszczyć tego uczucia. Kochałam księżną Blankę, ale czułam też zawiść.

Lady Alice westchnęła.

– Byli idealną parą. Jakież to tragiczne, że zmarła tak młodo. – Ze smutkiem zmarszczyła czoło. – Przekonamy się, z jakiej gliny ulepiona jest Konstancja Kastylijska. Czy sądzicie, że zdobędzie jego uczucie?

– Może już je zdobyła – zasugerowałam. – Nosi jego dziecko.

– To się jeszcze okaże...

Rozejrzałam się, licząc niańki, które trzymały się z tyłu, gotowe na każde wezwanie lady Alice albo Alyne. Pod ręką lady Alice dzieci były zadbane i dobrze kształcone. Nowa księżna miała przywieźć z Kastylii swoje damy. Dlaczego w ogóle przyszło mi do głowy, że znajdzie się tu miejsce dla mnie? Tak jak się rzeczy miały, lepiej by było dla mnie, gdyby to miejsce się nie znalazło. Podjęłam decyzję: wrócę do Kettlethorpe. To było najrozsądniejsze wyjście i najlepszy sposób, by się uchronić od pokusy. Książę skupi się na nowym związku z cudzoziemską żoną i zapomni o mnie. Czy już tego nie zrobił? A ja zajmę się budową pomnika poświęconego pamięci mego zmarłego męża. Hugh... Na miarę swoich możliwości będę zarządzać posiadłościami, by były coś warte, gdy odziedziczy je mój syn.

Skinęłam głową. Decyzja została podjęta. To był dobry i bardzo stosowny rezultat mojej wizyty. Żałowałam tylko, że nie jestem w stanie wykrzesać z siebie większego entuzjazmu. Próbowałam odpędzić łzy, ale czaiły się uparcie pod powiekami jak jesienne liście, które trzymają się drzewa mimo zimowego wiatru.

„...kobieta, u której stóp gotów byłbym uklęknąć...".

Może książę mówił o swoich uczuciach z czasów, gdy zalecał się do uroczej Blanki i pragnął ją pojąć za żonę. Kochał Blankę. Mnie nie kochał. To uczucie nie miało nic wspólnego ze mną. Gdybym przystała na jego propozycję, stałabym się zwykłą dworską ladacznicą.

Skorzystałam z pierwszej okazji, by wyruszyć na północ. Szczerze mówiąc, była to ucieczka. Wraz z pokojówką, chłopcem do posług i jeszcze jednym służącym z Kettlethorpe, który służył nam za ochronę, dołączyłam do grupy pielgrzymów zmierzających do grobu świętego Jana z Beverley. Nie nastał jeszcze sezon pielgrzymek. Zimowe dni były krótkie, a pogoda zmienna, ale powietrze było czyste i rześkie, zmarznięta ziemia twarda i drogi lepsze niż na wiosnę.

Ruch sprawiał mi przyjemność. Lady Alice nie mogła zrozumieć mojej determinacji i prosiła, bym została. Ale po co miałabym to robić? Uznałam, że będzie najlepiej, gdy opuszczę Savoy, zanim książę powróci i przywiezie tu swoją nową panią.

Podróżowaliśmy w powolnym, stałym tempie, nocując w gospodach rozsianych wzdłuż wytyczonego niemal w prostej linii traktu Ermine Street, starej rzymskiej drogi. W Newark skręciliśmy na wschód, w Fosse Way. Tutaj krajobraz wyglądał już znajomo. Widziałam przed sobą płaskie, otwarte przestrzenie. Gdy przekroczyliśmy rzekę Trent, która między zamarzniętymi brzegami wyglądała niewinnie, ale była przyczyną wielu moich problemów w Kettlethorpe, wiedziałam, że już jestem prawie w domu. Dostrzegłam przysadzistą bryłę katedry w Lincoln. Dwie wspaniałe wieże majaczyły na horyzoncie niczym maszty statku na zamglonym morzu.

Moja podróż zbliżała się do końca. Powinnam się zatrzymać w Coleby, ale na widok zniszczeń, które poczyniła zima, popadłam w przygnębienie i postanowiłam jechać dalej. Kettlethorpe nie mogło być w lepszym stanie, a jednak nie mogłam się już doczekać, kiedy wreszcie dotrę do domu.

Ostatniego ranka, zanim z Lincoln skręciliśmy na północ, wdałam się w rozmowę z pewną pielgrzymującą kobietą, której koń znalazł się obok mojego. Zwróciłam na nią uwagę już wcześniej, choć zwykle wolała rozmawiać z mężczyznami. Była głośna i pełna życia. Potrafiła śmiać się i śpiewać przez cały dzień. Jej dobry humor był zaraźliwy. Była szeroka w biodrach i w ramionach, o grubych rysach twarzy, w barwnym odzieniu, które świadczyło o optymistycznej naturze, podobnie jak chroniący ją przed słońcem i deszczem kapelusz, okrągły i wielki jak półmisek. Zazdrościłam jej pewności siebie i dobrego humoru.

To była pani Saxby, pogodna flirciara i niepoprawna plotkarka.

Odznaki pielgrzymie, pamiątki licznych podróży, które miała przypięte do płaszcza, zadzwoniły, gdy zrównała konia z moim. Uśmiechnęłam się ze znużeniem. Zwykle była jowialna i hałaśliwa i trudno ją było zniechęcić do rozmowy, ale tym razem zadziwiła mnie, mówiąc cichym głosem i wyraźnie pragnąc uszanować mój nastrój. Pochyliła głowę i spojrzała na mnie przenikliwymi, szarymi jak kwarc oczami. Poczułam dziwne zdenerwowanie.

– Wydajesz się smutna, pani.

Zdziwiło mnie, że to zauważyła.

– Nie bardziej niż zwykle – odrzekłam. Nie miałam ochoty dzielić się swoimi troskami z tą przyziemną kobietą.

– Wydaje mi się, że odkąd opuściliśmy Londyn, przez cały czas jesteś w kiepskim nastroju – zauważyła zupełnie niezbita z tropu. – Cóż jest tego przyczyną?

Skoro już przyparła mnie do muru, wyjaśniłam:

– Zostawiłam w Londynie córkę. Trudno mi było się z nią rozstać. Ma siedem lat.

Rzeczywiście ciążyło mi to na sercu, ale uśmiechałam się na wspomnienie jej pożegnalnych pocałunków.

– To jeszcze za małe dziecko, żeby je zostawiać. Zwłaszcza że to dziewczynka.

Wyczułam w jej głosie nutę krytyki, więc odpowiedziałam szybko:

– Przebywa na dworze Lancastera jako towarzyszka jego dwóch córek. Też tam mieszkałam do śmierci księżnej Blanki.

Pani Saxby pokiwała głową.

– W takim razie twojej córce niczego nie brakuje. Powinnaś być wdzięczna, pani.

Poczułam się jak niewdzięcznica, która nie potrafi docenić otrzymanych błogosławieństw.

– Jesteś wdową? – Wskazała na moje czarne szaty.

– Tak, od prawie trzech miesięcy. Mój mąż walczył z księciem w Akwitanii.

– Ach, a więc był żołnierzem.

– Nie wiem, czy zginął w bitwie, czy powalony chorobą. – Moja towarzyszka nie musiała wiedzieć, że był rycerzem i właścicielem ziemskim.

– Zaraza to okropna rzecz – mruknęła ze smutkiem. – Mój mąż też zachorował w ubiegłym roku i zmarł po tygodniu. A popatrz tylko, pani, na następcę tronu, niech Bóg ma go w swojej opiece. Nie pobędzie już długo na tym świecie. Możesz, pani, zapamiętać moje słowa. Zmówimy za niego różaniec w Lincoln. – Jej oczy, przypominające oczy wiewiórki, nie schodziły z mojej twarzy. – Jesteś za młoda na wdowę, pani. Mówiłaś, że ile masz lat?

Nie mówiłam, ale zauważyłam, że ma dużą wprawę w zdobywaniu informacji.

– Dwadzieścia dwa – odpowiedziałam z uśmiechem. Jej metoda była skuteczna.

– Znajdziesz jeszcze męża. A może masz już ulubieńca? Chyba że wyszłaś za mąż z miłości i wciąż nosisz w sercu żałobę. – Zarumieniłam się na sugestię, że moje uczucia mogłyby być tak nietrwałe. Pani Saxby zaśmiała się cicho. – Widzę, że kogoś masz.

– Nie. Nie mam czasu na takie rzeczy i nie będę miała. – Mój głos był równie ostry jak jej spojrzenie. – Mam w domu dwoje dzieci, które potrzebują mojej opieki. I muszę dbać o posiadłości męża...

Pani Saxby odrzuciła głowę do tyłu. Schludne fałdy welonu przypiętego do kapelusza zafalowały na boki.

– Dzieci dorosną i opuszczą cię, a ziemia jest kiepskim pocieszycielem. Potrzebujesz mężczyzny w łóżku.

Wzięłam głęboki oddech.

– To ostatnia rzecz, jakiej potrzebuję.

Ona jednak jakby tego nie usłyszała.

– Młodość przeminie, zanim się obejrzysz. Jak potem przyciągniesz męża bez ładnej twarzy? Zostaniesz samotną starą kobietą.

– Mówisz, pani, z doświadczenia? – odparowałam, ale nie poczuła urazy.

– Nie. Miałam trzech mężów i więcej niż jednego, powiedzmy, adoratora. Teraz jestem wdową, ale mam kogoś na oku. – Wydęła usta. – Czy ktoś się o ciebie ubiega?

Czy ktoś się o mnie ubiegał?

„Chciałbym znów widzieć światło w twoich oczach...".

– Tak – odrzekłam, zanim zdążyłam się ugryźć w język. Pokusa niedyskrecji była zbyt wielka.

– Czy to godny mężczyzna?

– Za dobry dla mnie.

– Nonsens. Żaden mężczyzna nie jest za dobry dla dobrej kobiety. – Obrzuciła mnie wzrokiem i uśmiechnęła się szerzej. – Czy dobrze zgaduję, że nie proponuje ci małżeństwa?

– Tak – odpowiedziałam wbrew sobie.

– Jest żonaty?

– Tak.
– A czy mieszkają razem?
– Spędzili razem Boże Narodzenie w Dorset, w Kingston Lacy.
– Tyle wiedziałam. – Ona jest teraz w drodze do Londynu, do niego. Nosi ich pierwsze dziecko.
Wydatne usta pani Saxby zacisnęły się w cienką kreskę.
– To nie brzmi zbyt dobrze. Ja na twoim miejscu uważałabym na niego. Nie można dochować wierności dwóm kobietom. Z tego mogą być tylko same kłopoty. Ale najważniejsze pytanie brzmi tak oto: czy on ci się podoba?
Potrząsnęłam głową i odwróciłam twarz.
– Jeśli nie chcesz o tym mówić, to nie musisz.
Poczułam się głupio.
– Skąd mam wiedzieć, czy mogę mu zaufać? – zapytałam tej jakże doświadczonej kobiety.
– Czy dał ci jakiś prezent? – Potrząsnęłam głową. – Jeśli to zrobi, to będzie znaczyło, że chce cię pozbawić dobrej opinii.
Zastanowiłam się nad tym. Nie oferował mi żadnego prezentu.
– A zatem nie powinnam przyjmować podarków?
W oczach pani Saxby pojawił się błysk.
– Tego nie powiedziałam. Radziłabym ci przyjąć, cokolwiek ci ofiaruje. – Jej oczy rozjarzyły się, jakby w swoim czasie przyjęła wiele prezentów. – Jeśli zechce wydać na ciebie pieniądze i jeśli podarek okaże się zgodny z twoim gustem, może to być oznaka prawdziwego szacunku. A zanim zaczniesz dowodzić, że to zbyt małostkowe, wiedz, co powiedział wielki Capellanus. Czytałaś Capellanusa? Cóż, on mówi, że kobieta, która jest kochana, może przyjąć od ukochanego zwierciadło, szarfę albo parę rękawiczek.
– A zatem jeśli da mi zwierciadło, to znaczy, że prawdziwie mnie kocha? – spytałam rozweselona.
– W rzeczy samej. – Dostrzegłam jednak w jej uśmiechu przebiegły błysk. – Chyba że chce cię tylko zwabić do łoża. Jedynie ty będziesz w stanie to osądzić. W każdym związku, pani, mu-

sisz zważyć dobre przeciw złemu. Ale moim zdaniem powinnaś go przyjąć, jeśli masz na to ochotę. Ja miałam kochanka i bardzo sobie chwalę to doświadczenie.

Zastanowiłam się nad tym. Patrząc na jej rozłożystą sylwetkę okrytą płaszczem z dobrej tkaniny i na dobrze ułożonego siwka, na którym jechała, musiałam uznać, że nie żyje w biedzie.

– A grzech? – zapytałam wprost, zadziwiając sama siebie. – Co z grzechem? Popełnię cudzołóstwo, jeśli pójdę z tym mężczyzną do łoża.

– Grzech – powtórzyła lekceważąco i machnęła ręką, jakby odpędzała komara. – Czy Bóg mógłby nas ukarać za to, że chwytamy odrobinę szczęścia w świecie, który tak skąpo owo szczęście wydziela kobietom? Sądzę, że nie. Wiodę dobre życie. Daję jałmużnę głodującym, spowiadam się z win i dostaję rozgrzeszenie. Czy Bóg mógłby mieć mi za złe pocałunek albo ciepły uścisk męskich ramion w zimną noc? Za stara już jestem, żeby szukać małżeństwa, ale ty będziesz wzbudzać podziw i pożądanie. Jesteś przystojna, pani, i niewątpliwie płodna.

Szorstki głos pani Saxby wzniósł się w śpiewie, który przypominał kłótnie sójek skaczących przy żywopłotach.

Miłość przemawia łagodnie, miłość jest miękka i słodka,
Miłość to wielkie cierpienie i bolesna troska.
Miłość to uniesienie, darzy odwagą bez granic,
Miłość to wielkie nieszczęście, co wszystko inne ma za nic.

Pochyliła się i znacząco szturchnęła mnie łokciem.

– Ale życie bez miłości jest jeszcze gorsze – dodała, spoglądając na mnie z ukosa.

Przykro mi było rozstawać się z nią w Lincoln.

– Muszę zmówić modlitwę w intencji wyleczenia bolących kolan. – Mrugnęła do mnie łobuzersko. – A także innych części ciała. Nie będę mogła chodzić na pielgrzymki wiecznie. – Odznaki na jej płaszczu błysnęły w chłodnym świetle. – Korzystaj z młodości, dziewczyno. Jeśli tego nie zrobisz, to potem będziesz żałować.

– Jej szerokie, zadziwiająco ruchliwe palce odpięły jedną z odznak przedstawiającą Matkę Boską z Chrystusem na rękach siedzącą pod baldachimem. – Weź tę. To jedna z lepszych, jakie mam. Cynowa, nie ołowiana. Nie mogę sobie pozwolić na srebrne. Z kaplicy Matki Boskiej w Walsingham. Będzie czuwać nad twoim bezpieczeństwem. – Poklepała mnie po dłoni i jej twarz spoważniała. – Jeśli przyjmiesz tego mężczyznę, to dobrze ci radzę, wystrzegaj się żony. Skradzione pocałunki łatwo mogą zawrócić w głowie, ale żona potrafi bardzo uprzykrzyć życie. Wierz mi na słowo.

– Nie mam zamiaru wchodzić w drogę jego żonie.

Na twarzy pani Saxby znów pojawił się cyniczny uśmieszek.

– Jak chcesz, pani. Jak chcesz. Zależy, jak gorące będą jego pocałunki. Albo jak głęboka sakiewka!

Wzruszyła szerokimi ramionami i odjechała. Przez całą drogę do Kettlethorpe zastanawiałam się nad jej radami, a potem wyrzuciłam je z myśli, bo to, co pani Saxby robiła ze swoim życiem, nie było odpowiednie dla pani na Kettlethorpe. Poza tym nie miałam żadnego wyboru. Książę odsunął mnie na bok w sposób typowy dla Plantagenetów, jak szczeniaka charta plączącego się u nóg. Coś, czego w jednej chwili pożądał, już w następnej mogło go znudzić.

ROZDZIAŁ TRZECI

Ubóstwo Kettlethorpe wpędziło mnie w przygnębienie, czarne i gęste jak pudding, który wciąż przyrządzała moja kucharka. Mój syn był właścicielem trzech tysięcy akrów w całości składających się z piasku, kamieni i gęstego lasu. Dobrej ziemi nie było wcale. Nieco siana, lnu i konopi – to były wszystkie plony, jakie te ziemie dawały, a łąki były regularnie zalewane. Ruina – to pierwsze słowo, jakie przyszło mi na myśl, gdy w zasięgu wzroku znalazły się nędzne chaty. Wioska wyglądała na podupadłą, brudną i zapuszczoną, tak samo jak mój dwór.

Nic dziwnego, że Hugh wybrał życie zaciężnego żołnierza. Mając wybór, czy wyjechać na wojnę, czy uprawiać tę ziemię, nie można było mieć żadnych wątpliwości, co jest lepsze, nawet jeśli oznaczało to rozłąkę ze mną przez większą część trwania naszego małżeństwa. Nie po raz pierwszy zaczęłam się zastanawiać, jak mi się udało począć troje dzieci. Ale udało się, i te dzieci były osłodą mojego życia.

Przez chwilę w sali panowała cisza. Słychać było tylko kapanie wody do drewnianego wiadra, a gdzieś w dali irytujące szczekanie psa. Potem rozległo się szuranie stóp i władczy głos. W moje wyciągnięte ramiona wpadła Małgorzata, która dochodziła już szóstego roku, i czteroletni Tomasz, pełen niekontrolowanej, hałaśliwej energii. Ucałowałam Małgorzatę, równie opanowaną jak Blanka, i uścisnęłam Tomasza tak mocno, że zaczął się wyrywać z objęć. To był dziedzic mego zmarłego męża, jego duma, radość i nadzieja na przyszłość. Hugh często to powtarzał.

No i była jeszcze Agnes Bonsergeant, niegdyś moja niańka, która przybyła razem ze mną do Kettlethorpe, zajmowała się moimi dziećmi i zawsze mówiła wprost, co myśli. Położyła dłonie na moich ramionach i ucałowała w policzki.

– Sądziłam, że nie zobaczymy cię jeszcze przez jakiś czas. Nie otrzymałaś pozycji na dworze nowej księżnej?

– Nie. – Skupiłam się na zdejmowaniu rękawiczek, żeby ukryć wyraz twarzy.

– Dlaczego?

Westchnęłam cicho z nadzieją, że niańka tego nie zauważy.

– Książę był zajęty. Następca tronu jest chory, a króla opuszczają siły.

– To nic nowego. Ale myślałam, że przydadzą mu się twoje usługi, skoro jego żona nosi dziecko. Nikt tak dobrze nie doradzi jak matka, która ma własne zdrowe dzieci. Na jego miejscu zatrudniłabym cię od razu.

– Też miałam taką nadzieję, ale księżna Konstancja trzyma przy sobie niańkę, która opiekowała się nią w dzieciństwie, do tego podróżuje z siostrą. Nie potrzebuje nikogo.

Nie miałam ochoty odpowiadać na żadne więcej pytania.

– Mimo wszystko... wydajesz się blada, Katarzyno.

– Po prostu jestem zmęczona. – Poszłam za Małgorzatą, która ciągnęła mnie za rękę do sypialnianej izby.

– A Blanka? Jak się miewa moja mała Blanka? – pytała Agnes, wprawnym ruchem zgarniając ze sobą Tomasza.

– Dobrze. Wszyscy miewają się dobrze. Lady Alice przesyła ci pozdrowienia i życzy dobrego męża. – Opadłam na miejsce przy kominku. – Dobrze być znowu w domu.

Agnes zbyła chrząknięciem wzmiankę o małżeństwie i oznajmiła:

– Mamy pewne problemy.

Uniosłam brwi.

– Najpierw chciałabym się napić wina, a potem możesz mi powiedzieć, o co chodzi.

Gdy piłam wino, Agnes opowiedziała o przeciekającym dachu, o zarazie, która trapiła kurczaki, o kiepskim drewnie, którego i tak brakowało, przeznaczonym na opał. Brakowało nam też piwa. Ostatnia dostawa była skwaśniała. Proszono, żebym na swój koszt naprawiła drogę w stronę Coleby. Lista była długa.

– Nic dobrego – mruknęłam.

– Bo to miejsce nie jest dobre dla twojego zdrowia ani dla zdrowia dzieci. Powinnaś się przeprowadzić do Lincoln, wynająć tam dom na zimę.

– Nie mam na to pieniędzy. Skoro nie stać mnie na naprawę dachu ani na sprowadzenie ciała męża do domu, to nie mam prawa wydawać tych resztek, które jeszcze mi zostały, na to, co nie jest konieczne. – Patrzyłam na Tomasza. W prezencie noworocznym dostał drewniany miecz, którym wymachiwał z zapałem. Czy również zechce zostać żołnierzem jak Hugh? – Jak miałabym sobie wybaczyć, gdybym nie mogła dać mu nic oprócz zrujnowanej posiadłości, a sama siedziała w luksusach w Lincoln?

– Trudno to nazwać luksusami.

– Musimy sobie jakoś radzić. Myślę, że najważniejszy jest dach.

– Problem by się rozwiązał, gdybyś została damą dworu u księcia.

– Ale okazało się, że dla wdowy po rycerzu Hugh Swynfordzie nie ma takiej propozycji na książęcym dworze – skomentowałam opryskliwie i na widok wyrazu twarzy Agnes, która skrzywiła się, jakbym była źle wychowanym dzieckiem, natychmiast pożałowałam niestosownego zachowania. – Wybacz mi, Agnes, ale jestem bardziej zmęczona, niż sądziłam. Pani Saxby powiedziała, że powinnam wziąć sobie mężczyznę do łóżka – dodałam pod wpływem impulsu.

– Coś takiego... A kim jest ta cała pani Saxby?

– Była na pielgrzymce. Bardzo praktyczna osoba.

– Niektórzy raczej by powiedzieli, że mężczyzna podwoiłby twoje problemy.

W końcu udało mi się roześmiać. Niewątpliwie Agnes miała rację. Nigdy nie wyszła za mąż i choć jeszcze nie była stara, to nic takiego nie planowała. Nie miała też dobrego zdania o Hugh.

– Nie wróciłam do domu z pustymi rękami – oznajmiłam, zanim Agnes zdążyła zapytać, czy mam na myśli kogoś konkretnego. Wyjęłam z juków słodycze dla Małgorzaty i Tomasza i zawinięty w skórę kupon cienkiej wełny w praktycznym ciemnoniebieskim kolorze, przeznaczony dla Agnes. – To od lady Alice. Uważa, że żyjemy tu w nędzy. Pewnie przyjrzała się moim strojom i doszła do wniosku, że nie są zbyt wykwintne.

– I miała rację. A czy tobie również coś podarowała?

– Nie.

Trzymałam odznakę pielgrzymią w sakiewce, choć przyszło mi do głowy, żeby przypiąć ją do gorsetu Małgorzaty. Zachowałam ją jednak dla siebie jako wspomnienie bardzo szczerej rozmowy, jaką z dala od innych uszu mogą odbyć między sobą tylko kobiety.

– A jak się miewa lord Jan? – zapytała Agnes, gdy już usiadłyśmy przy mało apetycznej kolacji złożonej z zupy i fasoli gotowanej z kaczymi skrzydełkami. – Oprócz tego, że pewnie jest jak zwykle zajęty.

– Dlaczego pytasz? – To pytanie natychmiast wzbudziło moją czujność.

– Bo ze wszystkich domowników tylko o nim nic dotychczas nie wspomniałaś.

Poczułam wzburzenie, ale zmusiłam się do uśmiechu i próbowałam rozluźnić napięte mięśnie, zastanawiając się, co powinnam odpowiedzieć. Agnes przyglądała mi się podejrzliwie. Objęłam ją i uścisnęłam. Była mi bardzo droga.

– Rzuca się w oczy – odrzekłam. Te słowa nie oddawały księciu sprawiedliwości, ale w zupełności zadowoliły Agnes. – Jak zwykle.

I jak zwykle nie sposób go zrozumieć, mogłam dodać, ale nie zrobiłam tego, bo nie chciałam jeszcze bardziej rozniecać ciekawości Agnes. Niepokojące słowa księcia wciąż rozbrzmiewały mi w umyśle jak dźwięk kościelnego dzwonu.

– Goście, pani. A sądząc po ich wyglądzie, przybyli z daleka.

– Ale chyba nie książę Lancaster? – zapytałam sarkastycznie.

– Nie, pani. – Pan Ingoldsby spojrzał na mnie zdumiony. – Nie sądzę. A czy oczekujemy wizyty Jego Lordowskiej Mości?

Uścisnęłam jego ramię przepełniona skruchą, że zakpiłam ze starego sługi. Wiek zaczynał mu już doskwierać. Włosy miał siwe, a twarz pooraną głębokimi zmarszczkami.

– Nie, nie oczekujemy księcia. Wątpię, by pofatygował się do moich drzwi.

Jego pożądanie dawno już zgasło, co zapewne nam obojgu sprawiło ulgę.

Byłam w piwnicach, użalając się nad zapleśniałymi szynkami – tu również strop przeciekał – i przeglądając beczki z podłym piwem, gdy pan Ingoldsby stanął za moim ramieniem. Z chęcią oderwałam się od szynek i piwa i wyszłam na dziedziniec, chowając pod kaptur luźne pasmo włosów i zastanawiając się, czy zobaczę swoją siostrę Filipę. Przypuszczałam jednak, że nie. Życie na wsi jej nie odpowiadało, z urodzenia i wychowania była mieszczką.

I nie była to Filipa. Powitały mnie tętent kopyt i skrzypienie ciężkiego wozu na drodze. Wyszłam przed bramę i zobaczyłam, że wóz przyjechał z eskortą. Mężczyźni nie mieli na sobie zbroi ani liberii, która pomogłaby określić, kim są, ale siedzieli na dobrych koniach i byli imponująco uzbrojeni. Jako pani na Kettlethorpe musiałam zaoferować im gościnę. Zastanawiałam się, czy moja kucharka potrafi wykarmić kolacją złożoną z solonego dorsza (takie było menu na dziś) dodatkowe pół tuzina osób. Wykluczone. Trzeba będzie poszerzyć menu o chleb, jajka i potrawkę z baraniny, której przygotowanie wymaga jednak czasu.

Podeszłam do jeźdźca, który zeskoczył już z konia i skłonił się, ściągając kaptur. Twarz miał surową i trzymał się prosto. Pomimo słusznego już wieku czuło się, że nadal służy w wojsku.

– Lady Katarzyna Swynford...

– Sir?

Mężczyzna skłonił głowę.

– Polecono mi dostarczyć ci to, pani. – Wskazał na wóz. – Nazywam się Nicholas Graves i jestem żołnierzem.

Jego uprzejmość złagodziła trochę mój niepokój.

– Co to takiego? – zapytałam zaintrygowana i podeszłam do wozu, nie mając pojęcia, czego się spodziewać. Gdy Graves odsunął ciężką płócienną plandekę, poczułam mrowienie. – Och, mój Boże... – wyszeptałam, niby jeszcze nie wiedząc, ale w głębi duszy już się domyślając.

Dopiero po chwili w pełni dotarło do mnie, co widzę. Na wozie leżał wielki tobół zawinięty w płótno. W środku najpewniej znajdowały się fragmenty zbroi i kolczugi. Kolejny zwój zawierał rycerską broń. Obok stał zniszczony kufer podróżny i druga, mniejsza skrzyneczka, zamykana na klucz. Wszystko razem nakryte było srebrną chorągwią, która wyglądała jak morze srebra przecięte czarnym szewronem z wyszytymi złotem głowami trzech szczerzących kły dzików. Jęzory i zęby lśniły na zszarganej tkaninie.

To był dobytek i ekwipunek rycerza podczas wojennej kampanii. Moją uwagę przykuła skrzynka zamknięta na klucz. Ktoś wyrzeźbił na pokrywie szewron i trzy dzicze łby. Rzeźba była prymitywna, ale czytelna. Skrzyneczka była nieduża, a gdy w końcu dotarło do mnie, co zawiera, kolana ugięły się pode mną i musiałam przytrzymać się boku wozu. Stojąca obok Agnes otoczyła mnie ramieniem, a z drugiej strony przytrzymał mnie pan Ingoldsby.

– Dostałem rozkaz, by przywieźć rzeczy sir Hugh do domu, pani – powiedział Nicholas Graves.

– Hugh... – szepnęłam.

– Tak, pani. – Popatrzył na mnie takim wzrokiem, jakby się spodziewał, że osunę się na ziemię u jego stóp.

Ale nie docenił mojej twardości.

– Jak... jak umarł? – zapytałam.

Woźnica zeskoczył na ziemię i zaczął wyładowywać rycerski ekwipunek. Mój głos brzmiał słabo, jakby dochodził z bardzo daleka. Drżałam na całym ciele, ale nie z powodu nasilającego się zimnego wiatru.

– Na dyzenterię, pani – odrzekł lakonicznie Graves. – We wrześniu był tak słaby, że nie mógł wrócić do domu. Wydawało nam się, że nabiera sił, ale nie przetrzymał listopada.

– Tak, wiem, że zmarł w listopadzie. Powiedziano mi to. – Zmarszczyłam brwi, patrząc z nienawiścią na wściekle wyszczerzone głowy dzików. – Ale ja nie zamawiałam tego transportu. Nie mogę za to zapłacić – powiedziałam z paniką, widząc już oczami duszy, jak zabierają ode mnie te smutne szczątki, bo nie stać mnie, żeby zapłacić woźnicy i eskorcie. Skąd miałam wziąć na to pieniądze?

Poczułam, że dłonie Agnes mocniej zaciskają się na moich ramionach.

– Nie musisz się o to troszczyć, pani – odparł Graves. – Wszystko już zapłacone.

– Kto pokrył koszta? Kto kazał to wszystko przywieźć?

– Mój pan.

Potrząsnęłam głową, nie odrywając oczu od zniszczonej rękawicy, która wysunęła się spod płótna i leżała na wozie z podkurczonymi palcami skierowanymi do góry.

– To rozkaz księcia. Jestem u niego w służbie, pani. U księcia Lancastera – powtórzył, jakby mówił do półgłówka. – I polecono mi przekazać ci to. – Wepchnął mi w dłoń dwie skórzane torby, jedną dużą, drugą małą, i dwa złożone listy.

Zamrugałam i odetchnęłam. A więc to była robota księcia.

– Ciało sir Hugh było zbyt... – Nicholas Graves wyraźnie ugryzł się w język. – W tych okolicznościach... no cóż, postanowiono przywieźć do Anglii tylko jego serce.

– Tak.

– Pani? – Ochmistrz patrzył na mnie, czekając na rozkazy.

Musiałam się zastanowić nad tym podarkiem od księcia Lancastera, ale nie teraz. Jeszcze nie.

– Panie Graves, gdyby któryś z twoich ludzi mógł zabrać to... serce do kościoła. – Wskazałam wieżę kościółka Świętych Piotra i Pawła widoczną za kępą drzew i zwróciłam się do pana Ingoldsby'ego: – Proszę dać tym ludziom piwa, jeśli mamy jeszcze jakieś, które nadaje się do picia, a potem ich nakarmić.

Myśl, że serce mojego męża przywieziono do domu, napełniła moje serce ciepłem i rozgrzała ciało. Od razu zaczęłam myśleć praktycznie. To zupełnie wystarczyło, Hugh niczego więcej by nie pragnął. Później zamierzałam otworzyć torby przywiezione przez Nicholasa Gravesa i przeczytać listy, a także dopilnować, by zbroje i cały mężowski dobytek zostały oczyszczone, naprawione i złożone na przechowanie. Któregoś dnia to wszystko będzie należało do Tomasza.

Musiałam się również zastanowić nad konsekwencjami hojności księcia, bowiem nie była to błaha sprawa. Taki gest mocno mnie zobowiązywał.

Z jakiegoś niezrozumiałego powodu zobaczyłam przed sobą panią Saxby o szerokich biodrach i w jeszcze szerszym kapeluszu. Dama może przyjąć od adoratora zwierciadło, szarfę albo nawet parę rękawiczek, bowiem są symbolem szczerego uczucia. A jeśli niecierpliwy kochanek przysyła prezent w postaci serca męża? Książę przysłał mi wszystko, co pozostało z mojego zmarłego męża, wraz z pieniędzmi na godny nagrobek. Zapewne dobrze się zastanowił, czego pragnęłabym najbardziej. Co powiedziałaby pani Saxby o takim podarku?

Nie miałam pojęcia. Przez chwilę pożałowałam, że nie stoi obok mnie w tym brzęczącym pielgrzymim stroju i nie może mi doradzić. Musiałam podjąć jakąś decyzję i wziąć ją na swoje sumienie.

Nie potrzebowałam zaglądać do większej z dwóch skórzanych sakiewek. Jej ciężar świadczył o tym, że zawierała pieniądze, sumę wystarczającą, by pochować męża z honorami. Odłożyłam ją na bok. To, że mogłam zapłacić za nagrobną rzeźbę wyrytą ręką dobrego rzemieślnika, wiele dla mnie znaczyło, ale przede wszystkim interesowały mnie potrzeby żywych. Przystanęłam w holu i obejrzałam ten list, który wydawał mi się bardziej niewinny z dwóch otrzymanych. Podeszłam do kaganka i zmarszczyłam nos, gdy poczułam smród rozgrzanego tłuszczu. Trzeba przyciąć knot. Nędzny kaganek zupełnie nie przypominał pięknych woskowych świec, których używano w pałacu Savoy.

List spełniał moje nadzieje.

Do lady Katarzyny Swynford.

Jego Książęca Mość wyraził życzenie, byś stawiła się, Pani, na służbę w Savoyu. Księżna Lancaster, Konstancja, królowa Kastylii, oczekiwana jest w Londynie w drugim tygodniu lutego. Ze względu na to, że należałaś do domu księżnej Blanki, a także w uznaniu zasług sir Hugh Swynforda, który brał udział w wyprawie do Akwitanii jako wasal księcia Lancastera, proponujemy Ci odpowiednie Twemu urodzeniu i umiejętnościom zajęcie na dworze księżnej Konstancji wraz z hojnym wynagrodzeniem.

Oczekujemy Cię niezwłocznie.

List, napisany dość pompatycznym tonem, sprawiał wrażenie żądania, a nie prośby, ale niczego innego nie mogłam się spodziewać po sir Thomasie Hungerfordzie, ochmistrzu Lancasterów, który zarządzał wszystkimi posiadłościami księcia na południu. Serce zaczęło bić mi szybciej i z uśmiechem spojrzałam na mniej oficjalny dopisek na dole arkusza. Lady Alice dołączyła zaproszenie we własnym imieniu.

Przyjedź, Katarzyno. Znasz dobrze wszystkie niebezpieczeństwa porodu i masz doświadczenie w wychowywaniu własnych dzieci, toteż będziesz nieocenioną pomocą dla nowej księżnej, która chyba nie najlepiej znosi swój stan. Podróżuje z Dorset niezmiernie powoli. Zobaczymy, kim jest, gdy wreszcie przybędzie.

Oczekujemy również powrotu na dwór Twojej siostry Filipy, bowiem jej mąż został wysłany za granicę.

Spodziewamy się, że przywieziesz ze sobą dzieci. Naszym domem ma się stać Hertford.

Czekam na Ciebie i Twoją siostrę i mam nadzieję, że wspomożecie mnie w obliczu zalewu Kastylijczyków. Czy mówisz może po kastylijsku?

Czuję się tak, jakby wracały dawne czasy. Czekam na Twoje przybycie...

Alice podpisała tę notkę imieniem.

Złożyłam list i z twarzą zarumienioną z zadowolenia wsunęłam go za gorset sukni. Odzyskałam dawną pozycję na dworze. Byłam tam oczekiwana i miałam otrzymać hojne wynagrodzenie jako wielce znaczące uzupełnienie do skromnej intraty z Kettlethorpe i Coleby. Może nawet uda się wreszcie zrobić porządek z permanentnie wylewającą Fossdyke i sąsiedzi przestaną krzywo na mnie patrzeć. Zobaczę Blankę. Wszystkie moje dzieci znów będą razem. Zamieszkam z Alyne i lady Alice.

Wzięłam Tomasza na ręce, chcąc odejść do swojej sypialni, ale zaraz zwolniłam kroku, gdy mój entuzjazm zderzył się z rzeczywistością. Sytuacja była niebezpieczna. Stanowczo odmówiłam żądaniom księcia, ale jeśli wrócę do Savoyu, do domu księżnej Konstancji, będzie to jasny sygnał, że znów oddaję się w jego ręce. Czyż nie postawię się wówczas w sytuacji, która będzie moralnie ubliżać mnie samej, a także księciu?

Bardzo pragnęłam wrócić do dawnej pozycji na dworze, ale teraz wszystko się zmieniło. Moje naiwne zadowolenie przybladło. Zatrzymałam się w połowie schodów, wściekła na nieobecnego księcia, który od dnia, gdy się urodził, nie słuchał nikogo. Nie byłam odpowiedzialna za jego arogancką propozycję. Byłam niewinna, nie uległam mu. Powiedziałam: „nie". Książę nie mógł mieć żadnych złudzeń. Mógł żądać ode mnie lojalności i płacić za służbę u jego żony, ale na tym koniec.

Miałam wszelkie prawa, by wrócić z godnością do Savoyu na własnych warunkach.

Ale był jeszcze drugi list i miękka sakiewka, tak mała, że mieściła się we wnętrzu mojej dłoni. Na pergaminie widniała pieczęć księcia przedstawiająca angielskiego lamparta i francuskie lilie.

Otwórz ten list, nakazałam sobie. Niepotrzebnie przeceniasz jego znaczenie. Twoje zobowiązania wobec księcia nie mogą stać się większe, niż były dotychczas. Przeczytaj go!

Wsunęłam jednak obydwa listy za gorset. Miałam wrażenie, że pergamin wypala dziurę w mojej piersi. Ciężar sakiewki przygniatał mi duszę. Trudno było oprzeć się pokusie, by ją otworzyć, ale wiedziałam bez żadnych wątpliwości, że jeśli to zrobię i jeśli przeczytam wiadomość, która musiała być osobistą wiadomością od księcia, tym samym otworzę niebezpieczną furtkę. Lepiej byłoby wrzucić jedno i drugie do ognia w sypialni.

Ale nie zrobiłam tego. Oddałam Tomasza pod opiekę Agnes, owinęłam się płaszczem, włożyłam koturny i poszłam do kościoła, brnąc przez kałuże i zastanawiając się, czy zupełnie postradałam zmysły. Przeszłam wzdłuż nawy i przystanęłam obok miejsca ostatecznego spoczynku doczesnych szczątków Hugh Swynforda.

Zapaliłam świece, przyklękłam przy skrzyneczce w miejscu, gdzie wkrótce miała stanąć rzeźba nagrobna, i po raz pierwszy pomodliłam się o spokój duszy zmarłego męża. Miałby teraz trzydzieści dwa lata, tyle samo co książę.

Obejrzałam się przez ramię, sprawdzając, czy jestem sama, i zaczęłam wyjaśniać:

– Wyjeżdżam do Hertford. Mam zostać damą dworu księżnej Konstancji. To nowa żona księcia, królowa Kastylii. Nie zdążyłeś chyba usłyszeć o sojuszu z Kastylią? A może zdążyłeś, zanim... cóż. – Zaczerpnęłam oddechu. Przeszło mi przez myśl, że rozmowa ze zmarłym to coś głupiego, wręcz niestosownego, ale czułam taką potrzebę. – Wiem, że tego właśnie pragnąłbyś dla mnie. Przecież zawsze służyliśmy rodzinie królewskiej. Zabiorę dzieci ze sobą, ale nie zaniedbam swoich obowiązków w posiadłości Swynfordów. Wiesz, że nazywają mnie już panią na Kettlethorpe? Jestem z tego dumna i mam nadzieję, że ty też. – Urwałam na chwilę, zbierając myśli. – Przysięgam, że zachowam spadek po tobie dla twojego syna. Tomasz rozwija się dobrze. Pod okiem lady Alice otrzyma najlepsze wykształcenie. Zapewne zostanie paziem i nauczy się wszystkiego, co trzeba umieć, żeby być dobrym rycerzem. Bardzo jestem za to wdzięczna.

List przy mojej piersi zdawał się wibrować, przywołując moją uwagę.

– Jestem wdzięczna księciu za jego wielkoduszność. Wspomina cię z wielkim sentymentem.

Przycisnęłam palce do gorsetu tak mocno, że pergamin zaszeleścił. Paczuszka była twarda i nierówna, poszczególne jej składniki ocierały się o siebie.

– Dobrze, że wszystkie dzieci znów będą razem – dodałam. – Tęskniłam za Blanką.

Wyjęłam list.

– Pan Ingoldsby zajmie się wszystkim podczas mojej nieobecności. Łąki znów są zalane.

Złamałam pieczęć, otworzyłam list i wygładziłam zagięcia.

– Nie mam pieniędzy, żeby oczyścić Fossdyke. Jeszcze ich nie mam, ale może będę mogła to zrobić, gdy książę mi zapłaci. Zrobię, co w mojej mocy.

Słowa zamarły mi na ustach. Przysiadłam na piętach i zaczęłam czytać. List był uderzająco oficjalny i krótki. Krew dudniła mi w uszach. Przebiegłam wzrokiem krótki pierwszy akapit z wrażeniem, że książę stoi obok mnie poirytowany, jak często z nim bywa. Ten nastrój wpływał na dobór słów, które brzmiały krótko i gwałtownie:

Do Madame Katarzyny Swynford

Miałem nadzieję, że pozostaniesz w Savoyu, dopóki nie wrócę z Kennington, Ty jednak wolałaś wrócić do Lincolnshire. Może to była moja wina, bowiem okoliczności nie pozwoliły mi jasno określić Twojej sytuacji. Pragnę teraz to naprawić ręką sir Thomasa.

Czy to nie były dobre wiadomości? Ostre, suche słowa z odrobiną krytyki spowodowanej tym, że mój przedwczesny wyjazd zmusił go do napisania listu. Serce biło mi już spokojniej.

Pod pierwszym akapitem znajdowała się pusta przestrzeń, a potem:

Co do pozostałych spraw między nami, nie żałuję, że powiedziałem o nich głośno. Ta sprawa nie jest zamknięta. Żywię nadzieję, że przemyślisz jeszcze swoją odmowę. Ostrzegam, że zdobycie Ciebie będzie celem mojego życia. Twoje troski przemówiły do mojego poczucia honoru i rycerskości i zmusiły do przyjścia z pomocą, ale Twoja niezrównana uroda, która nie ucierpiała z powodu rozpaczy i ciężarów, jakie niesiesz, przemawia do moich zmysłów. Choć Cię tu nie ma, przez cały czas stoi przede mną Twój obraz, jakbym nosił przy sercu Twój portret. Sam tego nie rozumiem, ale wciąż jesteś przy mnie obecna i opromieniasz mnie swoim blaskiem. Potrzebuję znów Cię zobaczyć.

Posyłam Ci ten drobiazg jako symbol mojej troski o Twoje dobro cielesne i duchowe.

Jestem i na zawsze pozostanę, pomimo Twoich niepokojów, na Twoje usługi.

Moje przyszłe szczęście, na dobre i na złe, leży w Twoich rękach.

Znów kilka pustych linijek i potem jeszcze to:

Jest moim życzeniem, byś zostawiła wdowi welon w Lincolnshire. Chcę, żebyś w moim domu przyodziewała się stosownie do swojej pozycji. A pominąwszy już moje własne życzenia, dlaczego szczęśliwa panna młoda miałaby pragnąć towarzyszki ubranej jak wrona?

List nie był podpisany. Nie musiał być; te śmiałe słowa bez wątpienia pochodziły od księcia. Wydawał rozkazy, nie zważając na to, że mogę odmówić ich wykonania. Po przeczytaniu ostatniego zdania skrzywiłam się i jęknęłam cicho, gdy moje serce znów zadudniło o żebra. Podniosłam wzrok w poczuciu winy, jakby Hugh mógł to usłyszeć i zapytać, co mnie trapi.

W kościele jednak panowała zwykła cisza.

Cóż zatem przysłał mi natarczywy książę?

Odłożyłam list, rozluźniłam rzemyk przy sakiewce i zanim zdążyłam go pochwycić, wysunął się z niej różaniec, sznur prostych paciorków naciągniętych na jedwabną nitkę. Upadł na podłogę. Podniosłam go i zauważyłam, że nie był wcale taki prosty. Paciorki dziesiątek zrobione były z koralu w łagodnym różowym kolorze, uwodzicielsko gładkie jak dłoń dziecka, a rozdzielające je koraliki na Pater Noster były większe, z rzeźbionego gagatu ze złoceniami w kształcie kwiatów.

To nie był drobiazg. Powoli wypuściłam powietrze i podniosłam podarunek wyżej, tak że zalśnił w blasku świec. Popatrzyłam jeszcze raz na list i na piękny różaniec, który znów wysunął mi się z ręki i zatrzymał na fałdach spódnicy. I znów zobaczyłam obok siebie panią Saxby i jej znużony uśmiech.

– Czy dał ci jakiś prezent? Jeśli to zrobi, to będzie znaczyło, że chce cię pozbawić dobrej opinii.

– A zatem nie powinnam przyjmować żadnych podarków?

– Radziłabym ci przyjąć, cokolwiek ci ofiaruje. Jeśli zechce wydać na ciebie pieniądze i jeśli podarek okaże się zgodny z twoim gustem, może to być oznaka prawdziwego szacunku.

– Dał mi różaniec. Wiedział, że taki dar będzie bliski mojemu sercu.

No i na koniec, dręcząc mnie, dodała:

– Chyba że chce cię tylko zwabić do łoża.

Ale to był różaniec z pięknie rzeźbionym srebrnym krzyżykiem. Czyżby książę Jan kpił sobie z mojej silnej wiary, dla której niedopuszczalna była pozycja kochanicy nawet najwyżej postawionego kochanka? Czy te podarunki – sznur paciorków, sakiewka ze złotem i serce męża nieboszczyka – miały tylko nakłonić mnie do uległości? A może chodziło mu po prostu o to, by dać mi to, czego potrzebowałam i co mogłoby mi sprawić przyjemność?

Jak miałam znaleźć odpowiedź na te wszystkie pytania? Na krótką chwilę ukryłam twarz w dłoniach, zaraz jednak uklękłam wyprostowana.

– Drogi Hugh, chcę, żebyś wiedział, że cię szanowałam, byłam ci wierna myślą i uczynkiem przez wszystkie lata naszego małżeństwa, ale... wybacz mi. – Schowałam list i różaniec w płaszczu i oparłam dłoń na rzeźbionym wieku skrzynki. – Nigdy nie byłam ci niewierna. Byłam dobrą żoną. Ale teraz...

A ponieważ nie mogłam dłużej pozostawać w tym świętym miejscu z takim zamętem w myślach, podniosłam się, skłoniłam przed ołtarzem i wybiegłam.

„Czy Bóg mógłby nas ukarać za to, że chwytamy odrobinę szczęścia w świecie, który tak skąpo owo szczęście wydziela kobietom?"

Odsunęłam na bok wątpliwe mądrości pani Saxby, ale wstyd i pożądanie nie chciały mnie opuścić. Wróciłam do dworu, powiedziałam coś, sama nie wiem co, do Agnes i pana Ingoldsby'ego, po czym schroniłam się za zamkniętymi drzwiami swojej izby.

I tam po raz pierwszy od niemal ośmiu lat pozwoliłam, by myśli o Janie Lancasterze popłynęły bez zahamowań i zawładnęły mną. To był wzór mężczyzny. Tym właśnie dla mnie był.

Stałam przy wezgłowiu łóżka w cieniu grubych adamaszkowych kotar, które kiedyś były błyszczące i niebieskie, a teraz zniszczone i jednolicie poszarzałe. Stałam i patrzyłam, jakbym była widzem. Ściany sypialni rozmywały się w oczach, a w ich miejsce pojawiło się surowe bogactwo kaplicy w Savoyu, w której brałam ślub.

Jakże potężna potrafi być pamięć! W zakurzonej ciszy sypialni, przerywanej tylko szelestami i ćwierkaniem zięb w klatce – małych, kolorowych ptaszków, które kupiłam, żeby zabawić Małgorzatę – widziałam przed sobą tłum znajomych postaci i twarzy z przeszłości, które zgromadziły się, by świętować stary, święty rytuał. Świece z najlepszego wosku przyprawionego kadzidłem płonęły jasno, ołtarz kapał od złota, ale była to cicha, intymna scena, bez niestosownej ostentacji. Miałam czternaście lat i właśnie urodziłam córkę. Stałam tam z dzieckiem w ramionach.

Było to tak, jakbym weszła w sam środek ceremonii. Odmówiono już modlitwy i złożono obietnice. Ksiądz wypowiedział odpowiednie słowa, wziął ode mnie dziecko i zanurzył w chrzcielnicy. Płócienna kapa opadła na posadzkę. Szok spowodowany zimną wodą sprawił, że dziecko gwałtownie wciągnęło powietrze i zaniosło się płaczem, uderzając rączkami w wodę. Ciemne oczy miało szeroko otwarte i pełne lęku, a ja, świeżo upieczona matka, patrzyłam na to z przerażeniem.

Książę, który był ojcem chrzestnym mojego dziecka – czyż nie było to oznaką mojej wysokiej pozycji na dworze? – wyjął dziecko z chrzcielnicy i zadziwiająco zręcznie owinął śliskie ciałko w haftowaną perłami szatkę chrzcielną, podaną mu przez samą księżną Blankę, po której moja córka dostała imię. Trzymał dziecko pewnie i bezpiecznie. Nie potrafiłam sobie wyobrazić, by Hugh mógł to uczynić tymi swoimi rycerskimi dłońmi poznaczonymi bliznami i otarciami, choć byli z księciem w tym samym wieku.

– Cicho – mruknęła księżna Blanka, dotykając policzka swojej imienniczki i podkładając dłoń pod jej główkę.

Książę Jan uśmiechnął się melancholijnie.

– Nie musisz się awanturować, panno Blanko Swynford. Dostałaś imię w obliczu Boga i jesteś bardzo kochana. Popatrz na tych wszystkich, którzy tu przyszli, bo się o ciebie troszczą. Dlaczego płaczesz?

Te słowa trafiły mi prosto do serca. Brzmiała w nich niewiarygodna czułość. Płacz dziecka natychmiast ucichł i przeszedł w ciche kwilenie. Mała zaszlochała jeszcze raz i dostała czkawki. Wszyscy wybuchnęli śmiechem i podniosła atmosfera w jednej chwili zmieniła się w familiarną. Blanka jak zaczarowana wpatrywała się w pochyloną nad nią twarz.

Jak zaczarowana? Moja córka padła ofiarą uroku księcia, podobnie jak ja.

Jest w jego rękach, myślałam wówczas, próbując przełknąć gulę w gardle. Były to szerokie dłonie z długimi palcami, zręczne i mocne. Nadawały się i do trzymania dziecka, i do władania mieczem. Pięknie ukształtowane, przykuwały moją uwagę.

– Weźmiesz ją, Hugh? To twoja pierworodna.

– Boję się, że ją upuszczę – przyznał mój mąż. – Bezpieczniejsza będzie w rękach Katarzyny.

– Masz ładną córkę i wróżę ci gromadkę silnych synów. – Książę podał mi dziecko. Jego palce otarły się o moje. Gula w gardle stała się jeszcze wyraźniejsza, a oddech zadrżał mi na ustach. Nie czułam się tak nawet wtedy, gdy Hugh dotykał moich znacznie bardziej intymnych miejsc. Z drżeniem serca przycisnęłam córeczkę do piersi tak mocno, że znów zaczęła kwilić.

– Delikatnie – poradziła księżna Blanka, jakby problem wynikał z mojego niedoświadczenia. Rozluźniłam uchwyt i odwróciłam twarz, gdy ksiądz błogosławił całe zgromadzenie.

Co wtedy zaszło? – zastanawiałam się, gdy córka usnęła przy mojej piersi. Patrzyłam na łagodnie uśmiechniętego księdza, na Hugh – w każdym calu dumnego ojca i męża, pełnego nadziei, że następnym razem urodzi się syn, na księżną Blankę, która sama była już matką dwóch pięknych córek i choć straciła syna, to pod wyszywaną klejnotami szarfą nosiła kolejne dziecko księcia.

A książę? Znałam go od zawsze. Co się zmieniło tego dnia? Widziałam go wcześniej w królewskim splendorze, w szatach ze złota ozdobionych klejnotami i lwami Plantagenetów, w błyszczącej zbroi, gdy słońce oświetlało wysoką postać, jakby zsyłało na niego błogosławieństwo z nieba. Widziałam, jak wchodził do sali w Kenilworth, w Hertford, w Tutbury, zgrzany i spocony po walkach podczas turnieju, zakurzony i brudny, ale z ożywioną twarzą. Słyszałam jego burzliwe kłótnie z braćmi, uwodzicielski śmiech i czułości wymieniane z księżną Blanką. Widziałam, jak tracił cierpliwość na niezdarnego sługę i złościł się jak młody chłopak, bo ktoś przeciwstawiał się jego woli; gdy okazywał skruchę, przywoływany do porządku przez królową Filipę.

To była zwykła scena rodzinna i nie powinna tak mocno poruszać mojego serca. Książę i księżna zechcieli obdarzyć nieoczekiwanym zaszczytem dwoje swoich domowników. Jego strój był prosty, rękawy miał mokre od wody w chrzcielnicy, również na piersiach widniała ciemna mokra plama. Nie miał na sobie klejnotów, broni ani zbroi, żadnego motywu heraldycznego, który by podkreślał jego władzę, niczego, co uzasadniałoby dreszcze przebiegające po mojej skórze. A potem podniosłam wzrok z jego dłoni na twarz. Patrzył z głębokim współczuciem i łagodnym zrozumieniem na żonę, która niedawno straciła syna. On również tęsknił za synem, który zostałby spadkobiercą Lancasterów. Jego miłość do żony była zadziwiająca, pełna oddania i całkowicie odwzajemniona. To żarliwe uczucie oślepiało jak słońce i żałowałam, że to nie ja jestem jego przedmiotem.

Zanim ktokolwiek zdążył dostrzec kierunek mojego spojrzenia, opuściłam wzrok na dziecko i przywołałam się do porządku, jakbym przesiewała zioła i przyprawy przez sito w spiżarni. To tylko zauroczenie, powtarzałam sobie. Uczucie, które w młodej dziewczynie wywołuje jej pan, przystojny i olśniewający niczym bohater pieśni trubadurów. Głupia tęsknota, która zblednie i zginie, zanim jeszcze moja mała Blanka stanie na nogi i pójdzie o własnych siłach.

Ale tak nie było. Ta tęsknota nie chciała mnie opuścić.

Dlaczego lord Jan Lancaster? – zastanawiałam się. Dlaczego właśnie on? Nie chodziło o jego pozycję, bogactwo ani władzę. Również nie o królewską krew. Żyjąc na dworze księżnej Blanki, często spotykałam innych królewskich synów. Dreszcze nie przechodziły mnie w obecności wspaniałego księcia Edwarda. Nie robił na mnie wrażenia swobodny wdzięk tragicznie zmarłego Lionela ani lekkość i dowcip lorda Gloucestera. Tylko przy Janie Lancasterze moja krew zaczynała szybciej krążyć w żyłach. Miał w sobie nieuchwytny urok, który poruszał moje serce.

Czy próbowałam stłumić ten płomień pożądania? Naturalnie, że tak. Wiedziałam przecież, że książę Lancaster jest poza moim zasięgiem. Królewska krew stawiała go o wiele wyżej od kogoś takiego jak ja. On zaś, nieświadomy moich młodzieńczych tęsknot, nie widział świata poza piękną żoną. I tak powinno być. Nauczyłam się żyć w tej niewygodnej sytuacji. Mogłam w milczeniu podziwiać jego wspaniałość i czcić go potajemnie, stojąc u jego stóp. To, że nie żywił do mnie żadnych uczuć poza tymi, które wynikały z poczucia honoru i obowiązku, było w pewien sposób gwarancją bezpieczeństwa, bo wiedziałam, że nigdy nie spojrzy na mnie na tyle uważnie, by dostrzec uczucia, które mną owładnęły.

A Hugh? Czy stawałam się przez to niewierną żoną? Nasze małżeństwo, zaaranżowane między dobrze urodzoną, ale pozbawioną majątku młodziutką panną, a młodym człowiekiem ze statecznej rycerskiej rodziny, doskonale odpowiadało nam obojgu. Odnosiłam przy tym wrażenie bliskie pewności, że w naszym pożyciu jest ze mnie zadowolony. Okazywał mi troskę, a ja byłam osobą praktyczną, zaradną i śmiem twierdzić, że niegłupią, bystrzejszą od większości moich rówieśnic. Przy tym byłam mu wierna i skrupulatnie wypełniałam obowiązki małżeńskie. Urodziłam mu jeszcze jedną córkę, Małgorzatę, oraz ukochanego syna i dziedzica, Tomasza.

Nie sądziłam, bym była wobec niego nielojalna – oprócz chwil, gdy moje myśli wymykały się spod kontroli.

Scena z przeszłości rozwiała się, gdy dostrzegłam jakiś ruch. Być może to zięba przeskoczyła z jednej gałązki na drugą. Wróciłam myślą do teraźniejszości. Znów stałam przy łożu małżeńskim, ściskając zasłony. Rozluźniłam uchwyt i wygładziłam zagięcia tkaniny, wracając do wspomnień. Byłam dobrze wychowaną i godną żoną, która służyła księżnej, a gdy zaszła taka potrzeba, zajęła się zarządzaniem posiadłością Kettlethorpe.

Obowiązek, honor, lojalność. Trudno było trzymać się tych trzech słów, gdy moje myśli wciąż biegły do mężczyzny, którego jeden lekki uśmiech czy najbardziej niewinna prośba sprawiały, że serce miało ochotę wyrwać mi się z piersi. Ale przysięgłam sobie, że do końca swoich dni książę nie dowie się, że tamtego dnia dotknęła mnie potężna dłoń pożądania, a ja wciąż czułam w trzewiach pamięć tego dotyku. Księżna Blanka również nie mogła się tego domyślić. Nielojalność wobec niej byłaby dla mnie nie do pomyślenia.

A jednak czasem, gdy książę splatał palce z palcami Blanki i całował jej usta, tęsknota szalała w moich żyłach jak płynny ogień. Nigdy nikomu o tym nie mówiłam, teraz też oczywiście nie zamierzałam. Niektóre grzechy powinny pozostać między grzesznikiem a Bogiem, bo wyciągnięte na jaw mogą poczynić straszne szkody. Dyskrecja... Byłam doskonałą damą dworu. Nauczyłam się zachowywać dystans i ukrywać myśli. Miałam dość inteligencji, by udawać, gdy zachodziła taka potrzeba wynikła z jakiejś sytuacji na dworze lub gdy kierowana własnym dobrem uznawałam, że tak będzie najlepiej. Udawanie udawaniem, ale ciężko mi było na duszy. Dlatego poczułam ulgę, gdy książę wyjechał do Francji, by walczyć u boku swego brata, księcia Edwarda.

Ale co teraz? Przysiadłam na skraju łóżka. Jako wdowa i matka obarczona obowiązkami wobec dzieci nadal powinnam się kierować wymogami obowiązku i honoru. Nie wolno mi było nawet zastanawiać się nad podążeniem za impulsami skrytymi pod gorsetem. Cieszyłam się nienaganną opinią, na moim honorze nie było choćby jednej plamki, moja cześć kobieca była nieskalana. Czyż nie potrafiłam się doskonale kontrolować już od wielu lat? Wiedziałam, czego się ode mnie oczekuje i co jestem winna sobie i nazwisku rodowemu. Kroczyłam swoją życiową ścieżką, sumiennie przestrzegając zasad przyzwoitości i godności.

Łatwo powiedzieć. Moje palce znów kurczowo zacisnęły się na zasłonach łóżka. Teraz wszystko się zmieniło. Propozycja księcia postawiła mnie w dręcząco nieznośnej sytuacji. Gdyby zechciał zabawić się moimi emocjami, bez trudu mógłby zniweczyć wszelkie wysiłki zmierzające do utrzymania myśli w ryzach. Nie rozumiałam, jak człowiek o tak uczciwym sercu może składać mi u stóp taki ciężar. Nie potrzebowałam takich komplikacji, więcej, absolutnie ich nie chciałam.

A jednak on mnie pragnął.

„Chcę ciebie. Chcę cię mieć dla siebie".

Moje uczucia do księcia były skomplikowane i wymykały się wszelkim definicjom. Serce i umysł pozostawały w ostrym konflikcie. Czy powinnam zachować ostrożność, czy też cisnąć ją na wiatr? Odrzucić bezcenny dar czy chwycić się go obiema rękami? Potępić śmiertelny grzech czy zaspokoić pragnienia serca? Jakże żałowałam, że książę wypowiedział te słowa, ale gdy przymknęłam oczy, widziałam je pod powiekami, jakby były tam wypalone i uwodzicielsko lśniły złotem.

Rozległo się lekkie stukanie do drzwi, zięby zaświergotały. W progu stanęła Agnes.

– Katarzyno, mamy problem.

– Jeszcze jeden? – Podniosłam się, odsyłając księcia na przynależne mu miejsce do pałacu Savoy, gdzie oczekiwał przybycia księżnej Konstancji. Miałam dość zmartwień bez grzebania się w przeszłości.

– Trzcinowa strzecha na stajniach zarwała się i zrujnowała część stryszka na siano. Pan Ingoldsby mówi, że jeśli dalej będzie tak padać, to cała stajnia się zawali. Musimy przeprowadzić konie w jakieś miejsce. Pan Ingoldsby mówi, żeby je wysłać do sąsiadów. Poza tym woda wsącza się do studni na dziedzińcu.

– A ja muszę znaleźć pieniądze, żeby to wszystko naprawić. Wiem. – W moim głosie musiało pobrzmiewać jawne zniecierpliwienie, bo Agnes podeszła bliżej i spojrzała na mnie spod przymrużonych powiek. Udało mi się lekko zaśmiać, by rozwiać jej troski. – Propozycja księcia nie mogła nadejść w lepszym momencie. Czy sądzisz, że przewidział nasze kłopoty ze strzechą?

Agnes parsknęła, słysząc mój lekki ton.

– Ładny. – Ruchem głowy wskazała różaniec, który wciąż oplatał moją dłoń.

Podniosłam go wyżej. Światło zalśniło w paciorkach i odbiło się od rzeźbionego krucyfiksu.

– Tak, jest piękny.

Owszem, piękny, ale to, co oznaczał, było niebezpieczne.

– Podarunek? – zapytała Agnes. Dobrze wiedziała, że nie miałam pieniędzy na kupno tak wartościowej rzeczy.

– Tak. – Jakże łatwo było ją zwieść. – Od lady Alice. – Zamknęłam dłoń na paciorkach, jakbym chciała ukryć poczucie winy.

Agnes pociągnęła nosem.

– Ładny, jeśli kogoś na to stać. Chyba widziałam tam korale i złoto?

– Tak. – Wiedziałam, że ten poświęcony klejnot jest zbyt cenny jak na dar od lady Alice.

– Mówiłaś, że lady Alice nie przysłała ci żadnego podarunku.

– Tak mówiłam? – Ten, kto kłamie, musi zachować czujność. Spróbowałam się lekko uśmiechnąć. – Zapomniałam.

– Jak można zapomnieć o czymś takim? – Poruszyłam się niespokojnie, ale tylko potrząsnęłam głową. – Mogłabyś go sprzedać i naprawić dach na stajni. Chyba że jesteś zdecydowana dołączyć do dworu nowej księżnej.

Odpowiedziałam jej spojrzeniem i nagle poczułam spokojną pewność siebie. W moim umyśle nie było już żadnych wątpliwości.

– Tak, jestem zdecydowana. Na dworze księżnej Konstancji zarobię tyle, że będę mogła położyć nowy dach na całym domu. Nie ma powodu, by odrzucać tak hojną propozycję. – Wsunęłam różaniec do skórzanej sakiewki.

– To bardzo kosztowny prezent – zauważyła Agnes, bacznie spoglądając na mnie.

– To znaczy, że jestem warta tego stanowiska.

Schowałam różaniec do kufra i z niepotrzebnym zniecierpliwieniem narzuciłam osłonę na klatkę zięb, które śpiewały coraz głośniej.

– Lepiej weź je ze sobą – ciągnęła Agnes tym samym sceptycznym tonem, jakby nie uwierzyła w ani jedno moje słowo. – Małgorzata nam nie wybaczy, jeśli je zostawimy. Sądzę, że książę nie będzie miał nic przeciwko temu.

– Też tak sądzę – odrzekłam krótko.

Było jeszcze wiele spraw do załatwienia, toteż wygasiłam scenę, którą przed chwilą stworzyłam w wyobraźni, tak gładko, jakbym zdmuchnęła świecę. Jednak w głębi mojego umysłu wciąż snuła się skomplikowana sieć myśli, ledwie wyczuwalnych jak ostatnie strużki dymu z dogasającego ognia. Co mam powiedzieć księciu przy najbliższym spotkaniu? Czy to nie będzie jak wejście do gniazda szerszeni? A jeśli znów zażąda, żebym była kimś więcej niż tylko towarzyszką jego żony? A zażąda na pewno. Co mam mu wtedy powiedzieć?

Tak wiele pytań. Na żadne z nich nie znałam odpowiedzi, ale zdecydowana byłam pojechać do Savoyu bez względu na to, jaki los miał mnie tam spotkać.

Nie chciałam sama przed sobą przyznać, co mówi moje serce.

ROZDZIAŁ CZWARTY

Gdy z pomocą służby wysiadła ze wspaniale zdobionej, osłoniętej zasłonami lektyki, w pierwszej chwili rzuciło mi się w oczy, jak jest młoda i drobna. A właściwie pomyślałam, że przypomina mokrego szczura. Niebiosa zesłały lodowatą ulewę na tłum gapiów, który patrzył na jej wjazd do Londynu. Powitał ją książę Edward Woodstock, który na tę okazję z wysiłkiem wstał z łoża boleści i usiadł w siodle. Jak na królewską pannę młodą nie była tak bardzo młoda. Szlachetnie urodzona Konstancja Kastylijska miała zaledwie o pięć lat mniej niż ja i nie była chowanym pod kloszem, rozpieszczanym dzieckiem pozbawionym własnej woli.

Staliśmy wszyscy w wielkiej sali, by powitać nową panią. Mogłam swobodnie podziwiać księcia, który wyraźnie próbował wywrzeć na wszystkich wrażenie czerwono-czarno-złotym strojem, świadczącym o jego nowym statusie. Królewski herb Kastylii przedstawiający zamek i lwy połączony był z herbem Anglii. Szata dobrze układała się na wysokiej, szczupłej sylwetce, złote hafty błyszczały, gdy książę niecierpliwie przestępował z nogi na nogę. Nikt z kastylijskiego orszaku nie mógł kwestionować jego wyglądu. Próbowałam przeniknąć wyraz jego twarzy. Przede wszystkim malowało się na niej zniecierpliwienie. Czekaliśmy już od trzech godzin.

Wygładziłam spódnicę z jedwabnego adamaszku. Surowe spojrzenie księcia przesunęło się po domownikach i na moment zatrzymało na mnie, taksując jakość i stan mojej szaty. Usłuchałam jego żądania i ubrałam się bogato, stosownie do nowej pozycji, w długie spódnice w błękitnym kolorze Lancasterów i obcisły, lamowany futrem gorset w biało-błękitny wzór. Kobiecy kaprys kazał mi ostentacyjnie wsunąć za szarfę sukni koralowy różaniec, teraz jednak poczułam dziwny bunt i pożałowałam, że to zrobiłam.

Książę nie znalazł nawet chwili, by ze mną porozmawiać. Byłam po prostu jedną z wielu kobiet w jego domostwie. Czego więcej miałam oczekiwać?

Księżna Konstancja drobnym kroczkiem weszła do wielkiej sali. Ciągnące się za nią futra były przemoczone, podobnie jak przyklejone do ciała szaty. Splecione w warkocz włosy przylgnęły do głowy i szyi pod mokrym welonem, falbanki na czepku smętnie opadły. Wyobrażałam sobie, jak okropnie musi się czuć, choć zaraz po powitaniu umieszczono ją znów w lektyce. Ale mimo wszystko była piękna. Nie tak jak Blanka, o jasnej, bardzo angielskiej urodzie, gładka i blada jak perła. Ta młoda kobieta była ostra jak szpilka. Wspaniałe oczy, ciemne i tajemnicze niczym beryle, krytycznie spoglądały na rezydencję, która miała stać się jej nowym domem. Cienki nosek i uniesione brwi świadczyły o dumie, ale trudno się było temu dziwić, zważywszy na trudności, jakie życie piętrzyło przed nią od chwili urodzenia.

Lady Alice, która nie lubiła plotek, tylko prychnęła z niechęcią, ale Alyne zaspokoiła moją ciekawość, gdy haftowałyśmy kapę na ołtarz, która miała zostać użyta podczas mszy dziękczynnej za bezpieczne przybycie księżnej Konstancji.

– Konstancja jest nieślubnym dzieckiem – wyjaśniła mi szeptem. – Jej ojciec miał trzy córki i syna z kochanicą, gdy jego żona jeszcze żyła.

– Ale twierdził, że się z nią ożenił. To znaczy z tą kochanicą – wtrąciła lady Alice, która mimo wszystko nie potrafiła się oprzeć pokusie rozprawiania o skandalu.

I tak oto usłyszałam od nich dziwną i przerażającą historię mojej nowej pani. Jej ojciec, król Piotr Kastylijski, uwięził prawnie poślubioną żonę w wieży i kontynuował niegodny związek z Marią de Padillą, twierdząc, że ożenił się z nią jeszcze przed tym, nim pojął nieszczęsną Blankę Burbon. Był człowiekiem o dużym darze przekonywania, dlatego jego dzieci z Marią zostały uznane przez Radę Kastylijską za prawowitych dziedziców tronu.

– Mówią, że król Piotr, zwany Okrutnym, otruł swoją żonę. Zmarła w tajemniczych okolicznościach – stwierdziła lady Alice, unosząc brwi.

– Król Piotr, ojciec Konstancji, również nie żyje, zatem na mocy prawa jest królową Kastylii – dodała Alyne.

– Tyle że koronę przejął uzurpator, przyrodni brat króla Piotra z nieprawego łoża, Henryk.

– A to oznacza, że królowa Konstancja nie ma królestwa, którym mogłaby władać.

– Tylko roszczenia, których Henryk nigdy nie uzna.

Tak więc wyglądało z grubsza pochodzenie Konstancji. Nie była to sytuacja godna pozazdroszczenia. Patrzyłam na nią, gdy podchodziła do księcia z wysoko uniesioną głową. Nic dziwnego, że trzymała się kurczowo swojej dumy jak mysz ostatniej kolby kukurydzy po kiepskich żniwach. Nic innego nie miała. Tytuł królowej Kastylii z pewnością dodawał jej godności, choć suknia z czerwonego aksamitu była niemodna, a błękitna suknia wierzchnia miała dziwny krój. Welony, falbanki i kapelusz, które przykrywały włosy, wyglądały koszmarnie.

– Kastylijska moda – mruknęła lady Alice. – Wątpię, by przyjęła się u nas.

Książę skłonił się nisko, a my wszystkie dygnęłyśmy.

– Witaj na dworze, moja pani.

Wyciągnął rękę. Włożyła w nią dłoń i jej przenikliwe spojrzenie w końcu znieruchomiało. Książę z uśmiechem ucałował czubki jej palców, a potem policzek i usta. Zauważyłam, że choć nie stawiała oporu, to nie odwzajemniła uśmiechu. Może była przytłoczona wspaniałością swojej nowej rezydencji. W porównaniu z ruderą, w jakiej podobno mieszkała w wiosce Bayonne, jeszcze gorszą niż Kettlethorpe, o czym poinformowała mnie z ironicznym uśmiechem lady Alice, ten pałac w samym sercu Londynu musiał jej się wydawać rajem.

– Nigdy więcej nie będziesz narażona na żadne niebezpieczeństwo – zapewnił ją książę. – I nigdy już nie będziesz żyła w biedzie. To jest twój dom. – Spojrzał po nas wszystkich i dodał: – Chcę wam przedstawić moją żonę, królową Konstancję Kastylijską.

Wszyscy ukłonili się lub dygnęli. Królowa Kastylii kichnęła. Uwaga księcia natychmiast skupiła się na niej, bo choć nie było to jeszcze widoczne, wszyscy wiedzieliśmy, że pod obfitymi szatami nosi jego dziecko.

– Masz zimne ręce. Wybacz mi moją bezmyślność. – Skinął na lady Alice. – Moja żona wymaga opieki. Angielska zima nie była dzisiaj łaskawa. Zostawiam ją w twoich kompetentnych rękach.

I tak oto ceremonia powitalna została skrócona z troski o zdrowie damy i dziecka, a Konstancja Kastylijska została przekazana nowym domownikom, w tym mnie, choć nie dostałam jeszcze żadnego przydziału obowiązków. Lady Alice poleciła mi zaprowadzić małżonkę księcia do jej apartamentów, pomóc zdjąć szaty, przygotować kąpiel, a potem położyć do łóżka z garnkiem gorących węgli i kubkiem grzanego wina z przyprawami. Kazała mi także wydać instrukcje kastylijskim damom, równie przemoczonym i niespokojnym jak ich pani.

– Nikt lepiej od ciebie nie wie, jak prowadzony jest ten dom – dodała lady Alice. – A w przyszłym tygodniu, jeśli Bóg pozwoli, twoja siostra przejmie te obowiązki, gdy już pożegna męża. Zajmie się łagodzeniem obaw Kastylijek, a ty będziesz mogła się skupić na dziecku i pomóc mi przy pozostałych. – Z westchnieniem popatrzyła na kastylijski orszak. – Wydają się śmiertelnie przerażone. Czy myślą, że zjemy je na kolację?

Dygnęłam przed nową księżną, która niespokojnie zerknęła na księcia, ale poszła za mną, zatrzymując się w każdej komnacie i przyglądając meblom, malowanym sufitom i błyszczącym tapiseriom. Choć drżała z zimna, chciała dokładnie obejrzeć swoją nową rezydencję. Gdy jednak znów kichnęła, uznałam, że dość tego.

– Jeśli się przeziębisz, pani, nie będzie to dobre dla dziecka – powiedziałam stanowczo, wyczuwając, że subtelność w tym wypadku na nic się nie przyda. – Ze względu na twoje i twojego dziecka dobro powinnaś, pani, jak najszybciej przebrać się w coś suchego.

Zamrugała, jakby nie spodziewała się, że się odezwę, albo nie zrozumiała, co powiedziałam. Uświadomiłam sobie, że to możliwe. Nie miałam pojęcia, jak dobrze zna francuski, którego zwyczajowo używałyśmy na dworze.

– Jesteś przemarznięta – powiedziałam wolno i wyraźnie. – Musisz się wysuszyć i rozgrzać.

Skinęła głową i przyśpieszyła kroku.

– Ach, dobrze! – odezwała się w końcu, gdy dotarłyśmy do jej komnaty. Przed kominkiem znajdowała się drewniana wanna ustawiona na podpórkach z brązu zdobionych rzeźbami ryb i smoków i wypełniona gorącą wodą z dodatkiem aromatycznych ziół. Uświadomiłam sobie, że były to pierwsze słowa, jakie wypowiedziała, odkąd się tu pojawiła.

Cofnęłam się, by ją wpuścić do środka, a potem, gdy już wyniesiono ostatnie puste wiadro, weszłam za nią. Damy kastylijskie bezradnie stały dokoła.

– Przynieście szaty waszej pani – poleciłam, widząc, że część kufrów wniesiono już do komnaty. – Koszule, suknie, miękkie buty. – Wskazałam na wannę. – Musisz się wykąpać, pani.

Pod moim okiem pokojówka, którą przyprowadziłam, zaczęła zdejmować futra i zmatowiałe aksamity z drobnego ciała kastylijskiej królowej, a potem rozpuściła jej włosy. Mokre, potargane pasma opadły na ramiona. Księżna stała biernie, pozwalając się rozbierać.

– Szaty dla waszej pani – rzuciłam w stronę dam, myśląc, że moja siostra Filipa z całym swym doświadczeniem wyniesionym z domu księżnej Blanki będzie miała kłopoty, by wdrożyć te kobiety do jakiegoś porządku. Najwyraźniej nigdy wcześniej nie służyły w szlachetnym domu. Zwróciłam się do księżnej, która stała, drżąc w haftowanej koszuli. – Jak mam się do ciebie zwracać, pani?

Popatrzyła na mnie spokojnym, pewnym siebie wzrokiem. Nie wyglądała na siedemnaście lat, wydawała się znacznie młodsza.

– Jestem królową Kastylii – powiedziała starannie.

To mi w niczym nie pomogło. Była również księżną Lancaster. Ale ponieważ nie zgłaszała sprzeciwu, zwracałam się do niej tak jak dotychczas.

– Kiepskie powitanie miałaś tutaj, pani.

– Tak. To moja siostra, lady Izabela.

Wskazała młodą kobietę o pochmurnej twarzy, która stała przy jej boku, a potem, nie patrząc, podała mi broszę, którą miała przypiętą do sukni. Dygnęłam jak należało przed lady Izabelą i odłożyłam broszę na wieko kufra. Była ciężka, złota i wysadzana szafirami, brylantami i perłami. Przedstawiała świętego Jerzego ze smokiem. Oczy smoka zrobione były z rubinów. Wiele mówiono o tej broszce. Był to powitalny dar od księcia Edwarda, zaiste królewski klejnot. Zdziwiona byłam, że Konstancja traktuje go tak obojętnie. Może po prostu była zmęczona? Pod oczami miała cienie, a delikatne rysy twarzy ściągnięte. Mimo wszystko nie wydawało mi się, by ta brosza cokolwiek dla niej znaczyła. Zastanawiałam się, co mogłoby wywołać w niej prawdziwe emocje. Gdy znów na nią spojrzałam, zapytała powoli i wyraźnie:

– Kim jesteś?

– Katarzyna Swynford, pani.

– Należysz do tego...? – Zabrakło jej odpowiedniego słowa.

Miałam rację, jej francuski miał ciężki akcent i nie był dobry.

– Dworu – podsunęłam. – Tak, pani, przynależę do dworu księcia i twojego. Mam być jedną z twoich dam.

Utkwiła we mnie spojrzenie i powtórzyła:

– Jedną z moich dam?

– Tak, pani.

– Czy zajmujesz się też dziećmi księcia?

– Tak, pani, kiedy zachodzi taka potrzeba.

– Nie widziałam jeszcze dzieci. – Zmarszczyła czoło. – Mój pan opowiadał mi o nich.

– Zobaczysz je jutro.

Podniosła ramiona, by można było zdjąć z niej koszulę. Została w samej halce i posłusznie podniosła jedną nogę, a potem drugą, by pokojówka mogła jej zdjąć pończochy.

– Będę miała własnego syna – oznajmiła. – Służyłaś u księżnej Blanki?

– Tak, pani.

Gdy zdjęto halkę, dostrzegłam, jak mało rozwinięte było jej ciało w biodrach i w piersiach. Noszenie dziecka nie mogło być dla niej łatwe. Brzuch miała zaledwie odrobinę zaokrąglony. Podałam jej rękę, by pomóc wejść do wanny. Usiadła w wodzie, westchnęła z zadowolenia i przymknęła oczy.

– Czy jesteś zamężna? – zapytała.

– Jestem wdową, pani.

– Co to jest?

– *Una viuda* – podpowiedziała cicho jedna z dam, która musiała lepiej znać francuski niż jej pani.

– Rozumiem. Twój mąż nie żyje. Czy masz dzieci?

Zadawała mnóstwo pytań.

– Tak, mam troje. Moja córka, Blanka, jest chrzestną córką księcia. Jak to powiedzieć? – Spojrzałam na kobietę, która pomogła wcześniej.

– *Una ahijada* – podsunęła.

Księżna otworzyła oczy i spojrzała na mnie, a potem znów je przymrużyła.

– On... książę... bardzo cię ceni?

Jej głos nie brzmiał przyjaźnie. Wyczułam w tym pytaniu zazdrość.

– Trochę. Za to, że służyłam jego żonie. Natomiast bardzo cenił mojego męża – wyjaśniłam. – Zginął w zeszłym roku w Akwitanii, służąc księciu. Sir Hugh należał do orszaku księcia.

– Rozumiem. – Zrozumiała wystarczająco wiele, a w każdym razie najważniejsze rzeczy, i niechęć w jej oczach nieco zmalała. – Twój mąż nosił tytuł.

– Tak, był rycerzem.

– Ach! – Uśmiechnęła się i jej twarz rozjarzyła się nagle wewnętrznym pięknem. – A zatem ty jesteś lady Katarzyna Swynford.

– Tak, pani. – A więc status coś dla niej znaczył. Ciekawa byłam, jak dobrze książę włada kastylijskim. Potrzebował tego języka, jeśli miał odnaleźć drogę wśród tych wszystkich sprzecznych impulsów.

– W takim razie zdecydowałam. Chcę, żebyś była moją damą – stwierdziła władczym tonem kastylijskiej królowej.

– Będę nią. Książę wyznaczył mi to stanowisko – wyjaśniłam i dodałam powoli: – Moja siostra, pani Chaucer, również będzie się tobą zajmować.

– Czy jest podobna do ciebie?

– Zna się na wielu rzeczach. Ma doświadczenie z dziećmi.

Księżna wyciągnęła ramię, żeby pokojówka mogła je umyć miękką myjką, i utkwiła we mnie nieoczekiwanie ostre spojrzenie.

– Boję się tego. – Położyła dłoń na brzuchu. – Czuję się chora.

– Nie ma się czego obawiać, pani. Jesteś młoda i silna.

– Ale boję się. – Wzruszyła ramionami. – Czy byłaś przy księżnej Blance, kiedy nosiła dzieci?

– Tak, pani.

– Nie wszystkie przeżyły, prawda?

– Tak, pani. – Nie mogłam kłamać, by jednak odwieść jej myśli od tego tematu, nalałam kubek grzanego wina. Nie było sensu wspominać o trzech chłopcach, którzy nie dożyli pierwszych urodzin, ani o maleńkiej Izabeli, która zaczerpnęła zaledwie kilka oddechów.

– Ile? – nalegała księżna.

– Czworo – przyznałam. – Ale urodziła troje, które dobrze się chowają.

Gestem odmówiła przyjęcia wina.

– Czy ty straciłaś jakieś dzieci?

– Nie, pani.

– W takim razie zostaniesz ze mną i będziesz mi doradzać. – I znów było to żądanie, a nie prośba. – To jest... to jest *imperativo*, żebym donosiła i urodziła *un heredero* dla Kastylii.

– Oczywiście – powiedziałam kojąco. Księżna potrzebowała dziedzica kastylijskiej korony.

– Mój pan odzyska dla mnie królestwo. Nie zostanę w Anglii długo. Mój pan wypędzi podłego wuja Henryka z Kastylii. Zabije go dla mnie. A ja dostanę to, co moje.

Brzmiało to tak, jakby nauczyła się tych zdań na pamięć. Słychać było w jej głosie wielką pewność siebie i determinację. W oczach pojawił się płomień, a dłonie zacisnęły się na skraju wanny. Potem znów popatrzyła na mnie spod przymrużonych powiek.

– Jesteś piękna.

Zaskoczyła mnie.

– Dziękuję, pani.

– Mówią, że ja też jestem piękna.

– Tak, pani. Mieszkańcy Londynu wyszli na ulice, żeby na ciebie patrzeć.

Na jej twarzy pojawił się grymas.

– Czy Blanka była piękna?

– Tak, pani, ale miała jasne włosy, nie ciemne jak ty.

– Mój pan gustuje w tym, co piękne.

– Tak, pani. Tutaj, w Savoyu, niczego ci nie będzie brakować.

Mój uspokajający komentarz wywołał potok kastylijskich słów:

– *A excepción de la tierra de mi nacimiento – y la venganza.*

Popatrzyłam bezradnie na kastylijską damę, która przez cały czas krążyła wokół mojego boku.

– Księżna mówi: oprócz mojej ojczyzny i zemsty.

– Zemsty? Za co, pani?

Odpowiedział mi błysk w jej oczach i kolejny potok inwektyw, które starannie mi przetłumaczono:

– Mój ojciec, król Piotr. Jego mordercy wciąż żyją bezkarnie. Zabili go skrytobójcy, których opłacił mój wuj Henryk. Mojemu ojcu, królowi Kastylii, ścięto głowę i zhańbiono ciało, zostawiając je bez pogrzebu. Głowę wysłano do Sewilli i wystawiono na widok publiczny. *Dios mio!* Celem mojego życia jest pogrzebać ojca w kastylijskiej ziemi ze wszystkimi honorami i zabić jego morderców. Dokonam tego, zanim umrę.

– Oczywiście, pani.

Rozemocjonowana, z falującą piersią zerwała się na nogi, rozchlapując wodę, i wyprężyła ciało. Brzuch Konstancji stał się wydatniejszy.

– Mój pan odbierze Kastylię temu łajdakowi Henrykowi. Będziemy tam rządzić razem, jako król i królowa. To dziecko – nasz syn – w swoim czasie przejmie tron. W ten sposób wypełnię moje przeznaczenie i przeznaczenie mojego męża. Czego więcej mógłby pragnąć, niż zostać królem Kastylii?

Czego więcej mógłby pragnąć książę? W Anglii nie było drogi, na której mógłby zrealizować swoje ambicje, a Kastylia mogła być dla niego taką szansą. Mieć własne królestwo, rządzić we własnym imieniu, nie opowiadać się przed nikim. Po raz pierwszy zrozumiałam, jak ważne było dla niego to małżeństwo. To małżeństwo – obietnica królestwa – mogło zaspokoić jego największe pragnienia.

– Jestem zmęczona – oznajmiła Konstancja. – Chcę się położyć.

Wytarłyśmy ją delikatnym płótnem i uczesałyśmy włosy. Owinięta miękką haftowaną suknią, ze stopami w lamowanych futrem pantoflach, ułożyła się na łożu i oparła o poduszki.

– Czy sądzisz, że książę darzy mnie uczuciem? – zapytała.

Jak mógłby jej nie kochać? Była piękna i dobrze urodzona. Była dziedziczką królestwa, które odważny człowiek mógł odzyskać. Wszyscy zauważyli, że książę przy pierwszym spotkaniu z Konstancją zachował się rycersko i troskliwie. Oczywiście, że ją kochał.

– Książę Jan wybrał ciebie spośród wszystkich kobiet, które chciały wyjść za rycerza królewskiej krwi, za Plantageneta – odrzekłam, bo taka była prawda. – Jak mógłby nie mieć dla ciebie uczuć?

– *Bien!* Taką mam nadzieję. – Skinęła głową ze zrozumieniem.

A czy ty darzysz go uczuciem? – miałam ochotę zapytać. Zupełnie nie wiedziałam, czy tak jest. Nie zdradziła tego. Była przenikliwa i ostra, a ja wiedziałam, co jest moim obowiązkiem. Mieć nadzieję, że książę będzie z nią szczęśliwy, a ona z nim.

Zazdrość, gorzka jak aloes, pokrywała moje usta, gdy zostawiłam ją, by zasnęła, ale kierunek, w którym zmierzały moje myśli, sprawił, że uśmiechnęłam się sucho.

– Wystrzegaj się żony – ostrzegała mnie kiedyś pani Saxby. – Skradzione pocałunki łatwo mogą zawrócić w głowie, ale prawowita małżonka potrafi bardzo uprzykrzyć życie. Wierz mi na słowo.

I zamierzałam się wystrzegać książęcej małżonki, o ile kiedyś dojdzie do takich pocałunków. Jednak po pierwszym dniu spędzonym w roli damy Konstancji Kastylijskiej nie wydawało się to prawdopodobne.

A zatem małżeństwo z królową Kastylii miało ogromne znaczenie dla księcia. Zrozumiałam, jak istotnym krokiem było dla niego, gdy przybył posłaniec od króla. Wszyscy domownicy, oprócz księżnej, siedzieli przy kolacji w wystawnej wielkiej sali. Posłaniec skłonił się i podał księciu zapieczętowany dokument.

– Jego Królewska Wysokość prosi cię, monseigneur d'Espaigne, abyś przeczytał ten list. Byłby wdzięczny za twoją radę, panie, wyrażoną jak najrychlej.

Książę przyjął przesyłkę, gestem zaprosił posłańca, by usiadł wraz ze wszystkimi, i zaczął czytać.

Monseigneur d'Espaigne. Już teraz uważano go za króla Kastylii w imieniu żony. Nigdy tak na niego nie patrzyłam. Dla mnie na zawsze miał pozostać księciem, nawet jeśli dworność i etykieta nakazywały mi się dostosować do obecnego obyczaju. Bez wątpienia jednak miało to wytyczyć kierunek jego przyszłego życia. Czy monseigneur d'Espaigne nie zapomni o wszystkim innym, poza wyścieloną złotem i nasączoną krwią drogą do tronu kastylijskiego, która otwierała się przed nim z taką żoną u boku? Zapewne zwoła armię i zajmie się odzyskiwaniem królestwa, a potem w nim zamieszka, z dala od Anglii i ode mnie, w towarzystwie żony i nowej rodziny. To byłoby najlepsze wyjście dla wszystkich zainteresowanych, takie, które powinno rozwiać wszystkie moje troski. Ale nie rozwiało.

Gdy książę czytał królewski list, ja modliłam się w duchu o wybaczenie. Moja łyżka utknęła w gęstym *mammenye ryal*, mielonym mięsie z kurczaka nasączonym mleczkiem migdałowym i słodkim winem, gdy w milczącej petycji przed Najświętszą Panienką wyliczałam swoje grzechy. Pożądanie mężczyzny, który związany był z inną kobietą. Śmiertelny grzech zachłanności, którego świadectwem były moje niekontrolowane emocje. Chciwość sprawiająca, że pragnęłam uczucia, do którego nie miałam prawa. Zawiść wobec księżnej, pięknej i królewskiej, która zajmowała należne jej miejsce u boku księcia i w jego łożu. Pycha, która sprawiała, że byłam ślepa na własną małość, nie dostrzegałam, że jestem istotą bezwartościową.

Lista tych grzechów przeraziła mnie. Czy nie znajdziesz również dowodów na gniew, lenistwo i żarłoczność? – zapytałam siebie gorzko. Byłam pewna, że znalazłabym. Odłożyłam łyżkę, zdecydowana nie jeść nic więcej tego wieczoru.

Nie powinnam tu wracać. To był niewybaczalny błąd. Nie powinnam pozwolić, by znów pochłonęły mnie marzenia o tym, co nigdy się nie wydarzy... nie może się wydarzyć. Przez krótki czas pozwalałam sobie żyć w magicznej rzeczywistości, w której moja miłość nie była już niechciana, ale jeden dzień spędzony w pałacu Savoy, wśród wysokiej polityki i w obliczu determinacji nowej księżnej, dobitnie ujawnił daremność moich marzeń. Książę na pewno miał inne cele na oku.

– Czy mojej żonie spodobała się jej komnata? – zwrócił się do lady Alice, gdy podnieśliśmy się po zakończeniu posiłku.

– Tak, panie, tak sądzę. Lady Katarzyna była przy niej.

Ponieważ stałam w zasięgu głosu, książę nie miał wyboru i musiał na mnie spojrzeć.

– Mam nadzieję, lady Katarzyno, że podróż nie odbiła się na jej zdrowiu?

– Nie, milordzie – odpowiedziałam chłodno wyważonym tonem. – Naturalnie księżna jest znużona, ale do rana odzyska siły. Jestem zaszczycona, że zostałam jej damą – dodałam.

– Nikt nie nadaje się do tego lepiej niż ty.

Stanął obok lady Alice i pochylił głowę, zastanawiając się nad jakimś domowym problemem.

No cóż, ta rozmowa była zupełnie bezosobowa i dotyczyła wyłącznie samopoczucia kastylijskiej królowej. Uśmiech księcia nie różnił się od uśmiechów, które rzucał innym członkom swojego orszaku, od najsławniejszego medyka aż po Nichola, ogrodnika w Savoyu. Ta krótka rozmowa sprawiła, że wszystko stało się zupełnie jasne. Moje obawy okazały się bezpodstawne.

Teraz musiałam tylko przekonać o tym samą siebie i powrócić do spokojnego życia, jakie niegdyś wiodłam w Savoyu. Wszystko będzie jak dawniej, zupełnie jakbym znów weszła w swoją starą skórę sprzed czasu zamętu, zanim książę powiedział to, co powiedział, rozrywając mój świat na części.

Dlaczego to zrobił, skoro najwyraźniej był to tylko kaprys? Dlaczego mężczyźni czasem stawali się nieczuli jak dzik szarżujący na włócznię myśliwego? Przebywał tu zupełnie nieświadomy zamętu, który wprowadził w moje życie, i zapewne interesowało go tylko to, czy adamaszkowa szata dobrze układa się na jego ramionach i czy złoty łańcuch jest wystarczająco widoczny na tle czerwono-czarno-złotej szaty.

Poczułam przypływ gniewu i pożałowałam, że jednak nie zjadłam tych kilku ostatnich łyżek mocno przyprawionego dania. Pożałowałam tego jeszcze bardziej, gdy książę odszedł od lady Alice i zaczekał na mnie przy drzwiach. Serce skoczyło mi w piersi, gdy podniósł rękę, by mnie zatrzymać.

– Lady Katarzyno!

– Milordzie?

– Czy gniewasz się na mnie? – zapytał nieoczekiwanie.

W tej chwili byliśmy zupełnie sami.

– Nie, milordzie – zapewniłam go szybko i uśmiechnęłam się, sądząc, że musiał dostrzec na mojej twarzy niechęć. Ale królowa Filipa dobrze mnie wyszkoliła. – Nic mnie nie trapi oprócz wdzięczności za twoją dobroć.

– Poślę po ciebie – rzekł ze zmarszczonym czołem.

A więc jednak nie było mi dane wślizgnąć się na powrót w dawną skórę. Jego spojrzenie, jasne jak agat, było bezpośrednie i bezkompromisowe. Odpowiedziałam mu podobnym wzrokiem. Skinął na mnie, bym wyszła z sali pierwsza, i dodał władczo:

– Przyjdziesz do mnie.

Otworzyłam usta, by odmówić, a przynajmniej zamierzałam odmówić, dopóki przelotnie nie dotknął mojego ramienia. Odmowa, którą przygotowywałam w myślach, umknęła, wyparowała też ze mnie cała siła woli, gdy poczułam lekki dotyk jego palców na obcisłym rękawie. Popatrzyłam na niego, jestem pewna, że z przerażeniem.

– Nie dajesz mi spokoju. Dlaczego tak jest? – zapytał.

Nie potrafiłam na to odpowiedzieć. Szłam dalej dobitnie świadoma, że kroki księcia nie podążają za mną, gdy naraz coś przykuło moją uwagę. Przy zewnętrznych drzwiach stało kilkoro podróżnych, którzy dopiero przed chwilą zawitali do pałacu, a wśród nich opatulona w futra moja siostra Filipa. Jej oczy wpatrywały się we mnie chłodno i badawczo. W ręku trzymała klatkę ze śpiewającymi ziębami, bardzo podobną do tej, którą sama przywiozłam z Kettlethorpe. Uśmiechnęłam się do niej żywo, choć nie podobał mi się osądzający wyraz jej twarzy. Nie odpowiedziała mi uśmiechem.

Wróciłam do swojej komnaty i schowałam różaniec do kufra, zanim mnie dopadła. Mając z jednej strony Filipę, a z drugiej księcia, musiałam na każdym kroku zachowywać ostrożność.

– Gdzie on zatem jest, Filipo?

– Nie mam pojęcia. Ostatnio słyszałam, że był w Pikardii.

Usadowiłam się na łóżku, podczas gdy moja siostra zdejmowała futra i układała je starannie na wypolerowanej ławie, wygładzając dłonią. Nie była biedna, ale od dzieciństwa pedantycznie dbała o swój dobytek. W dojrzałym wieku jej głos na stałe przybrał ton niezadowolenia.

– Podobno jest to wojskowa wyprawa, ale dlaczego wyjechał właśnie teraz, kiedy... – Syknęła z irytacją. – Jak zwykle nikt mi nic nie mówi. Dał mi zięby, żeby dotrzymywały mi towarzystwa i poprawiały nastrój.

– To bardzo poetyczne – zauważyłam, nie odważając się roześmiać.

– Poetyczne, ale bezużyteczne.

Moim zdaniem były to bezlitosne słowa, ale z drugiej strony to nie ja byłam żoną Geoffreya Chaucera i nie sądziłam, bym na jej miejscu czuła się zadowolona, choć jej mąż był erudytą i umiał ładnie składać słowa.

Filipa pojawiła się w końcu w mojej komnacie i ze śmiechem wpadła w moje ramiona. Poczułam ulgę, gdy się okazało, że spojrzenie, które uznałam za osądzające, wcale takie nie było. A może zostawiała osądy na później? Cóż, dobrze znałam moją siostrę.

– Bardzo się cieszę, że znów tu jestem – obwieściła.

Po śmierci księżnej Blanki jej damy dworu rozjechały się po kraju. Ja wróciłam do Kettlethorpe, a moja siostra zamieszkała w rodzinnej posiadłości Chaucerów przy Thames Street.

– Tam już było bardzo ciasno – dodała. – Jak widziałaś, przywiozłam również dzieci.

Widziałam. Elżbieta i jeszcze jeden Tomasz. Byli w tym samym wieku co Małgorzata i mój syn.

Oczy Filipy zabłysły.

– Cieszysz się, że mnie widzisz?

– Ogromnie. Z wielką radością przekażę ci pieczę nad księżną i jej sztywnymi towarzyszkami i usunę się w cień. Znasz kastylijski?

– Nie.

– Szkoda.

– Czy jest podobna do Blanki?

– W niczym jej nie przypomina.

– W takim razie pewnie zamieszkamy w Tutbury. Albo w Hertford.

– O ile uda się przekonać królową Konstancję, że tam właśnie życzy sobie mieszkać.

– Ach, więc to tak wygląda... Też tam pojedziesz?

– Zostałam damą dworu, jak ty. – I dodałam po chwili: – Jak kiedyś...

Ale nic nie było takie samo jak kiedyś i już nigdy nie miało być, bez względu na rezultat obiecanej rozmowy z księciem.

Filipa chyba dostrzegła mój niepokój, bo zapytała:

– Co się stało?

– Nic.

– Tęsknisz za nieboszczykiem mężem?

– Tak.

– Widziałam, że książę bardzo się o ciebie troszczy.

– Książę zawsze troszczy się o wszystkich – odrzekłam nieco zbyt szybko.

– Do tego stopnia, by rozmawiać sam na sam w wielkiej sali z damą swojej żony?

A więc miałam rację. Filipa zachowała swoje dobrze zaostrzone strzały na później. Być może zbierała je skrzętnie na taką właśnie okazję przez ten cały czas, gdy przebywała z dala od dworu, przez co wiodła życie monotonne i pełne ograniczeń, a także zła na wiecznie nieobecnego męża. Musiałam zachować bezwzględną czujność. Choć niczym nie zawiniłam w tej sytuacji, to jednak poczucie winy zaczęło ukradkiem gromadzić się na skraju mojego umysłu niczym tłuszcz na brzegach miski z baranią potrawką. Wyobraziłam sobie ten obraz i skrzywiłam się. Skąd takie porównania w mej głowie? Zero poezji, sama pospolitość...

– Dobrze wiesz, że książę wszystkich otacza swą troską – powtórzyłam. – Jestem mu winna dozgonną wdzięczność. Gdybym z łaski księcia nie została damą na jego dworze, Kettlethorpe wkrótce przestałoby istnieć, zalane kolejnymi powodziami.

– Do twarzy ci w roli pani na Kettlethorpe. – Ostry, badawczy wyraz nie znikał z jej oczu. – Zazdroszczę ci.

– Tego, że jestem wdową ze zrujnowaną posiadłością?

– Zupełnie tego nie widać. Jesteś bardzo zadbana i elegancka.

Roześmiałam się, wygładzając skraj sukni obszyty futrem.

– Poproszono mnie, żebym zrezygnowała z wdowich szat.

– Książę cię o to prosił?

– Tak. Nie byłyby tu odpowiednie.

– Rozumiem.

Do zmiany taktyki zmusił mnie błysk w oku siostry. Musiałam odwrócić jej uwagę.

– Wdowi status ma swoje wady.

– Nie widzę żadnych – zaoponowała żywo.

– Wciąż jeszcze nie podjęto decyzji, kto ma zarządzać posiadłościami. Ponieważ Tomasz jest nieletni, a Hugh był wasalem Korony, odwołano się w tej sprawie do króla. Mogą sprzedać kuratelę nad Tomaszem komukolwiek. Nasze finanse są w gorszym stanie, niż możesz sobie wyobrazić. Masz szczęście, że twój mąż ma stały dochód.

Filipa jednak uznała moje kłopoty za nieistotne w porównaniu z jej własnymi nieszczęściami.

– Tak niewiele czasu z nim spędzam, że równie dobrze mogłabym być wdową.

– Ale jesteś zabezpieczona finansowo, a ja musiałam przybyć tu jak żebraczka.

– W Kettlethorpe jest tak źle jak zawsze?

Przypomniałam sobie jedyną krótką wizytę Filipy w posiadłości Swynfordów, złośliwe komentarze i nagły wyjazd, dlatego odparłam ostro:

– Jeszcze gorzej. A czy z Geoffreyem jest tak źle jak zawsze?

– Jeszcze gorzej.

Roześmiałyśmy się, ale tym razem szczerze, bez urazy. To był nasz stary żart. Skoro we wzajemnych kontaktach wróciłyśmy na zwykłe tory, z zapałem przeszłyśmy do plotek. Z nas dwóch Filipa była ostrzejsza i bardziej przenikliwa, a także krytyczniej nastawiona do świata. Ja miałam w sobie więcej tolerancji. Byłam od niej starsza o rok, ale nie zawsze było to widoczne. Nieraz okazywało się, że młodsza siostra nosi w sobie bogatsze pokłady życiowej mądrości.

Patrzyłam na nią, gdy opowiadała mi o swoich dzieciach. Byłyśmy sobie bliskie. W ogóle nie pamiętałyśmy matki, a ojca bardzo słabo. Sir Gilles de Roet, rycerz z Hainault, właśnie tam zmarł, gdy miałam trzy lata, a wcześniej przekazał nas pod opiekę królowej Filipy, w której służbie pozostawał. Nasz brat Walter został żołnierzem, podobnie jak ojciec, i zginął w służbie Edwarda Woodstocka w bitwie pod Poitiers. Miałyśmy również starszą siostrę Elżbietę, nieżyjącą już zakonnicę z klasztoru w Mons. Nigdy jej nie poznałam.

Tak więc z Filipą byłyśmy same na świecie i wszystko zawdzięczałyśmy dobrej, macierzyńskiej królowej – wychowanie, wykształcenie, a także pozycję na dworze księżnej Blanki, gdzie umieściła nas, gdy byłyśmy jeszcze bardzo młode i nadawałyśmy się tylko do kołysania dwóch malutkich księżniczek. Pozbawione rodziców trzymałyśmy się razem, i choć później życie poniosło nas w różne strony, bliskość pozostała. Ale to jeszcze nie oznaczało, że nie muszę uważać na ostry język siostry.

– Czy jesteś szczęśliwa? – zapytałam, przerywając jej długą listę narzekań na Agnes, starzejącą się matkę Geoffreya, która wciąż mieszkała przy Thames Street.

– Tak samo jak zawsze. Zadowolenie chyba nie leży w mojej naturze. Może gdybym wyszła za przystojnego rycerza, tak jak ty... – Jej usta skrzywiły się z goryczą.

– Twój mąż jest bardzo wartościowym człowiekiem.

– Tak, wiem.

– Pisanie przynosi mu wielką sławę.

– To prawda.

– Masz dzieci.

– Są dla mnie błogosławieństwem, ale nie będę ich miała więcej.

Zamilkłam, zastanawiając się, czy powinnam zapytać o przyczyny tak stanowczego postawienia sprawy, ale uznałam, że lepiej nie. Zamiast tego powiedziałam:

– Geoffrey troszczy się o ciebie.

– Jestem mu zupełnie obojętna. Nigdy nie napisał poematu o mojej urodzie ani pięknych oczach. Pisze tylko o pułapkach małżeństwa. – Gdy zachichotałam, ofuknęła mnie: – Nie śmiej się! Wiesz, że ma ponad sześćdziesiąt książek i woli spędzać czas przy nich niż ze mną? – Gdy nie przestawałam się śmiać, zawtórowała mi krótko, ale w jej głosie zabrzmiał smutek, który poruszył moje serce. – Po prostu jestem niezadowolona. W Hertford będzie lepiej. – Podniosła się i podeszła do okna wychodzącego na Tamizę. – A ty, moja droga? Czy masz już na oku następnego męża?

– Przecież jestem wdową dopiero od kilku miesięcy.

– W takim razie kochanka.

– Filipo!

– Ta pobożność nie wyjdzie ci na dobre. Jak długo nie widziałaś męża przed jego śmiercią?

– Szesnaście miesięcy. I wcale nie jestem pobożna.

– Znam cię lepiej niż ty samą siebie. Musiałabyś dziesięć razy odmówić Pater Noster, zanim wskoczyłabyś do łóżka kochanka.

– Nie zrobiłabym tego!

Ale dobrze wiedziałam, że to nieprawda, i znów ogarnęły mnie wątpliwości. Głos sumienia był wyraźny, nie pozwalał mi traktować grzechu lekko. Przekonałam się o tym na własnej skórze, gdy wszystkie zasady, których trzymałam się mocno przez całe życie, zawisły na włosku w obliczu kampanii księcia. Gdybym poszła do niego, zniewolona jego wezwaniem, gdybym uczyniła ten krok, by go zadowolić, przecięłabym tę nić niczym ostatnią nitkę przy szyciu szarfy. Nie mogłam udawać, że to nie miałoby znaczenia. Miałoby. Jeśli to uczynię, będę musiała pogodzić się z poczuciem winy i potępieniem.

– Katarzyno! – Filipa szturchnęła mnie. – Gdzie jesteś?

– Nigdzie. – Poczułam, że moje policzki oblały się czerwienią. – O czym mówiłaś?

– Że może poszukam sobie kochanka...

– Geoffrey mógłby mieć coś przeciwko temu.

– Geoffrey zapewne nawet by tego nie zauważył. Czy tobie ktoś wpadł w oko?

Znów potrzebowałam czegoś, by odwrócić jej uwagę.

– A skoro już mówimy o Geoffreyu, czy rozmawia z tobą o sprawach dworskich?

– Czasami. Dlaczego pytasz?

– Ciekawią mnie ambicje księcia. Teraz zwracają się do niego monseigneur d'Espaigne. Czy naprawdę dąży do objęcia korony kastylijskiej?

Czy kocha królową – tego chciałam się dowiedzieć. Czy ożenił się z miłości, tak jak z Blanką, ze względu na to, że istniała między nimi namiętność, czy też Konstancja była tylko pionkiem służącym do osiągnięcia celu, bo korona kastylijska jawiła mu się na horyzoncie jak klejnot?

– Geoffrey tak sądzi – odrzekła Filipa nonszalancko. – Książę ma ambicje. Przez całe życie dążył do władzy. Kiedyś planowano, że zostanie królem Szkocji, teraz pojawiła się Kastylia. Szansa na własne królestwo. – Obojętnie wzruszyła ramionami. To nie był dla niej ważny temat. – Książę Jan ma wielkie ambicje, marzy o koronie, ale co w tym dziwnego, królewska krew. Dlaczego tak cię to ciekawi?

– Nie tak bardzo.

– No cóż, nie czekał długo z ożenkiem, prawda? Ma tylko jednego syna, który po nim dziedziczy. Może się zakochał od pierwszego wejrzenia?

– Być może... – To tylko potwierdzało moje wcześniejsze przypuszczenia.

– Geoffrey mówił, że książę dał jej wspaniały prezent ślubny. Złoty puchar w kształcie róży z białą gołębicą na pokrywie. Moim zdaniem to wygląda na dar zakochanego.

– Coś o tym słyszałam... – Moim zdaniem też tak wyglądało, co tylko bardzo pogarszało sytuację. Zaproszenie księcia było preludium do zwykłego przelotnego romansu i nie zamierzałam na to przystać.

I tak nie mogłabyś się na to zgodzić, upomniało mnie sumienie.

– Podobno królowa Kastylii jest uderzająco piękna i mogłaby zdobyć serce każdego mężczyzny.

– To prawda. – Filipa przekonała mnie.

– Dość już o Konstancji. – Podniosła się i rozejrzała z uznaniem po mojej przestronnej sypialni. – Czy mam dzielić tę komnatę z tobą, czy też będę skazana na zabawianie jakiejś kastylijskiej damy? Chodźmy to sprawdzić, a przy okazji poszukamy moich dzieci. Aha, książę przyznał mi roczną pensję w wysokości dziesięciu funtów w uznaniu za służbę. – Popatrzyła na mnie przenikliwie. – Dobrze jest czuć się docenionym. A tobie ile płaci? Czy jesteś warta więcej niż ja?

Potrząsnęłam głową gotowa skłamać. Jakże łatwo ostatnimi czasy z moich ust wychodziły półprawdy i uniki.

– Jakże mogłabym być więcej warta od ciebie?

Z tego też będę musiała się wyspowiadać. Poczułam ulgę na myśl, że schowałam różaniec. Nie miałabym ochoty tłumaczyć się przed siostrą z tego podarunku.

ROZDZIAŁ PIĄTY

– Robert! – zawołałam, skręcając za róg budynku w zapadającym zmierzchu. – Robert Rabbas! Na litość boską, gdzie ty się podziewasz?!

Było tak zimno, że Tamiza zamarzła. Drżąca, wściekła, z palcami tak zziębniętymi, że nie mogłam ich zgiąć, zaciskałam pod brodą brzegi kaptura. Dlaczego akurat w chwili, gdy potrzebny był ktoś do kłopotliwego zadania, nigdzie wokół nie było widać ani słychać żadnego giermka, pazia czy choćby zwykłego sługi? I dlaczego właśnie wtedy, gdy pogoda była najbardziej paskudna i marcowe wiatry hulały od północy, trafił nam się kosz wilgotnego drewna, które zamiast ciepła wydzielało tylko sądzę i dym?

Plany przeniesienia całego dworu do Hertford spaliły na panewce, gdy Henryk, syn księcia, został złożony gorączką. Był marudny i kapryśny. Czasami płakał, bo bolały go stawy. Drobne ciałko na przemian stawało się rozpalone i lodowato zimne. Księżna Konstancja obawiała się rozprzestrzenienia choroby, wręcz zarazy, która mogłaby zaszkodzić jej nienarodzonemu dziecku, i nie dawała się przekonać, że to tylko zwykła dolegliwość wieku dziecięcego. Wyraziła życzenie, by natychmiast wyjechać z Londynu do zamku księcia w Hertford. Następnego dnia zapakowano ją do lektyki razem z kastylijskimi damami i opuściły pałac pod okiem Filipy. Książę pojechał z małżonką, a potem miał wrócić do Londynu i wraz z królem i księciem Edwardem zająć się planowaniem kampanii przeciwko Francuzom. Oczekiwano, że książę poprowadzi armię.

Nie przysłał po mnie. W tych okolicznościach było możliwe, że wyjedzie z Anglii, zanim cokolwiek między nami zostanie rozstrzygnięte.

Natomiast my pozostałyśmy w Savoyu razem z dziećmi, spodziewając się, że gorączka rozszerzy się jak pożar i że zachorują wszystkie po kolei. Ustalono, że pojedziemy do Hertford, gdy niebezpieczeństwo już minie.

Nie żałowałam tego. Siedziałam przy Henryku, chłodząc jego czoło i rozgrzane ramiona liśćmi lulka gotowanymi w winie. Duże włochate liście nie wyglądały zachęcająco, ale znane są z tego, że zbijają gorączkę. Jeszcze zza bramy dochodził do mnie podniesiony głos Konstancji, która skarżyła się na coś po kastylijsku. W duchu życzyłam wszystkiego najlepszego siostrze, myśląc jednocześnie o tym, że powinnam się z czegoś ucieszyć. No cóż, zostałam uwolniona z obecności księcia.

Ale mieszkając w pałacu Savoy, w stworzonym przez księcia świecie piękna i bogactwa, trudno było nie wyczuwać jego obecności nawet wtedy, gdy on sam znajdował się daleko stąd. Miałam wrażenie, że lada chwila zobaczę go na zakręcie schodów, klęczącego w kaplicy, dosiadającego gniadego ogiera na dziedzińcu albo przy kolacji w wielkiej sali. Choć nie było go w żadnym z tych miejsc, zdawało mi się, że jeśli popatrzę uważniej, to go zobaczę. Nie zamierzałam jednak poddać się pokusie i wciąż go wypatrywać. Lepiej, że go tu nie ma, powtarzałam sobie.

Mróz uformował wzory na szybkach okien, a ogień dawał niewiele ciepła. Przykryłyśmy dzieci najcieplej, jak się dało, futrami i kołdrami, i dwie godziny temu posłałyśmy po dodatkowy opał.

W końcu, wiedziona słusznym gniewem, poszłam sprawdzić, co się dzieje. Nigdzie nie mogłam znaleźć Thomasa Haseldena, zarządcy pałacu. Sir Thomas Hungerford, nasz ochmistrz, pojechał razem z księciem i Konstancją do Hertford i cały dom ogarnęło rozprężenie. Zbliżała się pora kolacji i służba powinna być zajęta w kuchniach, ale to jeszcze nie był powód, byśmy zamarzli na śmierć. Elżbieta zaczęła już kaszleć od gryzącego dymu, a ja tylko czekałam, jak w jej ślady pójdzie Blanka. Nawet Alyne, zwykle odporna na wszystko, położyła się do łóżka, twierdząc, że czuje już swój wiek w kościach, a lady Alice zaczęła mściwie obmyślać, co powie księciu, gdy znów go zobaczy.

W załomach i zakamarkach wewnętrznego dziedzińca gromadził się gęsty mrok, ale dostrzegłam jakiś ruch i z bocznych drzwi w kącie wyłonił się mężczyzna w ciemnym stroju z zawiniątkiem pod pachą. Doskonale nadawał się do wykonania zadania. Podniosłam rękę, żeby przyciągnąć jego uwagę.

– Robert, to ty?! – zawołałam. Był wysoki i przypominał chudego pazia, który wcześniej przyniósł nam kosz wilgotnych polan. – Potrzebujemy opału w pokoju dziecinnym. Czy mógłbyś się tym zająć?

Zatrzymał się, zawahał i skłonił.

– Prosiłam już o drewno cztery godziny temu – dodałam, uznając, że odrobina przesady nie zaszkodzi.

Postać nie poruszyła się. Podniosłam głos nieco bardziej i echo moich słów odbiło się od wilgotnych murów:

– Proszę, przynieś nam drewna. Tylko mam nadzieję, że nie zrzucisz tego zadania na kogoś innego, a sam zaraz o wszystkim zapomnisz! Dzieci marzną. I przypilnuj, żeby drewno było suche!

Postać zniknęła za drzwiami, a ja wróciłam do pokoju. Lady Alice zadrżała w przeciągu, gdy otworzyłam drzwi.

– Udało ci się?

– To się jeszcze okaże. – W pomieszczeniu szkolnym, gdzie wszyscy przebywaliśmy, panowała niemal taka sama temperatura jak na zewnątrz. Dzieci były zziębnięte. I owszem, Blanka już kaszlała i miała zaczerwienione oczy. Tylko Henryk, który wreszcie dochodził do siebie i zaczynał cierpieć z powodu unieruchomienia w łóżku, wydawał się pełen energii. Pochyliłam się nad Filipą i mocniej okryłam ją futrem.

Ktoś otworzył ramieniem drzwi za moimi plecami.

– Opał, pani.

– Wreszcie!

– Przyszedłem najszybciej, jak mogłem, pani.

Obróciłam się i zobaczyłam księcia stawiającego kosz drewna obok kominka, w którym pełzał mizerny ogień. Przerzucił krótki płaszcz przez jedno ramię, a drugim, imponująco umięśnionym, strącił resztki kurzu i patyków ze stroju, po czym otrzepał dłonie.

– Milordzie! – Dygnęłyśmy pośpiesznie. Dzieci, podniecone nieoczekiwaną atrakcją, zaczęły się wyłaniać spod kołder jak ćmy z kokonu. Zajęłam się czymś zupełnie niepotrzebnym, żeby ukryć zarumienione policzki, ale zdążyłam zauważyć błysk w oku księcia.

– Zaraz przyniosą więcej. – Rozejrzał się po sali i na widok naszego żałosnego stanu zmarszczył czoło, zdjął kapelusz i przegarnął włosy. – Na Boga, tu jest zimno jak w Hadesie!

– Co ty robisz, Janie? – zdumiała się Alice. Podeszła do niego i strzepnęła śmieci z jego rękawa. – Czy nie mamy już służby?

– Jak sądzę, nadal ją mamy. – Jego szeroko otwarte oczy rzuciły mi niewinne spojrzenie. – Ale kazano mi przynieść drewno osobiście, nie zaś przekazać polecenie komuś innemu i zapomnieć o wszystkim.

Poczułam falę gorąca, która sięgnęła aż do włosów. Alice wybuchnęła śmiechem.

– Kiedy wróciłeś?

– Właśnie w tej chwili. I jak się okazało, w samą porę. Cieszę się, że mogłem się na coś przydać.

– Wybacz, milordzie – wyjąkałam. Nie byłam w stanie popatrzeć mu w oczy. – Nie mogłam przypuszczać...

Odegnał moje słowa takim samym gestem, jakim wcześniej strącał kawałki patyków z bogato zdobionej szaty.

– Rzadko ktoś bierze mnie za sługę, a tym bardziej za Roberta. Niektórzy powiedzieliby, że to dobre dla mojej duszy i powinienem podziękować Bogu, że przypomniano mi o pokorze Chrystusa, którego jako chrześcijanie winniśmy naśladować. – W jego głosie brzmiał śmiech. Rozejrzał się, wyjął psałterz z rąk Henryka i przegarnął włosy syna takim samym ruchem jak wcześniej swoje. – Tu jest za zimno. Wszyscy dostaną gorączki. – Z uśmiechem włożył swój sukienny kapelusz na głowę syna. Futrzany brzeg zakrył oczy Henryka, który aż zakrztusił się z zachwytu. – Zabierz dzieci do moich komnat, Alice. Rozgośćcie się tam. Lady Katarzyna i ja każemy tam zanieść książki i wszystko, czego jej zdaniem możecie potrzebować.

– Doskonały pomysł. – Alice bez wahania zgarnęła grupę dzieci i nianiek i poprowadziła je za sobą.

I w ten sposób zostawiła mnie twarzą w twarz z moim przeznaczeniem. Książę Jan stał między mną a drzwiami z rękami zwieszonymi u boków i patrzył na mnie z nieprzeniknionym wyrazem twarzy. Nie miałam dokąd uciec, a nawet gdybym tego spróbowała, książę domagałby się wyjaśnień.

Musiał zauważyć, że zerknęłam na otwarte drzwi.

– Nie. – Błyskawicznie postąpił ku mnie i chwycił za rękę. Zmarszczka na jego czole pogłębiła się. – Jesteś przemarznięta.

Bez dalszych ceregieli pochwycił moją drugą rękę i pociągnął mnie na miejsce, w którym przed chwilą siedziały jego córki. Owinął moje dłonie płaszczem podbitym futrem i przycisnął do piersi. Próbowałam je wyrwać, ale tylko wzmocnił uścisk. Szarpanina uwłaczałaby mojej godności, toteż siedziałam nieruchomo, nie próbując walczyć o straconą sprawę. Czułam pod dłońmi bicie jego serca, mocne i równe, znacznie równiejsze niż moje. Siedział zbyt blisko, był zbyt potężny, a ja nie miałam pojęcia, co mu powiedzieć.

– Nie wiedziałam, panie, że wróciłeś – rzekłam w końcu, krzywiąc się w duchu na trywialność mojego komentarza.

– Musiałem. Musiałem cię zobaczyć – odrzekł spokojnie, a jego oczy w nieruchomej twarzy wydawały się mroczne i pozbawione blasku.

– Nie powinnam tak tu z tobą siedzieć.

– Czy odmawiasz mi prawa, by cię rozgrzać?

– Nie masz takiego prawa. – Od jego dotyku krew zaczynała mi dudnić w uszach. Poczułam narastającą panikę.

– Jestem Plantagenetem.

Jego arogancja zaparła mi dech.

– To znaczy, że mam być na twoje usługi?

– Tak.

– Nie rozumiem, sir, czego ode mnie chcesz.

– Ciebie. Chcę ciebie.

Z jeszcze większym wysiłkiem zdobyłam się na taką oto odpowiedź:

– Powinieneś pozostać wierny żonie, milordzie.

Poczułam pod dłońmi, że odetchnął głęboko, więc skuliłam się wewnętrznie w oczekiwaniu na wybuch irytacji Jego Książęcej Mości.

Owszem, odpowiedział lekkim tonem, jednak dodatkowo wytrąciło mnie z równowagi to, że nawiązał do dawnej rozmowy, jakby w ogóle nie było tych sześciu tygodni wypełnionych napięciem.

– Wiesz, czego chcę, Katarzyno. Na Boga, powiedziałem to jasno. O ile dobrze pamiętam, wykazałem się żałosnym brakiem finezji, ale miałem nadzieję, że przemyślisz wszystko jeszcze raz. To trwa już zbyt długo. Ile czasu minęło od dnia, gdy zaproponowałem ci swoją opiekę i łoże?

Może to dziwne, ale prostota tego stwierdzenia przemówiła do mojego serca.

– Sześć tygodni, milordzie. – Nie musiałam liczyć, pamiętałam dokładnie.

Poczułam się głupio, gdy się roześmiał.

– A więc ty też liczyłaś.

Naraz porzuciłam wszystkie myśli o różnicach w naszym statusie. Nie byliśmy już księciem z królewskiego rodu i poddaną, lecz mężczyzną i kobietą postawionymi przed wyborem, który nie był żadnym wyborem i nigdy nie mógł nim być.

– Moja odpowiedź się nie zmieniła – oświadczyłam.

– Podobnie jak moje pragnienie, byś była ze mną. Czyżbyśmy w takim razie utknęli w martwym punkcie? Pragnąłem cię wtedy i pragnę cię teraz. – Jego głos, niski i pełen napięcia, zmuszał, bym go słuchała i znów zastanawiała się nad jego ofertą, zamiast z miejsca ją odrzucić. – Nie uwierzę, że jestem ci obojętny. Gdy trzymam cię w objęciach, krew szaleje w moich żyłach i czuję, jak mocno bije twoje serce.

To była okropna prawda. Nie mogłam zaprzeczyć, bo wciąż ściskał moje nadgarstki i czuł, jak mocno bije w nich tętno. Zaschło mi w gardle, a serce szaleńczo obijało się o żebra. Pod dłońmi czułam przyśpieszone bicie jego serca. Nie mogłam twierdzić, że książę jest mi obojętny, skoro moje policzki płonęły i cała byłam rozdygotana.

– Gdybym cię pocałował teraz, w tej chwili – powiedział, patrząc na mnie oczami przenikliwymi jak oczy jastrzębia – mogę się założyć, że twoje usta byłyby miękkie i zachęcające.

Wiedziałam, że tak by było. Siedzieliśmy tak blisko siebie, że widziałam własne odbicie w jego oczach i nie potrafiłam ukryć wewnętrznego wzburzenia. Bezradnie odwróciłam twarz.

– Gdybym cię pocałował, czy potrafiłabyś zaprzeczyć przyciąganiu, które działa między nami? – Podniósł nasze złączone ręce i obrócił moją twarz do siebie. – Boisz się mnie? Chyba nie. Nie pocałuję cię bez twojego pozwolenia. Czy zostaniesz moją ukochaną, Katarzyno? – dodał z uśmiechem, który podkopał wszystkie moje przekonania.

Ale nie straciłam jeszcze do końca rozsądku.

– Nie mogę! – Dlaczego nie potrafił tego zrozumieć? – To było niewłaściwe i wtedy, i teraz też takie jest.

– To samo mówiłaś poprzednim razem.

– I znów to powtarzam. Nie powinieneś mnie o to prosić.

Porzuciliśmy oficjalne formy. Oczy Jana wędrowały po mojej twarzy, jakby chciał ją dobrze zapamiętać. W pierwszej chwili pojawił się w nich twardy wyraz, coś, co mogło zdradzać niezadowolenie z powodu odrzucenia, zaraz jednak złagodniały, być może z żalu.

– Nie chcę cię gnębić, przypierać do muru – oznajmił łaskawie, a jego uścisk nieco zelżał.

Gdy odetchnęłam z ulgą przekonana, że pogodził się z odmową i zostawi mnie w spokoju, jego wzrok znów się wyostrzył i przesunął po całej mojej sylwetce.

– Dlaczego nie nosisz mojego różańca?

A zatem zauważył, że mam przy pasie prosty drewniany różaniec zamiast koralowego.

– Bo to nieodpowiedni dar dla damy dworu twojej żony.

– Nieodpowiedni? Cóż może być nieodpowiedniego dla księcia Lancastera? – Podniósł wyżej głowę. – Sądziłem, że jest bardzo odpowiedni. Miałem nadzieję, że ci się spodoba, a przy tym okaże się bardziej użyteczny niż puchar.

– Podoba mi się. Oczywiście, że tak. Jest wspaniały. – Miałam ochotę potrząsnąć księciem, tak jak kobieta potrząsa czasem tępym mężczyzną, który nie nadąża za jej rozumowaniem. – Ale to zbyt wiele. Dałeś mi tak cenny dar, a potem poprosiłeś, żebym została twoją metresą, chociaż należę do dworu twojej nowo poślubionej żony.

Jego brwi ściągnęły się w prostą linię.

– Twierdzisz, że to grzech...

– Tak. – Usta miałam wyschnięte, a serce zimne jak kamień, ale musiałam wszystko powiedzieć do końca. – To niemoralne – szepnęłam. – Sprzeciwia się temu wszystkiemu, czego nauczyłam się jako dziecko, gdy byłam wychowywana przez twoją matkę. I sądzę, że również temu wszystkiemu, co wpojono tobie.

Rozdął nozdrza. Nigdy jeszcze jego królewska natura nie ujawniła się w mojej obecności bardziej wyraziście.

– Gdybym usłyszał coś takiego od mężczyzny, ściąłbym mu głowę mieczem. A więc oskarżasz mnie o niemoralność, lady Swynford?

– Tak. Nie... – Czyż nie zrobiłam tego? Poczułam, że moja twarz znów płonie. Nie byłam w stanie odpowiedzieć składnie.

– No cóż, to jest wystarczająco jasne.

– To zupełnie nie jest jasne! – Próbowałam się odsunąć, ale mocniej zacisnął palce na miękkim futrze. – Ciąży mi to na sumieniu.

– A zatem to sumienie nie pozwala ci mnie przyjąć?

– Tak. Ale nie tylko o to chodzi – próbowałam wyjaśnić. – Nie mogłabym zostać kochanką człowieka, który mnie nie szanuje i którego ja nie mogłabym szanować na równi. – Zadałam mu więc pytanie, którego jeszcze nigdy nie zadałam żadnemu mężczyźnie, a już na pewno nie wyobrażałam sobie, że kiedyś o coś takiego zapytam księcia Lancastera. – Czy potrafisz szanować kobietę, która zgadza się wejść w cielesny związek z mężczyzną bez błogosławieństwa Kościoła, popełniając tym samym grzech cudzołóstwa?

– Tak – odpowiedział bez wahania. – Potrafię, jeśli to ty masz być tą kobietą. Jak możesz mnie o to pytać? Przecież jasno wyraziłem swoje pragnienia. Będę cię wielbił z błogosławieństwem Kościoła czy też bez niego. I będę cię chronił przed oskarżeniami ze strony świata.

Ta obietnica poruszyła moje emocje. A zatem myśli księcia potrafiły podążyć takim tropem... Ale czy ja potrafiłabym żyć w grzechu? Czy mogłabym wieść życie oparte na pożądaniu, na niegodnym fizycznym pragnieniu, które ściągnęłoby na moją głowę niesławę? Trzeba było wiele silnej woli, by stawić czoło rodzinie i znajomym jako jawna kochanica księcia Lancastera i wydać się na ich osąd.

– Czy zaprzeczysz, że mogę tego dokonać? – zapytał książę. – Uczynię cię swoją metresą. Jako wybranka księcia z rodu Plantagenetów nie będziesz musiała się przed nikim tłumaczyć.

Ale musiałabym się wytłumaczyć przed własnym sumieniem i przed Bogiem. Pozostało mi więc tylko przedstawić księciu swój dylemat. Powinien mnie zrozumieć, byłam tego niemal pewna.

– Nie mogę tak postąpić. Za bardzo różnimy się pozycją, milordzie. Jestem tylko córką królewskiego urzędnika, wdową po niewiele znaczącym rycerzu. Ale nie jestem dworską dziewką, gotową zadowolić każdego chętnego mężczyznę w zamian za nocną przyjemność i garść klejnotów. Wiem, co mi się należy, i znam swoje miejsce w porządku tego świata, a to miejsce nie jest w twoim łóżku. Nie mogę przyjąć twojej propozycji tylko dlatego, że...

– Tylko dlatego, że mnie swędzi i trzeba mnie podrapać. Czy to właśnie chciałaś powiedzieć?

– Tak.

Moja twarz zapłonęła na tak bezpośrednie i wulgarne ujęcie sprawy, ale książę zaśmiał się, po czym skomentował:

– Twoje skrupuły, pani, są niezwykłe.

W jego głosie brzmiała wyraźna ironia, ale ponieważ wciąż się do mnie uśmiechał, dalej próbowałam wyjaśniać:

– Wiem, że cenisz sobie moją służbę. Wiem, że jesteś dobry dla mnie i dla moich dzieci. Będę służyła domowi Lancasterów z najgłębszą wdzięcznością za wszystko, co dla nas zrobiłeś. Ale jak możesz mnie pożądać? Kochałeś Blankę całym sercem. Twoja miłość do niej lśniła wokół was obojga jak aureola. Wiem, jak bardzo cierpiałeś po jej śmierci. – Udało mi się skupić na sobie jego uwagę. – Masz nową, piękną i wysoko urodzoną żonę, która nosi twoje dziecko. Wniosła ci w wianie królestwo i cenny sojusz. Jest młoda i delikatna, zapewne wzbudza w tobie opiekuńcze instynkty. Czy jej nie kochasz? Wiem, że troszczysz się o nią, bo traktujesz ją tak, jakby była zrobiona ze szkła. Dlaczego nie miałbyś wielbić właśnie jej?

Po co wypowiedziałam te wszystkie słowa? Ot, bezowocne działanie. Przecież mówiłam o sprawach, o których książę wiedział znacznie więcej niż ja. A jednak, mając tę świadomość, i tak czułam potrzebę, by to powiedzieć. Odetchnęłam głęboko i rozpostarłam dłonie płasko na jego piersi.

– Nie będę kochanicą żadnego mężczyzny, który pragnie mnie tylko dla chwili rozkoszy i szybkiej satysfakcji między prześcieradłami – oświadczyłam równie bezpośrednio jak on.

– Ani za garść klejnotów. Tak powiedziałaś. – Przechylił głowę i w jego oczach błysnęło coś w rodzaju podziwu. Chyba jednak udało mi się go zaskoczyć. – To była godna uznania przemowa. Wiedziałem, że nie bez powodu zatrudniłem cię jako damę dworu księżnej. Wywarłaś na mnie wielkie wrażenie. Czy skończyłaś już tę analizę mojej moralności i charakteru? Jeśli tak, mogę powiedzieć na swoją obronę, że uwielbiałem Blankę i jej śmierć złamała mi serce. Ale ona nie żyje już od trzech lat, a żaden płomień nie może płonąć wiecznie.

Po namyśle musiałam się z nim zgodzić. Było jednak coś jeszcze:

– Ale teraz jest Konstancja, panie. – Królowa Kastylii stała między nami tak wyraźnie, jakby pojawiła się tu we własnej osobie.

Książę ściągnął brwi.

– Czy sądzisz, że uwłaczam jej godności? Konstancja mnie nie kocha ani ja jej, jeśli to cię niepokoi. To polityczne małżeństwo, które ma przynieść korzyści obu stronom i poszerzyć moją władzę. Mam ambicje, których nie mogę zaspokoić jako trzeci syn mego ojca, toteż cenię Konstancję za to, co może mi dać. Nigdy nie okażę jej braku szacunku. Nie uczynię niczego, co mogłoby ją skrzywdzić albo zasmucić. Nigdy nie wystawię jej na publiczne pośmiewisko i upokorzenie. Będę ją traktował dwornie i z respektem.

– Sądzę, że przemawia przez ciebie obłuda, milordzie, skoro proponujesz, żebym zaledwie pół roku po ślubie została twoją kochanką. I nie, nie przeprowadzałam analizy twojego charakteru. – Nie sposób było nie zauważyć ostrego tonu w moim głosie. – Nie będę kochanką żadnego mężczyzny, który pragnie tylko zabawić się mną przez kilka tygodni, dopóki pożądanie jest najmocniejsze, a potem, gdy apetyt zblednie, odrzuci mnie na bok.

Książę uśmiechnął się.

– Widzę, że masz kiepskie zdanie o stałości moich uczuć. Sądzę, że przyjemność, jakiej moglibyśmy razem zaznawać, trwałaby znacznie dłużej. Czy naprawdę wierzysz, że porzuciłbym cię po kilku tygodniach?

– Nie wiem. – Przełknęłam piekące łzy. – Sądzę, że nie rozumiesz, panie, mojego dylematu. Mam sumienie – powtórzyłam, czując, że zaczynam przegrywać bitwę z uporem księcia.

– I uważasz, zdaje się, że ja go nie mam. Masz o mnie bardzo marną opinię. – Kpiąco potrząsnął głową. – Postawiłaś przede mną trudne zadanie. Muszę znaleźć sposób, by ci udowodnić, że godzina czy dwie amorów byłaby bardzo przyjemna.

– Nie próbuj tego, milordzie. Nie uda ci się mnie przekonać.

Podniósł się i pociągnął mnie za sobą, a gdy próbowałam się odsunąć, wziął mnie w ramiona. Staliśmy nieruchomo. Pierś dotykała piersi, uda ud. Przez chwilę wydawało mi się, że książę Jan zamierza mnie pocałować, i przestałam oddychać, ale usłyszeliśmy odgłos zbliżających się kroków, podniósł więc głowę i powiedział:

– Przysięgam, że to uczynię. Zostań w kaplicy po komplecie.

– Nie zmienię zdania.

– To rozkaz, Katarzyno. Masz czas, żeby się zastanowić. Wiem, że cała drżysz przy każdym uderzeniu serca. Mógłbym przysiąc, że czujesz to dziwne przyciąganie między nami tak samo mocno jak ja. I zamierzam sprawić, żebyś porzuciła swoje starannie przygotowane argumenty i przyznała to.

Jego ton był nieugięty. Musiałam przyjąć do wiadomości, że Jan Lancaster potrafi być bezlitosny. Ta świadomość zmroziła mnie do szpiku kości, choć płomyk w sercu wciąż pozostał żywy.

Książę zsunął płaszcz z moich dłoni i w końcu mnie wypuścił.

– Przynajmniej rozgrzałem ci ręce – dodał. – Teraz moje eksploracyjne działania będą podporządkowane jednemu celowi: żebyś znów zaczęła się uśmiechać. I dopnę swego.

Nie powiedział nic więcej, bo kroki zmaterializowały się w postaci Roberta, który wreszcie się pojawił. Książę kazał mu zabrać porzuconą lutnię i bębenek, wepchnął mi w ręce kilka książek, a resztę zgarnął pod ramię. Poszłam za nim do jego komnat i tam wreszcie, w otoczeniu dziecięcych głosów i błogosławionego ciepła, wróciłam do normalności.

Otworzył drzwi, ale zatrzymał mnie jeszcze przed progiem i oznajmił:

– Będę się do ciebie zalecał i zdobędę cię, pani. Wydam bitwę twojemu sumieniu i wygram ją. Uczciwie cię ostrzegam.

– Nie pozwolę się zwyciężyć.

– Tak mówisz? – Przysunął usta do mojego ucha i szepnął: – Będę cię miał.

W buntowniczym nastroju uklękłam do komplety wraz ze wszystkimi domownikami. Zamierzałam być uczciwa i stanowcza. Musiałam znów stać się godna Bożej łaski. Nie mogły zachwiać moim postanowieniem ani zwodnicze argumenty, ani prymitywne pożądanie.

Zamierzałam odrzucić księcia Lancastera.

Gdy ksiądz uczynił znak błogosławieństwa i msza dobiegła końca, kaplica opustoszała. Ja jednak, ponieważ dostałam taki rozkaz, pozostałam na kolanach. Rzuciłam lekki uśmiech lady Alice, która uznała, że modlę się w jakieś osobistej sprawie.

Usłyszałam za plecami dźwięk zamykanych drzwi, a po chwili książę stanął obok mnie. W lśniącej od klejnotów tunice wyglądał tak wspaniale, że nie odważyłam się podnieść na niego wzroku i w zamian skupiłam spojrzenie na postaci cierpiącego Chrystusa na złotym krucyfiksie nad ołtarzem. To miała być bardzo krótka rozmowa.

– Milordzie, moja odpowiedź wciąż brzmi „nie". – Czyż mogłam wyrazić się jaśniej?

Jednak książę zignorował moje słowa.

– Wróciłaś do żałosnej czerni – zauważył, obrzucając wzrokiem moje wdowie szaty. W jego głosie zabrzmiał śmiech.

– Tak, milordzie.

– Zdaje się, że wróciłaś również do wizerunku sztywnej damy i formalnych manier.

– Tak, milordzie. Tak jest najlepiej.

– Dla kogo? – Gdy otworzyłam usta, dodał szybko: – Nie odpowiadaj.

– Nie mamy sobie nic więcej do powiedzenia, milordzie – próbowałam zakończyć rozmowę.

W ogóle go to nie zniechęciło. Wyciągnął rękę i nie cofnął jej, gdy nie ujęłam jej od razu.

– Może powinniśmy jeszcze porozmawiać o mojej propozycji? I wolałbym, żebyś nie była przy tym na kolanach, pani. Czyż nie przysiągłem, że przekonam cię, iż słuszne jest, żebyśmy byli razem? Uczynię to, ale wolałbym patrzeć na twoją uroczą twarz niż na ten niepochlebiający ci welon.

Okryłam się rumieńcem, ale przyjęłam wyciągniętą rękę i wstałam z kolan. Ołtarz błyszczał od złota, a moje kości zmieniły się w wodę i całe ciało ogarnął płomień od dotyku księcia. Obawiałam się, że to może potrwać dłużej, niż sądziłam.

– To nie jest odpowiednie miejsce, milordzie – powiedziałam, nie odrywając wzroku od błyszczącego ołtarza i zmartwychwstającego Chrystusa w otoczeniu świętych i aniołów. Wszyscy oni patrzyli na mnie osądzającym wzrokiem.

– To, moja piękna, jest jedyne miejsce, gdzie możemy być sami. Musisz utrzymać swoją pobożność w ryzach. – Gdy zesztywniałam z oburzenia, wybuchnął śmiechem. – Musimy jak najlepiej wykorzystać tę chwilę, gdy nikt nam nie przeszkadza. – Oparł dłonie na moich ramionach, obrócił mnie twarzą do siebie i ucałował moje czoło w miejscu pomiędzy brwiami. – Czy wiesz, że twoja skóra lśni jak najcenniejsze perły? A skoro to jedyny jej fragment, który pozwalasz mi zobaczyć... – Serce zaczęło mi bić jeszcze szybciej, gdy powiódł czubkami palców po moim policzku, od brwi aż po podbródek. – Miększa niż najmiększy jedwab.

Czułam zamęt w głowie. Nie byłam świadoma niczego oprócz osoby księcia, szerokich ramion, mocnych dłoni i uderzająco przystojnej twarzy. Dotyk jego ust na mojej skórze odebrał mi pewność siebie i splątał myśli jak kociak, który wskoczył do skrzyni z jedwabiami do haftowania.

– Twoje brwi są złociste jak letnie goździki – ciągnął z uśmiechem, jakby nie zauważał moich chaotycznych emocji. Oczywiście, że je zauważał. Robił to z rozmysłem. – Twój wdzięk kojarzy mi się z przejrzystymi ważkami nad stawem w Kenilworth, a głębia twoich oczu z prastarym bursztynem. Jesteś niezwykłą i piękną kobietą, madame Swynford.

Zadrżałam w jego uścisku. Nic nie mogłam na to poradzić.

– Czy próbujesz mnie uwodzić, milordzie?

– Oczywiście.

– A może to tylko wyrafinowany flirt, który ma podkopać moją decyzję?

– To też. Zawsze wiedziałem, że jesteś nie tylko piękna, ale również inteligentna. – Urwał, przypatrując mi się uważnie. W jego oczach pojawiło się napięcie, dłonie stały się bardziej natarczywe, ale ton wciąż pozostawał lekki. – Czy to odnosi skutek? Czy w jakimkolwiek stopniu pobudzam twoje zmysły? – Ciągnął takim tonem, jakby pytał mnie o zdrowie. – Twój welon drży, ale czy ty zechcesz się do tego przyznać?

Co miałam powiedzieć? Szczerość bywała niebezpieczna.

– Tak, milordzie. Przyznaję, że... że mnie pociągasz.

Jego spojrzenie stało się jeszcze bardziej intensywne.

– W takim razie bądź ze mną – powtórzył, na przemian rozprostowując i zginając palce. – Bądź ze mną, madame Katarzyno, i pozwól, bym otworzył przed tobą drzwi niebios.

Wydawało mi się, że orszak anielski marszczy brwi z dezaprobatą.

– Co się stało? – zapytał. – Co takiego powiedziałem, że wzbudziłem twój niepokój?

– Aniołom się to nie podoba – zauważyłam.

– Anioły mogą sobie myśleć, co chcą. To nie ich sprawa. To sprawa tylko między tobą a mną.

Zanim zdążyłam się odezwać, objął moją twarz i ucałował usta. Był to najdelikatniejszy i najczulszy z pocałunków. Jego wargi ledwie otarły się o moje, zapierając mi dech w piersiach.

– Wiedziałem, że całować cię, to jak pić wino posłodzone miodem. Bóg mi wybaczy.

Zabrakło mi słów. Jakie to podobne do niego, pomyślałam buntowniczo. To było bardzo w stylu księcia Lancastera – odrzucić wszelkie konwencje i zalecać się do mnie tak zmysłowo w tym świętym miejscu, w obliczu Boga, pozornie okazując mi należny szacunek.

– O ile sobie przypominam – ciągnął – twoje włosy, których nie pozwalasz mi zobaczyć, są jaśniejsze niż światło słońca. Spójrz na mnie, Katarzyno.

Spojrzałam. Nawet gdybym nie była zaczarowana pocałunkiem, nie miałabym siły oprzeć się mocy jego słów. Oczy księcia, w których odbijały się złocone anioły i cherubiny, znajdowały się dokładnie naprzeciwko moich oczu.

– Widziałem cię w sali audiencyjnej i pragnąłem cię. Wiesz o tym. Chciałem, byś była moja. Nadal tego chcę i nie zrezygnuję z ciebie. Zostałaś stworzona po to, by do mnie należeć. Mam prawo cię wziąć.

Mówił tak, jakbyśmy znaleźli się tu tylko z tego powodu. Może tak było dla mężczyzny takiego jak on. Zobaczył mnie i zapragnął. Patrzyłam na niego bez słowa, równie zdumiona jego bezpośrednimi słowami jak anioły.

Dłonie księcia powędrowały po moich ramionach w powolnej pieszczocie i w końcu ujęły moje dłonie.

– Przyszłaś do mnie, bo potrzebowałaś pomocy. Stałaś przede mną blada i zmęczona, przytłoczona ciężarem bezsennych nocy i zmartwień. Po raz pierwszy od czasu, gdy cię znam, byłaś w potrzebie. Nigdy nie myślałem o tobie jak o kruchej kobiecie, ale tamtego dnia zapragnąłem zdjąć ciężar z twoich barków. – Oddychał szybko, podobnie jak ja. – Nadal tego pragnę. Ale chcę też czegoś więcej: chcę zedrzeć z ciebie tę czarną szatę, zanieść cię do łóżka i pokazać ci, jaka radość może zaistnieć między mężczyzną a kobietą, których łączy pożądanie. Będę się o ciebie troszczył, chronił cię i otaczał wszelkimi wygodami. Będę cię szanował i traktował godnie. Będziesz moją kochanką i pragnieniem mego serca. Proszę tylko, żebyś powiedziała „tak", bo bardzo cię pragnę.

Był tak blisko, że spodziewałam się kolejnego pocałunku. Gdyby tego nie uczynił, zatraciłabym się w tęsknocie.

Pocałował mnie. Nie był to czuły uścisk, przelotna chwila, szarmanckie muśnięcie wargami, ale gorący, namiętny pocałunek, obietnica tego, co może się stać. Zatraciłam się w książęcej wspaniałości.

Gdy w końcu przywarłam do jego piersi, uniósł głowę.

– No cóż, madame Swynford, moja wielce szacowna, przyodziana w czerń wdowo. Cóż teraz powiesz?

Cóż mogłam odpowiedzieć na tak śmiałą deklarację, na tak zapierające dech w piersiach zaproszenie? We wdowiej czerni wyglądałam surowo i cnotliwie, ale moje myśli dalekie były od surowości i cnoty. Zastanawiałam się, co to wszystko może oznaczać dla mnie.

– Chcesz, żebym została twoją kochanką.

– Tak.

– I żebym należała do twojego domu.

– Naturalnie.

– Będziesz mnie traktował z szacunkiem i godnością.

– Tak. Będę cię również hołubił i czcił. Na Boga, Katarzyno! Przepytujesz mnie z katechizmu? Oto jest, cały, do twojego wglądu. Nie mogę ci dać mojego nazwiska. – Zupełnie jak negocjacje kupieckie, pomyślałam w chwili niedorzecznej lekkości. – Nie mogę dać ci odpowiedniej pozycji w oczach świata, ale mogę ci dać wszystko to, czym jestem, i zrobię wszystko, co w mojej mocy, by cię uszczęśliwić. To mogę ci zaoferować, Katarzyno Swynford, jeśli tylko przestaniesz się opierać i dobrowolnie wejdziesz w moje ramiona.

Świece zaczynały już przygasać. Płomyki drżały i skakały na boki. Kaplica zdawała się przez to jeszcze bardziej tajemnicza, a twarze anielskiego orszaku jeszcze bardziej złowrogie.

– Twój welon drży, a to oznacza, że serce bije ci mocno – ciągnął, gdy ja wciąż milczałam, próbując ogarnąć to wszystko myślami. – Czy jesteś w stanie oddychać na tyle, by dać mi odpowiedź? Dlaczego nie możesz po prostu pogodzić się z tym, że ty i ja będziemy razem?

Pożądał mnie. Jan Lancaster mnie pragnął. Znów zakręciło mi się w głowie.

– A jeśli ci się oddam, czy będziesz przynosił mi drewno? – zapytałam.

Uniósł brwi i jego oczy zabłysły, ale odpowiedział spokojnie:

– Będę. Zrobię wszystko, o co mnie poprosisz. Będę ci nalewał wina i wiązał sznurówki.

Wzbierał we mnie niestosowny śmiech. Odwróciłam wzrok i wpatrzyłam się w próg, przed którym stałam.

– Nie mogłabym ścierpieć plotek o nas, milordzie.

– Wiesz, jak to jest na dworze.

– Wiem, że tutaj niczego nie da się długo ukryć.

– Nie zrobię nic takiego, co mogłoby ściągnąć uwagę na ciebie... na nas. Czy tego właśnie się obawiasz?

Powoli wypuściłam oddech.

– Czy taka dyskrecja jest możliwa?

– Nie wiem. – On również mówił szczerze. – Wiem tylko jedno: potrzebuję cię tak bardzo, że zupełnie tracę od tego rozum.

Jego słowa ślizgały się po mojej skórze niczym najdelikatniejszy jedwab, jak błękitno-biały adamaszek, który od niego dostałam. Po tygodniach nieustannych rozterek i wsłuchiwania się w głos serca wszystko okazało się tak bardzo proste... i nieuchronnie proste. Pewność siebie księcia miała moc bitewnej maczugi roztrzaskującej hełm wroga, siła jego przekonania mogłaby poprowadzić armię do zwycięstwa nad najpotężniejszym przeciwnikiem.

– Przyjdź do mnie. Pozwól, że zatroszczę się o ciebie i będę cię czcił, padając do stóp.

Nie dostrzegał trudności mojego położenia, podczas gdy ja doskonale znałam wszystkie pułapki czające się na drodze nieostrożnej kobiety. A jednak, mimo wszystkich tych obaw, musiałam się zdumiewać wspaniałością daru, który Jan składał mi u stóp. W najśmielszych marzeniach nigdy nie przypuszczałam, że książę Lancaster poprosi, bym zajęła miejsce u jego boku i w jego życiu.

– Uczyń to! Powiedz „tak", urocza Katarzyno.

– Czy nic cię w tej sytuacji nie niepokoi? – zapytałam z oszołomieniem.

– Zupełnie nic.

W ciszy kaplicy narastało napięcie. Zatoczyliśmy pełny krąg i znów stanęliśmy w obliczu niewybaczalnego grzechu. Książę był zupełnie pewny siebie, a ja wciąż taplałam się w kałuży niezdecydowania.

– Obiecałem, że uklęknę u twych stóp. Spójrz, czynię to. – Nie wypuszczając mojej ręki, opadł na kolano i podniósł na mnie wzrok. Wyglądał jak uosobienie rycerskości. – To takie proste, pani. Pragnę cię. Czy ty również mnie pragniesz?

– Panie... – Patrzyłam na jego przystojną twarz. Był doskonale świadomy własnej urody. W ostatniej próbie pokonania pokusy zdobyłam się na pełen dystansu ton. – Muszę cię prosić o jedno.

– Spełnię każdą twoją prośbę.

– Czy dasz mi czas na zastanowienie do jutra?

– Na rany Chrystusa, kobieto! Nad czym chcesz się zastanawiać do jutra, nad czym nie zastanowiłaś się jeszcze przez ostatnich sześć tygodni?

– To niebezpieczny krok.

– To wspaniały krok!

Zignorowałam jego zrozumiałą irytację, bo nie mogłam pochopnie podjąć decyzji, która miała być tak istotna dla mojego życia.

– I czy pogodzisz się z każdą decyzją, którą podejmę, panie?

– To już druga prośba! – odrzekł krzywo.

– W takim razie niech będą trzy. Chciałabym również pożyczyć od ciebie książkę, milordzie.

– Książkę? – Irytację zastąpiło zdumienie. – Mszał? Proszę bardzo, jeśli takie jest twoje życzenie. I zacznij się odzwyczajać od nazywania mnie na każdym kroku milordem. Mam na imię Jan.

– Wiem o tym, milordzie.

Roześmiał się z uznaniem i pchnął drzwi. Anioły na ołtarzu nie poznały rozstrzygnięcia mojego życiowego dylematu. Książę zaprowadził mnie do swojej biblioteki i zostawił tam, bym wybrała sobie książkę. Zatrzymał się jeszcze na chwilę, patrząc, jak zapalam świecę od łuczywa na ścianie.

– Katarzyno.

Spojrzałam na niego. Stał przy otwartych drzwiach. Nigdy dotychczas nie zauważyłam, jak pieszczotliwie wymawiał moje imię, nawet gdy nie był w nastroju do żartów. Skłonił się nisko z bardzo poważnym wyrazem twarzy.

– Niezmiernie mnie intrygujesz. Twoje pocałunki są namiętne, a jednak kieruje tobą czysta pobożność. Obiecaj, że nie pozwolisz, by na twoją decyzję wpłynął lęk przed tym, co powie świat. Obiecaj, że nie poddasz się przeszłym smutkom i teraźniejszym obawom i nie pozwolisz, by cię przykuły do smętnego wdowieństwa. Przysięgam, że życie ma ci więcej do zaoferowania niż to, kim jesteś teraz. I muszę powiedzieć ci coś jeszcze. Dla mnie nie jest to przelotny pociąg, lecz głębokie pragnienie duszy. – Przerwał na moment. – Więc jak, obiecujesz, Katarzyno?

– Obiecuję, milordzie.

Przez krótką chwilę ujrzałam na jego twarzy błysk czystego pożądania, zaraz jednak wrócił na nią uprzejmy wyraz. Podszedł bliżej i ze zwykłą galanterią ucałował czubki moich palców.

– Jesteś bardzo piękna, gdy się uśmiechasz. Nie patrz na mnie z takim zdziwieniem. Śpij dobrze, najdroższa. Chcę ci dać szczęście i spełnienie, a nie rozterki i niepokój.

Jeszcze raz ucałował moje palce i wyszedł.

Decyzja, którą zamierzałam podjąć, zaiste była ryzykowna. Mogłam podążyć twardą i wąską, lecz godną szacunku drogą moralności i cnoty, albo zboczyć z niej, by poszukać radości i szczęścia, które obiecywał mi książę. Doskonale wiedziałam, co powinnam zrobić. Głos sumienia nieustannie popychał mnie w stronę tego, co dobre w oczach Boga, bo jakże mogłabym żyć z duszą splamioną tak wielkim grzechem?

Mogłabym przysiąc, że książę Lancaster stał u mego ramienia, gdy wybierałam książkę. Mój umysł pogrążony był w chaosie.

Znalazłam księcia w bibliotece, gdzie codziennie po porannej mszy i śniadaniu zajmował się ważnymi sprawami. Cicho uchyliłam drzwi i zatrzymałam się za nimi, a potem, zupełnie pewna tego, co muszę zrobić, otworzyłam je szerzej. Zawiasy były dobrze naoliwione i nie skrzypnęły. Książę, zwrócony do mnie plecami, siedział nad dużym arkuszem pergaminu. Dostrzegłam na nim zarysy mapy Anglii i Francji oraz północnej Kastylii. Nieświadomy tego, że na niego patrzę, przesuwał palcem po mapie, śledząc, jak mi się wydawało, drogę do Akwitanii i dalej na południe, do Kastylii, przedmiotu swoich nowych ambicji wynikłych z dynastycznego mariażu z Konstancją. Sukces – lub porażka – militarnej ekspedycji to była domena monseigneura d'Espaigne, cała odpowiedzialność spoczywała na jego barkach.

Poruszyłam się nieświadomie i mój but zaszurał o posadzkę, ale książę nie zareagował. Zapewne w ogóle tego nie usłyszał.

– Milordzie.

– Zostaw to przy drzwiach.

A więc nie tylko jemu zdarzyło się być pomylonym ze służącym.

– Wolałabym...

– Odejdź. – Był bardziej zaabsorbowany mapą, niż sądziłam. – Przyjdź później.

Chrząknął z desperacją i potarł pięścią podbródek, tak jak mały Henryk, gdy dostał reprymendę za to, że wytarł poplamione atramentem palce o przód szaty. Uśmiechnęłam się na ten widok.

Byłam absolutnie pewna. Decyzja jasno rysowała się w moim umyśle. Byłam tak pewna, że podeszłam cicho i położyłam dłoń na jego ramieniu.

– Wrócę później, jeśli wolisz, ale wydawało mi się, że chcesz usłyszeć moją odpowiedź. Przyszłam, by ci jej udzielić.

– Ach... czy przyszłaś, żeby mnie odrzucić? – zapytał, patrząc przed siebie. Mięśnie jego ramion napięły się w oczekiwaniu na moje ostateczne „nie”, dłonie leżące na mapie zacisnęły się w pięści.

– A więc spodziewasz się odmowy? – odrzekłam równym tonem.

– Cóż, to wielce prawdopodobne. Nie byłabyś pierwszą cnotliwą damą, dla której sama myśl o cudzołóstwie jest zbyt bolesna – odrzekł szorstko, wytrącając mnie z równowagi. – Może brakuje ci odwagi, by pochwycić to, czego pragniesz.

Nigdy nie kwestionował własnej odwagi, ale podawał w wątpliwość moją. Zdjęłam rękę z jego ramienia i cofnęłam się. Czy sądził, że nie trzeba odwagi, by mu odmówić?

– Przyszłam tu, by dać ci odpowiedź – odrzekłam spokojnie, choć serce tłukło się w mojej piersi jak oszalałe. – Sam potem ocenisz, czy jestem tchórzliwą damą.

Podniósł się, wyprostował na całą swoją wysokość, starannie ułożył pióro obok dokumentu i obrócił się w moją stronę. Nie poruszyłam się i nie wypowiedziałam ani słowa; nie musiałam. Gdy książę zobaczył, co uczyniłam, uśmiech, najpierw powolny, potem coraz szerszy, rozświetlił jego twarz, podkreślając jej piękno. Oparł pięści na biodrach i przechylił głowę na bok, jakby podziwiał nowy nabytek do swojej kolekcji. Stałam zupełnie nieruchomo, pozwalając mu patrzeć.

– Co masz za plecami? – zapytał łagodnie, gdy już obejrzał mnie od stóp do głów.

Niczym wiedźma ujawniająca tajemne źródło swej magicznej mocy, wyciągnęłam przed siebie książkę, którą pożyczyłam poprzedniego dnia, i położyłam ją na stole obok mapy.

– Muszę ci to oddać.

– To ten mszał, który pożyczyłaś, żeby naprowadzić swoje działania na ścieżkę cnoty?

– To nie jest mszał – odrzekłam uroczyście, bowiem z gorącym jeszcze wspomnieniem pocałunku księcia wybrałam coś całkiem innego na wieczorną lekturę.

Książę otworzył książkę i popatrzył na mnie ze zdziwieniem.

– Nie spodziewałem się tego.

– Dlaczego nie? – To była *Powieść o Róży*. Opisy miłości we wszelkich jej postaciach zajęły mi wieczorne godziny, a zmysłowe ilustracje pobudziły zmysły.

– Czy to pomogło? – Książę zamknął książkę, nie spuszczając oczu z mojej twarzy. – Czy ta książka przekonała cię, że boska miłość jest twoim ostatecznym celem w życiu?

– Nie, milordzie.

– W takim razie platoniczna miłość. Czy tego właśnie pragniesz między nami?

– Nie, milordzie.

Wiedział, że nie. W jego oczach pojawił się zwycięski błysk, jakby właśnie pokonał potężnego wroga. Jakże mógłby nie wiedzieć? Znał moją odpowiedź, bo chciałam, by ją poznał bez konieczności wypowiadania choćby jednego słowa. Wystarczyło, że na mnie popatrzył od okrągłego czepka przytrzymującego lamowany złotem welon, aż po pozłacane pantofelki. Bo cóż takiego uczyniłam? Pożegnałam na zawsze szacowną wdowę. Byłam ubrana jak panna młoda, w zieleń i złoto. Na gorsecie miałam błyszczący wzór, haftowane w kwiaty rękawy wierzchniej sukni wyglądały jak łąka. Nic nie mogło być bardziej różne od moich wdowich szat. A u pasa miałam zawieszony dar księcia, różaniec o złotych i koralowych paciorkach.

To nie była szata pokutnicy.

– A co masz w drugiej ręce? – zapytał książę, wskazując głową.

– To dla ciebie.

Znalazłam ją w ogrodach pałacu Savoy jeszcze przed świtem. Wyglądała żałośnie, przemarznięta i zwiędła. Poszarzałe, rozkładające się płatki zachowały zaledwie odrobinę koloru.

– Nigdy nie należy liczyć na to, że w zimie wyrazi się stan własnego serca za pomocą róży – powiedziałam. – Nim minie godzina, płatki opadną.

– Nie będę ci miał za złe różanej niedoskonałości. – Przyjął ode mnie smutne pozostałości kwiatu, zamykając moje palce w swoich.

– Czytałam poemat Jeana de Meuna – powiedziałam, z trudem zachowując równy ton głosu, bowiem od dotyku księcia przeszedł mnie dreszcz rozkoszy. – O kochanku, który walczył o serce swojej ukochanej. Rozpoznałam wszystkich wrogów, którym musiał stawić czoło: zazdrość, niebezpieczeństwo, wstyd i lęk. Znam je wszystkie. Czyż nie dostrzegam ich w moich wyborach? Widzę niebezpieczeństwo w tym, o co mnie prosisz, i obawiam się niesławy, w jaką mogę popaść. Czyż nie jestem zazdrosna o każdą chwilę, którą spędzasz z Konstancją, z dala ode mnie?

Jego dłoń jeszcze mocniej zacisnęła się na mojej, jakby chciał mi dać pociechę i siłę, gdy mój głos załamał się nieco pod wpływem emocji. Jednak nie potrzebowałam odwagi księcia, miałam dość własnej. Nie zmarnowałam tej ostatniej nocy.

– Ale widzisz – wyjaśniłam. – Kochanek wygrał tę bitwę i jego prześladowcy umknęli. Zdobył prawo wstępu do ogrodu za murem i zerwał pąk róży dla swojej ukochanej. A ja zerwałam ten kwiat dla ciebie, z twojego ogrodu. Moje wątpliwości również umknęły. – I tak było. Podjęłam decyzję na dobre i na złe. – A zatem przyszłam tu, by ci powiedzieć „tak".

– Sądzę, że to było dla ciebie bardzo trudne. – Jego aksamitny głos pieścił moje zmysły.

– Znalezienie róży? Prawie niemożliwe. Ta była jedyna. – Roześmiałam się, gdy uciszył mnie, przykładając mi palce do ust.

– Podjęcie decyzji, najdroższa! Moja droga Katarzyno.

– Tak, to było trudne – przyznałam, ale moje usta pod jego palcami wciąż się uśmiechały, a serce skakało z radości. – Czy pamiętasz, kto pomógł kochankowi w jego zmaganiach? – Byłam pewna, że będzie pamiętał.

– Tak. Potężna, przezwyciężająca wszystko Wenus. Bogini cielesnego pożądania i wszelkich fizycznych rozkoszy. – Jego dłoń zacisnęła się na mojej i na znękanym pąku róży. Przyciągnął mnie bliżej. – A zatem, madame Swynford, poddajesz się mnie i wszelkim przyjemnościom, jakimi mogę cię obdarzyć?

– Tak.

– Na zawsze?

– Na wieki.

– W takim razie będziemy razem na wieki. I chcę, żebyś mi coś obiecała.

– Tylko jedną rzecz?

– Jedna na razie wystarczy. – Władczym ruchem powiódł kostkami palców po haftowanym gorsecie na moich piersiach. Wstrzymałam oddech, a on dokończył: – Czy obiecasz mi, że nigdy więcej nie włożysz czerni?

– Obiecuję.

Pocałunek był równie lekki jak tamten pierwszy, niczym muśnięcie skrzydeł motyla, choć gdy książę wsunął smutną różę za gorset mojej sukni, czułam, jak mocno napięte są mięśnie jego ramion. Przypominał mi konia rwącego się na pole bitwy i trzymanego mocno na wodzy. Nie mogłam wątpić, że mnie pożąda. Drżącymi palcami pogładziłam skraj jego rękawa, czekając, aż uczyni następny krok, bo sama nie byłam w stanie tego zrobić.

Porzuciwszy mapę i plany nadchodzącej wyprawy, poprowadził mnie do drzwi.

– Czy lady Alice oczekuje cię teraz?

– Nie, milordzie. Jestem w twojej służbie.

– W takim razie zajmę ci godzinę. – Zawahał się, spoglądając na moją twarz, i pogładził kciukiem dolną wargę. Był to bardzo poruszający gest. – A może miesiąc albo rok. Nawet całe życie.

– Musi ci wystarczyć godzina, milordzie – zauważyłam praktycznie, choć serce ściskało mi się ze wzruszenia. – Lady Alice będzie mnie szukać.

– W takim razie godzina – zgodził się. – Bo ja niestety również mam inne rzeczy do zrobienia.

Wtedy pojęłam, że zawsze tak będzie. Pierwszym obowiązkiem księcia jest Anglia. Każda kobieta w jego życiu musi pogodzić się z tym, że nigdy nie stanie się najważniejsza, choćby książę bardzo chciał przebywać w jej towarzystwie. Wiedziałam, że pragnienie władzy przeważa w nim nad wszelkimi innymi pragnieniami, co nada swoistą barwę wszystkim naszym wspólnym dniom, czy będzie ich wiele, czy też nie. I w tejże właśnie chwili dostrzegłam ścielącą się u mych stóp drogę żywota ze wszystkimi jej cieniami i blaskami.

Możesz się jeszcze wycofać, szeptało sumienie. Czy rzeczywiście wystarczy ci odwagi? Czy masz tyle siły, by wziąć to, czego pragniesz i o czym zawsze marzyłaś, czy też cofniesz się, by pozostać w zgodzie z wpajanymi ci od dziecka zasadami? Jeśli uczynisz ten krok, już nigdy nie będziesz mogła się uważać za osobę moralną.

Ten związek nie doprowadzi cię do małżeństwa. Jeśli się zgodzisz, nie będziesz w niczym lepsza od dworskiej dziewki i zostaniesz potępiona jako kobieta upadła. Co powiesz dzieciom? Jak wyjaśnisz swojemu synowi, gdy zapyta, dlaczego wszyscy na dworze wytykają go palcami i plotkują?

Masz jeszcze czas, by się wycofać, wrócić do wdowieństwa i uklęknąć przed księdzem z czystym sercem i sumieniem. W tym związku nie masz żadnych szans na małżeństwo. Wracaj do Kettlethorpe i zajmij się zarządzaniem posiadłościami.

Ale nie mogłam tego zrobić. Moja decyzja była ostateczna i nieodwołalna, choć sumienie próbowało zadać mi ostatni cios, dobitnie oznajmiając:

Książę nigdy nie powiedział, że cię kocha.

Nie słuchałam go jednak. Czy kiedykolwiek jakakolwiek kobieta odrzuciła księcia? W każdym razie ja nie potrafiłam tego zrobić.

Za progiem biblioteki książę puścił moje ramię, ale wciąż szłam obok niego. Otworzył drzwi do swoich prywatnych komnat i odesłał pokojowego, który właśnie układał szaty w szafie. Pokojowy nawet na mnie nie spojrzał, sądząc zapewne – o ile w ogóle się nad tym zastanawiał – że przyszłam porozmawiać z księciem o którymś z dzieci. Ale mimo wszystko...

– Czy to stosowne, milordzie, żebym przychodziła do twoich komnat w jasny dzień?

Na jego czole natychmiast pojawiła się zmarszczka. Nie przywykł do tego, by ktoś kwestionował jego poczynania.

– Nie zamierzam się czaić po kątach. Ukrywanie się nie leży w mojej naturze, ale nie jestem nierozsądny. Masz na to moje słowo. Nie wystawię ani ciebie, ani Konstancji na widok publiczny. Wystarczy już o tym. Ta godzina przeznaczona jest dla nas. W ciągu tej godziny zamierzam sprawić, by twój doskonale uporządkowany świat wywrócił się do góry nogami.

Przyśpieszył kroku i poprowadził mnie przez luksusowe komnaty do sypialni, po czym szeroko otworzył drzwi.

– Witaj, Katarzyno.

Przeszłam przez próg z własnej, nieprzymuszonej woli. Patrzyłam na wspaniałe meble, polerowane drewno, srebrne świeczniki, wykładany aksamitem klęcznik z ciężkim srebrnym krucyfiksem, ale moje myśli dalekie były od modlitwy. Pośród tego wszystkiego stało książęce łoże.

Książę zamknął drzwi i zaryglował zasuwę.

– Moje łóżko jest zimne. Kto je dla mnie ogrzeje?

Nie wahałam się ani przez chwilę.

– Ja to zrobię, milordzie.

Pożądanie zmiotło wszelkie względy dyskrecji i gdy książę zamknął drzwi przed całym światem, władzę przejęła namiętność. Żar płomienia wypalił wszelkie słowa, wyjaśnienia, ostrzeżenia i niepokoje. Gdyby w moim sercu pozostały jeszcze jakieś wątpliwości, zniknęłyby teraz, ale że ich nie było, pozwoliłam księciu uwodzić wszystkie moje zmysły. Żaden cień niepewności nie podkopywał mojej decyzji, by być z nim.

Doskonale potrafił się kontrolować. Czyż nie obiecał, że będzie mi wiązał sznurówki? Równie dobrze potrafił je rozwiązywać, choć jęknął na widok rzędu guziczków ciągnących się na rękawie od łokcia aż do małego palca. Zręcznie zdjął z moich włosów misternie utkaną siatkę i welon i rozluźnił sploty warkoczy. Drżałam pod wprawnym dotykiem jego dłoni.

– Wydawało mi się, że pamiętam, ale już zapomniałem, jak są gęste – powiedział cicho, gdy pukle swobodnie rozsypały się po moich i jego ramionach. – Blask słońca. – Zanurzył w nich twarz, a ja oparłam głowę o jego pierś. Dobrze było oprzeć się o mężczyznę wyższego ode mnie.

Nie zaznałam jednak wiele odpoczynku. Książę nie potrzebował mojej pomocy, by się rozebrać, choć proponowałam, że mogę na tę okazję stać się jego paziem. Nie potrzebował też pomocy, gdy zdejmował mi koszulę. Teraz mógł rozpalać mnie całą bez żadnych ograniczeń. Serce biło mocno z podniecenia, brakowało mi tchu, a w żyłach krążyło płynne złoto. Książę rozbudził moje ciało do zmysłowych rozkoszy, w których nie było miejsca na cienie przeszłości.

Uwielbiałam go. Nic mnie już nie obchodziły wątpliwości niebiańskich istot. Nie kłopotało mnie również to, że książę ani razu nie wspomniał o miłości. Wystarczyło, że traktował mnie tak, jakbym była dla niego najcenniejszą istotą na świecie.

Godzina nie wystarczyła na powiedzenie wszystkiego, co chcieliśmy powiedzieć, na wyrażenie wszystkich uczuć, które domagały się wyrażenia.

– To przedsmak uczty, która będzie trwać do końca życia – szepnął książę z ustami przy mojej szyi.

Godzina minęła jak z bicza trzasł.

– Muszę iść, milordzie – powiedziałam w końcu.

– A także musisz mnie nazywać Janem.

– To nie jest łatwe.

– Po odrobinie praktyki wkrótce moje imię samo wypłynie ci na usta.

Jego pewność siebie nie przestawała mnie poruszać. Dlaczego miałabym obawiać się przyszłości, skoro książę Lancaster trzymał mnie w ramionach i patrzył przed siebie z takim spokojem? Pomógł mi się ubrać i ukryć włosy pod czepkiem, a potem zawiązał sznurówki gorsetu i zarzucił mi na ramiona prosty płaszcz skrywający, do czasu aż się przebiorę, niestosownie strojną szatę. Jakże szybko nauczyliśmy się zachowywać najwyższą ostrożność.

– Róża zgubiła płatki – powiedziałam, patrząc na wieko kufra, gdzie szczątki kwiatu leżały obok mojego różańca.

– Kwiat szybko przemija, ale moje pragnienie skierowane ku tobie nigdy nie przeminie. – Schował złoty welon pod kołnierz mego płaszcza. – Czy żałujesz?

– Nie.

– Ja też nie. Jesteś królową mojego życia i śmierci.

Westchnęłam, gdy rozpoznałam to piękne zdanie, które w poetycki sposób wyrażało najwyższe oddanie kochanka damie jego serca.

– Twój szwagier, pan Chaucer, pięknie potrafi składać słowa. – Książę pocałował mnie, jakby chciał mnie jeszcze zatrzymać przy sobie, choć oboje wiedzieliśmy, że rozsądek na to nie pozwala. – Pamiętaj o mnie, dopóki znów nie będziemy mogli się zobaczyć. Obiecaj mi to!

– Tak, Janie, będę o tobie myśleć.

Zabrałam różaniec i powoli wróciłam do swojej komnaty. Byłam kochanką księcia Jana Lancastera.

Gdy znów znalazłam się u siebie, z uśmiechem zdjęłam piękną suknię, przypominając sobie chwile, gdy to on ją ze mnie zdejmował, oczywiście znacznie szybciej i z mniejszą ostrożnością.

Kochałam go. Uwielbiałam. Wiedziałam, że zawsze będę go kochać.

Dlaczego to zrobiłam? Sama byłam wstrząśnięta tym, że odrzuciłam wszystkie zasady, którymi kierowałam się do tej pory, tak jakbym odrzuciła starą suknię, która nie mogła mi się już do niczego przydać. Teraz miałam nową suknię, błyszczący płaszcz utkany z miłości, magiczny płaszcz, który w moim naiwnym umyśle miał mnie chronić przed poniżeniem i potępieniem otoczenia. Pomyślałam z uśmiechem, że pławię się w szczęściu, jestem w nim zakonserwowana jak fasolka w zalewie na zimę.

Dlaczego to zrobiłam? Bo kochałam księcia, a on jednym wspaniałomyślnym gestem zaoferował mi księżyc, gwiazdy i słońce. Sklepienie niebieskie z całą swoją chwałą należało do mnie.

Znalazłam grzebień wśród porozrzucanych rzeczy Filipy i gdy rozczesywałam splątane włosy, kolejne prawdy przychodziły mi do głowy.

To, że kiedyś nastąpi koniec, jest równie nieuchronne jak to, że po jasnym dniu nastąpi noc, jak i to, że kiedyś pyszną złocistość moich włosów pokryje siwizna, a siatka zmarszczek poprzecina twarz. Któregoś dnia będziemy musieli się rozstać. Nie byłam głupia. Mimo słów oddania, które między nami padły, przysiąg, które sobie nawzajem składaliśmy, i obietnic wiecznej namiętności, składanych przez nasze stapiające się w pożądaniu ciała, jasno widziałam stojące przed naszym szczęściem przeszkody. Czy książę widział je równie wyraźnie? Czy zdawał sobie sprawę, że rozciąga się przed nami bastion złożony z murów i rowów, a dalej brama z kratą, która pewnego dnia nas rozdzieli? Nie sądziłam, by tak było. Książę z rodu Plantagenetów nie musiał tego typu spraw zbytnio analizować, nie musiał też wdawać się w dogłębną samoocenę i zastanawiać się nad wartością swojej osoby. Istniały dla niego tylko własne potrzeby i pragnienia, które musiał zaspokoić możliwie szybko i bezproblemowo, jako że istniał też w drugim planie, dalekim od prywatności, gdzie obowiązywały inne pryncypia, którym mógł na chwilę umknąć, ale w ostatecznym rozrachunku i tak musiał się podporządkować.

Zastanawiałam się, co zniszczy tę idyllę, co stanie nam na drodze. Rodzina? Walki polityczne? Wymogi polityki zagranicznej? Książę mnie pragnął, ale jak już wspomniałam, nie mógł kierować swoim życiem wedle własnej woli. Nie byłam też jego pierwszą kochanką. Czy miałam być ostatnią? Szczerze mówiąc, nie wierzyłam w to. Pragnął mnie teraz, ale możliwe, że kiedyś przestanę mu być potrzebna i przemienię się tylko w jedno z nazwisk na liście kobiet, które w różnych okresach życia przyciągnęły jego oko.

Tego dnia zrobiłam coś, co było nieakceptowalne. Przekroczyłam zakazaną linię w pełni świadoma, że będę musiała ponieść konsekwencje. Pewnego dnia z jakiegoś powodu, którego teraz jeszcze nie potrafiłam określić, książę będzie musiał dokonać wyboru. Jaki wtedy będzie mój los? Co mi zostanie oprócz wspomnień i utraconego dobrego imienia? Przymknęłam oczy, by odciąć się od pogardy, jaką z pewnością ujrzę wówczas w oczach wielu ludzi, ale zaraz znów je otworzyłam i naciągnęłam siatkę na włosy. Nie mogłam pozwolić, by takie myśli przyćmiły moje szczęście. Wspomnienie obejmujących mnie ramion księcia i gorących pocałunków musiało mi wystarczyć, bo ani razu nie wypowiedział tych jakże prostych, wręcz surowych słów: „kocham cię". Ani razu. Pożądanie i tęsknota, namiętność i potrzeba – ale nie miłość.

Jakie to miało znaczenie? Żadnego, o ile na to nie pozwolę. Wystarczało mi, że on mnie potrzebuje, a ja mogę go kochać bez ograniczeń. Ale musiałam ostrożnie dobierać słowa. Książę nie wspominał o miłości, toteż nie zamierzałam obciążać go własną. Przysięgłam sobie w duchu, że nigdy nie postawię go w sytuacji, w której nie mógłby odwzajemnić moich uczuć.

ROZDZIAŁ SZÓSTY

Czerwiec 1372, zamek Hertford

Zobaczycie, że to nie pójdzie łatwo.

Pani Elyot, doświadczona położna, którą książę sprowadził do swojej żony, nie wahała się z wydaniem opinii. W końcu wszyscy zadomowiliśmy się w Hertford i wreszcie nadszedł wielki dzień.

– Wąskie biodra. I nie jest silna. Pewnie dlatego, że to Kastylijka. – Pani Elyot żałośnie pociągnęła nosem i jej oczy napełniły się łzami.

Nie rozumiałam, dlaczego fakt, że księżna Konstancja jest Kastylijką, miałby wpłynąć na jej zdolność do zaciśnięcia zębów, ściskania dłoni jednej z kastylijskich dam i parcia, ale ponieważ pani Elyot miała reputację mądrej kobiety i dobrze znałam jej charakter, nie próbowałam dyskutować. Wspomagała Blankę we wszystkich ciążach i być może miała rację. Czerwiec był duszny, w komnatach zamku Hertford panował nieznośny upał, ale Konstancja upierała się zamykać wszystkie okna, by odpędzić złe siły, ponieważ była królową Kastylii i tak rodziły się wszystkie królewskie dzieci.

– Ten syn – wydyszała pomiędzy jękami i rozdzierającymi serce okrzykami – będzie królem Kastylii.

Cierpiałyśmy razem z nią, bo ciągle czegoś chciała. Na szczęście mdłości, które okropnie ją dręczyły w pierwszych miesiącach, minęły, ale teraz kostki i stopy puchły jej tak, że skóra była napięta jak na bębenku. Przywołałam całą swoją wiedzę i przemywałam te miejsca olejkiem różanym i octem, zachęcając ją do lekkiej diety opartej na kurczakach oraz wychwalając dobroczynne właściwości pigwy i granatu.

Księżna Konstancja nie była posłuszną pacjentką, ale ze względu na dziecko poddawała się moim zabiegom.

Pani Elyot skinęła lekko głową. Była to ledwie wyczuwalna, lecz godna zauważenia pochwała. Konstancja upierała się, bym przez cały czas pozostawała przy niej, w dzień i w nocy. Niewielka grupa dam, zupełnie bezużytecznych poza tym, że starannie przekazywały wszystkie wiadomości i przynosiły tace z jedzeniem, które przeważnie wracało do kuchni nietknięte, patrzyła na mnie spode łba. Moja siostra Filipa, która straciła miejsce po prawej ręce Konstancji, zauważyła z lakonicznym wzruszeniem ramion, że królowe w ciąży podejmują dziwne decyzje.

– To dla mnie wielka misja – szepnęła Konstancja. Opadała z sił, choć podsuwano jej do ust puchary z korzennym winem. – Muszę urodzić syna dla mojego pana.

To były jej ostatnie słowa, a zaraz potem na świecie pojawiła się ciemnowłosa, czerwona jak burak, piszcząca ludzka istota. Wzięła pierwszy oddech i zaniosła się płaczem. Była silna i energiczna, ale nie przyjęto jej z entuzjastyczną radością. Wielka misja Konstancji okazała się dziewczynką.

Umyta i owinięta w płótno wyglądała już znacznie lepiej. Włożyłam ją w wyciągnięte ręce Konstancji, która również odzyskała nieco sił.

– Wygląda jak moja siostra Izabela – zauważyła Konstancja. Dotknęła ciemnych włosów i oddała mi dziecko. – Zabierz ją. Przynieś mi czyste prześcieradła.

– To bardzo piękna dziewczynka – zapewniłam ją. Niewielki ciężar dziecka w moich ramionach przypominał mi o własnych porodach, o radości i uldze, którą czułam, gdy było już po wszystkim. Zmartwiło mnie, że księżna okazała dziecku tak niewiele troski i skupiała się tylko na własnej niewygodzie. Ja nie oddałabym komuś innemu mojej nowo narodzonej córki, ledwie na nią spojrzawszy.

– Lepszy byłby syn – stwierdziła.

– Następnym razem, pani – odrzekła pani Elyot kojąco.

Konstancja zmarszczyła brwi.

– Chyba będę musiała. To mój obowiązek. Dla kraju.

Wiedziałam, że nie ma na myśli Anglii. Jej czoło pozostało zachmurzone.

– Twoja córka urośnie na chwałę Kastylii i będzie doskonałą partią – powiedziałam. Rozzłoszczona kobieta nie jest dobrą matką. – Będzie bardzo piękna i znajdzie wielu konkurentów do ręki.

– Tak. – Konstancja nie pozwalała się ułagodzić. – Nazwę ją Katalina. Katarzyna w języku kastylijskim.

Poczułam napięcie w całym ciele i mocniej objęłam niemowlę, które cicho zakwiliło. To było zupełnie niedorzeczne. Dziecko księcia miało zostać nazwane imieniem jego kochanki. Wyobrażałam sobie żmijowe języki, które będą się żywić moim kosztem, drwić z nas wszystkich, jeśli prawda rozniesie się po dworze. Katalina-Katarzyna... Nie chciałam tego dla księżnej.

– W Anglii to imię nie jest uważane za królewskie, pani – rzekłam lekkim tonem, nie spuszczając oczu z twarzy dziecka. Sądziłam, że to jedyny argument, który może do niej przemówić. – Księciu może się nie spodobać.

– Dlaczego? To piękne imię. – Popatrzyła na mnie śmiało. – Prawda, że tak, Katarzyno?

Ta nieudolna próba żartu spotkała się ze szmerem śmiechu, ale ja, choć wciąż miałam uśmiech przyklejony do twarzy, poczułam przerażenie. Konstancja nie mogła przecież wiedzieć, że całowałam księcia inaczej niż z szacunkiem, jakiego można by oczekiwać od damy dworu. Nie mogła wiedzieć.

– Spośród wszystkich świętych Katarzynę podziwiam najbardziej – ciągnęła Konstancja, nieświadoma mojej konsternacji.

Oczywiście, że nie wiedziała. Poczułam falę ulgi i pomyślałam, że muszę się nauczyć kontrolować swoje reakcje. Kości zostały rzucone i miałam wystarczająco wiele bezczelności, by panować nad nerwami.

– To ładne imię – przyznałam swobodnie, bo ja również podziwiałam świętą Katarzynę, dziewiczą księżniczkę Aleksandrii, umęczoną za wiarę przez rzymskiego cesarza.

– Podoba mi się jej odwaga w obliczu przeciwności i to, że nie odstąpiła od wiary pod groźbą śmierci – oświadczyła Konstancja. – Ja też nie odstąpię od swojej wiary, że mój pan odzyska dla mnie Kastylię. A następnym razem urodzę syna. Idźcie do kaplicy i podziękujcie świętej Katarzynie i Najświętszej Panience za to, że poród przeszedł bezpiecznie. I oczywiście za dziecko. Lada dzień spodziewam się mojego pana.

Podałam niemowlę niańce z lekkim współczuciem, bo zauważyłam w oczach Konstancji łzy rozczarowania. Nie mogła jednak płakać. Powiedziała nam, że królowa Kastylii nie płacze, ale to nie oznaczało, by nie poruszył jej poród, który uznała za porażkę. Ja nie uważałam za porażkę żadnego ze swoich porodów, bez względu na to, czy rodziłam syna, czy córkę. I ja również czekałam na przybycie księcia. Był w Londynie, na dworze królewskim. Minęły już prawie trzy miesiące od tamtego dnia, gdy spędziliśmy razem najkrótszą z godzin. Te trzy miesiące, złożone z nieobecności i tęsknoty, zdawały się długie jak całe życie.

Moja siostra uklękła do modlitwy obok mnie, a po wyjściu z kaplicy wciąż trzymała się mojego boku.

– Co ci zależy, jak ona nazwie dziecko? – zapytała cicho, bo lady Alice, obdarzona czujnym słuchem, szła zaledwie o kilka kroków przed nami. Wzrok Filipy był równie czujny. – Jakie to ma znaczenie?

– Nie miałam nic na myśli – odrzekłam chłodno.

– Niczego nie mówisz bezmyślnie. Policzki masz zarumienione.

– Wszystkie jesteśmy zarumienione od upału.

– Ten upał chyba odbija się też na twoim nastroju.

– I na mojej cierpliwości – odrzekłam, bo zatrute strzały siostry zaczynały mi już działać na nerwy.

Lady Alice przystanęła, a gdy się z nią zrównałyśmy, cmoknęła znacząco. Filipa poszła przodem. Westchnęłam.

– Obiecuję, że za pokutę odmówię dwie nowenny – powiedziałam z krzywym uśmiechem.

Lady Alice roześmiała się.

– Ale twoja siostra ma rację. Coś zakłóca twój spokój ducha.

– Nic, na co nie mogłaby zaradzić dobrze przespana noc i kubek ciepłego piwa. Gdyby tylko księżna pozwoliła mi się oddalić na godzinę czy dwie...

– Może będzie mniej wymagająca, gdy książę przyjedzie. Dobrze będzie znów go zobaczyć.

Leżałam na łóżku z odciągniętymi zasłonami, żeby pozwolić na ruch powietrza, i z całego serca życzyłam sobie, żeby książę wreszcie przyjechał.

– Przedstawiam ci twoją córkę, panie.

Książę wreszcie pojawił się w Hertford.

Nie chciałam tego. Nie chciałam znaleźć się tutaj, w sali audiencyjnej, z najmłodszym dzieckiem królewskiej krwi w ramionach, wydana na spojrzenia niańki, służącej, pazia w liberii i Williama de Burgha, kapelana, ale przydzielono mi tę funkcję.

Ponieważ Konstancja aż do ceremonii oczyszczenia w kościele nie opuszczała swoich komnat, postanowiono, że to ja mam przedstawić dwutygodniową Katalinę ojcu.

Nie miałam najmniejszej ochoty tego robić.

Kiedyś przeszywał mnie dreszcz na samo brzmienie tego brutalnego słowa: hipokryzja. A teraz hipokryzja patrzyła mi prosto w twarz. Oto ja, kochanka, miałam przedstawić swojemu kochankowi dziecko prawowitej żony.

Moje wymówki jednak zostały zignorowane, rozniesione na strzępy niczym w kawaleryjskiej szarży, a propozycja, by ten zaszczyt przypadł którejś z kastylijskich dam, zbyta machnięciem ręki. Pani Elyot stwierdziła, że jest zbyt zajęta, i rzucając złe spojrzenie w stronę dam, dodała, że ja przynajmniej potrafię porozmawiać z księciem po francusku. Przyszło mi do głowy, żeby przekazać tę funkcję Filipie, ale moja siostra dopytywałaby się, dlaczego chcę się jej zrzec, a ja nie potrafiłabym tego wyjaśnić. Filipa zachęcała mnie, bym przyjęła ten zaszczyt, choć nie była z tego powodu szczególnie zadowolona.

I tak oto stałam w sali audiencyjnej z niemowlęciem w ramionach i czułam się nieswojo. Panowałam jednak nad twarzą i zachowywałam się jak należało, wzorując się na godnych uznania, surowych i szlachetnych manierach pana Ingoldsby'ego, gdy musiał stawić czoło jakiemuś zamieszaniu.

Książę wszedł do sali, poinformowany przez szambelana, Roberta Swillingtona, że jedna z dam przedstawi mu nowo narodzone dziecko. Wyglądał, jakby przyszedł tu prosto z jakiegoś dyplomatycznego starcia, ale jednym rzutem oka ogarnął całą scenę i doskonale opanowany, śmiało wszedł do środka. Odezwałam się od razu, żeby ostrzec go odpowiednio wcześnie, że to ja mam dokonać prezentacji:

– Oto twoja córka, panie. Ma dwa tygodnie i miewa się doskonale. Księżna Konstancja wyczekuje twoich odwiedzin w dobrym zdrowiu.

Nauczyłam się tych słów na pamięć i wypowiedziałam je bez zająknięcia. Twarz księcia pozostała nieprzenikniona. Byłam tylko służącą, tak jak Henry Warde, paź, który za nim podążał.

Gdy książę zatrzymał się przede mną, wyciągnęłam w jego stronę zawiniątko z dzieckiem. Moje dłonie drżały, jakbym trzymała wielki ciężar. Spojrzenie księcia przez chwilę zatrzymało się na córce, a potem spoczęło na mojej twarzy. Wziął maleństwo w ramiona, a gdy ziewnęło, jego twarz złagodniała.

– Powiedz księżnej, że oczekuję jej oczyszczenia i powrotu. Powiedz, że wyślę jej podarek.

Dotknął ciemnych loków wysuwających się spod malutkiego płóciennego czepeczka, pochylił się i przycisnął usta do czoła niemowlęcia.

– Księżna życzy sobie, żeby nazwać ją Katarzyna, panie – powiedziałam ostrożnie i dodałam: – Na cześć świętej Katarzyny.

Jego usta drgnęły w ironicznym grymasie.

– Nie będę się sprzeciwiał, choć ja nie wybrałbym tego imienia.

– Księżna nazywa ją Katalina.

– To dobrze. Dziękuję wam wszystkim za opiekę nad moją żoną.

Niańka dygnęła, kapelan rozpromienił się, a ja stałam nieruchomo ze sztywnym, wyćwiczonym wyrazem twarzy. Przepłynęło między nami całe mnóstwo emocji, choć nie było widać tego ani po księciu, ani po mnie. Dla mnie jednak było to jasne. Widziałam jego radość, która nastąpiła po pierwszej chwili rozczarowania. Jak każdy mężczyzna czuł się zawiedziony, że dziecko nie będzie męskim dziedzicem tronu kastylijskiego. Widziałam czułość, z jaką wziął je na ręce, i zdziwienie, gdy oświadczyłam, że będzie nosić imię Katarzyna. Uderzyła mnie myśl, która na nowo wznieciła we mnie niepewność i wsączyła w żyły jad zazdrości: nie było dla mnie miejsca w rodzinie księcia, a nasza więź nie była tego rodzaju, bym mogła się na niej oprzeć w chwilach zwątpienia. Książę miał tylko jednego syna, który odziedziczy jego nazwisko, toteż z pewnością zapragnie kolejnych dzieci ze swoją żoną, a to oczywiście oznaczało, że nadal będą dzielić łoże w intymnym akcie prokreacji. A ja musiałam to zaakceptować, choćby było to najtrudniejsze.

Nie zdając sobie sprawy z niepokoju, który zagościł pod moim zapiętym na rząd guziczków gorsetem, książę powiedział:

– Przekaż księżnej wyrazy mojej radości z powodu szczęśliwych narodzin naszej córki. – Podniósł na mnie wzrok. – Ale ona oczywiście wolałaby syna.

– Tak, panie. Ma nadzieję na więcej dzieci i na dziedzica tronu Kastylii.

Książę podał dziecko niańce, ale zwrócił się znów do mnie:

– Zechcesz ze mną porozmawiać o księżnej? Opowiedz, jak jej poszło. – Odpiął szafir od kaptura szaty i zręcznie przypiął go do becika córki.

– Tak, panie.

Naraz ta piękna, spokojna komnata z rzeźbionymi belkami na suficie i tynkowanymi ścianami opustoszała, zostaliśmy w niej tylko we dwoje. Cały mój spokój uleciał. Staliśmy naprzeciwko siebie, nic nie mówiąc, nie dotykając się, rozdzieleni długimi tygodniami separacji.

Tak będzie już zawsze, powtarzał ostrzegawczy głos w mojej głowie. Nigdy nie będzie lepiej. Większą część życia będziecie spędzać osobno, wykradając chwile skażone wyrzutami sumienia i przeczuciem nadciągającej straty.

Czekałam, aż on pierwszy coś powie.

– Uśmiechnij się do mnie.

Uśmiechnęłam się zesztywniałymi mięśniami.

– Powiedz coś.

– Witaj w domu, panie.

– Nie tak. – Jego głos przybrał niespodziewanie ostry ton. Nie uśmiechał się już. – Mów do mnie tak, jak ukochana do swojego kochanka.

Czas i przestrzeń, które rozdzielały nas zbyt długo, zmieniły się w moim umyśle w przepaść, której nie potrafiłam swobodnie przekroczyć, bo po drugiej stronie u boku księcia stała Konstancja z dzieckiem w ramionach. Nasza miłość była zbyt świeża, bym mogła się na niej wesprzeć. Nie miałam żadnej bezpiecznej przystani, żadnej kotwicy, która zapewniłaby mi stabilność i bezpieczeństwo. Przez tak długi czas nie było między nami wymiany słów ani dotyku, pocałunków ani czułości. Nie miałam nic i czułam się tak, jakbym z zawiązanymi oczami brnęła przez labirynt.

– Nie mogę – rzekłam lękliwie. – Jeszcze nie.

– To nie jest łatwe, prawda?

A więc rozumiał. Ta świadomość była kojąca jak ciepły promyk słońca w zimny poranek.

– Nie, to nie jest łatwe.

– Bądź dzielna, Katarzyno.

– Próbuję.

– Dziecko nie jest przeszkodą między nami, nie bardziej niż Konstancja.

– Ale czasem moje serce mnie zdradza i nie widzę przed sobą drogi, którą mogłabym podążać.

– Opowiedz mi o tym.

Opowiedziałam, stojąc pośrodku tej wystawnej sali.

– Boję się, że zaczniesz kochać je obydwie bardziej niż mnie, i wtedy mnie odrzucisz.

– Katarzyno...

Szybko podniosłam rękę.

– Wiem. Chcesz powiedzieć, że tak się nie stanie. Wiem, o co nie wolno mi cię prosić...

– Bo to nieprawda. Czy nie udowodniłem ci tego?

– Nie mogę znieść tak długiej rozłąki z tobą.

– Ale to konieczne.

Podszedł bliżej i powiódł wierzchem palca po mojej szyi w miejscu, gdzie tętnił puls. Od czasu, gdy po raz pierwszy dzieliłam z nim łoże w pałacu Savoy, aż do tej chwili nie dotknął mnie ani publicznie, ani w swoich prywatnych komnatach.

– Wyglądasz na zmęczoną. Jesteś bledsza, niż pamiętam.

– Upały mocno dają nam się we znaki.

– Tak bardzo za tobą tęskniłem.

– A ja za tobą.

Chciał mnie objąć, ale usłyszeliśmy czyjeś kroki. Podniósł głowę i cofnął się. Gdy szambelan otworzył drzwi, staliśmy w stosownej odległości od siebie, ja przy drzwiach, a książę na podwyższeniu.

– Panie – skłonił się szambelan, prawie na mnie nie patrząc. – Wybacz mi. Przybył posłaniec od księcia z Kennington. Mówi, że to pilne.

– Zaraz przyjdę. Przypilnuj, żeby dostał jeść i pić.

– Oczywiście, panie. Już go nakarmiono.

Książę ruszył do drzwi, ale zatrzymał się obok mnie. Ze względu na obyczajność dygnęłam, spuszczając wzrok.

– Ostrożność to wielki ciężar – powiedział.

Podniosłam wzrok, nie próbując ukrywać rozpaczy. Dobrze o tym wiedziałam. Przypominało to balansowanie na ostrzu noża zawieszonym nad przepaścią, którą tak trudno było mi przekroczyć. Stopy lękały się posunąć do przodu, bałam się śmiertelnie, że spadnę w otchłań, ale tak właśnie miało wyglądać nasze życie. Ani słowami, ani czynem nie mogłam pokazać księciu, jak bardzo za nim tęskniłam przez te wszystkie tygodnie. Musiałam żywić się okruchami rozmów, choć z całego serca pragnęłam oznajmić światu: oto mężczyzna, którego kocham.

– O co chodzi? – zapytał, patrząc na mnie badawczo.

– Nic – szepnęłam.

– To nie jest grzech, Katarzyno – oznajmił, jakby przeniknął moje lęki.

To jest miłość tak wielka, że nie potrafię jej czasem znieść, pomyślałam, ale o tym również nie mogłam mówić.

– Jedź ze mną do Londynu.

– Nie mogę.
– Możesz.
Odszedł bez wyjaśnienia. Dlaczego miałby mi cokolwiek wyjaśniać? Czasami jego buta wytrącała mnie z równowagi.

Plan był prosty i książę wprowadził go w życie z wielką pewnością siebie. Zapewne było to znacznie łatwiejsze niż planowanie kampanii militarnej. Niczego innego nie mogłam od niego oczekiwać. Stwierdził po prostu, że jako jedna ze starszych dam dworu księżnej Konstancji powinnam dostąpić zaszczytu przedstawienia królewskiej wnuczki królowi Edwardowi.

Spakowałam dworską suknię i klejnoty. Dostałam lektykę i eskortę. Mała Katalina podróżowała we własnej lektyce w towarzystwie całego domostwa, nianiek i służących. Było ich bardzo wiele jak na tak małą osóbkę. Ja jednak dostąpiłam luksusu podróżowania osobno. Niczego mi nie brakowało, ani miękkich poduszek, ani przyprawianego korzeniami wina. Wiedziałam, skąd wziął się ten rozkaz. Po przybyciu do pałacu Savoy, gdy Katalinę z całą eskortą umieszczono w pokoju dziecinnym, ruszyłam w stronę komnaty, którą kiedyś dzieliłam z Filipą, ale wtedy przy moim ramieniu stanął sir Thomas Hungerford.

– Nie, pani.

Może miałam pozostać bliżej dziecka? Był jeszcze pokój Alyne.

– Zechcesz ze mną pójść, pani. – Twarz ochmistrza była surowa i krytyczna, ale szerokim gestem wskazał książęce apartamenty. – Mój pan polecił umieścić cię tutaj w uznaniu za twoje usługi dla księżnej.

Otworzył drzwi jednej z komnat gościnnych. Od razu rzucił mi się w oczy kontrast. Tutaj panowały bogactwo, przepych i wygoda. W porównaniu z tą izbą mój dwór w Kettlethorpe był chłopską chałupą.

Zamieszkałam tu, otrzymawszy do dyspozycji dwie pokojówki gotowe spełniać wszystkie moje zachcianki. Nie miałam nic do roboty oprócz podziwiania komnat, bo zwolniono mnie z obowiązków w pokojach dziecinnych i nie przydzielono żadnych innych zadań. Oczekując na wezwanie, by przedstawić Katalinę królowi, mogłam bez żadnych ograniczeń spacerować po ogrodach, siedzieć w bibliotece księcia nad jego książkami czy wybrać się z eskortą do miasta.

Nie było to jedyne wezwanie, jakiego się spodziewałam. Krew wrzała mi z wyczekiwania, a szybkie bicie serca przypominało odgłos szczurzych łapek w piwnicy w Kettlethorpe, jakbym była zakochaną młodą dziewczyną.

Książę przyszedł do mnie w dzień po przyjeździe. Miałam przed sobą perspektywę całego tygodnia w jego towarzystwie, siedmiu nieskończenie długich dni. Tydzień magicznej słodyczy, która po brzegi wypełniała moje serce. Chyba w całym życiu nie zaznałam tak niezmąconego szczęścia jak w tamtych dniach, kiedy nasze uczucie było wciąż nowe i świeże, owiane tęczą wspaniałości, nietknięte jeszcze przez świat.

Jak używaliśmy tej cennej wolności? Czy byliśmy dyskretni? Absolutnie tak, bo doskonale wiedzieliśmy, jak ważna jest dyskrecja. Nigdy nie przebywaliśmy sam na sam w miejscach publicznych. Spotykaliśmy się i jadaliśmy kolację tylko w większym towarzystwie. Żaden cień nie padł na pozycję księżnej, moją reputację ani na radość księcia z narodzin córki. Każdego gościa, który nas tam odwiedzał, prowadzono do pokoju dziecinnego i pokazywano mu dziecko, które miało odziedziczyć tron Kastylii. Dygałam, tak jak powinna dygać dobra dama dworu, i podawałam dziecko księciu, tak jak pierwszego dnia, on zaś szczycił się jego urodą.

– Poznajcie lady Katarzynę Swynford – przedstawił mnie swojemu bratu, księciu Gloucester, i jego żonie. Na wszystkich palcach jej drobnych dłoni błyszczały cenne pierścienie. Popatrzyła na mnie jak na coś w rodzaju wykwalifikowanej służącej. – Nie sposób przecenić jej opieki nad moją żoną.

– Lady Katarzyno. – Gloucester ucałował moje palce. – Słyszałem o tym, że wróciłaś na dwór mojego brata.

– Jestem zaszczycona, panie.

Wszystko wydawało się właściwe i zgodne z zasadami.

Ale noce... Gdzie się wówczas podziewały sztywne konwenanse i moralne zasady? Gdy odsyłałam pokojówkę, książę do mnie przychodził i wtedy nie był już księciem.

– Janie!

Śmiałam się, gdy całował moje ramiona, bo mogłam nazywać go imieniem, co byłoby absolutnie niestosowne w wielkiej sali czy w innych publicznych komnatach. Nawet w myślach nazywałam go księciem, bo zawsze nim był. Wszystko w nim było królewskie aż po czubki palców.

– Powiedz to jeszcze raz – poprosił.

– Janie. – Ściszyłam głos i to słowo zabrzmiało jak pieszczota.

– Nigdy nie przypuszczałem, że usłyszę, jak wymawiasz moje imię takim swobodnym tonem.

Uświadomiłam sobie, jak niewielu ludzi tak go nazywało poza najbliższą rodziną. Nawet Konstancja w mojej obecności nie zwracała się do niego po imieniu.

– Będę cię nazywać Jan – powtórzyłam dla własnej i jego przyjemności, stojąc u stóp łóżka w samej koszuli. Moja suknia leżała z boku. Gdy pociągnął mnie w ramiona, znów wyszeptałam jego imię.

– To niewiarygodne, jak bardzo za tobą tęskniłem. – Jego gorące usta dotknęły miejsca na mojej szyi, gdzie tętnił puls. – Powinienem chyba kontrolować apetyt, ale przy tobie nie potrafię. – Objął moją twarz tak, że musiałam spojrzeć mu w oczy. – Czy sądzisz, że Gloucester byłby wstrząśnięty, gdybym pocałował cię przy kolacji?

– Nie, ale księżna Gloucester zapewne domagałaby się mojej ekskomuniki.

Zanim mnie pocałował, dostrzegłam swoje odbicie w jego oczach. Widziałam uśmiech i blask we własnych oczach. Zauważył moje pożądanie i jego twarz ściągnęła się w napięciu.

– Czy położysz się ze mną, byśmy mogli choć na tę jedną noc i może na jutrzejszy dzień zapomnieć o całym świecie, który jest poza tymi czterema ścianami?

– Tak.

Ach, zapomnieliśmy o całym świecie – w każdym razie ja zapomniałam, a sądzę, że książę też – na tych kilka zaczarowanych dni. Zajmował się wieloma ważnymi sprawami, ale znajdował czas, żeby przejść się po ogrodach w porze, gdy wiedział, że znajdzie mnie tam wraz z dzieckiem. Obecność niańki, która nieświadomie służyła nam za przyzwoitkę, nie mogła przytłumić szczęścia, które wypełniało mnie całą od czubka głowy aż po podeszwy stóp.

– Pragnę cię – powiedział książę z ustami przy moich ustach, gdy noc znów należała do nas i miałam już rozplecione warkocze.

I dowiódł tego z czułością, jakiej trudno byłoby się spodziewać po mężczyźnie, o którym mówiono, że jest szorstki, niecierpliwy i pochopny w osądzie. Uwodził mnie łagodnymi słowami i pocałunkami, a w końcu bez ostrzeżenia, z męską rubasznością, kazał mi zdjąć koszulę.

– Zanim rozpadnę się na kawałki z tęsknoty – przekonywał.

Mam kogucika,
Pieje o świcie,
Każe mi wstawać,
Godzinki odmawiać...

Potoczył się na łóżko i pociągnął mnie za sobą. Cały świat należał do nas. Mogliśmy zaspokajać wszystkie swoje życzenia. Byłam uwiedziona bez reszty.

W końcu tygodnia, gdy musiałam wrócić do Hertford i każdy kolejny uścisk powiększałby już tylko cierpienie rozstania, po prostu trzymał mnie za ręce.

– Wiedz, że zawsze, gdy jesteśmy rozdzieleni i gdy czas nie pozwala mi dotknąć twoich myśli poprzez dzielące nas mile, pozostajesz w moim sercu. Nic nie może nas rozłączyć. Jesteśmy stworzeni do tego, by być razem.

Ścieląca się przed nami droga była bez żadnej skazy. Nie wymieniliśmy osobistych podarków, nie wyrażaliśmy uczuć publicznie. Nie potrzebowałam tego. Widziałam jego pragnienie we wszystkich decyzjach, które podjął, by podarować mi tych siedem dni niezmąconego szczęścia. Takie miało być moje życie. Czułam się otoczona uwielbieniem i troską nawet wtedy, gdy w towarzystwie służby w milczeniu jechaliśmy ulicami Londynu. Mogłam znieść długie rozłąki i niełatwe życie u boku Konstancji. Świadomość, że należę do księcia, spowijała mnie jak piękny kokon.

– Chodź ze mną – poprosił w ogrodzie tego ostatniego dnia.

Świat dokoła mnie znieruchomiał. Gorące powietrze dotykało mojej skóry, słońce oślepiało oczy.

– Pójdę z tobą – odrzekłam.

I tam właśnie się to stało. To była chwila, gdy zauroczenie wspaniałością księcia zmieniło się w potężny uścisk prawdziwej miłości. Czytałam wcześniej o tym uczuciu, wiedziałam, jak może być intensywne i romantyczne, ale sama dotychczas go nie poznałam.

„Chodź ze mną" – powiedział. Aż do tej chwili stąpałam na czubkach palców po bezpiecznych płyciznach miłości, nie odważając się zanurzyć głębiej. A teraz miałam iść razem z nim aż do ostatniego swojego dnia, dopasowując krok do jego kroku. Ale choć ta chwila poraziła mnie i przeniknęła do szpiku kości, nie powiedziałam nic, bo sądziłam, że książę by tego nie zrozumiał. Wystarczało mi to, że mogę cieszyć się jego bliskością pośród wonnych krzewów.

Gdy wyruszyłam w podróż powrotną do Hertford, mój horyzont wciąż był bezchmurny, choć zmuszeni byliśmy się pożegnać. Byłam bezmyślnie i swobodnie szczęśliwa.

Dygnęłam przed księżną Konstancją, zaciskając dłonie na niedużej, wysadzanej klejnotami szkatułce. Dzięki temu nie drżały. Również mój umysł był spokojny dzięki decyzji, którą wymuszono na mnie po powrocie. Miałam wrażenie, że serce bije mi gdzieś w okolicy stóp obutych w złocone dworskie pantofle.

– Miło nam cię widzieć, lady Swynford.

Była bardzo oficjalna nawet w prywatnej komnacie, gdzie jej usługiwałam. Nie przeszła jeszcze ceremonii oczyszczenia i wydawała się nieco niespokojna. Czułam się nieswojo pod jej spojrzeniem, które nie schodziło z mojej twarzy.

– Wydajesz się spięta, lady Swynford. Mam nadzieję, że nic ci nie dolega. Czy w Londynie panuje jakaś zaraza? Nie chciałabym, by coś się stało mojej córce.

Skrzywiłam usta. Ci, którzy mnie nie znali, mogliby to uznać za uśmiech.

– To tylko zmęczenie po podróży, pani.

– Czy król ucieszył się na widok wnuczki?

– Tak, pani. Przysłał ci ten podarek na dowód swojego zadowolenia.

Wyciągnęłam przed siebie szkatułkę, ale po nią nie sięgnęła, tylko spytała:

– A więc był przy zdrowych zmysłach?

Księżna Konstancja nie przebierała w słowach. Choć od dłuższego czasu przebywała w zamknięciu, docierały do niej dworskie plotki. W komnacie było ciepło, ale poczułam zimny dreszcz na ramionach i przełknęłam przed odpowiedzią.

– Król jest w dobrym zdrowiu, pani. Ten dar wręczył mi osobiście. Widziałam jego zadowolenie.

– Podziękuję mu, kiedy znów będę mogła podróżować. Potrzebuję jego poparcia dla mojej kampanii.

W luksusowo wyposażonych komnatach wszystko wydawało się dziwnie znajome. Moja siostra Filipa stała przy drzwiach po prawej stronie. Dwie kastylijskie damy haftowały przy ogniu, rozmawiając cicho w swoim języku, a trzecia siedziała obok z lutnią w rękach. Pani Elyot szyła z cienkiego płótna ubranko dla dziecka. A w centrum tego wszystkiego znajdowała się Konstancja, szybka w działaniu, zawsze niecierpliwa, ani na chwilę nietracąca z oczu upragnionego, choć dalekiego tronu. Wszystko było zupełnie tak samo jak przed moim wyjazdem.

A jednak nie. Konstancja zabrała córkę od niańki i stanęła przy oknie, trzymając ją w ramionach i patrząc na nią uważnie. Przed moim wyjazdem do Londynu rzadko brała dziecko na ręce. Spuściłam wzrok. Nie mogłam na to patrzeć.

– Czy widziałaś księcia w Londynie? – zapytała, spoglądając na mnie przez ramię.

– Tak, pani.

– Czy on tu do mnie przyjedzie?

– Wyjechał do Wallingford, pani.

Konstancja uroczo zmarszczyła nosek.

– Ach tak, ślub. Szkoda, że nie mogę być tam z moją siostrą.

Młodsza siostra Konstancji, Izabela, ciepło powitana na dworze angielskim, znalazła doskonałą partię i wychodziła za innego syna króla Edwarda, Edmunda Langleya, księcia Yorku. Konstancji jednak nie obchodziło małżeństwo siostry. Otoczona blaskiem słońca, które tworzyło aureolę wokół jej luźno przykrytych welonem włosów, z uśmiechem patrzyła na twarzyczkę Kataliny. Jeszcze nigdy nie wyglądała tak pięknie, niczym obraz macierzyńskiego zadowolenia. Moje dłonie trzymające szkatułę zadrżały i klejnoty w wypukłej pokrywie zabłysły żywym ogniem. Oto była okrutna rzeczywistość. Gdyby Konstancja mogła odczytać moje myśli, jej zadowolenie w mgnieniu oka zmieniłoby się w gniew.

Wzięłam głęboki oddech. Konstancja uniosła głowę, jakbym coś powiedziała.

– Tak, lady Swynford? Czy jest coś jeszcze, co masz mi do powiedzenia po długim pobycie w Savoyu? Czy armia angielska wkrótce wyruszy do Kastylii?

Odłożyłam szkatułę na stojącą obok skrzynię. Metal lekko szczęknął. Filipa popatrzyła na mnie uważnie. Zwykle nie byłam tak niezręczna.

– Nie wiem, pani. – Strużka potu spłynęła mi po plecach. Zastanawiałam się, co mam mówić.

Jednak księżna zignorowała mnie i uśmiechnęła się do dziecka.

– Moja córeczka z dnia na dzień jest coraz piękniejsza. – Odsunęła płócienny czepek z główki dziecka. – Zobacz, jakie ma ciemne włosy. Prawdziwa kastylijska księżniczka. – Pochyliła się i pogładziła delikatne ucho. – Już zapomniałam, że ma takie niebieskie oczy.

Głos sumienia był jak uderzenie w twarz, jak cios pięścią w brzuch. Na moment przymknęłam oczy, żeby tego nie widzieć. Wcześniej wydawało mi się, że dziecko pozostawia Konstancję obojętną, ale gdy odzyskała siły, odezwały się w niej macierzyńskie uczucia.

Zrób to. Zrób to teraz!

Wyprostowałam się, usztywniłam kolana i powiedziałam powoli i wyraźnie, bo nie mogłam postąpić inaczej:

– Chciałabym przedstawić ci prośbę, pani.

Konstancja z uprzejmym zainteresowaniem uniosła brwi, a potem podeszła do mnie powoli i włożyła dziecko w moje ramiona.

– Czego sobie życzysz, lady Swynford?

Dziecko zakwiliło i zaczęło się wiercić, ale ciepłe i senne, zaraz znów się uspokoiło. Serce mi się ścisnęło, gdy poczułam małe ciałko przy swoich piersiach.

– Chciałabym odejść, pani – powiedziałam szybko. – Odejść z twojej służby.

W komnacie zaległa cisza. Zdumiewał mnie równy ton własnego głosu. Igła pani Elyot znieruchomiała. Poczułam na sobie wzrok Filipy, wwiercający się w moje plecy niczym sztylet trzymany przez niewprawną dłoń. Nawet kastylijskie damy przerwały rozmowę i podniosły głowy.

– A dlaczegóż to, lady Swynford? – Na czole księżnej pojawiła się ostra zmarszczka. – Czy po pobycie w luksusach w pałacu Savoy nasze życie w Hertford przestało ci się podobać?

– Nie, pani. Muszę wrócić do domu, do Kettlethorpe. To posiadłość mojego męża w Lincolnshire – dodałam, widząc na jej twarzy niezrozumienie. – Teraz należy do mojego syna.

– Rozumiem. – Zmarszczyła czoło. – Rozumiem, że są jakieś sprawy, którymi musisz się zająć w imieniu syna. Ale czy nie zamierzasz tu wrócić?

– Nie, pani – powiedziałam szybko, zanim Konstancja zdążyła rozproszyć resztki mojej odwagi. – Nie mogę służyć ci dłużej.

Usłyszałam szelest adamaszkowych spódnic Filipy, która poruszyła się niespokojnie. Pani Elyot odłożyła szyte ubranko na kolana, nawet nie próbując udawać, że nie słucha. Damy wymieniły spojrzenia. Lutnia poszła na bok.

– Chcę zamieszkać na stałe w Kettlethorpe – wyjaśniłam. – Muszę to uczynić. – Usta miałam tak wyschnięte, że słowa przechodziły przez nie z trudem.

– Dlaczego chcesz to zrobić? Wydawało mi się, że to marne życie?

– Tak, pani, ale...

– Czy nie jesteś zadowolona ze swojej pozycji na moim dworze? – Głos Konstancji stwardniał i zabrzmiało w nim oskarżenie, a także, jak mi się wydawało, zdumienie.

– Jestem ogromnie zadowolona, pani. Bardzo wysoko sobie cenię tę pozycję.

– Ale ja cię potrzebuję do pomocy przy dziecku. – Jej niechęć wzrastała z chwili na chwilę. Wyciągnęła ramiona, jakby to było oczywiste dla każdego, kto miał choć odrobinę rozsądku. – Dopiero niedawno tu przybyłaś. Nie rozumiem, dlaczego...

Czujne, badawcze spojrzenie naraz zatrzymało się na mojej twarzy i przypomniałam sobie, że tej damie nie brakuje przenikliwości.

– Wiem, jaki dar dał ci mój pan w uznaniu za twoją służbę dla mnie – oznajmiła z wyraźną dezaprobatą – i nie mam nic przeciwko temu, bo tak powinno być, ale wyznaję, że taka podwyżka twojej rocznej pensji jest dla mnie zagadką. – Jej ton był zapewne nieco wyższy od zamierzonego. – Jak rozumiem, twoja roczna pensja za służbę wzrosła z dwudziestu do pięćdziesięciu marek. Można by powiedzieć, że to więcej niż szczodra pensja. Czy możesz sobie pozwolić na stratę takiej sumy, skoro twoja posiadłość jest w tak żałosnym stanie? Moim zdaniem pięćdziesiąt marek rocznie to dość, by każda kobieta zechciała mi służyć. Mój pan był niezwykle hojny. Można by uznać, że winna nam jesteś lojalność.

Nie spodziewałam się takiego ataku. Fala gorąca zalała moją twarz i szyję pod kołnierzem płaszcza. Usłyszałam głośne westchnienie siostry. Gdybym nie była tak zaabsorbowana pilniejszymi sprawami, powinnam to przewidzieć. Niezmiernie żałowałam, że Konstancja uznała za stosowne powiedzieć głośno, ile wynosi moja roczna pensja.

– Jestem wdzięczna nawet bardziej, niż potrafię to wyrazić – odrzekłam, starając się zdobyć na spokój. – Ale muszę pojechać do Kettlethorpe, pani. W posiadłości nie dzieje się dobrze. Miałam nadzieję, że służba w twoim domu pozwoli mi temu zaradzić. – Wzięłam kolejny oddech, żeby uspokoić nerwy. – Prawda wygląda tak, że dochodzą do mnie nieprzyjazne głosy sąsiadów, którzy domagają się, bym się zajęła odwodnieniem terenu. Nie mogę zignorować tych pretensji. Zła gospodarka wodna niszczy nie tylko Kettlethorpe, ale i okoliczne tereny. Ta posiadłość to dziedzictwo mojego syna i moim obowiązkiem jest o nią zadbać. Nie mogę dopuścić do tego, by mój syn odziedziczył ziemię pozbawioną jakiejkolwiek wartości, a na dodatek miał przeciwko sobie wszystkich sąsiadów.

Brzmiało to prawdopodobnie, nawet dla mnie samej. Za moimi plecami Filipa przesuwała czubkiem buta po kaflach posadzki, a ja dodałam na koniec:

– Sądzę, że muszę tam być, żeby wysłuchać skarg i pokazać, że nie jestem obojętna na miejscowe troski. Nieobecny właściciel ziemski czasem może wywołać kłopoty przez samą swoją nieobecność.

Konstancja patrzyła na mnie przez długą chwilę. Czy zechce mnie zwolnić ze służby? Co zrobię, jeżeli zażąda, bym pozostała? Odpowiedziałam spojrzeniem na jej spojrzenie, modląc się w duchu.

– Dobrze. Może któregoś dnia wrócisz do nas. – Wyraźnie niezadowolona zwolniła mnie ze służby machnięciem ręki i znów wróciła do oficjalnego tonu. Poczułam wielką ulgę.

– Dziękuję ci, pani.

Mój ukłon był zupełnie szczery.

– Kiedy chcesz wyjechać?

– Jutro, pani, jeśli nie masz nic przeciwko temu.

Na moje czoło wystąpił zimny pot ulgi. Wiedziałam, że odwołanie się do dziedzictwa przemówi do księżnej, nawet gdyby nie przekonało jej nic innego.

– W takim razie powinnaś poczynić przygotowania.

Przywołała panią Elyot, kazała jej zabrać dziecko z moich ramion i wdała się w rozmowę z jedną ze swoich dam. Lutnistka zaczęła grać kastylijską pieśń o miłości. Czułam się urażona. To bolało, ale nie tak bardzo, jak bolałyby konsekwencje, gdybym pozostała w Hertford.

Ocierając rękawem wilgoć z policzków, usłyszałam za sobą pośpieszne kroki i po chwili Filipa zrównała się ze mną. Szłam dalej przed siebie, nie zważając na to, że pochwyciła mnie za ramię. Chłód bijący od kamieni nie był zimniejszy niż moje serce. Zimowy chłód, pomyślałam, igiełki lodu, które ranią i rozdzierają. Przełykałam zbierające się w gardle łzy, zdecydowana nie szlochać. Byłam wolna. Mogłam odejść. Tego właśnie chciałam, więc po cóż użalać się nad losem?

– Nie wierzę ci.

– Dlaczego? Przecież wiesz, jakie kłopoty są z Kettlethorpe – odpowiedziałam. – Upływ czasu i moja nieobecność w niczym nie pomagają. Zalały mnie skargi, na które muszę odpowiedzieć. – Pomyślałam z goryczą, że nie było to kłamstwo.

Filipa pochwyciła mnie za rękaw, zmuszając, bym się zatrzymała.

– Wiem o tym wszystkim. Przecież przyjechałaś na dwór przede wszystkim dlatego, że potrzebowałaś pieniędzy.

Nie byłam w stanie na nią spojrzeć.

– Pod moją nieobecność ziemie znów zostały zalane – wyjaśniłam.

– I twoja obecność sprawi jakąś różnicę?

– Tak.

– Nie wierzę ci. Dlaczego, na miłość boską, musisz wrócić do Kettlethorpe? Dlaczego chcesz tam zamieszkać na stałe? Przecież masz ochmistrza.

– Tak, mam. Nie nalegaj, Filipo. – Wzruszyłam ramionami, starając się nonszalancko odpędzić ją od siebie. – Po prostu czuję, że powinnam tam być. Sprawy prawne nie są jeszcze doprowadzone do końca.

Filipa w typowy dla siebie sposób pomachała lekceważąco ręką.

– A co z dziećmi? Znowu chcesz wywrócić ich życie do góry nogami? Jesteś na tyle samolubna?

– Tomasz i Małgorzata pojadą ze mną. Blanka zostanie tutaj.

Zanim udało mi się ją powstrzymać, pochwyciła moje dłonie i zmusiła mnie, bym na nią spojrzała.

– Wyjeżdżasz na odludzie do Lincolnshire, chociaż tak wiele zrobiłaś, by zdobyć tę pozycję. – Zmarszczyła brwi. – Coś tu jest na rzeczy, o czym nie chcesz mi powiedzieć.

– Nic nie ma. Zwyczajna sprawa. Chodzi o zrujnowaną posiadłość ze starzejącym się ochmistrzem.

– Więc wyznacz innego ochmistrza. Książę może to dla ciebie zrobić, jeśli brakuje ci odwagi, by zrobić to samej.

– Nie brakuje mi odwagi, tylko nie mam pieniędzy, żeby zapłacić komuś młodszemu i bardziej bystremu.

– I nigdy nie będziesz miała na to pieniędzy, jeśli nie zostaniesz na dworze.

Wpadłam we własne sidła i teraz już nie miałam wyjścia. Musiałam brnąć dalej.

– No cóż, nie mogę. Puść mnie.

Puściła mnie, ale jej ton jeszcze się zaostrzył:

– A swoją drogą, nie wiedziałam, że jesteś na tym dworze aż tak ważną osobą, Katarzyno. Pięćdziesiąt marek rocznej pensji. Na Boga!

– Sądzę, że to w uznaniu za służbę u Blanki.

– Przecież wszystkie jej służyłyśmy, ale ja nie dostaję pięćdziesięciu marek.

Odsunęłam się i zostawiłam siostrę z jej złością.

Następnego dnia nasz dobytek został spakowany i załadowany na juki dwóch koni. Tomasz i Małgorzata usiedli w pożyczonej lektyce, a Agnes i ja jechałyśmy konno. Zostawiłam Hertford niemal bez żadnych pożegnań. Niewiele miałyśmy sobie do powiedzenia. Konstancja była niezadowolona, lady Alice pełna żalu, a Filipa, absolutnie nie wierząc w moje wyjaśnienia, wpadła w wielce wymowne i pełne złości milczenie.

Jednego tylko byłam pewna, gdy spoglądałam na północ, a wieże Hertford zostawały coraz dalej za moimi plecami: gdy książę odkryje moją nieobecność i dowie się, że wyjechałam bez uprzedzenia, natychmiast popędzi za mną, by domagać się wyjaśnień. Z pewnością pomyśli, że straciłam rozum.

Przyjedzie za mną do Kettlethorpe.

Uchybić księciu z rodu Plantagenetów oznaczało igrać z ogniem. Mogłam ryzykować, zatajając prawdę przed Filipą i księżną, ale nie mogłam okłamać księcia.

ROZDZIAŁ SIÓDMY

Trzeba było na to trzech tygodni. A ponieważ postarałam się, by uprzedzono mnie o przybyciu księcia już w chwili, gdy wraz ze swoim orszakiem przekraczał rzekę Trent, czekałam na niego w holu starannie ubrana w suknię bardziej odpowiednią na dwór niż dla wieśniaczki w Lincolnshire, choć spódnica z trenem nie była praktyczna przy mokrej pogodzie. Pan Ingoldsby stał po mojej prawej stronie, a służący po lewej. Chciałam, by było to spotkanie dwóch równych sobie osób, toteż zrobiłam wszystko, by zaprezentować się otoczona nimbem autorytetu pani na Kettlethorpe, na pozór opanowana, a nawet trochę wyniosła, przy tym gotowa dopasować swój nastrój do nastroju księcia, jakikolwiek miał się okazać. Zaiste, nie zamierzałam błagać o wybaczenie ani o zrozumienie.

Co chciałam przez to uzyskać? Szczerze mówiąc, nie miałam pojęcia. Wiedziałam po prostu, że nie mogę okazać słabości. Gdy drzwi się otworzyły, serce zabiło mi mocniej. Spodziewałam się, że książę wpadnie tu w imponującej furii, nie spodziewałam się jednak mrożącej krew w żyłach, okrutnej, precyzyjnie odmierzonej uprzejmości, choć właściwie powinnam przewidzieć, że właśnie tak książę mnie powita. Czy rzeczywiście oczekiwałam litanii wyrzutów, ledwie przekroczy mój próg? To nie byłoby w stylu Jana Lancastera.

Przybył w samym środku letniej burzy, przemoczony do szpiku kości, ale zdawało się, że zupełnie na to nie zważa. Wszedł do wielkiej sali, a za nim dwóch giermków, paź, osobisty służący oraz Symkin Symeon, ochmistrz jego dóbr w Lincolnshire. Wszyscy byli przemoknięci do suchej nitki, lecz odziani w imponującą liberię Lancasterów. Czy kiedykolwiek podróżował inaczej? Pan Ingoldsby poruszył się niespokojnie i oczami wielkimi jak spodki wpatrzył w świtę Lancastera, która zajmowała cały dziedziniec, stanowiąc nie lada wyzwanie dla naszej kuchni i stajni.

Zupełnie nieświadomy problemów, jakich mi przysporzył, książę zrzucił z ramion przemoczony płaszcz, podał go giermkowi i skłonił się przede mną dostojnie i lodowato. Twarz miał bez wyrazu, ramiona i plecy usztywnione, a głos płaski, równie opanowany jak wyraz twarzy.

– Lady Swynford.

Dygnęłam nisko.

– Lordzie Lancaster.

– Ufam, że miewasz się dobrze?

– Tak, milordzie.

Zdjął rękawice i rzucił je paziowi.

– Gdy się dowiedziałem, że zrezygnowałaś ze służby na moim dworze, niepokoiłem się o twoje bezpieczeństwo. Uznałem, że powinienem sam się przekonać, jak wygląda twoja sytuacja.

Poczułam gulę w gardle na ten ostentacyjnie oficjalny ton, ale starałam się mówić jasnym, rześkim tonem, nie pozwalając się onieśmielić we własnym domu.

– Miewam się dobrze, milordzie.

– Znając ograniczenia Kettlethorpe, dziwię się, że tu wróciłaś. – Rozejrzał się szybko i znów zatrzymał na mnie spojrzenie. Był nieprzenikniony i irytująco gładki. – Rozumiem, że była to nagła decyzja? – Obnażył zęby, lecz jego wystudiowana powaga doznała pewnego uszczerbku, gdy z powodu cieknącego dachu musiał odsunąć się na bok i strząsnąć krople deszczu z włosów.

– Tak, milordzie, była bardzo nagła.

– I wprowadziłaś ją w czyn z wielkim pośpiechem.

– Tak, panie. Gdy już powiadomiłam księżną o mojej rezygnacji, nie było żadnego powodu, bym pozostawała tam dłużej. Chciałabym cię przeprosić za stan mojego dachu. Może gdybyś stanął bliżej kominka... – Wskazałam mu miejsce zadowolona, że ręka mi nie drży, choć moje ciało pod haftowanym gorsetem przeszywały dreszcze.

Książę nawet nie drgnął. Kolejne krople rozprysnęły się na jego ramieniu okrytym kolczugą.

– Stan twojego dachu jest nieistotny i zupełnie mnie nie obchodzi, lady Swynford. Interesują mnie jedynie przyczyny, dla których zrezygnowałaś ze służby u mnie. Jeśli masz jakieś powody, by się uskarżać, powinienem je poznać. Będę bardzo wdzięczny, jeśli zechcesz mnie oświecić.

Poczułam rozbawienie, które zaskoczyło mnie i uciszyło niepokój. Książę zwracał się do mnie tak, jakbym była zagraniczną delegacją wrogiego państwa. Znany był ze swych umiejętności negocjacji z przeciwnikami Anglii. Czy teraz widział wroga we mnie? Czy ten lodowaty chłód miał być wymierzoną mi karą?

Uniosłam wyżej głowę przygotowana na przejęcie inicjatywy i odparcie mroźnej atmosfery.

– Czy pozostaniesz tu dłużej, panie? – zapytałam z ostentacyjną łagodnością. – Czy mam coś podać twoim ludziom?

– Tak. Odbyliśmy długą podróż i nadłożyliśmy drogi. Jeśli nie usłyszę od ciebie jakiegoś rozsądnego wytłumaczenia, cały ten trud pójdzie na marne. Pani – dodał przez zaciśnięte zęby.

Coraz lepiej. W rzeczy samej była to kara, ale nie dałam się zbić z tropu i wciąż odgrywałam rolę pani na włościach przyjmującej gości.

– Dokąd zmierzasz, panie?

– Do Kenilworth. Ale to również wydaje się zupełnie nieistotne.

Znów stłumiłam śmiech. Czy przez cały czas będziemy rozmawiać w ten sposób? W Savoyu dzieliłam z nim łóżko. Te piękne dłonie, teraz zaciśnięte na pasie, doprowadzały moje ciało do rozkoszy.

– Jak widzisz, panie, nie mamy tu zbyt wiele miejsca – rzekłam swobodnie. – Jeśli wolisz tu pozostać niż podróżować nocą, możemy zaoferować twoim ludziom tylko stajnie, a twojemu paziowi, sługom i mistrzowi Symeonowi tę salę, o ile nie przeszkadza im przeciekający dach.

Nie miałam pojęcia, gdzie mielibyśmy położyć spać księcia. Zapewne w mojej sypialni, a ja musiałabym przenieść się do sypialni Agnes. Nie przyjechał tutaj w charakterze kochanka.

– Wielkie dzięki. Podczas kampanii sypialiśmy w gorszych warunkach. – Skinął głową paziowi, który skłonił się i wyszedł, by poczynić przygotowania.

– Miło mi słyszeć, że mój dom jest wygodniejszy niż biwak w Akwitanii, panie. – Nie potrafiłam się powstrzymać od cierpkiej riposty.

– Mnie również, pani, w tych okolicznościach. Ale nie jest o wiele lepszy.

Gwałtownym ruchem strząsnął krople deszczu z ramienia i gdy po raz kolejny ominął zbierającą się na posadzce kałużę, zauważyłam w jego oczach błysk. Doskonała samokontrola, nienaganna uprzejmość, która jak dobrze wiedziałam, miała zamaskować gorącą wściekłość, niemal już się wyczerpała. Z pewnością był to cios dla jego dumy, że kochanka opuściła go bez słowa, a nie znałam bardziej dumnego mężczyzny od księcia. Światło rozszczepiało się w klejnotach na jego palcach, gdy na przemian zwijał i rozprostowywał dłonie.

– Natychmiast każę poczynić przygotowania. Panie Ingoldsby, proszę przynieść wino do saloniku. – Skinęłam głową ochmistrzowi, który wysunął się z komnaty, szurając nogami, w zwykłym dla siebie ponurym nastroju, i zabrał ze sobą moją pokojówkę. – Czy zechcesz pójść ze mną, panie? – Musiałam w końcu stawić mu czoło. Im szybciej, tym lepiej.

Książę nie poruszył się, tylko gwałtownie odetchnął.

– Co ty, na miłość boską, wyrabiasz?

Jego głos odbił się echem od wilgotnych ścian pokrytych osypującym się tynkiem.

– Przyjechałam do Kettlethorpe i zamierzam tu przez jakiś czas pozostać – odpowiedziałam ostrożnie.

– Wiem o tym. Na Boga, Katarzyno! Co to za gra?

– Nie mogłam cię uprzedzić o moich zamiarach, bo cię nie było.

– Wiem, że mnie nie było. Ty też wiesz. I wiesz dlaczego. – Gniew przerwał tamy i zalał nas oboje. – Napięcie we Francji narasta. Lada chwila ten kociołek wykipi i poparzy nas wszystkich. Zaatakowano Akwitanię, a także Bretanię. Mój brat Edward nie jest w stanie poprowadzić armii. Kastylia przypomina jątrzącą się ranę i bez względu na to, co mówi Konstancja, nie ma nadziei na rozwiązanie tego problemu w bliskiej przyszłości. – Podszedł o krok bliżej, ale prychnął i zatrzymał się w miejscu, gdy na jego głowę spadło kilka kropli. – Obiecałem królowi, mojemu ojcu, że na rok wyjadę za morze, by poprowadzić wojska, i cóż zastaję, gdy wracam do Hertford? Konstancja popadła w dewocję w nadziei, że wkrótce spłodzi syna, a ciebie nie ma, by ją uspokoić.

A zatem był zirytowany, bo nie zajmowałam się obsesjami Konstancji. Ani na chwilę w to nie uwierzyłam.

– Ach tak – odrzekłam spokojnie. – Jestem pewna, że moja siostra potrafi uspokoić księżną.

– Podobno zrezygnowałaś ze stanowiska. Ale nie uznałaś za stosowne powiedzieć mi o tym osobiście.

Złożyłam ręce na brzuchu. Jedno z nas musiało zachować opanowanie, toteż tylko skłoniłam głowę w potwierdzeniu.

– O co chodzi? Czy jesteś niezadowolona? Czy nie traktowałem cię dobrze? Czy moje podarki ci nie wystarczyły? Czy nie okazywałem ci należnego szacunku, Katarzyno?

– Okazywałeś mi wszelkie względy, panie.

Znów się poruszył. Przeszedł przez całą salę i z powrotem, sapiąc z niechęci, gdy trafił na kolejną kałużę. Obrócił się na pięcie i spojrzał prosto na mnie.

– Gdy wrócę, spodziewam się zobaczyć cię w pałacu czy też gdziekolwiek indziej, gdzie wtedy będzie przebywał mój dwór.

Jego władczy ton natychmiast rozgrzał mi krew.

– Nie będzie mnie tam. Wolę być tutaj.

– Dlaczego? – Rozgniewane parsknięcie zabrzmiało jak odgłos łamiącej się gałęzi podczas zimowej wichury. Sama jego dominująca obecność w mojej sali wystarczyła, by zadrżało mi serce. Stał przede mną przyodziany w podróżne szaty z wełny i skóry, z herbem wyhaftowanym na piersi, z twarzą ożywioną gniewem, imponujący i przystojny jak zawsze. – Cóż, na miłość boską...

– Nie mogłam zostać na dworze księżnej – przerwałam mu.

– Dlaczego? Nie wierzę, by brakowało ci odwagi. Od początku wiedziałaś, jakie trudności ta sytuacja będzie przedstawiać.

– Tak, wiedziałam o nich – przyznałam.

Ale może jednak nie wiedziałam. Może nie potrafiłam sobie prawdziwie wyobrazić całej radości i bólu, wszystkich jasnych i ciemnych stron tej sytuacji. Nie mogłam mu opowiedzieć o tym, że zazdrość gęsto przetykana poczuciem winy uderzyła we mnie w najgorszej możliwej chwili, wtedy gdy ujrzałam jego piękną żonę z córeczką w ramionach, w aureoli złocistego światła i z blaskiem macierzyńskiej miłości na twarzy. Teraz już dobrze wiedziałam, co oznaczałoby dla mnie, kochanki, życie dzień po dniu obok nic niepodejrzewającej żony, ale nie mogłam mu tego wyjaśnić. Nie mogłam również w tej gorącej atmosferze wyznać tego, co musiałam mu wyjawić.

Spróbowałam zrobić to prosto z mostu.

– Panie, muszę ci powiedzieć...

Był w takim nastroju, że nie potrafiłam przewidzieć jego reakcji. Czy się bałam? Chyba tak. Spryt, pomyślałam. Potrzeba tu odrobiny kobiecego sprytu.

– Czy nie masz mi nic do powiedzenia? – Trącił butem kłodę płonącą na palenisku, jeszcze bardziej zadymiając pomieszczenie, i obrócił się twarzą do mnie. Gdy widzieliśmy się po raz ostatni w pałacu Savoy, porwał mnie w ramiona, zbił z nóg i zawrócił w głowie pocałunkami. Teraz, w mrocznej sali, ledwie widziałam jego twarz, ale z pewnością nie miał najmniejszej ochoty zbijać mnie z nóg. – Odpowiedz mi, Katarzyno. Czy po tygodniu spędzonym w tym nieszczęsnym miejscu zupełnie straciłaś rozum?

Milczałam, zastanawiając się nad jakimś sprytnym planem.

– Chodź. – Zapraszająco wyciągnęłam do niego dłoń. – Chodź do kaplicy i pomódl się ze mną.

– O co? – odparował. – Na Boga, o odpuszczenie grzechów?

To było bolesne, ale napotkałam jego spojrzenie.

– Tak.

– Czy zamierzasz jako pokutę założyć klasztorny welon?

– Przyszło mi to do głowy, panie.

Opuściłam rękę, której najwyraźniej nie miał zamiaru przyjąć, i wyszłam na zewnątrz. Za progiem skręciłam w prawo. Ucieszyłam się, gdy usłyszałam za sobą jego kroki. Nie odwracając się, szłam spokojnie skrajem dziedzińca. Minęłam gołębnik, w którym stroszyły się mokre gołębie, a potem podniosłam ciężki haczyk i pchnęłam drzwi do niewielkiej kaplicy, surowej i pozbawionej ozdób, ale mojej własnej. Przyklękłam przed ołtarzem, a książę obok mnie. Podniosłam wzrok na posąg Najświętszej Panienki, modląc się o przewodnictwo i właściwy dobór słów. Książę uczynił na piersi znak krzyża. Zrobiłam to samo.

– No cóż, madame Swynford, za kogo będziemy się modlić? O ile mogę zapytać, bo zdaje się, że nie masz zamiaru wtajemniczać mnie w swoje sprawy. Od kiedy jesteś taka milcząca? Daję słowo, czuję się tak, jakbym próbował rozmawiać z kamiennym posągiem. – Jego gniew nie przycichł nawet w świętym miejscu.

– Odmówimy modlitwę błagalną.

– Czy potrzebny nam do tego ksiądz? – parsknął książę.

– Nie. – Zadrżałam lekko. Ksiądz był ostatnią osobą, jakiej mogłam teraz potrzebować.

– W takim razie zaczynajmy. Nie chciałbym cię poganiać, Katarzyno, ale jestem przemoczony, jest mi zimno i nie mam najlepszego nastroju.

– Nigdy bym się tego nie domyśliła.

– Owszem, domyśliłabyś się. Zaczynaj swoją modlitwę, Katarzyno.

– Matko Przenajświętsza – zaczęłam. – Modlę się za bezpieczeństwo lorda Jana, księcia Lancastera, w nadchodzących wojnach we Francji. Oddaję go pod twoją opiekę.

Odgłos gwałtownie wciągniętego powietrza dowodził, że ta prośba go zdziwiła.

– Amen – odpowiedzieliśmy jednogłośnie.

– Modlę się za zdrowie księżnej Konstancji i nowo narodzonej Kataliny.

– Amen.

– Modlę się za pomyślność dla wszystkich domowników w Hertford.

– Amen.

Palce księcia, zaciśnięte na poręczy przed ołtarzem, były zupełnie białe.

– Powierzam ci życie moich dzieci: Blanki, Małgorzaty i Tomasza.

– Amen.

– Mojej siostry Filipy, jej męża Geoffreya, który przebywa za morzem, i jej rodziny.

– Amen.

– Modlę się...

– Na Przenajświętszą Panienkę, Katarzyno! – wymamrotał książę. – Czy będziemy się modlić o wszystkich, których znamy?

Ja jednak nie pozwoliłam sobie przerwać.

– Modlę się o jasność umysłu króla i o miłosierdzie dla księcia Edwarda w jego wielkim cierpieniu.

– Amen.

Wzięłam głęboki oddech.

– Modlę się o zdrowie mojego nienarodzonego dziecka, dziecka tego mężczyzny, który klęczy obok mnie, przyłączając się do moich próśb. Modlimy się za to dziecko, które będzie potrzebowało wspomożenia Najświętszej Panienki.

Atmosfera w kaplicy była przytłaczająco ciężka, przesycona zapachem starych kadzideł i mnogością niewyznanych grzechów. Dłonie księcia jeszcze mocniej zacisnęły się na poręczy, podobnie jak moje.

– Amen. Zaprawdę amen – szepnął po chwili z cichym westchnieniem.

Nosiłam dziecko Jana Lancastera.

Dlaczego, pomimo całego doświadczenia, którym się często szczyciłam, w porę nie uświadomiłam sobie niebezpieczeństwa? Przecież istniały sposoby zapobiegania tego typu wypadkom, sposoby znane mądrym kobietom, każdej żonie, której zależało na zachowaniu zdrowia, a także kochankom, które szczególnie dbały o to, by uniknąć takich sytuacji. Ostatnie tygodnie ciąży Konstancji były zarazem pierwszymi tygodniami mojej.

Uświadomiłam to sobie w drodze z Londynu do Hertford. Czułam się nieco znużona i brakowało mi energii, ale nawet nie przyszło mi do głowy, że mogę począć dziecko po naszym pierwszym zbliżeniu w Savoyu. Najpierw zareagowałam zadziwieniem i zachwytem. Rozpostarłam palce na brzuchu, upajając się myślą, że noszę dziecko mężczyzny, którego kochałam bardziej, niż potrafiłam to wyrazić.

Ale to poczucie cudowności przygasło, gdy Konstancja pochyliła się z uśmiechem nad twarzą swojej córeczki. Zobaczyłam wtedy oczami duszy nas troje, zabójczy trójkąt żony, męża i kochanki. To dziecko, urodzone poza małżeństwem, mogło splamić reputację księcia, a z pewnością zniszczy moją. Czy zniszczy również naszą miłość?

I co teraz? Co mam teraz zrobić? To pytanie wciąż krążyło w moim umyśle, ale nie znajdowałam na nie żadnej rozsądnej odpowiedzi. Konsekwencje tego, co miało się zdarzyć, uderzyły mnie z siłą kopii dzierżonej przez mistrza rycerskiego turnieju. Zachwyt zmienił się w przerażenie. Jak miałam pozostać w tym domu, żyć jako sekretna konkubina obok nieświadomej niczego żony i pozwalać, by mój brzuch rósł pod jej zaintrygowanym spojrzeniem? Nie byłam obdarzona aż tak wielkim tupetem. A patrząc na to z czysto praktycznej strony: jak miałam wyjaśnić swój stan, skoro nie miałam męża?

Jeszcze bardziej denerwująca była niepewność, co powie książę. Nie miałam pojęcia. Czy ześle mnie na dziewięć miesięcy do odległego zamku, aż pozbędę się wstydu i odzyskam poprzednią figurę, czy też ostentacyjnie pozostawi w Hertford i uzna dziecko, upokarzając Konstancję?

Próbowałam spojrzeć na siebie oczami księcia, ale nie potrafiłam tego zrobić. Dobrze wiedziałam, że hipokryzja ma gorzki smak. Nie mogłam się zniżyć do intryg i podstępów. Pozostawało mi tylko jedno: musiałam wyjechać, zanim moja figura zacznie wzbudzać choć cień podejrzeń. Nie mogłam pozostać damą dworu księżnej Konstancji, wciąż myśląc o tym, że noszę dziecko jej męża. Umówiliśmy się, że zachowamy nasz związek w tajemnicy, ale na Boga, jak można było zachować tajemnicę w takiej sytuacji?

Dlatego wróciłam do Kettlethorpe niczym dzikie zwierzę, które wraca do swojej nory. Jeszcze nigdy w życiu nie czułam takiego wstydu. Wstydziłam się za siebie, a także za Konstancję. Patrzyłam na jej dziecko, na dwie córeczki Lancastera, Filipę i Elżbietę, na małego, niewinnego Henryka, i czułam się upokorzona. Jak mogłam być im przewodniczką? Przekroczyliśmy granice przyzwoitości i prawości i musieliśmy ponieść konsekwencje.

W tej chwili owe konsekwencje przybrały postać nieprzewidywalnej reakcji księcia.

– Amen – powtórzyłam i uczyniłam znak krzyża.

– Nie tutaj – rzekł, gdy stanęłam twarzą do niego. Pochwycił mnie za rękę i pociągnął do bocznej niszy, gdzie kiedyś stał ołtarz. Teraz wnęka była naga i zakurzona. – Wolałbym, żebyśmy nie mówili o tym w obliczu Najświętszej Panienki.

Moja pewność siebie szybko znikała.

– Czy nieszczęście stanie się mniejsze, jeśli będziemy o nim rozmawiać w innym miejscu?

– Katarzyno...

Nie potrafiłam przeniknąć wyrazu jego twarzy. Czy malował się na niej gniew, czy radość? Akceptacja czy odtrącenie? Dopiero teraz uświadomiłam sobie, jak bardzo się boję. To nie powinno się zdarzyć. Nie byłam przecież nieodpowiedzialną dziewką kuchenną, która po raz pierwszy zaznała cielesnych przyjemności i zmysłowego zaspokojenia. Znałam wszystkie zagrożenia i wiedziałam, do czego nie można dopuścić między kochankami takimi jak my, nieustannie wystawionymi na widok publiczny. Słyszałam o wielu skutecznych sposobach na wywołanie krwawienia z łona, stosowanych przez zielarki. Weź korzeń czerwonej wierzby...

Poczułam ucisk w brzuchu. Moje dłonie same rozpostarły się płasko u pasa sukni. Nie mogłam tego zrobić. Jeden grzech w zupełności wystarczył. Zamierzałam donosić to dziecko.

Pochyliłam głowę w nagłym przypływie rozpaczy. Palce Jana, równie zimne jak moje, lekko dotknęły mojej twarzy i uniosły ją. Musiałam znieść ciężar osądu księcia. Ale jego oczy patrzyły na mnie łagodnie, a kąciki ust były rozluźnione, tak jak wtedy, kiedy je całowałam. Cały gniew i niecierpliwość uleciały.

– Co sobie myślałaś, uciekając ode mnie? Co sobie myślisz teraz? – Wierzchem dłoni otarł z mojego policzka zbłąkaną łzę, której nawet nie zauważyłam.

– Myślę, że nie wiem, co myślisz. – Potrząsnęłam głową. To stwierdzenie wydało mi się bardzo zawiłe.

– To nad wyraz skomplikowane. – Uśmiechnął się lekko. – To wszystko?

– Myślę, że donoszę to dziecko do terminu.

Jego dłoń, delikatnie gładząca moją szyję, jakbym była narowistą klaczą, zatrzymała się.

– Czy sądziłaś, że będę ci doradzał cokolwiek innego?

– Nie. Wiedziałam, że tego nie zrobisz. Ale niektóre kobiety rozważałyby takie wyjście.

– Ale nie ty.

– Nie. Ja nie.

– Ja też nie. Dlaczego mi nie powiedziałaś?

– Nie wiedziałam, jak to przyjmiesz. Obawiałam się, że mnie potępisz.

Położył mi ręce na ramionach, przyciągnął do siebie i oparł podbródek na moich włosach przykrytych czepkiem. Choć oczy miał zamknięte, wyczuwałam emocje krążące w jego żyłach.

– Dlaczego miałbym cię potępić? Spłodziliśmy to dziecko razem.

– Ale dziecko spłodzone poza małżeństwem może się stać problemem – szepnęłam. – Nie byłby to pierwszy wypadek, gdy potężny mężczyzna woli się pozbyć brzemiennej kochanki.

Podniósł głowę. Oczy miał szeroko otwarte i surowe.

– Sądziłaś, że wyślę ciebie i dziecko gdzieś w głąb kraju?

– Mógłbyś to zrobić. Dla dobra Konstancji, a także własnego.

– I uprzedziłaś mój ruch, przyjeżdżając tutaj?

– Musiałam.

– Bo nie miałaś odwagi stanąć przede mną? A może nie potrafiłaś patrzeć na Konstancję dzień po dniu? – zapytał z brutalną intuicją i nie czekając, bym potwierdziła lub zaprzeczyła, dodał: – To również moja wina. Przejdziemy przez to razem. Czy sądziłaś, że cię porzucę?

Pocałował mnie głęboko i namiętnie.

– Sądziłam, że muszę usunąć komplikacje.

– Nie uważam cię za komplikację. Ani dziecka.

– Ale na pewno żałujesz tego, co zrobiliśmy. – Poczułam, jak powiódł palcami po mojej dłoni. – Janie? – ponagliłam go delikatnie.

– Nie, nie żałuję. To była wola Boga. Dziecko jest owocem naszego związku, zatem je przyjmiemy. Czyż nie tak?

– Tak.

Nie potrafiłam dać mu innej odpowiedzi. Staliśmy ze splecionymi dłońmi w zakurzonej kaplicy. Po chwili Jan położył płasko dłoń na moim brzuchu. Nakryłam ją swoją.

– Ile to już? – zapytał, zaskakując mnie.

– Trzy miesiące.

Policzył w myślach.

– Poczęłaś za pierwszym razem, gdy położyłaś się ze mną w Savoyu. – Jego głęboki śmiech uniósł się aż do dachu. – Jakże zdumiewająco owocne okazało się to nasze nieplatoniczne i niepobłogosławione połączenie! Może mimo wszystko było to działanie tej biednej róży? – Objął mnie ramieniem i poprowadził do drzwi. – Zamierzasz tu pozostać?

– Tak.

– Przyślę ci drewno do załatania dachu.

Roześmiałam się razem z nim. Jego akceptacja wzbudziła we mnie ulgę i odrobinę radości.

– Bardzo chętnie je przyjmę.

Wyszliśmy na zewnątrz. Deszcz przestał padać i nisko nad horyzontem pokazało się słońce. Wszystko pokryte było kropelkami wody lśniącymi jak brylanty. Książę opuścił ramię, by zachować pozory. Powoli wróciliśmy do domu oddzieleni od siebie o krok, jakbyśmy rozmawiali o stanie miejscowych dróg.

– Przyjadę, gdy będę mógł – powiedział, wpuszczając mnie do środka przed sobą. Jego dłoń przesunęła się po moim ramieniu i otarła o moje palce. – Wiesz, że muszę wziąć udział w morskiej kampanii przeciwko Francji, rozpoczętej przez mojego ojca.

– Będę cię wypatrywać. – Nie mogłam zachować się samolubnie.

Ale potem, gdy znaleźliśmy się sami w mojej prywatnej izbie, zachowałam się bardzo samolubnie. Jego obietnice, szeptane z ustami tuż przy mojej skroni, gdy wyciągał szpilki z moich włosów, miały w sobie moc przysięgi złożonej przed Najświętszą Panienką.

– Choć będę daleko, każę swoim ludziom, by cię pilnowali. Będziesz w moich myślach nieustannie. To dziecko będzie mi równie drogie jak każde dziecko, które urodzi Konstancja, a nawet jak te, które urodziła Blanka. Równie drogie jak mój dziedzic. Będziesz dzielna i wierna. Jest w tobie ogień, który mnie zdumiewa.

Jeśli w tych ostatnich, przepełnionych niepewnością dniach brakowało mi ognia, książę rozniecił go na nowo i znów wzbudził we mnie przekonanie, że kocham go wystarczająco mocno, by stawić czoło napiętnowaniu i wszelkim konsekwencjom. Spędził ze mną noc w moim małżeńskim łożu, które było zbyt krótkie dla jego długich nóg, nie nadwerężyło to jednak w nim zapału ani wyobraźni. A potem wykradł jeszcze jeden dzień, który spędziliśmy, jeżdżąc konno w towarzystwie ochmistrza po rozległej, choć mało intratnej posiadłości.

Trudno nam się było rozstać.

– Pozostań w dobrym zdrowiu – powiedziałam, stojąc na odległość ramienia od niego. – Będę się za ciebie modlić.

– A ja za ciebie. Niech Bóg cię zachowa, najdroższa Katarzyno.

W swojej niewysłowionej mądrości książę rozumiał, że nie mogłabym znieść pożegnania pełnego emocji. Zmierzał do Akwitanii, jego życie było w niebezpieczeństwie i w moim sercu wciąż czaił się strach, że zabierze mi go śmierć na odległym polu bitwy. Ale nie chcieliśmy się rozstawać w smutku. Ucałował moje usta i czoło i wyraził życzenie, by nasze dziecko, które niewątpliwie będzie chłopcem, otrzymało imię Jan. Ta chłodna pewność pobudziła mnie do śmiechu. Nastawiłam się na przetrwanie długiej samotności.

Krzyczałam z bólu.

– Najświętsza Panienko – wydyszałam, gdy wreszcie udało mi się złapać oddech. – Nie pamiętam, bym kiedykolwiek przechodziła takie męki!

– Nigdy się tego nie pamięta, gdy jest już po wszystkim i dziecko bezpiecznie przyjdzie na świat – zauważyła Agnes, przyciskając wilgotne płótno do mojego czoła.

Bóle nadeszły w styczniu, w zimny, mroźny dzień. Zwykły skurcz pogłębił się i wydłużył, szybko chwyciły mnie rozdzierające szpony. Piłam wino zmieszane z wypróbowanym naparem Agnes, licząc na to, że dziecko urodzi się jeszcze przed zmierzchem. Ale tym razem było inaczej. Zdawało się, że nie czynię żadnych postępów, tylko ból, który przenikał całe moje ciało, stawał się coraz większy. Straciłam rachubę godzin. Nawet nie zauważyłam, kiedy dzień przeszedł w ciemność za oknem. Nie byłam świadoma niczego oprócz tego, że moje ciało wydaje się odrywać od kości dla tej istoty, która nie chciała się urodzić.

– Martwił mnie ten poród – wymamrotała Agnes, pozwalając mi wbijać paznokcie w swoją dłoń.

– Okazuje się, że słusznie – jęknęłam, gdy potworny skurcz nieco ustąpił.

Agnes bardzo dbała o mnie w ostatnich tygodniach, jakby przeczuwała trudności z porodem. Nalegała, bym pozostawała na diecie złożonej z jajek, drobiu i rybnej polewki. Nacierała mi brzuch gorącym gęsim smalcem. Ale to wszystko na nic się nie zdało.

Czy to była kara za mój grzech? Za nasz grzech?

– Czy stracę to dziecko? – jęknęłam w kolejnej przelotnej chwili wytchnienia. – Czy taka jest wola Boga?

– Może się tak stać. – Nawet w swoim stanie usłyszałam niepokój w jej głosie. – Ale będziemy o nie walczyć.

Ściągnęła mnie z łóżka.

– Nie mogę chodzić – poskarżyłam się. Mięśnie nóg nie chciały mnie utrzymać.

– Musisz chodzić, pani, jeśli chcesz zobaczyć to dziecko żywe. Ale powoli.

Poprowadziła mnie po komnacie, a potem w górę i w dół po schodach. A później zaczęła mnie torturować. Przesuwała mi przed nosem bryłkę olibanum, zmuszając do nieustannego kichania. Przełamała też mój opór i nakłoniła do wypicia gorzkiego naparu z mięty i bylicy, a na koniec zarzuciła mi na szyję koralowy różaniec.

– Przynieś z mojego kufra skórę węża – surowym tonem nakazała sprowadzonej ze wsi mamce. – Będzie potrzebna, jeśli dziecko urodzi się martwe.

– Nie! – Nie chciałam nawet o tym myśleć. Moje palce zacisnęły się na przegubie Agnes jak szpony. To nie może się zdarzyć! Dziecko, żywe dziecko może nieodwracalnie zniszczyć moją reputację, porwać ją na strzępy. Ale nie chciałam ujrzeć go martwego.

Z wysiłkiem podniosłam się na nogi i znów zaczęłam chodzić, czepiając się zasłon przy łóżku, ścian, a także mocnego ramienia Agnes. Nic do mnie nie docierało oprócz bólu i wyczerpania oraz gęstego dymu i oparów, które wypełniały całą izbę. Płakałam ze strachu. Z pewnością żadne dziecko nie może przetrwać takiego porodu.

Co przeważyło szalę? Gdy wszystko już wydawało się stracone, gdy nie byłam w stanie dłużej chodzić i nie mogłam znieść więcej bólu, Agnes rękami śliskimi od oleju lnianego i kozieradki wydobyła z mojego ciała dziecko, mojego syna. Podniosła go i owinęła w płótno, jakby był najdostojniejszym księciem, a nie małą pomarszczoną istotą miauczącą jak kociak.

Potem nastąpiła cisza.

Podniosłam na nią wzrok, wciąż siedząc na podłodze obok łóżka.

– Agnes?

Twarz miała mocno spiętą.

– Odpocznij na razie.

– Chcę go zobaczyć.

Odsunęła z mojej twarzy kosmyki przepoconych włosów. Wyciągnęłam ręce i wzięłam dziecko w ramiona. Nie był to żaden dostojny książę. Twarz miał nabrzmiałą, powieki mocno zaciśnięte, usta zwiotczałe, a rzadkie czarne włosy przyklejone do czaszki. Zdawało mi się, że z trudem łapie powietrze. Choć oboje byliśmy pokryci potem i krwią, przycisnęłam go do piersi.

– Jest taki mały.

– Powinniśmy go ochrzcić, pani.

Miała zmarszczone czoło. Usłyszałam w jej głosie lęk i natarczywość.

– Jan. Nazwiemy go Jan. – Nie było trudno podjąć tę decyzję.

Dławiły mnie łzy słabości i żalu, ale przełknęłam je. Jakże był lekki, a mimo to ledwie wystarczało mi siły, żeby utrzymać go przy piersi. Otworzył oczy. Były niebieskie, o rozproszonym spojrzeniu, jak u wszystkich dzieci. Jego twarz nie była podobna do twarzy Jana ani do mojej. Rozpostarłam jego dłonie. Były tak słabe, tak drobne. Moje serce, pełne nadziei w chwili, gdy się narodził, wpadło w otchłań czarną jak kosmyki włosów przyklejone do jego głowy.

– Agnes...

– Co takiego, pani? – Jej głos był pełen współczucia. Nie udało mi się dłużej powstrzymywać łez.

– Musisz mu powiedzieć. – Tylko o tym byłam w stanie myśleć. – Musisz wysłać wiadomość do księcia.

– I co mam mu powiedzieć?

Powiedz, żeby do mnie przyjechał. Powiedz, że jestem w rozpaczy i w potrzebie.

– Powiedz mu, że ma syna. – Tylko tyle chciałam mu przekazać.

– Powiem mu więcej – mruknęła. – Ten mały może nie zagościć tu na długo. Niech się pośpieszy, jeśli chce zobaczyć swojego syna po tej stronie grobu.

Próbowałam jej nie słuchać. Mamka, młoda wieśniaczka, która niedawno urodziła zdrowe dziecko, odebrała ode mnie syna.

ROZDZIAŁ ÓSMY

Prawie miesiąc upłynął, nim książę podjechał do moich drzwi. Czy nie tak właśnie miały wyglądać wszystkie nasze dni? Tak jak wcześniej, po ucieczce z Hertford, czekałam na niego w holu, choć w pierwszej chwili miałam ochotę wybiec na dziedziniec, żeby mógł pochwycić mnie w ramiona i powiedzieć, że wszystko jest w porządku. Nie widziałam go już od ponad sześciu miesięcy. Był to nieskończenie długi czas wypełniony nieznośną tęsknotą. Nawet nie potrafiłam sobie wyobrazić, jak będą brzmiały pierwsze słowa, które do niego wypowiem.

Dygnęłam, szukając ucieczki w dworskich formach.

– Witaj, panie.

– Przybyłem najszybciej, jak mogłem, pani.

– Kazałam przygotować posiłek. Jeśli zechcesz wejść do mojej komnaty...

Porzuciliśmy wszelką oficjalność. Książę przeszedł przez salę i pochwycił moje dłonie, jakbyśmy rozstali się zaledwie przed kilkoma dniami.

– Mój panie!

Nie było to zachowanie przystające do książęcej godności. Rzuciłam spojrzenie na giermka, który z obojętną miną zatrzymał się przy drzwiach. Książę odesłał go gestem, nie spuszczając wzroku z mojej twarzy. Giermek zapewne i tak o wszystkim wiedział.

– Jak się miewasz, Katarzyno? Wyglądasz dobrze.

– Tak, panie. – Oficjalne formy wciąż trzymały się mnie jak kropelki mgły, których nie potrafiłam strząsnąć. Mocno ściskałam jego dłonie i wpatrywałam się w znajome rysy twarzy, które nagle wydały mi się jakby obce. Zauważyłam w nich zmiany, niby subtelne, a jednak bardzo wyraźne. Wyprawa poniosła klęskę. Sztormy i wichury przez dwa miesiące rzucały okrętami po morzu. Ci, którzy przeżyli, z trudem wrócili do domu. Te dwa miesiące na morzu w towarzystwie starzejącego się ojca i chorego brata wywarły swoje piętno na księciu. Miałam wrażenie, że witam dalekiego znajomego, którego kiedyś znałam bliżej, lecz jego nieobecność zerwała kruche więzy.

Ale gdy dostrzegłam emocje w jego oczach, wszystkie zapory runęły.

– Dziecko, Katarzyno. Dziecko. Tak mi przykro. Musiałaś samotnie znosić jego utratę...

Moje dziwnie zesztywniałe serce w jednej chwili zmiękło.

– Nie, Janie. – Usłyszałam, że drzwi się otworzyły, i skinęłam na Agnes, która weszła do sali z zawiniątkiem w ramionach. Nie potrafiłam powstrzymać uśmiechu czystej radości. – Okazało się, że wszyscy byliśmy w błędzie – mówiłam dalej rozpromieniona. – Chcę cię przedstawić twojemu synowi.

Mocno poruszony książę przeniósł wzrok ze mnie na zawiniątko, po czym roześmiał się.

– Na Boga, Katarzyno! Myślałem, że był zbyt słaby, by przetrwać.

– Też tak sądziłyśmy. Przez wiele dni drżałyśmy o jego życie, ale teraz ma się doskonale.

– Dałaś mu na imię Jan.

– Tak – odrzekłam z wzbierającą radością. – Przecież tego sobie życzyłeś. Zamówiłam mu już miecz u mojego kowala.

Książę wziął syna w ramiona i wpatrzył się w jego twarz. Synek odpowiedział mu żywym, ciekawskim spojrzeniem.

A ja? Patrzyłam na twarz kochanka z niepokojem, który narastał coraz bardziej, gdy milczenie księcia się przedłużało. Pomimo tych wszystkich zapewnień, cóż mogło znaczyć dla niego to dziecko w porównaniu ze ślubnymi córkami – Filipą i Elżbietą, ze spadkobiercą tytułu Henrykiem czy z królewską kastylijską krwią Kataliny? Jakie miejsce miał mój syn zająć w tej hierarchii? Być może okaże się zupełnie nieważny. Ot, nieślubne dziecko zrodzone z kobiety pozbawionej wszelkich wpływów.

Poczułam na sobie przenikliwe spojrzenie księcia.

– Widzę, że coś cię dręczy. O czym myślisz?

– Myślę o tym, że nie wiem, na ile ważne jest dla ciebie to dziecko.

Uniósł brwi, jakby moje pytanie było absurdalne.

– To mój syn.

Te słowa powinny powiedzieć mi wszystko, co chciałam wiedzieć.

– Ale jest nieślubny.

– Jest mój i drogi mojemu sercu. Czy to cię zadowala?

Poczułam falę szczęścia, tak żywą, że musiałam zamrugać, by odpędzić łzy. To krótkie zdanie rozwiało cały mój niepokój. „Jest mój" – powiedział książę.

– Nie odrzucę go. Czy tego się obawiałaś? – Gdy się skrzywiłam, uśmiechnął się szerzej, ale zaraz znów spoważniał. Pochylił się i ponad główką dziecka uroczyście ucałował moje usta. – On jest mój, Katarzyno. Niczego mu nie zabraknie. Na razie oddaję go tobie pod opiekę, bo muszę to zrobić, byś go dla mnie wychowała. A gdy będzie starszy, zajmie miejsce w moim domu jako mój syn.

Po moich policzkach spłynęły łzy. Malec wyciągnął rękę w stronę łańcucha ozdobionego klejnotami i pociągnął z całej siły.

– To piękny syn i wyrośnie na dzielnego rycerza. Potrzebuje nazwiska. – Książę łagodnie odczepił dłoń dziecka od łańcucha i roześmiał się, gdy drobne paluszki zacisnęły się na jego palcu. – Beaufort. Będzie znany jako Beaufort. Miałem kiedyś taki zamek we Francji.

Otarłam łzy. Jan Beaufort. Książę dotknął policzka dziecka. Czułość malująca się na jego twarzy poruszyła mnie niewymownie.

– A teraz matka Jana Beauforta musi mi powiedzieć, co jej leży na sercu.

Oddał dziecko Agnes, wziął mnie w ramiona i pocałował w policzki.

– A może dość już rozmów na jeden dzień?

Naturalnie nie przestaliśmy rozmawiać, ale były też inne sposoby, by wyrazić radość z naszego ponownego spotkania, cudowną, płynącą z głębi serca wdzięczność, która nie wymagała żadnych słów, nawet gdyby wystarczyło nam tchu, by je wypowiedzieć. Ogarnięci pragnieniem, na nowo odnajdywaliśmy wszystkie znane nam już sposoby dostarczania sobie nawzajem najwyższej radości, a także odkrywaliśmy nowe. Książę wiedział, że jeszcze nie doszłam do siebie w pełni, i był bardzo delikatny.

A potem, gdy nieco już uspokojeni siedzieliśmy w mojej komnacie nad pucharem wina, powiedział:

– Chcę, żebyś wróciła ze mną.

Pomyślałam, że łatwiej powiedzieć niż zrobić.

– A co z Konstancją?

Jak można było się spodziewać, jego odpowiedź była krótka:

– Moje małżeństwo z Konstancją obecnie nie wygląda inaczej niż przed rokiem. Jest to polityczny związek. Będę się starał odzyskać dla niej królestwo Kastylii i spłodzę z księżną syna, by mógł je odziedziczyć, jeśli taka będzie wola Boga. Ale ty wrócisz ze mną.

Przechyliłam głowę na bok, zastanawiając się nad tym. Mój rozsądek rozbijał się o skałę, którą była wola księcia.

– Czy nie tego właśnie sobie życzysz? – Na jego twarzy odmalowało się niedowierzanie, jakby się dziwił, że nie kazałam natychmiast pakować kufrów podróżnych.

– Zastanawiam się nad tym.

– A nad czym tu się zastanawiać?

– Nad moją reputacją – stwierdziłam uroczyście, o ile w ogóle mogłam mówić uroczyście, siedząc w halce z rozpuszczonymi włosami i bosymi stopami. – Jeśli wrócę do twojego domu, czy nie będę traktowana jak kobieta upadła?

– Nie będziesz.

– Jest tam wielu, którzy prędko nazwą mnie ladacznicą.

– Nie zrobią tego w mojej przytomności.

– Ale zrobią w mojej.

To nie były tylko żarty. Jeśli wrócę na dwór Lancasterów, wcześniej czy później – och, bardzo szybko! – stanę się obiektem plotek. Z drugiej strony mogłabym się cieszyć towarzystwem księcia, zamiast marnieć na tym odludziu.

– Ile czasu potrzebujesz na decyzję? – Książę przesunął dłońmi po nieogolonych policzkach. Był równie potargany i rozchełstany jak ja, ale atmosfera władzy spowijała go niczym płaszcz z gronostajów. – Ja ją podejmę za ciebie. Nakazuję ci wrócić ze mną. Będziemy równie dyskretni jak zawsze. Będę chronił twoją reputację, którą tak sobie cenisz.

Uśmiechnęłam się pod siłą jego argumentów.

– Tak bardzo za tobą tęskniłam.

– A ja za tobą. – Leżąc obok mnie, podniósł głowę i przez chwilę patrzył na mnie w zadumie. – Pewnego ranka, gdy byliśmy na morzu i sztorm szalał w najlepsze, poczułem twoją obecność tak wyraźnie, jakbyś do mnie zawołała, jakby na chwilę, tak krótką jak jedno uderzenie serca, twój umysł dotknął mojego. Było to równie prawdziwe jak to, że jesteś tu teraz. To była chwila wielkiej radości pośród rozpaczy i klęski. Nigdy tego nie zapomnę.

Patrzyłam na niego w zdumieniu, bo w tych dniach, gdy samotnie czekałam na księcia i każdy mój krok przesycony był lękiem o niego, szukałam go myślą. Wyobrażałam go sobie na polu bitwy, z mieczem w ręku, jakbym mogła wyczuć kierunek jego myśli i ich zabarwienie. Wydeptałam głębokie ślady w schodach prowadzących do izby w wieży, gdzie często siadywałam, patrząc na równiny Lincolnshire i wyobrażając sobie, co on teraz robi i o czym myśli.

Któregoś ranka prawie udało mi się go zobaczyć. Podniósł głowę, jakbym go zawołała. Zapewne to wtedy jego umysł dotknął mojego. Poczułam miękkie ciepło, przenikliwą świadomość, błysk rozpoznania. Trwało to tyle co najkrótszy oddech. Już nigdy więcej tego nie poczułam i udało mi się przekonać siebie, że było to tylko dzieło nadmiernie pobudzonej wyobraźni, niczym odblask promienia słonecznego odbitego od powierzchni stawu.

Ale książę również szukał mnie myślą i znalazł. Wypełniła mnie nieziemska miłość. Pochyliłam się i ucałowałam jego usta. Wybaczyłam mu, że spędził Nowy Rok z Konstancją.

Jego spojrzenie wyostrzyło się.

– A zatem jaka jest twoja odpowiedź?

– Czy musisz pytać? Pojadę – odpowiedziałam po prostu.

Ale prawdę mówiąc, wcale nie było to proste. Nie chodziło tylko o moją reputację. Bo niby co miałabym robić na książęcym dworze? Jaką pozycję mogłam tam zająć? Przecież wykluczone, bym ponownie została damą dworu królowej Kastylii. Kochanka służąca żonie – dla Konstancji byłby to bolesny policzek, poniżenie nie do przyjęcia. Ale wiedziałam, że nie mogę żyć z dala od księcia Lancastera, i to bez względu na koszty osobiste. Zresztą zaczęłam je płacić bardzo szybko, już podczas przygotowań do wyjazdu do Tutbury.

– Chyba nie zamierzasz zabrać ze sobą tego dziecka? Widziałaś je ostatnio? – zapytała Agnes w miesiąc później, gdy wszystko było już przygotowane.

– Naturalnie, że zamierzam. – Złożyłam dwa nowo uszyte rękawy, nie mogąc się już doczekać powrotu do kochanka. – Jest wystarczająco silny, by znieść taką podróż. Dołączy do pokoju dziecinnego.

– No i co widzisz? – Wskazała kołyskę wprawianą w ruch przez mamkę. – Popatrz na niego, Katarzyno.

Popatrzyłam. Dziecko zwijało i rozprostowywało piąstki. Roześmiałam się.

– Popatrz na niego – powtórzyła Agnes. – Gdy cię zapytają, kto jest ojcem tego dziecka, co odpowiesz?

Synek bardzo się zmienił od czasu trudnego porodu. Twarzyczka wciąż była okrągła, ale niebieskie oczy ściemniały i przybrały piwny kolor. Skórę miał jasną, a włosy ciemne. Powoli wypuściłam oddech. Agnes dostrzegła to, czego ja nie zauważyłam. W promieniach słońca zalewającego komnatę delikatne loki przybrały rudokasztanowy odcień przypominający pióra bażantów w sadzie. Gdy chmura zeszła ze słońca i światło stało się jeszcze jaskrawsze, kolor rozbłysnął w całej okazałości.

Jeśli go zabiorę na dwór księcia i słońce padnie na jego włosy, tak jak teraz, wszyscy zaczną plotkować, nim jeszcze zdążę wyjąć synka z podróżnej lektyki. Barwa jego włosów i oczu była zbyt wyrazista, by zaprzeczać pochodzeniu.

– Nie – powiedziałam ze smutkiem, biorąc go w ramiona. Czy rzeczywiście kiedyś mi się wydawało, że będę mogła wprowadzić to dziecko do pokoju dziecinnego w pałacu księcia? Skoro moja reputacja tak wiele dla mnie znaczyła, to jak mogłabym pokazać światu bękarta, tym bardziej że tożsamość ojca była oczywista? Oszukiwałam się, sądząc, że to możliwe. – Nie, nie mogę tego zrobić, prawda? Ale nie chcę go zostawiać.

– Zostawisz go. Ja się nim zajmę – odrzekła Agnes stanowczo. – Będę go kochała jak własne dziecko. Dołączy do ciebie, gdy... – Zamknęła usta w pół słowa.

– Gdy prawda wyjdzie na jaw? Czy to chciałaś powiedzieć? Ale jeśli tak się stanie, natychmiast zostanę odesłana z dworu i znów wrócę do Kettlethorpe.

– To by rozwiązało wszystkie twoje problemy. Ale możesz jeszcze zdecydować, że nie jedziesz, i zostać tutaj...

Bliska łez ucałowałam dziecko w policzek. Oto była kolejna decyzja, którą musiałam podjąć: czy mam pojechać do kochanka, zostawiając dziecko i ukrywając okoliczności jego narodzin, czy też pozostać tutaj i wychowywać małego Beauforta, który wyciągał rączki, rozbudzając we mnie macierzyńskie instynkty. Podniosłam wzrok w pełni świadoma, że Agnes patrzy na mnie krytycznie. Dla niej nie było tu żadnego dylematu. Jaka matka mogłaby zostawić własne dziecko, by dołączyć do mężczyzny, z którym łączył ją grzeszny związek? Obowiązkiem kobiety było dbać o dzieci i zachować dobre imię. Żadna uczciwa kobieta nie mogłaby z własnej woli narazić się na miano ladacznicy.

Ale ja nie miałam wyboru.

Oddałam syna Agnes, nie ukrywając łez. Był ciałem z mojego ciała, ale moje serce należało do jego ojca, i to z nim musiałam być.

Po powrocie na dwór, który rezydował w solidnej fortecy Tutbury, nie wyczułam ani cienia skandalu. Z ulgą przemierzałam znajome izby, ale gdy wprowadzono mnie do jednej z prywatnych komnat, poczułam się zbita z tropu na widok rodzinnej sceny. Była to ciężka próba dla mojej nowo odnalezionej siły. Filipa i Elżbieta siedziały nad książką, głowa przy głowie, Henryk zajęty był nową zabawką – figurką rycerza na koniu, a mała Katalina spała w kołysce. Gdy weszłam, lady Alice uśmiechnęła się do mnie przez całą szerokość komnaty. Przy niej, jak zawsze, leżał brewiarz.

Wszystko było tak jak zawsze.

Ale był tu też książę w towarzystwie Konstancji. Siedziała przy oknie, światło rzucało refleksy na jej ciemne włosy nakryte lekkim welonem. Gdy przeszłam przez próg, uśmiechała się do księcia, który w znajomy mi sposób rozwodził się nad jakimś interesującym ich oboje tematem. Powiedziała coś o Kastylii, a on potwierdził.

Pomyślałam, że jednak wcale nie jest tu jak zawsze. Wręcz przeciwnie, przez rok mojej nieobecności wszystko się zmieniło. Nie było mnie zbyt długo, a przez ten czas związki między ludźmi zacieśniały się lub rozluźniały. W następnej chwili uderzyła mnie uroda księżnej. Była zdumiewająco piękna. Macierzyństwo złagodziło ostre rysy twarzy. Potrafiła już wyrażać się płynnie i wyglądała w tym otoczeniu zupełnie swobodnie. Zdawała się szczęśliwa i zaspokojona, często się uśmiechała. Przyjęła puchar, który książę podał jej z ukłonem, i popijając wino, zaśmiała się z czegoś, co powiedział.

Jakże byli do siebie podobni: przystojni, ambitni, nawykli do władzy. Zauważyłam również, że czują się w swoim towarzystwie swobodnie, jakby łączyło ich co najmniej zrozumienie, i poczułam się tak, jakbym sama stała w cieniu, patrząc na spowijający ich blask. Konstancja mogła dać księciu władzę i ślubnego syna. Ja nie mogłam mu dać ani jednego, ani drugiego.

Wszystkie te myśli w mgnieniu oka przebiegły przez mój umysł, przynosząc cierpienie. Dlaczegóż książę nie miałby ocieplić swojego stosunku do żony? Czy małżeństwo zawarte z obustronnej konieczności, jako związek czysto polityczny, nie mogło nabrać bardziej intymnego charakteru, gdy już się lepiej poznali? Dlaczego Konstancja nie miałaby dać się uwieść mężczyźnie, który uosabiał tajemnicę i władzę Plantagenetów?

Czy to były pierwsze pąki miłości?

Twardy kamyk zazdrości zaczął ugniatać moje serce, choć wcześniej byłam przekonana, że słusznie czynię, wracając na dwór. Teraz już nie byłam tego taka pewna.

Obok mnie stanął szambelan.

– Pani, oto lady Katarzyna Swynford.

Ta zapowiedź zakończyła prywatną rozmowę. Uśmiechnęłam się z wysiłkiem i dygnęłam, a potem powoli ruszyłam naprzód.

– Miło nam widzieć cię znowu w naszym domu, lady Katarzyno. – Konstancja uśmiechnęła się blado. – Mamy nadzieję, że tym razem pozostaniesz dłużej.

– Taki mam zamiar, pani – odpowiedziałam ostrożnie, nie patrząc na księcia.

– Ale wygląda na to, że nie będę się cieszyć twoim towarzystwem i nie będzie mi dane skorzystać z twojego doświadczenia przy dzieciach.

Poczułam się tak, jakby moich pleców dotknęła lodowata dłoń. Nie należałam już do najbliższych domowników Konstancji. Spojrzałam na piękną twarz, spodziewając się zobaczyć na niej niechęć, grozę, a nawet nienawiść. Dobrze wiedziałam, że ja sama zareagowałabym wściekłością, gdybym jako prawowita żona zmuszona była stanąć we własnej komnacie naprzeciwko bezczelnej metresy. Czy to była odprawa? Po co tu przyjechałam, skoro księżna odmówiła przyjęcia mnie z powrotem?

Ale twarz Konstancji, otoczona surowym czepkiem i welonem, pozostawała gładka i bez wyrazu. Gestem dłoni skierowała mnie w stronę księcia, którego twarz również zastygła w obojętną maskę.

Gdy znów dygnęłam, ujął mnie za rękę i pociągnął w swoją stronę.

– Jak już wyraziła to moja żona, z przyjemnością witamy cię znów w naszym domu, lady Katarzyno, skoro sprawy związane z twoją posiadłością pozwoliły ci do nas wrócić.

– Dzięki, panie, za tak łaskawe słowa. – Uff, gładko wypowiedziałam to zdanie. Powoli, by nie przyciągać do siebie uwagi, wysunęłam dłoń z dłoni księcia.

– Jest moim życzeniem – obwieścił oficjalnym tonem – byś przyjęła stanowisko magistry moich dzieci.

Próbowałam nie okazać zdumienia, bo zbytnia afektacja nie jest w dobrym tonie, i sądząc po reakcji – czy też jej braku – innych osób, musiało mi się to udać. A miałam prawo być zdumiona, wszak bardzo zostałam wywyższona.

Magistra. Była to znacząca funkcja zapewniająca dobrą pozycję w dworskiej hierarchii, świadcząca o uznaniu dla moich talentów. Dygnęłam nisko, pochylając głowę, by ukryć rumieniec. Chwila paniki minęła.

Dlaczego nie powiedział mi wcześniej o swoich planach? Bo to nie leżało w jego naturze, pomyślałam. Nie wolno mi było o tym zapominać. Książę podejmował decyzje i przeprowadzał swoją wolę, nie pytając nikogo o zdanie. Czasem wciąż zapominałam, że jest to mężczyzna, który nigdy nie podaje w wątpliwość władzy wywodzącej się z królewskiej krwi. Podjął decyzję i tak ma się stać.

– To zajęcie jest najzupełniej odpowiednie dla kogoś takiego jak ty – wyjaśnił. – Zostałaś wykształcona pod egidą mojej matki. Poza tobą nie przychodzi mi do głowy nikt inny, kto lepiej nadawałby się do przyjęcia takiej odpowiedzialności. Będziesz nadzorować edukację moich córek, a także mojego syna Henryka do czasu, gdy dostanie własnego nauczyciela i zacznie się ćwiczyć w rycerskim kunszcie. Chcę, by wszyscy troje nauczyli się czytać i pisać, opanowali języki i poznali literaturę, a także by umieli zachować się grzecznie, jak przystoi moim dzieciom, śpiewać i tańczyć z wdziękiem... – Przerwał, zapewne czekając na moją odpowiedź. – I co o tym myślisz, lady Katarzyno? – ponaglił mnie łagodnie, gdy wciąż milczałam.

– Brakuje mi słów, panie – wykrztusiłam wreszcie.

Byłam w stanie myśleć tylko o tym, że książę zrobił to specjalnie dla mnie. Na wszelkie sposoby starał się ułatwić mi powrót i sam zrozumiał, jak wiele fałszu i hipokryzji zawierałaby w sobie sytuacja, gdybym pozostała w służbie u Konstancji. Zrobił to też dlatego, by nie narażać mnie na gęstą, duszną atmosferę fraucymeru, kobiecego dworu z całą tą domową polityką, plotkami i kobiecymi sprzeczkami. Myliłam się, sądząc, że nie ma dla mnie miejsca w domu Lancasterów. Na polecenie księcia obdarzono mnie zaszczytem, który przewyższał wszystkie moje nadzieje. Poczułam, że jednak jestem tu mile widziana.

– Rzadko się zdarza, byś zaniemówiła, Katarzyno – wesoło zauważyła lady Alice, patrząc jednak na mnie przenikliwie. Podeszła bliżej i pocałowała mnie w policzek.

– Jestem oszołomiona tym stanowiskiem – odrzekłam szybko, przypominając sobie o dobrych manierach. – Dziękuję, panie. Postaram się służyć ci jak najlepiej.

Oszczędzono mi dyskomfortu codziennego przebywania w towarzystwie Konstancji, a także ciągłych przesłuchań ze strony mojej siostry Filipy, która z pewnością nie utrzymałaby języka za zębami, gdybym zajęła swoje dawne miejsce.

Wróciłam i moje serce napełniło się radością.

Gdy książę tego wieczoru przyszedł do mojej komnaty, której już nie musiałam z nikim dzielić, był w znakomitym, wręcz świątecznym nastroju. Ledwie zamknął drzwi, porwał mnie w ramiona, przycisnął mocno do siebie i pokrył moją twarz i usta pocałunkami.

– Czy mogę przypuszczać, że mój powrót sprawił ci przyjemność? – zapytałam, gdy wreszcie udało mi się odezwać.

– Jak możesz w to wątpić? – Otoczył mnie dłońmi w pasie i podniósł tak, że stanęłam na palcach, i znów pocałował w usta. – Tęskniłem za tobą, Katarzyno, jak człowiek na pustyni tęskni za łykiem świeżego, chłodnego piwa. Czuję się jak wyschnięta łupina.

– Moim zdaniem wyglądasz bardzo zdrowo – zauważyłam.

– Nie widziałaś mnie wczoraj.

– Niezmiernie tego żałuję. Zbyt długo nie było mnie przy tobie.

Książę lekko przesunął ustami po moim obojczyku.

– Smakujesz jak półmisek francuskich truskawek. Będę ci śpiewać, moja piękna damo, i znów cię uwiodę bogactwem mych uczuć.

I tak uczynił, chociaż wybór pieśni dokonany przez księcia zadziwił mnie. Przy kolacji minstrele śpiewali pieśń o tęsknocie, pełną głośnych akordów i smutnych słów. Książę sięgnął po moją lutnię i znów dla mnie zaśpiewał tę nostalgiczną balladę. Słowa z pewnością były piękne, ale ich sens był bardzo niejednoznaczny. Czy książę zdawał sobie z tego sprawę, czy też zaśpiewał tę pieśń tylko dlatego, że krążyła w jego umyśle? Słuchałam dobrze znanych mi poetyckich wersów:

Słuchajcie, czym jest.
Powiem wam, czym jest nieumiarkowana miłość:
Utratą rozumu, gorączką umysłu,
Płomieniem, którego nie da się ugasić
I który nie daje szczęścia.
To wielki głód, którego nie da się nasycić,
Słodka choroba i ślepa słodycz.
Miłość to niezmierzone manowce,
Na których nie znajdziesz wytchnienia.

Naraz przestał śpiewać, jakby poruszył go nastrój ballady, i siedząc z pochyloną głową, przebierał palcami po strunach. Gdy się nie odzywał, zapytałam, starając się utrzymać lekki ton:

– Nieumiarkowana miłość? Czy taka właśnie jest nasza miłość, Janie? Czy na taką chorobę zapadliśmy?

Lekko zmarszczył czoło i powoli odłożył lutnię na bok, a potem odparł, ostrożnie dobierając słowa:

– Nie wiem. Wiem tylko, że brak mi siły woli, by się od ciebie odsunąć. Jeśli to gorączka umysłu – powtórzył słowa pieśni – owa gorączka wiąże mnie z tobą.

Ale czy mnie kochasz? Czy kochasz mnie tak bardzo, jak ja kocham ciebie? Niewiele brakowało, a zapytałabym o to, łamiąc przysięgę, którą złożyłam sobie pierwszego dnia pobytu w Savoyu. Nie zrobiłam tego jednak, bo bałam się usłyszeć odpowiedź, zatem rzekłam tylko, dostosowując się do ostrożnego, pełnego zadumy tonu księcia:

– Jeśli to jest gorączka umysłu, to jestem w gorączce, ale nie jestem ślepa na ból, który możemy zadać innym.

– Ja też nie jestem ślepy. – Jego oczy zatrzymały się na mojej twarzy. Wyczytałam w nich żal, co napełniło mnie smutkiem. Czy żałował, że nie potrafi mnie kochać prawdziwie, tak jak ja jego? Zawsze uważałam na słowa i nie obarczałam księcia moimi uczuciami. Gdybym złożyła mu ten ciężar u stóp, mogłabym podkopać fundamenty tego, co nas łączyło. Jan mnie potrzebował i to musiało mi wystarczyć. Zamierzałam grać wyznaczoną mi rolę z wyczuciem i wdziękiem.

– To wielki głód – podpowiedziałam, wracając do słów pieśni.

Natychmiast ukoił mnie jego uśmiech.

– Zgadza się. I ślepa słodycz.

– A także niewyczerpany płomień. To również prawda – dodałam i przeszył mnie dreszcz wyczekiwania, gdy książę obsypał pocałunkami moje dłonie.

– Płonę – powiedział, pochylając się nade mną.

Okrył pocałunkami moje ramiona aż do łokci, potem do barków i jego usta powędrowały na moją szyję. A później odsunął się, znów sięgnął po lutnię i ze swadą trubadura zaśpiewał prowokacyjnie zupełnie inny refren, wymazując wszelkie wspomnienia żalu:

Twoje usta kuszą:
Daj mi słodki pocałunek!
Zawsze gdy cię widzę, twe usta mówią mi:
Pocałuj mnie raz, dwa albo i trzy!

– Janie! – protestowałam, gdy między jednym a drugim słowem wykradał mi pocałunki.

– Katarzyno! – Ze śmiechem odrzucił lutnię i pochwycił moje dłonie. – Czymkolwiek jest to uczucie, które nas dotknęło, nie brakuje w nim szczęścia. Ty jesteś całym moim szczęściem. – Jedną po drugiej podniósł moje dłonie do ust. – Ach, Katarzyno, nie żałuj niczego, moje najdroższe serce. To w końcu tylko puste słowa, zabawy trubadurów. Zajmijmy się świętowaniem twojego powrotu. Chodź i pokaż mi swoimi pocałunkami, że nie zbłądziłem na niezmierzone manowce.

Tylko puste słowa? Dla mnie nie były puste, ale odpowiedziałam na prośbę księcia i znów wsunęłam dłonie w jego dłonie.

– To nie są manowce – zapewniłam go.

– W takim razie pokaż mi to, bo bardzo za tobą tęskniłem.

Ponowne połączenie naszych ciał i dusz było niezmiernie słodkie. Namiętność, zaborczość, żądania i rozkoszne uwodzenie – książę dawał mi to wszystko, a ja niczego nie odmawiałam.

ROZDZIAŁ DZIEWIĄTY

Weszłam w rolę magistry bez żadnego kłopotu. Jak zauważył książę, sama zostałam doskonale wykształcona na dworze. Dzieci księcia, a także moje, mogły wiele skorzystać dzięki rygorystycznym wymaganiom, które narzuciłam, oraz umiejętności prowadzenia uprzejmej rozmowy, poruszania się z wdziękiem i całkiem dobrej gry na lutni. Potrafiłam wykorzystać własne atuty z dużą pewnością siebie.

Była tylko jedna zasada, której musiałam przestrzegać. Bez względu na wszystko musiałam zachować żelazną samokontrolę, każdym moim krokiem musiała kierować dyskrecja. Przywykłam do tego, że często widywałam księcia, czasem z daleka, a czasem z bliska, w otoczeniu rodziny, ale w miejscach publicznych nigdy nie zbliżaliśmy się do siebie. Nie mogliśmy sobie pozwolić na wzbudzenie choćby najmniejszego podejrzenia, na żadną lekkomyślną chwilę intymności, która mogłaby sprawić, że przypadkowy obserwator wstrzymałby oddech z wrażenia, na żadne niedyskretne komentarze, z których wynikałoby, że wiem o czymś, o czym nie powinnam wiedzieć. Taniec do tej skomplikowanej melodii zmuszał mnie do nieustannej czujności. Nauczyłam się żyć z tą próżnią między nami, wiedząc, że książę zbliży się do mnie, gdy będzie mógł. Czułam namacalnie, że jest świadomy mojej obecności, ale zachowywał się bardzo delikatnie.

Wzorzec moich dni objawił się w całej pełni, gdy pojechaliśmy na bagna po drugiej stronie rzeki na polowanie z sokołem. Była to rodzinna wyprawa na koniach z grupą hałaśliwych dzieci doglądanych przez służbę. Towarzyszyła nam też Konstancja, której ruch na świeżym powietrzu sprawiał przyjemność, oraz jej damy. W tych dniach książę często przebywał z Konstancją.

Moja siostra Filipa jechała obok mnie. Nie spuszczałam oczu z upartej i samowolnej Elżbiety. Henryk i mój syn Tomasz jechali głowa przy głowie, knując coś wspólnie. Być może któregoś dnia, pomyślałam bez większej nadziei, mój syn Jan również weźmie udział w takim wyjeździe w towarzystwie swojego ojca.

Pośrodku grupy jechał książę, dumny właściciel nowej pary jastrzębi. Wypuściliśmy je na gołębie i wodne ptactwo. Podał mi małego sokoła i nasze dłonie w rękawiczkach się zetknęły. Jak to możliwe, by poczuć żar innej dłoni przez dwie warstwy grubo zszywanej skóry, z której zrobione były rękawice do polowań?

Żadne z nas niczego po sobie nie pokazało. Ale później, gdy jastrzębie wróciły już na swoje grzędy, dzieci zajęte były popołudniowymi obowiązkami, Konstancja na klęczniku prosiła Boga o syna, a Filipa zajmowała się Kataliną, przyszedł do mojej izby i zaspokoił wszystkie moje tęsknoty. Posiadł mnie, a ja chętnie oddałam mu się w niewolę.

Plotki w końcu się pojawiły. To było nieuniknione. Czy naprawdę sądziliśmy, że uda nam się na zawsze pozostać w złocistej chmurze tajemnicy? Tylko głupiec mógłby tak myśleć.

Co ściągnęło na nas uwagę? Nie miałam pojęcia. Zaczęło się od szeptów, które cichły i urywały się, gdy wchodziłam do izby. Damy Konstancji, podobnie jak ich pani, lepiej już mówiły po francusku, ale ich słownictwo nie zawsze było stosowne dla dobrze wychowanych kobiet. Nawet gdy syczały i szeleściły kastylijskimi spółgłoskami, sens ich rozmów był jasny. Powtarzałam sobie, że nie przeszkadza mi to zanadto. Nie byłam naiwną dziewczyną, by sądzić, że nasz romans może przejść niezauważony na dworze księżnej, gdzie plotki stanowiły główny składnik codziennej diety. Oczywiście damy Konstancji nie odważały się traktować mnie z jawną niegrzecznością i bardzo uważały, by nie zdradzić się ze swoimi opiniami w obecności ich pani.

Zapewne można się było tego wszystkiego spodziewać. Nie miałam pojęcia, jakie jest źródło plotek, ale wiedziałam, że dotarcie drastycznych szczegółów do uszu Konstancji to tylko kwestia czasu. Czy zechce się mnie wtedy pozbyć, bym już dłużej nie zatruwała jej otoczenia?

Zastanawiałam się, co zrobi książę pochwycony w konflikt między żoną a kochanką. Był człowiekiem honoru i nie można było oczekiwać, że stanie po stronie kochanki przeciwko królewskiej żonie. Ambicja nie pozwoliłaby mu zignorować życzeń Konstancji, która była dla niego szansą i nadzieją na koronę kastylijską.

Zacisnęłam zęby i skupiłam się na wychowywaniu dzieci mojego kochanka, próbując nie myśleć zbyt wiele o moim synku, który był tak daleko. Sama sobie pościeliłam łóżko i teraz musiałam w nim spać. A gdy oskarżenia do mnie docierały, unosiłam wyżej głowę, udając, że nic mnie to nie obchodzi.

Nie mogłam zbyt długo udawać, że mam aż tak grubą skórę. Ciągłe podrażnienia doprowadzają do otarć, jakby się miało kamyk w bucie, a otarcia przeistoczyły się w otwartą ranę, gdy moja siostra usłyszała plotki od swoich towarzyszek w kobiecej izbie. Ale jeszcze nie to było najgorsze. Gdy nasze ścieżki w końcu się skrzyżowały podczas jednego z pobytów w pałacu Savoy, Filipa pogrążona była w rozmowie z człowiekiem, którego nie sposób było pomylić z kimkolwiek innym. W tamtej chwili wolałabym, żeby ten człowiek znajdował się jak najdalej od wybrzeży Anglii.

Niski i przysadzisty syn londyńskiego kupca, a zatem stojący znacznie niżej od Filipy w hierarchii społecznej, co nieodmiennie ją irytowało, Geoffrey Chaucer stanowił drugą połowę zaaranżowanego małżeństwa. Można było o nim powiedzieć wiele rzeczy, z których najbardziej niebezpieczną było to, że miał bystry umysł i cięte pióro. Szkoda tylko, że nie kochał mojej siostry tak, jak kochał swoje księgi. Gdy się do nich zbliżałam, kłócili się głośno. W pierwszym odruchu chciałam wyminąć ich niepostrzeżenie, ale opamiętałam się i zwolniłam kroku. Kłótnie między nimi zdarzały się często, a zwaśnieni małżonkowie nie zawsze dbali o dyskrecję i raz po raz wynosili narastający konflikt na zewnątrz, jak działo się również teraz, więc i ja nie byłam zobligowana do zachowania dyskrecji. Ponieważ miałam co nieco współczucia dla Filipy, uznałam więc, że mogę przyjść jej na ratunek.

– Dokąd się wybierasz? – indagowała męża moja siostra.

– Wiesz, że nie powinnaś o to pytać? – Geoffrey uśmiechnął się z cyniczną pobłażliwością, na którą nawet znacznie łagodniejsza od Filipy kobieta mogłaby zareagować ostrymi słowami.

– Kiedy zamierzasz wrócić? Czy możesz mi powiedzieć przynajmniej tyle?

– Gdy załatwię królewskie sprawy.

Geoffrey pisywał nieprzystojne wersety, ale przede wszystkim odznaczał się subtelnym i przenikliwym dowcipem. Tworzył poezje, pieśni i ballady, a książę był jego hojnym mecenasem. Jednak w tej chwili wyglądał, jakby nade wszystko pragnął czmychnąć stąd jak najdalej.

Gdy usłyszał moje kroki, obejrzał się przez ramię i powiedział:

– Katarzyno...

Nasze oczy nie znajdowały się na tym samym poziomie. Geoffrey musiał wspiąć się na palce, by pocałować mnie w policzek. W jego oczach pojawił się błysk, ostry jak nóż myśliwski.

Byłam pewna, że nie spodobałoby mi się to, o czym mój szwagier pomyślał.

– Geoffrey – odrzekłam, jak zwykle w jego obecności zważając na słowa. Był ich niezrównanym mistrzem i wyłapywał każde, najmniejsze nawet niedomówienie jak szczupak ważki w samym środku lata. – A zatem nie chcesz nam nic powiedzieć?

– Jak zawsze. – Filipa nie potrafiła się powstrzymać, by nie złapać przynęty.

– Znów zajmujesz się sekretnymi sprawami króla? – spytałam z uśmiechem.

Geoffrey był nie tylko pisarzem, ale także żołnierzem, posłańcem i dyplomatą, a niektórzy twierdzili, że również szpiegiem. Byłam skłonna w to wierzyć.

– Oczywiście. – Skłonił się lekko. – To moja praca i nawet moja żona musi się z tym pogodzić.

– Godzę się, bo nie jestem dla ciebie wystarczająco ważna, byś miał mnie informować o swoich sprawach – odparowała Filipa.

– Czego nie wiesz, o tym nie możesz plotkować. Czy czegoś ci brakuje?

– Niczego, co chciałbyś mi dać.

Westchnęłam w duchu. Nie byłam w stanie zrozumieć, jakim sposobem udało im się spłodzić dzieci, skoro spędzali tak niewiele czasu w swoim towarzystwie i tak mało było między nimi dobrych uczuć.

Spojrzenie Geoffreya zatrzymało się na mnie, uważne jak spojrzenie sroki, która zauważyła błyskotkę.

– A co u ciebie, Katarzyno? Słyszałem o tobie zdumiewające rzeczy.

– Cóż takiego mogłeś słyszeć? – Serce zaczęło bić mi szybciej, ale wykazałam się nadzwyczajnym opanowaniem. Nie chciałam, by żarłoczne pióro szwagra sportretowało mnie na jakikolwiek sposób, dobry czy zły.

– Nie powiem ci. W każdym razie jeszcze nie teraz. Zastanowię się. A teraz muszę już iść. – Znów pocałował mnie w policzek i szepnął: – Jest wielu takich, którzy chętnie ci to powtórzą. Uważaj, co robisz, lady Swynford.

Również Filipę cmoknął w policzek i wyszedł. Miałam ochotę pójść za nim, ale siostra wyciągnęła rękę w moją stronę.

– Czy to prawda? – zapytała i jej brwi uniosły się wysoko na wyskubanym czole. Moje brwi z kolei ściągnęły się w prostą kreskę. Spodziewałam się tej konfrontacji i obawiałam się jej prawie tak samo jak konfrontacji z Konstancją.

– Czy co jest prawdą? – Wyszarpnęłam rękaw spomiędzy jej palców, modląc się, by nie zechciała podzielić się swymi podejrzeniami z mężem. Któż mógł wiedzieć, ku czemu zwróci się w następnej kolejności jego żywy umysł? Geoffrey, gorący wielbiciel księżnej Blanki, z satysfakcją i uczuciem sportretował księcia w swojej *Księdze Księżnej* jako wdowca pogrążonego w żałobie. Gdyby trafił na trop skandalu, równie dobrze mógłby go przedstawić jako wyrzutka.

– Kurwa? Ladacznica? Czy to prawda?

Tak oto Filipa, wybierając najbardziej grubiańskie spośród wszystkich określeń, wyładowała na mnie swoją wściekłość na Geoffreya. Moje wcześniejsze współczucie szybko uleciało.

– Tak. – Jaki sens był zaprzeczać? Te słowa wciąż rozbrzmiewały w mojej głowie. Słyszałam je od samego rana, jeszcze przy śniadaniu, głośno szeptane nad piwem i chlebem. – Choć ja nie użyłabym takich słów.

Ale damy Konstancji ich używały. *Puta. Hija de Puta. Mujerzuela.* Nawet w ich języku znaczenie tych słów było paskudne. Dziewka. Kurwa. Ladacznica.

– Kiedy zamierzałaś mi o tym powiedzieć? – Filipa zmierzyła mnie twardym wzrokiem. – A może nie ufasz już siostrze?

– Wybacz mi. Powinnam ci powiedzieć. – Mogłam przeprosić za to, że tego nie zrobiłam, ale za nic więcej. Wytrzymałam jej spojrzenie.

Odsunęłyśmy się na bok, gdy korytarzem przeszła służąca z mleczarni, niosąc krąg sera. Ledwie ser zniknął z widoku, Filipa znów sięgnęła po broń:

– Powinnaś się wstydzić. Ale gdybyś się wstydziła, to pewnie byś tu nie wróciła, tylko zaszyłabyś się w Kettlethorpe.

Zesztywniałam i natychmiast podjęłam rękawicę:

– Nie, nie wstydzę się. Kocham go i nie zamierzam pytać o twoje pozwolenie czy aprobatę, nie będę też błagać o wybaczenie. To nie twoja sprawa, Filipo. – Owszem, była to ostra odpowiedź, ale widziałam w jej twarzy, że nie uzyskam u siostry zrozumienia. – A teraz, gdybyś zechciała mnie przepuścić... – To, co usłyszałam od kastylijskich dam, poruszyło mnie bardziej, niż chciałam przyznać.

Filipa znów przesunęła się o krok i zastąpiła mi drogę.

– I podobno masz syna. Tak mówią te kastylijskie jędze. – Przynajmniej ściszyła głos. – A ja mam siostrzeńca bękarta, syna księcia Lancastera. I o tym też nie raczyłaś mnie poinformować.

Nie, nie powiedziałam jej o tym. Nie powiedziałam nikomu. Wyczułam w jej oskarżeniach urazę i poczułam odrobinę żalu, że moja siostra dowiedziała się prawdy z okrutnych plotek. Dlaczego jej nie powiedziałam? Bo nie chciałam słyszeć tych wulgarnych słów z ust własnej siostry.

– Tak, mam syna – odrzekłam, ściszając głos w ciasnym korytarzu. Ogarnęły mnie niechciane emocje. – Nosi imię Jan. Ma już prawie trzy miesiące i jest tak podobny do księcia, że nie mogłam przywieźć go tu ze sobą. Kocham go z całego serca i tęsknię do niego.

Filipa była nieporuszona.

– Jesteś obłudnicą, Katarzyno. Przybyłaś tu w fałszywej roli. Byłaś wśród domowników księżnej Konstancji, a ona niczego nie jest świadoma. Współczuję jej, a ciebie potępiam za okrucieństwo.

Tego właśnie się obawiałam. Małżeństwo siostry z Geoffreyem Chaucerem nie przyniosło jej żadnej radości i bardzo utwardziło serce.

– Och, Filipo. – Pełna współczucia z powodu braku miłości dotknęłam jej ramienia. – Przykro mi, że masz tyle kłopotów z Geoffreyem, ale to, co robię czy czego nie robię, nie ma na to żadnego wpływu. Nie skradłam też Konstancji miłości księcia.

– Nie możesz tego wiedzieć. Czy on ci tak mówi?

– Tak.

– To chyba oczywiste, prawda?

– Wiem, że nie okłamywałby mnie. To małżeństwo zostało zawarte z powodów politycznych, Konstancja sama pierwsza to przyzna. Nie mogę czuć się winna temu, że jest niezadowolona, i nie mogę żyć tylko po to, by zadowalać ciebie. – Przerwałam na moment. – A także nie jestem odpowiedzialna za to, że nie czerpiesz satysfakcji z własnego małżeństwa.

Filipa spojrzała na mnie tak, jakbym uderzyła ją w twarz. Nigdy nie rozmawiałyśmy o tym, że nie znalazła szczęścia w małżeństwie.

– Nie oczekuję, że będziesz żyła po to, by mnie zadowalać.

– Ale sądzisz, że powinnam odrzucić mężczyznę, którego kocham.

– Tak, właśnie tak sądzę. Skoro wszyscy żyjemy tak blisko siebie...

– A ty byś to zrobiła? – zapytałam.

– Czy co bym zrobiła?

– Gdybyś kochała męża tak bardzo, że zajmowałby wszystkie twoje myśli, czy nie poszłabyś za nim na kraniec świata? – Filipa zarumieniła się. – Wiem, że prawie nic was nie łączy, ale gdyby było inaczej?

– Nie rozmawiamy o mnie – odparowała siostra.

– Nie, nigdy tego nie robimy. Za to ty analizujesz moje emocje, moją moralność, moje życie prywatne.

– O jakiej prywatności mówisz? Tu, na dworze nie masz życia prywatnego.

– Widzę to inaczej... – Zadumałam się na moment. – No, pewnie jest w tym trochę racji, ale nie masz prawa wystawiać mojego życia na widok publiczny, żeby wszystkie damy dworu mogły o mnie plotkować! – Te słowa ją uciszyły, a ja dodałam: – Proszę cię tylko, żebyś nie przyłączała się do plotek. I jeszcze – spróbowałam się uśmiechnąć – żebyś nie zabawiała Geoffreya opowiadaniem szczegółów. Nie chcę odnaleźć swojego portretu w jakieś modnej pieśni. Czy możesz to dla mnie zrobić?

– Och, nie zamierzam o tym z nikim rozmawiać – odrzekła, odrzucając moją gałązkę pokoju. – Nie jestem dumna z tego, co robi moja siostra, nawet jeśli twierdzi, że jest zakochana. Czy dlatego dostałaś tak wysoką pensję od księcia? Za służbę w jego łóżku?

Przeraziło mnie to, że mogła tak pomyśleć.

– A jeśli tak?

– Wstydź się, Katarzyno. Jeśli to w ogóle ma dla ciebie jakieś znaczenie, Konstancja o niczym nie wie. – Jej usta wykrzywiły się w pogardliwym grymasie, jakiego jeszcze nigdy u niej nie widziałam. – Ale pewnie nic cię to nie obchodzi. Będziesz się obnosić z tym, jaka jesteś ważna.

Odeszła korytarzem, zostawiając mnie samą i zranioną, choć bardzo nie chciałam, by tak było. Ale nie mogłam czuć się inaczej, skoro nawet moja siostra obarczała winą mnie, a nie księcia. Zawsze tak było na świecie. Od samego początku powinnam być tego w pełni świadoma. Sądziłam, że wiem, co może mnie czekać, ale nie przewidziałam głębi tego koszmaru, jego prawdziwych konsekwencji. Teraz skosztowałam go po raz pierwszy i przekonałam się, jak gorzki i bolesny ma smak.

Nie chcąc wracać do swojej izby, gdzie znów mogłabym trafić na Filipę i odbyć kolejną rundę walki w obronie mojego punktu widzenia, którego sumienie nie pozwalało mi bronić, uciekłam do ogrodu Konstancji. Opadłam na kamienną ławkę w altanie osłoniętej równo przyciętymi pnączami i popatrzyłam na swoje odbicie w podręcznym zwierciadle. Kim była ta kobieta, która na mnie patrzyła? Czy to właśnie ją widziałam nie tak dawno temu, gdy przemoczona, w rozmokniętych butach, podejmowałam decyzję o powrocie do Savoyu?

Kurwa. Ladacznica. Jakże odrażające były te słowa. Uderzały we mnie wciąż na nowo jak dobrze wycelowane strzały. Ale twarz, którą widziałam w zwierciadle, niczym się nie różniła od twarzy kobiety, która spoglądała na mnie każdego ranka. Gładka, dworska twarz, gładko zaczesane włosy pod czepkiem i welonem, brwi wygięte w nienaganny łuk, prosty nos i stanowcze usta. Delikatnie podbarwione brwi i policzki. Niewątpliwie była to kobieta żyjąca w komforcie i luksusie, opanowana i pewna siebie. Czy to była twarz ladacznicy?

Moja pewność siebie jako ukochanej księcia nadwątliła się nieco pod wpływem nawiedzających mnie wątpliwości. Obawiałam się, że może runąć całkiem, a odłamki rozsypią się wokół moich stóp jak płatki róż, choć twarz zupełnie nie odbijała wewnętrznego zamętu. Zadziwiające, że nie czułam swojego upokorzenia, dopóki ta Kastylijka nie nadała mu imienia. Teraz było aż nazbyt rzeczywiste.

Twoja uczciwość została podkopana, myślałam. Twoja reputacja została splamiona. Powinnaś się wstydzić.

Jakże wielkim kosztem zostałam kochanką księcia. Splamiłam nazwiska Swynford i de Roet. Powinnam zawczasu zauważyć ruinę tego wszystkiego, na czym do tamtej pory opierało się moje życie. Nie byłam nieświadomą dziewczyną, którą książę zwabił do łóżka. Jak mogłam być aż tak ślepa?

Co powiedziałaby mi teraz królowa Filipa? Nawet nie odważyłam się o tym myśleć. Odniosłaby się do mnie z taką samą pogardą jak moja siostra.

Obróciłam lusterko. Nie mogłam w nie dłużej patrzeć. Nie podobała mi się kobieta, która oddawała mi spojrzenie.

Tej nocy źle spałam.

– Zagrajmy w coś.

W pierwszej chwili po tych słowach Konstancji zapanowała chwila milczenia, a potem rozległ się szmer śmiechu. Księżna, o dziwo, bardzo lubiła gry. Może nie grała zbyt często w dzieciństwie w Kastylii, a z pewnością niewiele miała ku temu okazji podczas pełnego niebezpieczeństw wygnania. Lady Alice uśmiechnęła się do niej z zachętą. Księżna przez cały dzień była spięta i czymś zaabsorbowana. Odrobina rozrywki mogłaby przywrócić uśmiech jej bladej twarzy.

Było to odświętne zgromadzenie w towarzystwie siostry Konstancji, Izabeli, i jej nowo poślubionego męża Edmunda Yorka. Jeden z paziów księcia śpiewał, inny grał na lutni. Ja i moja siostra haftowałyśmy. Lady Alice trzymała na kolanach otwarty brewiarz. Kastylijskie damy siedziały w lodowatej ciszy, książę z kolei wydawał się swobodny. Obok niego leżała sterta porzuconych zwojów pergaminu.

– Czy masz ochotę na tańce, pani? – zapytał.

Nasza grupa była wystarczająco liczna. Konstancja spojrzała na swoje damy, a potem na nas wszystkich. Oczy miała dziwnie przejrzyste i wydawało mi się, że zauważam w nich odrobinę złośliwości. Jej wzrok prześlizgnął się po mnie i spoczął na mężu.

– Nie, nie tańce.

Podniosła się zwinnie i władczo uniosła dłoń. Książę uśmiechnął się na widok ożywienia żony.

– Twoje życzenie jest dla mnie rozkazem, pani. Co będziemy robić? – zapytał, prowadząc ją na środek sali.

– Chciałabym zagrać w grę „Król nie kłamie".

Poczułam napięcie w plecach. To była dworska gra dotycząca uczuć. Znałyśmy ją wszystkie i często grywałyśmy za czasów królowej Filipy, uważano jednak, że nie należy tego robić w obecności dzieci. Pytania mogły zabrzmieć niestosownie, a tym bardziej odpowiedzi. Nie przypuszczałam, że rubaszny charakter tej gry przypadnie do gustu wyrafinowanej Konstancji.

Lady Alice zmarszczyła czoło i powiedziała stanowczo:

– To nie jest odpowiednia gra, pani.

– Dlaczego? – Księżna uśmiechała się promiennie, ale z jakiegoś powodu wydawało mi się, że ten uśmiech nie jest tak niewinny, jak się wydawał. Jej wzrok zatrzymał się na mnie odrobinę dłużej niż na innych. – Grałyśmy w nią w Kastylii.

– Być może, pani – odrzekła niezbita z tropu lady Alice. – Ale nie grywamy w nią w obecności młodych osób.

Konstancja uniosła głowę wyżej.

– Nie rozumiem. Przecież chodzi tylko o to, by mówić prawdę. Królowa zadaje pytania królowi, któremu honor nie pozwala skłamać. Czyż nie?

– Nie widzę w tym nic złego – dodała Izabela. – Zagrajmy.

Książę wzruszył ramionami, ale wydawało mi się, że skóra na jego skroniach jest mocno napięta.

– Czy my dwoje mamy grać? – zwrócił się do Konstancji.

W jej oku pojawił się prowokacyjny błysk.

– Oczywiście, a któż by inny?

Serce zaczęło mi bić szybciej. Nie spodobało mi się to. Och, jak bardzo się nie spodobało. Popatrzyłam po rodzinnym zgromadzeniu, modląc się w duchu, by ze względu na obecność dzieci pytania okazały się niewinne. A nawet jeśli nie ze względu na dzieci, to choćby na Williama de Burgha, naszego kapelana, który dotychczas milczał, ale siedział przygarbiony i nastroszony jak jastrząb.

Nie miałam wątpliwości, że Konstancja obmyśliła jakiś chytry plan, ale nie odrywałam wzroku od szycia. Lady Alice zmarszczyła czoło. Filipa, której myśli krążyły gdzieś daleko, zapewne wokół nieobecnego męża, zachowywała obojętność. Izabela i Edmund zainteresowani byli przede wszystkim sobą nawzajem i nie zwracali większej uwagi na to, co się dzieje. Książę znów rozluźnił się w krześle. Jeśli nawet był równie niespokojny jak ja, w żaden sposób tego nie okazał.

Starannie wkłułam igłę w tkaninę.

Konstancja stanęła przed księciem i dygnęła.

– Sir, królowa chciałaby wiedzieć, czy wolisz ciemne damy, czy jasne?

To było dość niewinne pytanie. Powoli wypuściłam oddech. Co prawda Konstancja miała ciemne włosy, a ja bardzo jasne, ale na to pytanie można było odpowiedzieć, nie powodując żadnego zamieszania. Może to tylko moje nieczyste sumienie doszukiwało się problemów tam, gdzie ich nie było. Konstancja po prostu miała ochotę zagrać w głupią grę.

Książę stał pośrodku sali zupełnie swobodny, z dłońmi luźno zatkniętymi za pas.

– No cóż, pani, król musi przyznać, że lubi i jedne, i drugie – odpowiedział. – Włosy księżnej Blanki miały kolor pszenicy oświetlonej słońcem, podobnie jak włosy jej dwóch córek. – Skłonił się szarmancko w stronę dwóch dziewczynek, które zachichotały. – Panna Blanka również ma raczej jasne włosy. – Uniósł puchar w stronę mojej córki, która rozpromieniła się z radości. – Z kolei lady Alice ma rudawe włosy, a nie ośmieliłbym się jej zignorować. Gdybym jej w jakikolwiek sposób uchybił, potrafiłaby mi uprzykrzyć życie. Jakże mógłbym ich wszystkich nie kochać? Ale włosy mojej żony, niestety w tej chwili przykryte, są czarne jak węgiel, a ona również jest bardzo piękna. Więc czasami wolę ciemne damy, pani.

Z sali rozległ się szmer aprobaty dla tej sprytnej odpowiedzi. Przesunęłam językiem po wyschniętych ustach i szyłam dalej. Pod moją igłą powstawały wijące się pędy i liście.

Księżna zgarnęła spódnice.

– Sir, królowa chciałaby wiedzieć, czy dałeś kiedyś damie innej niż swoja żona *lacs d'amour*, czyli miłosny węzeł?

Serce podskoczyło mi w piersi. Miałam taką ozdobę na sobie, splecioną ze srebrnych nici w kształt serca. Był to drobiazg, prosty podarek kupiony od wędrownego handlarza, nic nieznacząca błyskotka. Dostałam go od Jana, gdy wróciłam na jego dwór. Wybrał taki dar, ponieważ nie rzucał się w oczy. Starannie wygładziłam suknię, którą haftowałam.

– Dałem, pani. – W śmiechu Jana brzmiała pewność siebie. Udało mu się skupić na sobie uwagę całego zgromadzenia. – Rozdałem ich w życiu całe mnóstwo, również obecnym tu damom. Pani Chaucer i pani Swynford otrzymały ode mnie takie podarki za służbę u mojej świętej pamięci księżnej.

– Doprawdy? – Wzrok Konstancji przesunął się po mnie i po Filipie z wyraźnym zainteresowaniem.

– Tak, pani. – Dotknęłam palcami przypiętej do sukni ozdoby.

– Wydaje mi się, że lady Alice też ma taką ozdobę w swoim kuferku ze skarbami pośród innych klejnotów, które otrzymała ode mnie przez te wszystkie lata.

– Mam chyba takie trzy. – Lady Alice uśmiechnęła się pomimo swych wcześniejszych zastrzeżeń.

– Aż tyle? – zdziwił się książę. – Jak ci się udało tego dokonać?

– Jestem tu już od wielu lat, Janie.

– A ja nigdy nie dostałam miłosnego węzła! – zawołała Elżbieta.

– Jesteś jeszcze za młoda na takie prezenty – powiedziałam łagodnie. – Ale może ktoś ci go kupi w prezencie na najbliższy Nowy Rok.

– Możliwe, że zrobię to ja – oświadczył książę. – A zatem, odpowiadając na twoje pytanie, jak widzisz, pani, rozdałem ich wiele i zapewne rozdam jeszcze więcej.

– Wydaje mi się, że królowa została zaniedbana – odparła Konstancja, unosząc wysoko brwi.

– W takim razie bardzo się tego wstydzę. Król naprawi to natychmiast. Pytałaś jednak, czy król podarował miłosny węzeł damie, która nie jest jego żoną.

Konstancja zarumieniła się, ale zaraz odrzuciła głowę do tyłu.

– Sir, królowa chciałaby wiedzieć, czy król wziął sobie kiedyś damę za kochankę?

Echo tego pytania zawisło w komnacie jak pyłki kurzu wirujące w promieniach słońca. Przełknęłam cicho i w ustach znów mi zaschło. Nie mogłam mieć już żadnych wątpliwości, do czego zmierzają pytania Konstancji. Plotki musiały wreszcie do niej dotrzeć, chciała więc odpłacić za to księciu. Ale czy gotowa była wystawić go na publiczne potępienie? Przeszył mnie dreszcz.

Książę lekko uniósł brwi, ale odpowiedział natychmiast:

– Tak. Król z żalem musi przyznać, że tak było.

– W takim razie musi nam o tym opowiedzieć – nalegała Konstancja. W jej oczach pojawił się nieprzyjemny błysk triumfu.

– Król był niemądry w latach młodości – odpowiedział książę bez wahania. – Dama była młoda i piękna, a ja młody, chętny i niezmiernie podatny na cielesne pokusy.

– Och! – Konstancja wydawała się wstrząśnięta, szczególnie gdy zdała sobie sprawę, że stwierdzenie księcia nie wywołało okrzyków zdziwienia.

Lady Alice, która siedziała po mojej lewej stronie, pokiwała głową.

– Marie. Pamiętam ją. Była uroczą dziewczyną, a ty miałeś zaledwie siedemnaście lat.

– A ja pamiętam, że odpowiednio jej to wynagrodziłeś, panie – dodał ksiądz.

To nie była żadna niespodzianka dla nikogo z obecnych tu Anglików. Jeśli Konstancja chciała wyprowadzić z równowagi księcia i mnie, zupełnie jej się to nie udało. Wszyscy słyszeliśmy o tym, że gdy Jan był młodym księciem, wziął do swojego łoża Marie, jedną z dam dworu królowej Filipy.

Konstancja popatrzyła na niego z ukosa.

– Zdaje się, że mój pan nie ma żadnych wyrzutów sumienia.

– Och ma! Ale otrzymał rozgrzeszenie i próbował wynagrodzić to damie. Jego Książęca Mość przyznał Marie pensję – stwierdził William de Burgh. – Tej damie niczego nie brakuje i jest traktowana z wielkim szacunkiem.

Konstancja wyprostowała się, jakby stała przed królewską radą, i natychmiast wystrzeliła z następnym pytaniem.

– Chciałabym wiedzieć, panie, czy kiedyś spłodziłeś dziecko poza małżeństwem?

To pytanie było znacznie mniej niewinne i skierowane nie do króla z gry, lecz bezpośrednio do księcia. Konstancja porzuciła wszelkie pozory żartu, ale twarz Jana się nie zmieniła. Wciąż malował się na niej przyjazny, uprzejmy wyraz, choć wyczułam, że tak impertynencka indagacja wzbudziła jego gniew. Lady Alice cmoknęła nerwowo, kapelan mruknął coś nad pucharem wina.

– To również jest prawda – odrzekł Jan, z łatwością parując kolejny cios. – I król odpowie, skoro królowa uznała za stosowne zapytać. – W ten oto sprytny sposób znów wrócił do gry. – Nie jest to żaden powód do plotek ani skandalu. Nie ma w tym żadnej tajemnicy. Tak, król ma córkę o imieniu Blanka. Będzie ją wspierał i znajdzie jej dobrego męża. To córka Marie.

– Ile ona ma teraz lat? – zapytała lady Alice, próbując rozładować napiętą atmosferę.

– Wystarczająco wiele, by wyjść za mąż. – Książę uśmiechnął się do jakiegoś wspomnienia. – Jest równie urocza i utalentowana jak jej matka.

Wspomnienia o Marie i jej córce rozwiały napięcie. Jeśli Konstancja miała nadzieję upokorzyć księcia i wmanewrować mnie w nieprzyjemną sytuację, nie udało jej się to. Zerknęłam na nią. Jednak w ostrych rysach księżnej nie dostrzegłam rozczarowania, przez co uświadomiłam sobie, że nie dotarła jeszcze do sedna. Moje mięśnie znów się napięły. O co zamierzała teraz zapytać? Sądziłam, że wiem. Pochyliłam głowę nad kolejnym rzędem żałośnie nierównych ściegów.

Konstancja uśmiechnęła się.
– Sir, królowa chciałaby wiedzieć, czy król obecnie ma kochankę.
– Nie! – oburzyła się lady Alice, zamykając z trzaskiem brewiarz.
– Ależ tak – rzekła Konstancja. – Królowa pragnie usłyszeć prawdę.
W komnacie zapadło milczenie, jakby ktoś narzucił na nas wszystkich gruby, duszący wełniany pled.
Wstrzymałam oddech. Szyłam dalej, nie podnosząc wzroku, ale przyszło mi do głowy, że taki brak zainteresowania może się wydawać podejrzany, toteż opuściłam robótkę na kolana i wraz ze wszystkimi czekałam na odpowiedź księcia. Czy powie prawdę, skazując nas oboje na publiczne potępienie?
Bez wahania, opanowany i nieskazitelnie rycerski, przyklęknął na jedno kolano. Sięgnął po szczupłe dłonie Konstancji i pocałował jedną, a potem drugą.
– Czy tak bardzo nie wierzysz w moją lojalność wobec ciebie i twojej sprawy? Jesteś ze mną związana rytuałem naszej Świętej Matki Kościoła, Konstancjo. Jesteś moją żoną i kochanką w oczach Boga i ludzi. Tego nie można zmienić. Nikt z tu obecnych nie zagraża twojej pozycji jako księżnej Lancaster i królowej Kastylii. Nie potrzebujesz prowadzić takich gier. Twoje miejsce u mojego boku jest święte.
Konstancja zarumieniła się.
– Czy możesz mi dać na to słowo? – szepnęła.
Gdy książę potwierdził, zrobiło mi się zimno i poczułam, że blednę.
– Zawsze będziesz moją żoną i będę cię traktował z należnym szacunkiem. Będziemy mieli syna, jeśli Bóg pozwoli. Oddałem się sprawie przywrócenia cię na tron kastylijski. Obiecałem to, gdy braliśmy ślub, i nie złamię tej obietnicy złożonej w obliczu Boga. Powiedz, że mi ufasz.

Jej twarz złagodniała i stała się przejrzysta, już bez śladu złości.
– Czy mówisz prawdę?
– W moich obietnicach nie kryje się żaden podstęp.
– W takim razie wierzę ci.
Uśmiechnęła się. Książę pochylił się i ucałował jej policzki.
Moje serce zadrżało z ulgi. A więc Jan zrobił to. Uczynił to we właściwy sobie błyskotliwy sposób, uciekając się do trudnych do zidentyfikowania niejednoznaczności. Ocalił twarz swoją, moją i Konstancji, podkreślając przynależną jej prawem pozycję, a jednocześnie nie ściągając niebezpieczeństwa na moją głowę. Nie odważyłam się podnieść na niego wzroku, a on przez cały ten czas, gdy w mistrzowski sposób pocieszał Konstancję, nie zwracał minimalnej choćby uwagi na mnie. Wiedziałam, że cieszy się opinią zręcznego negocjatora, jego spryt, refleks i bystrość nieraz wzbudzały podziw. Tego wieczoru mogłam podziwiać jego talenty w pełnym rozkwicie. Dzięki nim ocalił nas wszystkich od skandalu.
Ale gdy wreszcie odetchnęłam swobodniej, dotarła do mnie bolesna prawda. Choć książę twierdził, że potrzebuje mnie w swoim domu, zderzyłam się twardo z rzeczywistością, tak jak już kiedyś wcześniej, gdy zadałam sobie jedno pytanie: kto jest ważniejszy dla księcia, ty, Katarzyna Swynford, czy kastylijska królowa? Może to pytanie było niegodne i samolubne, ale istniała tylko jedna odpowiedź, na co przed oczami miałam oczywisty dowód. Klęcząc u stóp Konstancji, książę ucałował jej policzki, a potem usta.
Nie było żadnych wątpliwości, jak brzmi odpowiedź na to pytanie.
Czy książę zręcznie wywinął się od zarzutów tylko po to, by odciągnąć ode mnie uwagę, czy po to, by uspokoić zazdrosną Konstancję? Na niej opierały się jego ambicje, nadzieje i dziedzictwo rodu. Co ja mogłam mu dać w porównaniu z nią? Książę chronił nie mnie, lecz Konstancję, bo to ona była centrum jego życia.

Krew zlodowaciała mi w żyłach, a wszystkie nadzieje skruszyły się pod naporem ponurej prawdy. Odwróciłam od nich twarz, nie chcąc patrzeć na tę intymną scenę. Sądziłam wcześniej, że mój kochanek przyszedł mi na ratunek, ale on chronił tylko swoją żonę – i to o wiele skuteczniej, niż kiedykolwiek chronił mnie.

Podniósł się i znów przejmując kontrolę nad sytuacją, skinął na pazia. Chłopak przyklęknął u stóp księżnej niczym zakochany trubadur i zaczął grać modną, żywą balladę o miłości. To było znacznie mniej niebezpieczne niż intrygi Konstancji. Podniosłam wzrok i napotkałam jej spojrzenie. Wydawało mi się, że dostrzegam w jej oczach wyzwanie, ale spokojnie złożyłam robótkę, jakby nie działo się nic szczególnego. Książę uniemożliwił jej dalszą grę, a zresztą nie chciała już nic mówić. Wyszła z tego pojedynku zwycięsko.

A kochance pokazano, gdzie jest jej miejsce. Gdzie jest moje miejsce.

Bo Konstancja wiedziała. Wygrała bitwę o uwagę księcia, a ja zostałam odrzucona na margines. Jedyną moją pociechą było to, że nie zostałam wystawiona na publiczne obnażenie mojej przewiny. Uniknęłam tego poniżenia, nie zostałam napiętnowana jako jawnogrzesznica, moja reputacja przynajmniej na jakiś czas została uratowana. Ale gdy podeszłam do dzieci razem z lady Alice, ta przechyliła głowę w moją stronę i powiedziała bardzo cicho:

– Warto było, Katarzyno?

Wstrzymałam oddech. Jej dłoń ledwie dostrzegalnie otarła się o moje ramię w geście ostrzeżenia.

– Któż to może wiedzieć – odrzekłam lekko i rozmyślnie niejasno, ale nie mogłam już zaprzeczać, że jestem tematem dworskich plotek. To był wyczerpujący wieczór i nie miałam ochoty znów się bronić ani niczego tłumaczyć. Wystarczyła mi gryząca dezaprobata siostry.

– Nie potępię prawdziwej miłości, jeśli to właśnie was łączy – powiedziała lady Alice spokojnie. – Ale musisz wiedzieć, że ryzyko jest wielkie. Co ona powie, kiedy się dowie? – Obydwie popatrzyłyśmy na Konstancję. – A dowie się. Prawdę mówiąc, po tym dramatycznym spektaklu trudno wątpić, że ma poważne podejrzenia. Musisz być ostrożna.

Tak, byłam ostrożna. I bardzo się bałam. Choć wiedziałam, że to zaboli jeszcze bardziej, zmusiłam się, by patrzeć, jak książę wziął Konstancję za rękę i poprowadził w stronę prywatnych komnat.

– Na moje życie, Katarzyno, to małżeństwo wygląda bardzo ponuro – zauważyła lady Alice, nim rozstałyśmy się na noc. – A przed tobą widzę cierpienie. – Popatrzyła na mnie tak, jakby chciała powiedzieć coś jeszcze, ale zamknęła usta. Byłam jej za to wdzięczna.

Serce mi drżało, jakby zza wezgłowia łóżka, w którym tej nocy musiałam spać sama, szczerzyło do mnie zęby przeczucie mojego upadku. Jakże czule i łagodnie odnosił się książę do żony pod koniec wieczoru! Ona z kolei odpowiedziała mu rzadką w jej przypadku manifestacją uczucia. Przyciągnęła go bliżej, a ja tym wyraźniej poczułam kruchość mojej pozycji. Twarde wyzwanie skryte w chytrze obmyślonej intrydze Konstancji powiedziało mi, że ona doskonale wie, co robi.

Moja przyszłość okryła się ciemnymi chmurami.

Któż mógł wiedzieć, czego zwycięska Konstancja może zażądać od księcia w zamian za obietnicę otrzymania korony kastylijskiej? Pierwszą monetą mogło być wygnanie mnie z dworu. Zimny dreszcz przeszedł mi po skórze, gdy splatałam warkocze przed snem. Milczenie i bierność nie leżały w charakterze królowej Kastylii, a książę z wdzięczności mógł przychylić się do jej żądań. Wybór między mną, kobietą, z którą połączył go poryw pożądania, a królewską pretendentką do tronu potężnej Kastylii? Oczywiście, że książę będzie się trzymał żony. Nawet jeśli mnie kochał, w konfrontacji z monarszymi planami musiało to być dość powierzchowne uczucie, które nie mogło przeważyć szali.

W głębi serca wiedziałam o tym. Jak mogłabym winić księcia za to, że żywi królewskie ambicje? Kochanka to sprawa przelotna, łatwo ją odrzucić.

Czy decyzja Jana, by uczynić ze mnie magistrę, miała przed upokorzeniem chronić mnie czy Konstancję? Czy żywił do niej tylko małżeński szacunek, czy również gorętsze uczucia?

Przypomniałam sobie wersy, które śpiewał paź księcia:

Miłość, jak zimno i gorąco, przenika ciało i znika,
Lecz strzały zazdrości mocno tkwią w kości.

Strzały zazdrości utkwiły w moich kościach. Podczas tej długiej nocy uznałam, że Konstancja jest godną przeciwniczką. Moja poprzedzona długimi przemyśleniami decyzja o pozostawieniu syna i powrocie do kochanka obróciła się w popiół. Nie powinnam była pozwalać sobie na marzenia o przyszłości z księciem Lancasterem. Jakich głupców czyni z nas miłość, jakże potrafi nas zaślepić! Udało mi się dokonać tylko jednego: zbliżyć się do ostatecznego upokorzenia.

Naturalnie, że winiłam księcia. Jaka kobieta postąpiłaby inaczej w obliczu tak jawnych i oczywistych dowodów braku uczucia? I tak jak wszystkie zazdrosne kobiety, zemściłam się w jedyny sposób dostępny kochance w tak publicznym miejscu jak pałac Savoy.

Nasiona wątpliwości rozwinęły się w gorzkie owoce. Postanowiłam, że nie będę dzielić z nim łoża. Użyłam wymówki znanej wszystkim kobietom.

– Nie mogę. Jestem niezdrowa.

Mój uśmiech był tak ostry, że mógłby porysować szkło.

Cały dom już spał. Książę przyszedł do mojej izby i lekko zastukał, ale zastał drzwi zamknięte na zasuwę. Oburzona, że rzucił mnie wilkom na pożarcie, podczas gdy gwiazda Konstancji zdawała się wschodzić, tylko tyle mogłam uczynić. Nie mógł wiedzieć, że stoję w środku z dłońmi płasko opartymi o drewniane drzwi i sercem rozdartym z tęsknoty.

Jakże niegodne były moje myśli i jak ciężki żal, gdy słyszałam jego oddalające się kroki.

Moje zachowanie dzień po dniu i godzina po godzinie pozostawało nienaganne. Dygałam. Odpowiadałam spokojnie, gdy ktoś się do mnie odezwał, siedziałam przy stole, wypełniałam obowiązki wobec dzieci księcia, śmiałam się, śpiewałam i grałam w gry. Stałam się uosobieniem godnej szacunku, opanowanej i obowiązkowej wdowy, lady Kettlethorpe.

Ale przez cały czas drżałam z niepokoju.

Czego ty próbujesz dowieść? – pytałam siebie niejednokrotnie, wkładając wiele wysiłku w unikanie księcia, który zaczął zachowywać się niespokojnie jak należący do króla Edwarda lew trzymany w klatce w Tower. Znałam odpowiedź. Chciałam się przekonać, że książę wciąż pragnie mnie tak samo mocno jak wtedy, gdy urodziłam jego syna. Chciałam to usłyszeć z jego ust. Jeśli nawet moja gwiazda zachodziła, potrzebowałam o tym wiedzieć przez szacunek dla samej siebie. Byłoby niezmiernie upokarzające, gdybym pozostała kochanką Jana przy jego słabnącym zainteresowaniu. Musiałam pogodzić się z myślą, że dla księcia miłość nigdy nie była czymś istotnym, wpływającym na życiowe decyzje, i otwarcie przyznać, że popycham nasz kruchy związek w stronę katastrofy.

Zastanawiałam się, czy przyjdzie mi tego żałować. Czy nie lepiej byłoby zgodzić się na okruchy zainteresowania księcia i nadal przebywać w jego świecie, zamiast zupełnie rezygnować z uczty? Nie sądziłam. Moja dobrowolna izolacja była dla niego podobnym wyzwaniem jak złośliwa gra Konstancji dla mnie. To był jedyny sposób, bym mogła wyrazić swój lęk, bo przecież nie wolno mi było go wykrzyczeć u bram pałacu Savoy, choć niewątpliwie przyniosłoby mi to satysfakcję. Doskonale wiedziałam, że choć dałam księciu monetę ze szczerego złota, on odpłacił mi czymś o znacznie mniejszej wartości.

Księżna Konstancja uśmiechała się często i zwykle dotrzymywała towarzystwa księciu.

– Madame Swynford, chciałbym zamienić z tobą słowo!

Książę znalazł mnie w wielkiej sali i zatrzymał za pomocą prostej strategii – po prostu zawołał mnie po nazwisku. Nie miałam wyjścia, musiałam na niego zaczekać. Podszedł do mnie swobodnym krokiem. Jego ruchy bardzo przypominały ruchy psa myśliwskiego, który szedł obok niego.

– Chciałbym, żebyśmy porozmawiali bez zbędnych emocji – oświadczył, zatrzymując się o krok ode mnie. – Znajdujemy się przecież w publicznym miejscu.

Uśmiechnął się, ale nie dałam się zwieść. To mogło być oczekiwane zakończenie naszego związku.

– Tak, panie? – Dygnęłam uprzejmie, cała w gotowości. Dobrze wiedział, że nie mam gdzie się przed nim ukryć.

– Tak, pani – odrzekł ze swobodnym wdziękiem i podał mi księgę oprawną w skórę, jakby to był powód naszego spotkania. Nie potrafiłam przeniknąć wyrazu jego twarzy, ale mocno zaciśnięte usta nie wróżyły dobrze. – Porozmawiajmy o sztuce oblężenia, lady Katarzyno – zaproponował, z irytującą łatwością przechodząc do dyskursu. – Powiedz mi, co spowodowało, że krata opadła i brama między nami została zamknięta? Odnoszę wrażenie, że muszę rozpocząć regularne oblężenie, by cię zmusić do podniesienia tej kraty. Nie sądziłem, że to ja stanę się twoim wrogiem.

– Nie jesteś moim wrogiem, panie.

Wszystkie zmysły ostrzegały mnie, bym nie traciła czujności. W tym nastroju książę był nieprzewidywalny, a co więcej, wydawał się bardzo pewny siebie. Widziałam w jego rozdętych nozdrzach i błyszczących oczach, że spodziewa się wygrać tę potyczkę. Uniosłam głowę wyżej, przygotowana na opór. Dla żadnego z nas nie miało to być łatwe zwycięstwo.

– Dlaczego zatem, pani, obmurowałaś się przede mną? – powtórzył książę, ukazując zęby w uśmiechu, który nie był uśmiechem, a pojawił się na jego twarzy tylko ze względu na przechodzącego obok służącego.

– Bo nie jestem pewna swojej pozycji, sir.

– Sądziłem, że wyraźnie określiłem twoją pozycję. – Uniósł brwi. Jego ton był ostry i kwaśny. Wiedział, że stosuję słowną szermierkę, a ja z kolei wiedziałam, że mierzę się z mistrzem, ale żadne z nas nie zamierzało się poddać. – Twoje miejsce jest na moim dworze, pod moim dachem. Jestem twoim kochankiem. Dzielisz ze mną łoże ku obustronnej radości.

Jakże zimne i płaskie było to określenie naszego związku, ale w jego oczach dostrzegłam ogień. Upewniłam się, że nikt nas nie słyszy, i oświadczyłam śmiało:

– Lękam się.

– Czego się lękasz?

– Odrzucenia.

– Na rany Boga, Katarzyno!

– Widzę, że twoje uczucie dla księżnej staje się coraz silniejsze, dlatego zaczynam poważnie się obawiać, że nie jestem ci już potrzebna. Przypuszczam, że to jest właśnie kara, którą kochanka musi ponieść za miesiące nieobecności, gdy rodziła dziecko.

– Jaka kara? Nie ma żadnej kary oprócz tej, którą sama na siebie nakładasz. Zamknęłaś przede mną drzwi.

– A ty broniłeś księżnej jak lew – odparowałam. – Doskonale to pamiętam. Jest twoją żoną i kochanką w oczach Boga i ludzi.

– Ach, więc o to chodzi? O tę dziecinną grę Konstancji? – Ściągnął brwi z niedowierzaniem. – A co twoim zdaniem miałem zrobić? Narazić was obydwie na skandal z powodu złośliwej zabawy?

– Naturalnie, że nie.

– Konstancja jest moją żoną.

– Wiem o tym.

– Zasługuje na mój szacunek.

– O tym również zawsze wiedziałam. – W obliczu takich oczywistych stwierdzeń zaczęłam się wycofywać za blanki.

– I zawsze byłem z tobą szczery co do mojego małżeństwa. Czego jeszcze ode mnie chcesz, Katarzyno?

To był ten bezpośredni atak, którego się spodziewałam. Dość długo zastanawiałam się nad odpowiedzią. Trudno mi było to wyjaśnić, ale próbowałam, czerpiąc z minionej pewności siebie:

– Dzielę twoje łoże, panie. Nosiłam twoje dziecko. Muszę wiedzieć, że wciąż mnie potrzebujesz, że nie jestem dla ciebie tylko... przelotną przyjemnością, gdy masz odpowiedni nastrój.

– Potrzebujesz upewnienia? – Atak nie stracił impetu. Szczęka księcia wciąż była zacięta z irytacji, że nie udało mu się mnie tak szybko zmęczyć, osłabić. – Czy tego właśnie chcesz? Masz to, Katarzyno. Nigdy ci nie obiecywałem więcej niż to, co daję ci teraz.

– Nie obiecywałeś mi niczego. – Może nie byłam do końca sprawiedliwa, ale w każdym razie zachowywałam spokój.

– I nic więcej nie mogę ci obiecać. O co chcesz mnie prosić?

– O nic, czego nie zechciałbyś mi dać z własnej woli – odrzekłam pochmurnie, wyciągając w jego stronę książkę. – Zabierz ją. Nie mam nastroju na poezję miłosną.

– Wszystko, co robię, robię z własnej woli. – Jego arogancja była doprawdy godna podziwu.

– Wiem. Nie kwestionuję twojej władzy. – Podniosłam wzrok na jego twarz i wytrzymałam mroczne spojrzenie, a potem wypowiedziałam słowa, które od dawna dźwięczały mi w duszy: – Wiem również, panie, że przez cały ten czas, gdy byliśmy razem, ani razu nie powiedziałeś, że mnie kochasz. Mówiłeś o potrzebie i pragnieniu, o namiętności. Ale nie o miłości. – Dotknęłam językiem wyschniętych ust, zdumiona i przerażona własną odwagą, ale jeszcze raz wyraziłam lęk, który ciążył mi na sercu. – Zalewasz mnie romantycznymi wyznaniami tęsknoty, całujesz mnie i pieścisz, ale nigdy nie mówiłeś o uczuciach, które nosisz w sercu.

Nigdy cię o to nie pytałam, a ty ani razu nie wspomniałeś o miłości.

Książę wyglądał tak, jakbym oblała go lodowatą wodą. Jego twarz spłaszczyła się pod impetem tego niespodziewanego ciosu. Wyraźnie nie wiedział, co powiedzieć.

Odczekałam moment i dodałam na koniec:

– Sądzę, że dla ciebie miłość po prostu nie istnieje.

Ze zmarszczonym czołem wziął ode mnie książkę. Zapewne zdał sobie sprawę, że jeśli tego nie zrobi, rzucę cenny tom na mozaikę zdobiącą podłogę. Odeszłam tak bardzo zrozpaczona, jak nie byłam od dnia, gdy stałam na dziedzińcu w Kettlethorpe, a błotnista woda chlupotała mi wokół kostek. Cóż, prawda była taka, że nie doszliśmy z Janem do jakiegokolwiek porozumienia, które dawałoby choć nikłą nadzieję na przyszłość.

Tego wieczoru położyłam się do łóżka z rozdartym sercem, zrozpaczona, że choć poświęciłam swoje zasady, to nie dostałam nic w zamian, i byłam pewna, że książę niedługo mnie odeśle.

Zostawił ci na wychowanie swojego syna. Ufa, że wykształcisz jego córki i jego dziedzica na godnych spadkobierców nazwiska Lancasterów. Fizycznie pożąda cię tak samo jak zawsze, gorąco i żarliwie. Nie możesz w niego wątpić! – próbowałam się pocieszyć.

A jednak wątpiłam. Nie kochał mnie. Czekałam na oficjalną odprawę. Byłoby to bardzo na rękę książęcej parze. Wyzwanie rzucone legendarnej zimnej krwi księcia mogło być ostatnim źdźbłem, które przeważyło szalę.

ROZDZIAŁ DZIESIĄTY

Cóż to było za święto w Kenilworth! Oficjalne i uroczyste, rozpoczęło się od dźwięku fanfar. Chorągwie Kastylii i Plantagenetów na ścianach zadrżały od wibracji powietrza. Wielka sala, z wielkimi oknami z maswerkami i wysokim żebrowym sklepieniem, była doskonałym miejscem na takie wydarzenie. Sir Robert Swillington, nasz szambelan, odziany we wspaniałą tunikę, szedł przez salę, wystawiając przed siebie laskę oznaczającą urząd. Tuż za nim książę prowadził za rękę żonę. Obydwoje ubrani byli we wspaniałe futra i złotogłów.

To był dzień Konstancji. Zajęła swoje miejsce na podwyższeniu. Książę uniósł wysoko ceremonialny puchar podany mu przez sir Roberta, i zwrócił się do całego zgromadzenia doskonale modulowanym głosem, który docierał do każdego z obecnych gości:

– Za moją piękną żonę, która dała mi równie piękną córkę. Dzisiaj obchodzimy święto ich obydwu, szczególnie Kataliny w dzień jej pierwszych urodzin. – Uśmiechnął się do Konstancji, nie odrywającej oczu od swoich splecionych dłoni. – Mamy nadzieję na odzyskanie Kastylii, która stanie się posagiem naszej córki, gdy będziemy szukać jej męża. – Na jego uśmiech goście odpowiedzieli mu uśmiechami. – Trochę wcześnie jeszcze o tym mówić, ale któregoś dnia...

Napił się i podał puchar Konstancji, która w końcu podniosła wzrok, z wdziękiem skłoniła głowę i z błyszczącymi oczami również podniosła puchar do ust.

– Mamy też nadzieję na syna, który będzie rządził Kastylią w moim imieniu – dodała głosem nabrzmiałym emocjami. – Czyż nie tak, panie?

– Taką mamy nadzieję. – Książę skłonił się z powagą i podniósł palce małżonki do ust, a ja zacisnęłam dłoń w pięść, gdy przeszyło mnie znajome ostrze zazdrości. Było to bardzo męczące uczucie, ale nie potrafiłam się go pozbyć. Natomiast książę dodał: – Odzyskanie twojego królestwa będzie dziełem mojego życia, pani.

– A także spłodzenie ze mną dziedzica – dodała.

– Obydwojgu nam urodzenie syna sprawi wielką radość.

Siedziałam między domownikami. Wiedziałam, że wyglądam wspaniale w nowych różowych rękawach, pięknie haftowanych i wykończonych szeroką sobolową lamówką. Miałam w pamięci ostrzeżenia lady Alice, bym zachowywała się ostrożnie i starała się powściągnąć zazdrość, ale boleśnie wbijałam paznokcie we wnętrza dłoni aż do chwili, gdy wezwano nas do wzniesienia toastu. Unieśliśmy puchary i cała sala wypełniła się złocistym blaskiem płomieni świec odbitych w kosztownym metalu.

Nic nie wskazywało na to, by to małżeństwo było w ruinie, jak twierdziła lady Alice, ale moja pozycja wciąż była bezpieczna. Po przeprowadzce dworu do Kenilworth księżna była bardzo zadowolona. Nie miałam pewności, czy wciąż uważa mnie za rywalkę do uczuć księcia. Zaczęłam się rozluźniać nad pucharem dobrego bordo. Księżna chyba niczego się nie domyślała, więc moje podejrzenia najpewniej były chybione.

Bankiet zbliżał się do końca. Muzycy, kuglarze, żonglerzy i tancerze, którym dzieci księcia przypatrywały się z fascynacją, odebrali należne porcje pochwał i zapłatę. Na koniec wieczoru

Alyne przyniosła Katalinę. Jej małe ciałko od stóp do głów odziane było w szaty ozdobione heraldycznymi motywami kastylijskimi. Wznieśliśmy toast za spadkobierczynię królestwa Kastylii – przynajmniej do czasu, dopóki nie urodzi jej się brat, po czym zgromadzenie zaczęło się rozpraszać.

Konstancja jeszcze przez chwilę pozostała na podwyższeniu w towarzystwie swoich dam, pochylona nad fałdami spódnicy, które zahaczyły się o rzeźbione oparcie krzesła. Uśmiechała się do swoich towarzyszek. Dobiegał mnie jej lekki, przepełniony poczuciem spełnienia i szczęściem głos. To był udany wieczór. Służba zaczęła zbierać ze stołów niegdyś białe obrusy z cienkiego płótna.

Zajęłam swoje miejsce w orszaku siostry, myśląc o tańcach w niedawno wykończonej sali. Książę znacznie rozbudował zamek Kenilworth.

– Katarzyna Swynford.

Głos księżnej niósł się z podwyższenia równie wyraźnie, jak wcześniej głos księcia. Obróciłam się i dygnęłam z uprzejmym uśmiechem. Moja czujność uśpiona była dobrym jedzeniem, muzyką i mocnym bordo.

– Pani?

– Chcę z tobą pomówić.

Ton głosu był nieskończenie uprzejmy, ale w mojej piersi rozdzwonił się wielki dzwon. Wiedziałam, że ta chwila nadeszła. Konstancja zamierzała się na mnie zemścić. Jakże byłam głupia, przekonując samą siebie, że mądra i czujna księżna o niczym nie wie. Przez cały ten długi, ceremonialny wieczór zapewne rozmyślała o plotkach, a jednak z królewską samokontrolą, równie godną szacunku jak szarża angielskich rycerzy pod wodzą króla Edwarda na polu bitwy pod Crecy, odgrywała rolę zadowolonej żony. Wiedziała już wtedy, gdy sprowokowała dworską grę w pytania i odpowiedzi. Wiedziała, ale wolała zaczekać i skonfrontować się ze mną w wybranej przez siebie chwili, w wieczór, gdy książę okazywał jej wszelkie względy jako swojej żonie.

Serce mi się ścisnęło, ale musiałam podziwiać jej taktykę w postępowaniu z pogardzaną rywalką. Czyż ja nie uczyniłabym tego samego? Teraz musiałam stanąć w obliczu jej gniewu za to, że skradłam jej męża – jeśli nawet nie jego miłość, to z pewnością ciało. Też bym tak zareagowała na jej miejscu, dlatego musiałam wytrzymać każdy atak, jaki Konstancja uzna za stosowne przeprowadzić.

Stanęłam wyprostowana, z rękami przy bokach, czekając, aż topór opadnie. Czułam już na karku jego zimny dotyk.

Księżna władczym gestem odesłała damy, pozostawiając tylko trzy najbliższe towarzyszki. Stały za jej plecami, starając się ukryć radość, że wreszcie dostanę za swoje. Cofnęłam się do stóp podwyższenia. Księżna stała nade mną. Jej spódnica była już wyswobodzona. Z pewnością był to tylko sprytny podstęp, żeby pozostać w sali dłużej i porozmawiać ze mną bez publiczności. Dopiero teraz uświadomiłam sobie, z jak potężną przeciwniczką przyszło mi się zmierzyć. To było przesłuchanie, a wyrok miał być wydany przez władzę nieporównywalnie większą od tego, co sama sobą reprezentowałam.

– Jak śmiesz!

Jej głos był zadziwiająco wyzuty z emocji, wyraz twarzy miała równie opanowany jak ja. Wiedziałam, że ma nade mną przewagę, bowiem należałam do jej domowników i mogła ze mną zrobić, co chciała. Nie zapytała nawet, czy plotki mówią prawdę.

– Stoisz przede mną tak bezczelnie i udajesz niewinność.

Nie pochyliłam głowy i nie oderwałam wzroku od jej twarzy. Nadal stałam prosto, choć wszystkie mięśnie w moim ciele drżały.

– Czy byłaś kochanką mojego męża? Czy dzieliłaś z nim łoże, zanim się ze mną ożenił?

– Nie, pani.

Odpowiedziałam bez chwili wahania, choć serce głośno mi dudniło. Oto nadeszła między nami chwila prawdy.

– A zaraz po ślubie? Wtedy, gdy nosiłam jego dziecko? Czy byłaś jego kochanicą, kiedy zmierzałam tutaj pełna nadziei na nowe małżeństwo i nowe życie?

– Nie, pani.

– A więc stało się to już wtedy, gdy przyjęłam cię jako swoją damę.

– Tak, pani.

Wciąż drżałam, ale nie zamierzałam tego po sobie pokazać. Wiedziałam, że Konstancja nie odważyłaby się rzucić oskarżeń prosto w twarz księciu, dlatego w zamian będzie oskarżać mnie. Zawsze wiedziałam, że ta chwila w końcu musi nadejść. Jakże okrutnie celne były jej przypuszczenia. Zamierzała zmieszać mnie z błotem, oskarżyć o niemoralność i grzech.

– Czy wiesz, jakim upokorzeniem było dla mnie to, że Lancaster wcisnął mi swoją dziewkę jako damę, a ja musiałam przebywać w twoim towarzystwie dzień po dniu?

Lancaster. Nazwała go Lancasterem. Jej gorycz skierowana była przeciwko nam obojgu, ale to ja stałam się celem. Tak musiało być. Moja odwaga zaczęła nieco topnieć. Sądziłam, że zostanę odesłana z dworu, ale nie ustępowałam ani o krok. Nie zamierzałam dać się upokorzyć z powodu decyzji, którą podjęłam z chłodną pewnością siebie i którą bez wahania podjęłabym po raz drugi. Moje życie było splecione z życiem księcia. Wiedziałam, że pozostanę przy jego boku tak długo, jak długo będzie sobie tego życzył. Nie pozwolę się okryć wstydem.

– Gdy książę ożenił się z tobą, pani, i powitał cię tutaj, nie byłam jego kochanką – odrzekłam.

– Jesteś niezmiernie śmiała, lady Swynford – prychnęła Konstancja. – A zatem wtedy, kiedy urodziłam Katalinę. Czy wtedy byłaś z nim bliżej niż ja?

– Tak, pani, byliśmy wtedy razem. – Nie sądziłam, by to miało aż tak wielkie znaczenie, ale dla niej widocznie miało. Przypuszczałam, że dla mnie miałoby również. Wypytywanie o czas, o to, kiedy to się stało...

– A teraz słyszę, że urodziłaś jego syna. – W jej ton wkradła się nuta wściekłości. – Gdy ja potrafiłam urodzić tylko córkę! – Sięgnęła po rękawiczki leżące na stole i powiodła palcami po ich złoconym brzegu. – Byłaś moją towarzyszką. Ja sama prosiłam o twoje usługi, bo miałaś doświadczenie. A teraz jesteś magistrą dzieci Lancastera. I czego ich możesz nauczyć, skoro brakuje ci zasad moralnych? Jak możesz być magistrą? – Niemal wypluła to słowo. – Jak to możliwe, że pozwolono ci wywierać wpływ na tak wrażliwe młode umysły? Czy sądzisz, że jesteś wystarczająco moralna, by uczyć dzieci mojego męża?

Jej oskarżenia wbijały się w moje ciało jak szpony drapieżnika, ale odrzekłam spokojnie:

– Uczę je, by bały się Boga i ceniły swoją edukację.

– Czy ty się boisz Boga, lady Swynford? Czy kurwa boi się Boga? Czy byłaś dziewką Lancastera, gdy zabrałaś moją córkę na dwór króla Edwarda? Czy rozkoszowałaś się cielesnymi przyjemnościami w pałacu Savoy, a potem przedstawiłaś moją córkę królowi, niosąc ją w tych samych ramionach, które uwiodły mojego męża i skłoniły go do cudzołóstwa? Jak śmiesz mówić o moralności i bogobojności!

A więc to ja uwiodłam jej męża! Cała wina miała spaść na mnie. Nagle zapragnęłam bronić się, zamiast tylko potulnie spuszczać głowę. Weszłam w związek z księciem z otwartymi oczami, wiedząc, że zostanę potępiona przez wszystkich. Naraziłam na szwank swoją wiarę i dobre imię w zamian za miłość. Ale uczyniłam to i nie było już odwrotu. Współczułam księżnej, ale nie mogłam i nie zamierzałam przepraszać za ten krok, który uczyniłam z pełną świadomością, bo byłaby to obłuda. Nie zamierzałam też brać na siebie całej winy. Poczucie godności, które pielęgnowałam przez całe życie, nie pozwoliło mi ugiąć się w obliczu nienawiści Konstancji.

– Tak, lękam się Boga – odrzekłam, wytrzymując jej spojrzenie. Naraz wściekłość znikła z jej oczu i błysnęło w nich cierpienie. – I wiem, że u końca moich dni będę musiała odpowiedzieć przed Nim za moje grzechy. Ale nie jestem kurwą – podkreśliłam, czując przy tym, że na moje policzki wypełza rumieniec. – Nie otrzymuję zapłaty za swoje usługi w łożu twojego męża. Nie możesz mnie też oskarżać, że go uwiodłam. Jeśli chcesz mnie obwiniać, musisz rozdzielić winę sprawiedliwie. Owszem, trafiłam do łoża mojego pana Lancastera, ale nie byłam bezwstydną uwodzicielką.

Konstancja gwałtownie odetchnęła. Widocznie nie spodziewała się po mnie takiej żarliwości i otwartości. Usłyszałam ostry dźwięk rozdzieranych rękawiczek i poczułam, że nie jestem już jedynym obiektem jej nienawiści.

– Co sobie myślał Lancaster, biorąc kochankę i sprowadzając ją tutaj ku mojemu upokorzeniu?

Nie mogłam nic na to powiedzieć. Nie mogłam odpowiadać za księcia. W oczach Konstancji i jej dam widziałam niechęć i złość.

Spojrzenie księżnej znów zatrzymało się na mojej twarzy. Pochyliła się ku mnie, opierając dłonie na drewnianym stole i zapominając o rękawiczkach.

– Czy on się ze mnie wyśmiewa, gdy się spotykacie? – Jakaś służąca wyszła zza kuchennej przegrody na końcu sali. – Wynoś się stąd! – wykrzyknęła Konstancja, gwałtownie obracając głowę w tę stronę, a gdy dziewczyna zniknęła, znów odezwała się głośnym szeptem: – Czy możesz mi to powiedzieć? Czy on porównuje mnie z tobą? Czy uważa, że jesteś piękniejsza ode mnie?

To były słowa urażonej kobiety. W zamęcie sprzecznych emocji moje serce napełniło się współczuciem i żalem. W krótkim czasie trwania jej małżeństwa księżna nie zdołała uwierzyć w lojalność księcia wobec niej. To była ostatnia rzecz, jaką mógłby zrobić.

– Nigdy – zapewniłam ją. – Mój pan nigdy nie wykazałby się takim brakiem szacunku.

– Gdyby miał do mnie szacunek, to nie brałby cię do łóżka! Czy porównuje mnie z tobą? – drążyła dalej. – Czy porównuje moje braki z twoimi niewątpliwymi talentami?

– Ma na to zbyt wiele poczucia honoru, pani.

– Czy honorowo postępuje mężczyzna, który bierze inną kobietę do małżeńskiego łoża? – Urwała i na jej twarzy odbiło się przerażenie. – Czy poznał cię już cieleśnie we własnym łożu, kiedy wypełniał małżeński obowiązek wobec mnie?

Pochwyciła zapomniane rękawiczki i rzuciła je przed siebie. Jedna wylądowała na podłodze u moich stóp, druga otarła się o mój rękaw, który wzbudził tego wieczoru wiele zachwytów. Pochyliłam się i podniosłam je. Konstancja zatrzęsła się z gniewu i piękny, wzorzysty welon zadrżał wokół jej ramion.

– Czy starałaś się o pozycję kochanki Lancastera ze względu na władzę, jaką mogła ci zapewnić?

– Nie starałam się o to.

– Radzę ci, żebyś nie miała nadziei na to, co nigdy nie będzie twoje. Mój pan nie wyrzeknie się władzy i sądzę, że nie jesteś na tyle sprytna, by udało ci się go do tego nakłonić. Tylko silna kobieta może zadawać się z Plantagenetami i wykorzystywać ich do własnych interesów. – Jej oczy błysnęły. – Ja umiem to robić i będę tak nadal postępować. Ja, Konstancja, królowa Kastylii. Mój pan odzyska dla mnie królestwo. A kim ty jesteś? Byłaś żoną niewiele znaczącego rycerza, córką nic nieznaczącej rodziny. Nie wykorzystasz jego władzy dla swoich celów. Nie pozwolę na to.

– Nie szukam władzy – powtórzyłam po prostu. Temu oskarżeniu akurat łatwo było zaprzeczyć.

– Nie rozumiem cię. Nie wierzę ci. Czy nie chcesz przysporzyć władzy swojej rodzinie, nie zamierzasz wzbogacić swoich dzieci, powiększyć swoich posiadłości w tym ponurym, dalekim Lincolnshire, o którym opowiadasz?

To pytanie zdziwiło mnie.

– Nie. Nie dążę do wzbogacenia i chwały. – To była prawda. – Pragnę przekazać moje posiadłości w dobrym stanie synowi mojego męża, Tomaszowi. To wszystko. Zatrudnienie na dworze pozwala mi to zrobić. Ale nie szukam władzy.

– W takim razie czego od niego chcesz?

Cóż miałam odrzec? Nie mogłam powiedzieć, że go kocham. Nie mogłam powiedzieć: jestem równie zazdrosna o ciebie, jak ty o mnie. Powiedziałam więc tylko:

– Niczego.

– Kłamiesz!

Konstancji nie mieściło się w głowie, że kobietę może przyciągnąć do mężczyzny coś innego niż bogactwo i władza. Nigdy by nie zrozumiała, że odrzuciłam wszelkie moralne zasady, które wpojono mi w młodości, tylko dlatego, że książę mnie pragnął, a ja nie byłam w stanie oprzeć się jego przyciąganiu.

– Wszystkie kurwy szukają awansu – stwierdziła zimna jak śnieg w lutym, z oczami błyszczącymi jak obsydian. – Nie chcę cię widzieć pod moim dachem!

Starannie złożyłam rękawiczki wnętrzem do wnętrza i odparłam, ostrożnie dobierając słowa w nadziei, że będą miały jakąś wagę:

– Ale ja nie jestem twoją damą, pani.

– Żyjesz w moim domu. Nie chcę cię tu widzieć!

– Zostałam zatrudniona przez księcia, pani.

Czy wiedziała o tym, że zmienił zasady mojego zatrudnienia? Czy zrobił to, by chronić moją pozycję na dworze Lancasterów? Może przewidział taki rozwój sytuacji, tak jak i ja go przewidziałam. Ale nic nie mogło mnie osłonić przed sprawiedliwym gniewem księżnej.

– Nie chcę cię tutaj! – powtórzyła, wznosząc piskliwie głos, jakby miała przed sobą niezgrabną służącą. – Masz mi zniknąć z oczu!

Pozbawiona już rękawiczek, chwyciła solniczkę, której jeszcze nie odniesiono do spiżarni, i z całej siły rzuciła w moją stronę. Skrzywiłam się i odruchowo podniosłam ręce, by osłonić twarz. Księżna jednak chybiła i solniczka uderzyła w podłogę blisko mnie, zasypując skraj sukni kryształami soli błyszczącymi w świetle świec.

Napędzana wściekłością Konstancja pochwyciła złoty półmisek.

– Wynoś się stąd! Ma cię tu nie być do rana! – wrzeszczała, unosząc go nad głowę.

– Nie! – Moje współczucie miało granice. Uchyliłam się, oczekując, że półmisek sięgnie celu, ale rozjarzył się we mnie gniew. – Nie wyjadę.

– A ja mówię, że wyjedziesz!

– Wystarczy już, Konstancjo.

Cichy głos powstrzymał ją znacznie skuteczniej, niż ja potrafiłabym to zrobić.

Obróciłam się. Książę stał pośrodku sali. W chaosie emocji, które wymknęły się spod kontroli, nie zauważyłam jego wejścia. Stał nieruchomo. Szata ze złotogłowiu lśniła w blasku świec, włosy miał ułożone w nienaganne fale, tunika opadała w eleganckich fałdach do wysokości ud. Wszystko w nim było pod kontrolą, a jednak, choć jego dłonie swobodnie zwisały wzdłuż boków, dostrzegałam napięcie w uniesieniu jego głowy i zarysie ramion. To nie miały być łatwe negocjacje dla nas wszystkich.

– Wystarczy już, żono – powtórzył cicho.

Żono. To słowo sprawiło, że serce zabiło mi mocniej. Doskonale rozumiał jej położenie, podobnie jak ja. Ale co ze mną, która nigdy nie miałam dostąpić tego zaszczytu? Znów zwróciłam się w stronę księżnej. Jej twarz była zupełnie pozbawiona emocji, ale nadal ściskała w dłoniach zapomniany półmisek. Damy za jej plecami zastygły. Czekałam w napięciu, z wyostrzonymi zmysłami, niepewna, co z tego wyniknie. Za moimi plecami rozległy się kroki księcia, coraz głośniejsze na malowanej posadzce. Zrównał się ze mną, ale szedł dalej i zatrzymał się dopiero przed żoną, jakby była jedyną kobietą w tej sali. Wyciągnął rękę po półmisek. Konstancja pochwyciła go mocniej i uniosła nieco, jakby wciąż zamierzała cisnąć nim w moją znienawidzoną głowę. Książę nie powiedział nic, tylko czekał z nieskończoną cierpliwością.

W końcu, gdy księżna wciąż milczała, powiedział:

– Konstancjo, to nie przystoi.

– To twoja dziwka – syknęła, znów policzkując mnie słowami.

– Masz okazywać lady Katarzynie więcej szacunku.

– Dlaczego? To ona jest źródłem twojego grzechu w naszym małżeństwie. Trzeba ją stąd wypędzić. Popatrz tylko, jak bezczelnie na mnie patrzy. Żądam, żebyś się jej pozbył!

– Nie, Konstancjo.

Czekałam pochwycona w potrzask między nieugiętością księcia a pełnym determinacji żądaniem księżnej.

– Nie – powtórzył książę po chwili. – Lady Katarzyna nie zostanie odesłana.

– Domagam się tego! Nie życzę sobie jej tutaj.

– Ta decyzja nie należy do ciebie. Chcesz rzucić tym półmiskiem? Nie umiesz celować. Zepsujesz dobre naczynie.

Drgnęła z irytacją i puściła półmisek. Książę odłożył go na stół.

– Odeślij swoje damy.

– Nie.

– Czy chcesz rozmawiać o prywatnych sprawach w obecności kobiet, które nie mają pojęcia o dyskrecji? Są rozplotkowane i wulgarne. – Po raz pierwszy w atmosferze dał się wyczuć jego gniew, choć głos pozostawał równy i spokojny. – Lepiej będzie, jeśli porozmawiamy bez nich.

– Lepiej dla niej? – Księżna wysunęła podbródek w moją stronę.

– Lepiej dla wszystkich, dla całego dworu Lancasterów. Nie jesteś jedyną moją domowniczką, pani. – Nie czekając na jej odpowiedź, machnął ręką w stronę kobiet niepewnie przycupniętych za plecami księżnej. – Zostawcie nas – nakazał. – I z nikim nie rozmawiajcie o tym, co tu usłyszałyście.

Skłonił się przed nimi, gdy schodziły z podwyższenia, uprzejmy do ostatniej chwili, choć jego twarz była sztywna z napięcia jak rzeźby na ścianach opactwa westminsterskiego.

Zostaliśmy sami w ogromnej sali – trzy osoby przytłoczone przestrzenią i wysokością, sprowadzone do nicości przez wielkie żebra sklepienia wiszącego nad naszymi głowami i przez przytłaczający ciężar powietrza. Wyczułam narastające napięcie i wiedziałam, że zderzenie woli tych dwojga za chwilę wypełni całą tę przestrzeń. Stali naprzeciwko siebie, a ja tworzyłam w tym wzorze zbędny, trzeci element. Nie sposób było przewidzieć rezultatu tego starcia, podobnie jak nie sposób było przeniknąć wyrazu twarzy księcia.

– Czy wzięliśmy ślub z miłości, Konstancjo? – zapytał.

Konstancja podniosła wyżej głowę.

– Nie.

– Czy nie okazuję ci szacunku jako mojej żonie ponad wszystkimi innymi kobietami?

Odwróciła wzrok i mocno zacisnęła usta.

– Czyż nie przysiągłem, że odzyskam Kastylię dla ciebie i dla naszych potomków?

– Tak.

– Czy nie okazuję ci względów i nie zaspokajam wszystkich twoich pragnień?

– Tak.

– Czy brakuje ci czegoś?

– Nie.

– Spędzam z tobą tyle czasu, ile mogę.

– I tak powinno być – odparowała. – Ale teraz dowiaduję się, że spędzasz czas z nią. – Wzgardliwie wysunęła palec w moją stronę. – Jestem królową Kastylii. Jestem twoją żoną.

– Ale nie zawsze zachowujesz się jak moja żona, gdy w naszym życiu pojawia się potrzeba intymności.

Wstrzymałam oddech. Zauważyłam, że Konstancja też. Cisza odbijała się echem od ścian. Tyle krytyki w tak niewielu słowach.

Na jej czole pojawiła się zmarszczka.

– Nie możesz niczego zarzucić mojemu zachowaniu jako królewskiej żony.

– Owszem, jeśli masz na myśli zachowanie w miejscach publicznych. Ale kiedy po raz ostatni wyraziłaś pragnienie, by spędzać czas ze mną, na przykład towarzysząc mi w podróżach do moich posiadłości? Czy kiedykolwiek wyraziłaś pragnienie, by odwiedzić króla albo mojego brata Edwarda?

– Nie czuję się swobodnie z dala od moich domowników.

– To weź ich ze sobą. Nie musisz się zamykać w Hertford czy w Tutbury. Wydaje mi się, że nie miałaś ochoty przyjeżdżać nawet do Kenilworth.

– Powinieneś zostać ze mną.

– Ale my tak nie żyjemy. Mam obowiązki wobec króla, mojego ojca, i wobec Anglii.

– Wiem, co jest najważniejsze.

– I tak musi być. Musisz wiedzieć i wiesz o tym, Konstancjo. Wiesz, jak wygląda życie ludzi takich jak my.

Widziałam jego żal i współczucie dla tej trudnej kobiety, ale widziałam też twardą nieugiętość, która zawsze się pojawiała, gdy ktoś kwestionował jego autorytet. Była w nim niezłomna ambicja, która sprawiała, że niektórzy uważali go za bezlitosnego człowieka. Wolałabym w tej chwili znaleźć się gdzieś indziej. Miałam wrażenie, że podglądam spór rozgrywający się między małżonkami pozostającymi w bardzo trudnym związku. Nie powinno mnie tu być. Nie potrzebowali mnie jako świadka tej osobistej i pełnej emocji rozmowy.

Księżna potrząsnęła głową.

– Nie spodziewałam się, że weźmiesz sobie kochankę w pierwszym roku naszego małżeństwa.

– Nie będę się tłumaczył. Miałem prawo dokonać takiego wyboru. – Odetchnął głośno, a gdy znów przemówił, w jego głosie pojawił się żal: – Kiedy po raz ostatni chętnie powitałaś mnie w swoim łóżku, Konstancjo? Kiedy mnie do niego zaprosiłaś? Nie kochamy się. – Pytania zadawane cichym, nieskończenie łagodnym głosem, trafiały w cel z chirurgiczną precyzją. – Będę cię wspierał i szanował, ale Katarzyna pozostanie pod moim dachem.

Płomień gniewu Konstancji znów rozjarzył się pełnym blaskiem, zupełnie jakby książę przyłożył ogień do pochodni.

– Nie pozwolę na to! Jak mogę tolerować jej obecność? Ona uzurpuje sobie to, co powinno być moje. Domagam się...

– Nie. – Książę podniósł rękę, by uspokajająco dotknąć przegubu małżonki, ale zaraz ją opuścił i obrócił się na pięcie dziwnym, szybkim ruchem, jakby wewnętrzny przymus kazał mu spojrzeć na mnie. Przez chwilę, która wydawała się nieskończenie długa, jego wzrok powoli przesuwał się po mojej postaci, jakby widział mnie, Katarzynę Swynford, po raz pierwszy i dostrzegł w mojej osobie coś, co go zainteresowało. W pierwszej chwili wyraz jego twarzy się nie zmienił. Pozostała surowa, z mocno zaciśniętymi ustami. W jego oczach błyszczało szaleństwo. Stałam tak pod jego spojrzeniem, nie wiedząc, co począć. Byłam zupełnie zagubiona. Wydawało mi się, że dobrze znam nastroje księcia, ale nie wiedziałam, jak rozumieć to denerwująco pozbawione emocji spojrzenie.

Dokoła nas narastało napięcie. Oddychałam z coraz większym trudem. Rumieniec palił mi policzki. Niespokojnie wytarłam wnętrza dłoni o spódnicę. Książę zauważył ten drobny gest i jego twarz w końcu złagodniała. Nie pojawił się na niej uśmiech, ale naraz całe jego napięcie zniknęło, jakby ktoś przekłuł go końcem rycerskiej kopii.

– Katarzyna – powiedział miękko, jakby ważył moje imię w umyśle i na ustach.

– Panie?

– Mam wobec ciebie dług do spłacenia.

– Nie ma żadnego długu – zaprzeczyłam z zaskoczeniem.

– Ależ jest. – Zwrócił się do Konstancji, choć jego uwaga pozostawała skupiona na mnie. – Nie, ona nie zostanie odesłana, bowiem prawda, Konstancjo, wygląda tak: Katarzyna jest kobietą, którą kocham, i pragnę mieć ją u swego boku.

„Katarzyna jest kobietą, którą kocham". Taka deklaracja złożona wobec nas obydwu – to było dla mnie za wiele. Serce wyrywało mi się z piersi, gardło miałam ściśnięte z niedowierzania. Nie mogłam uwierzyć w to, co książę Jan Lancaster zrobił i jak to zrobił.

On zaś znów spojrzał na swoją księżną.

– Kocham Katarzynę. Musisz się z tym pogodzić, Konstancjo.

Gdy jego słowa w pełni do mnie dotarły, serce rozpadło mi się na milion kawałków. Kochał mnie! Wybrał mnie! Konstancja, wciąż stojąca na podwyższeniu, z błyszczącymi oczami odrzuciła głowę do tyłu, jakby małżonek uderzył ją w twarz. Jeśli ona czuła się zraniona, to ja też. Zaskoczona i pełna niedowierzania wbiłam paznokcie głęboko we wnętrza dłoni. Atmosfera nabrzmiała cierpieniem.

– Nie – szepnęła. – Nie mów tak.

– Kocham ją, Konstancjo. Zawsze będę ją kochał.

Uniesienie krążyło w moich żyłach aż po palce stóp, ale serce ścisnęło mi się z żalu nad Konstancją. Jak przyjmie tę deklarację, która mnie dała szczęście, a jej ogromne upokorzenie? Nawet nie wyobrażałam sobie, jak trudny jest ich związek, ale teraz stało się to jasne. Jak mogłam nie współczuć księżnej, skoro jej małżeństwo było czysto ceremonialnym związkiem? Może nie kochała księcia, ale jej niechęć wobec mnie i tego, co ja dla niego znaczyłam, była głęboka i żywa. Doskonale potrafiłam to zrozumieć, jak kobieta potrafi zrozumieć inną kobietę.

Cofnęłam się o krok, tak że książę musiał obrócić głowę, by na mnie spojrzeć. Wciąż panował nad swoim zachowaniem i głosem, ale twarz miał bladą jak ściana.

– Muszę już iść, panie. Pani. – Dygnęłam, zmuszając się do zachowania form, by cała nasza trójka wróciła wreszcie do rzeczywistości.

Książę jak gdyby nigdy nic ujął moją dłoń i bez słowa poprowadził mnie do drzwi. Wciąż nie wypowiadając ani słowa, ucałował moje palce i z ukłonem wypuścił mnie z sali, ale jego dłoń w mojej dłoni była sztywna, a usta lodowato zimne.

– Wybacz mi. Nie powinienem prosić, byś brała w tym udział. – Delikatnie popchnął mnie do drzwi.

– Nie życzę sobie jej w moim domu!

To były ostatnie słowa, jakie usłyszałam. Głos księżnej był niebezpiecznie podniesiony. Zaraz potem książę zamknął za mną drzwi.

Co zaszło dalej między nimi? Tego nigdy nie miałam się dowiedzieć. Najważniejsze było to, że książę w tak pełnym napięcia momencie zadeklarował miłość do mnie. Powiedział to głośno, jakby było to odkrycie, które należy obwieścić światu. „Katarzyna jest kobietą, którą kocham, i pragnę mieć ją u swego boku". Tą deklaracją, złożoną przed najważniejszą publicznością, książę uwolnił mnie od wszystkich wątpliwości i niepewności. Jakże mogłabym teraz wątpić w jego miłość? Te słowa płonęły w moim umyśle, ale pozostawało jeszcze pytanie: do jakich uczynków będzie musiał się posunąć książę, by zapewnić Konstancję o jej prawach i swojej lojalności? Jaki człowiek obdarzony współczującym sercem byłby w stanie znieść łzy i błagania księżnej, które wyobrażałam sobie, wychodząc z sali? Jego zobowiązania wobec niej były znacznie silniejsze niż te, które miał wobec mnie.

Czy w obliczu takiej nienawiści Konstancji byłabym gotowa się założyć, że rankiem wciąż jeszcze będę w Kenilworth?

Nie, nie założyłabym się.

– To było gorsze niż atak francuskiej kawalerii – oświadczył książę. W jego głosie nie było słychać humoru, tylko zmęczenie. – Moja żona przeszła na kastylijski, a gdy nie zostało już nic, czym mogłaby rzucić, wycofała się do swojej sypialni, przeklinając moje i twoje imię.

Minęły dwie godziny, nim usłyszałam stukanie do drzwi, których tym razem nie zamknęłam na zasuwę, i książę wszedł do środka, wciąż niedorzecznie ubrany we wspaniałe świąteczne szaty. Nie odezwałam się, tylko czekałam, oddychając płytko. Stanął przede mną. W świetle świec w jego włosach pojawiały się czerwonawe błyski, a zmarszczka na czole zdawała się jeszcze głębsza. Niemal widziałam iskrzącą dokoła niego energię i czułam, jak ta sama energia krąży w moich żyłach. Wybuch emocji w wielkiej izbie wiele wyjaśnił i wiele obnażył, a teraz musieliśmy przyjąć tego konsekwencje.

Książę wyglądał na niezmiernie znużonego. Nie miałam pojęcia, co dostrzega we mnie. W powietrzu wokół nas trzaskało napięcie. Wciąż pełna niedowierzania milczałam, nie chcąc okazać niecierpliwości.

Uprzedził wszelkie pytania, jakie mogłam mu zadać.

– Księżna nie ma władzy, by cię zwolnić – powiedział ostrym tonem. – Taką władzę mam ja i tylko ja. A ja tego nie zrobię.

Przez długą chwilę pozwoliłam sobie czuć ulgę. A potem, ponieważ serce i umysł wciąż miałam wypełnione tym, co zaszło, rzekłam:

– Powiedziałeś, że mnie kochasz.

– Bo tak jest. Niech Bóg ma mnie w swojej opiece. Kocham cię.

– Ani razu... – ciągnęłam z uporem. – Ani razu nie powiedziałeś tego przez te wszystkie miesiące, kiedy byliśmy razem. Aż do dzisiaj. – Wciąż jeszcze nie docierała do mnie waga tego wyznania.

– I niezmiernie tego żałuję – odparł. – Wiele czasu potrzebowałem, by rozpoznać to uczucie. – Mówił o miłości, ale jego głos pozostawał ostry. – Dopiero dzisiaj, kiedy zobaczyłem, jak stoisz tam samotnie, broniąc się z takim opanowaniem i odwagą, pojąłem, jak wiele dla mnie znaczysz. Zrozumiałem, że jesteś mi niezbędna jak powietrze do pokonywania kolejnych chwil życia.

Odetchnęłam z trudem.

– Powiedz to jeszcze raz. Pozwól mi to znów usłyszeć, chyba że twoje słowa nic nie znaczą, jak słowa trubadurów, i nie powinnam na nich polegać.

Właśnie zdejmował z szyi ciężki łańcuch, ale na moje słowa znieruchomiał, a jego ramiona napięły się.

– Czy znów stoję przed rozgniewaną kobietą?

– To zależy.

Z chłodnym uśmiechem rzucił łańcuch na moje łóżko.

– Czy zostanę na cały dzień zakuty w dyby za murami pałacu?

– Może nawet na dwa dni.

Ściągnął z palców pierścienie i rzucił je w ślad za łańcuchem. W jego oczach pojawił się przelotny uśmiech i rozproszył znużenie.

– Ale czy taka pokuta uwolni mnie od grzechu? Powinienem chyba uklęknąć u twoich stóp. – Starczyło mu przyzwoitości, by się zarumienić. Zbliżył się do mnie i wziął mnie za ręce. – Jestem w tobie głęboko zakochany, Katarzyno Swynford. Kocham cię na każdy sposób, na jaki mężczyzna potrafi kochać. Przysięgam na Boga, jesteś moją duszą i będę cię kochał i służył ci tak długo, dopóki w moich płucach stanie oddechu.

Nie ukląkł, ale napięcie między nami zaczęło się rozwiewać i znów mogłam swobodnie oddychać. Intensywność tych przysiąg napełniła mnie drżeniem. Książę wyczuł to przez nasze złączone dłonie. Podniósł je do ust, a jego ton złagodniał, wciąż jednak nie oszczędzał się w słowach:

– Dzisiaj mój niegodny brak wrażliwości wyszedł na jaw przed Konstancją, a także przed tobą. To nieustanne ukrywanie się i udawanie krzywdziło cię. Nie mogę na to pozwolić. – Podniósł rękę do mojego policzka i pogładził go czubkami palców. – Ukochana, potrzebuję Konstancji, tak jak i ona potrzebuje mnie, by zachować twarz wobec dworu Lancasterów, wobec dwóch królewskich rodów, wobec Anglii i Kastylii. Wiesz, że zawsze będę musiał znaleźć dla niej miejsce w moim życiu. Jest bardzo ważne, byś się z tym pogodziła. – Uścisnął moje dłonie tak mocno, że zabolały. – Twój brak zgody zniszczy to, co jest między nami.

Westchnął ledwie słyszalnie, szukając słów, by jak najlepiej wyrazić to, co musiał powiedzieć.

Czekałam w milczeniu.

– Wiem tylko tyle, że ty, Katarzyna Swynford, jesteś w moim życiu nieustannym promieniem światła. Jesteś mi tak niezbędna jak wschód słońca każdego poranka. O tobie myślę pod koniec dnia, gdy nie ma cię przy mnie, i gdy się budzę. Jesteś przy mnie zawsze, gdy mój umysł odrywa się od obowiązków. Nigdy nie sądź, że cię nie kocham albo że znaczysz dla mnie mniej niż kobieta, z którą połączony jestem prawem, bo znaczysz więcej. – Lekko, przelotnie pocałował mnie w usta. – O wiele więcej. Nic na to nie poradzę i nie chciałbym tego zmienić.

– Obejmij mnie – poprosiłam zupełnie oszołomiona.

Objął mnie, ale lekko, jakby wciąż nie był pewien, jaki ciąg wydarzeń wprawił w ruch.

– Wiem, że we mnie wątpisz. Teraz rozumiem, dlaczego mówiłaś, że stąpasz po niebezpiecznej ścieżce. Na początku nie dostrzegałem, jak jest ci trudno, bo po prostu cię pragnąłem. Intrygowałaś mnie, wzbudzałaś chęć opieki. Pragnąłem cię z namiętnością, która parzyła jak uderzenie pioruna, ale nie miałem zamiaru składać serca u twych stóp. Nigdy nie przestanę się tego wstydzić. Oskarżyłaś mnie kiedyś o czysto zmysłowe pożądanie, i tak było. Czy możesz mi to wybaczyć? Ale oto moje serce. Oddaję je tobie. – Rozpostarł nasze połączone dłonie i przycisnął do złoconych emblematów na piersi. – Przysięgam, że moja miłość dla ciebie nigdy nie umrze. Niech twoje serce się uspokoi, Katarzyno. Należysz do mnie, a ja do ciebie.

Przechylił głowę na bok, jakby chciał przeniknąć mój wyraz twarzy. Wątpiłam, by potrafił to zrobić. Wciąż miałam zamęt w myślach. Dlatego nadal milczałam.

– Ale jeśli twój dalszy pobyt na moim dworze byłby dla ciebie zbyt trudny – ciągnął – to będziesz musiała mnie opuścić. Nie proszę, byś znosiła więcej, niż możesz znieść. Moja miłość dla ciebie jest tak wielka, że pozwolę ci odejść, jeśli tego chcesz, najdroższa. I bez względu na to, jaką decyzję podejmiesz, będziesz się cieszyć moim szacunkiem i lojalnością aż do kresu mych dni. Moja miłość zawsze będzie należała do ciebie.

Oto była propozycja, która miała ułagodzić moje serce, choć wbrew temu, co mówił, jego palce pozostawały splecione z moimi, jakby nigdy nie miały mnie wypuścić. Czy to, że tak wielkodusznie dawał mi wybór, nie było oznaką najwyższej miłości?

Uwolniłam się z upragnionego uścisku, odsunęłam na konieczny dystans i popatrzyłam na tego mężczyznę, który ofiarował mi wszystko, o czym mogłam marzyć. W pierwszej chwili dostrzegłam niekwestionowany autorytet Plantageneta z królewskiego rodu, w ceremonialnej tunice, łańcuchu wysadzanym klejnotami, w jedwabnym adamaszku podbitym futrem i z mieczem u boku. Potem zobaczyłam przystojnego mężczyznę, który przyciągał wszystkie oczy – mężczyznę o szlachetnych rysach twarzy, ciemnych włosach, w których lśniły rdzawe błyski, i wyrazistych oczach. Na koniec zobaczyłam mężczyznę, jakiego znałam z chwil namiętności, obdarzonego zręcznymi dłońmi i niezmierną dumą, ale także zrozumieniem, jakiego mało kto mógłby się po nim spodziewać. To był mężczyzna, którego kochałam.

Zobaczyłam to wszystko. Wysłuchałam przysiąg miłości. Ofiarował mi wszystko, czego mogłam pragnąć, głębię miłości, jaką kiedyś darzył księżną Blankę i na jaką nigdy nie miałam nadziei. Ukazał mi ją tak jasno, że nie mogłam mieć żadnych wątpliwości. Czułam się tak, jakbym rozpakowała prezent otrzymany na Trzech Króli i ujrzała skarb, którego pragnęłam, ale nie wierzyłam, że może należeć do mnie. A oto był tu, błyszczący i niewiarygodnie cenny. Książę Lancaster kochał mnie.

Wciąż nie docierało do mnie, że mam to, o czym tak długo marzyłam.

W końcu w oczach księcia błysnęła niecierpliwość.

– Powiedz mi, Katarzyno. Powiedz, co zamierzasz zrobić? Czy możesz żyć tu ze mną, w tym samym domu co moja żona, nie tracąc przez to spokoju umysłu? – Zmarszczki na jego czole zarysowały się jeszcze wyraźniej. – Tylko, na Boga, nie mów, że musisz pożyczyć ode mnie książkę z francuską poezją, by pomogła ci podjąć decyzję! Nie pożyczę ci książki. Teraz już sama powinnaś wiedzieć, czego chcesz.

Westchnęłam z desperacją. Tak długo żyłam w pełni świadoma, że go kocham, bojąc się tylko głośno o tym mówić. Kontrolowałam każde słowo, każdą swoją odpowiedź, ukrywałam uczucia pod pozorami nieistotnego romansu z obawy, że książę nie pragnie ode mnie czegoś tak wymagającego jak miłość. A tymczasem Jan Lancaster z królewskiego rodu Plantagenetów, gdy sam został oślepiony potęgą uczucia, domagał się ode mnie natychmiastowej odpowiedzi.

– Nie. Nie chcę książki z francuską poezją – odrzekłam tak ostro, że przykuło to jego uwagę. – I owszem, wiem, czego chcę. Zdaje się, że wiedziałam to wcześniej niż ty. Nie gań mnie za to, że zdumiała mnie twoja książęca proklamacja.

– Cóż takiego powiedziałem? Czy nie potrafisz mnie kochać wystarczająco mocno? – zapytał z nieświadomą arogancją, a jego czoło wygładziło się złowieszczo. – Czy chcesz wrócić do tego zapomnianego przez Boga i ludzi miejsca w Lincolnshire? Na Święty Krzyż, Katarzyno! Widzę, że nie powinienem ci zwracać wolności, bo możesz po prostu z tego skorzystać! Chyba jednak odwołam obietnicę i rozkażę ci pozostać ze mną.

– Rozkażesz? A co zrobisz z tą miłością, którą właśnie odkryłeś i która rzekomo jest na tyle silna, że pozwolisz mi odejść, jeśli tego zechcę? – Ze śmiechem w sercu pomyślałam, że książę nigdy się nie zmieni. Podeszłam bliżej i pochwyciłam go za rękawy. – Nie mogę cię opuścić. Dobrze wiesz, że nie mogę. – Słowa popłynęły z moich ust jak lawina: – Bo kocham cię, Janie. Zawsze cię kochałam i zawsze będę cię kochać, choć życie z tobą nie jest łatwe. – Po chwili moja desperacja wróciła i wsączyła się w kolejne słowa: – Jak mogłeś o tym nie wiedzieć? To musiało być wypisane na mojej twarzy, w każdym pocałunku, w każdej pieszczocie! Nosiłam twojego syna. Jak mogłeś być tak ślepy?

– Nie mam żadnego wytłumaczenia – rzekł ochryple. – Nigdy mi tego nie powiedziałaś.

– Bo nie mogłam zrzucać ci na barki ciężaru, którego nie chciałeś. Ale mówię to teraz, gdy już nie jesteś ślepcem. Musisz nieść ten ciężar razem ze mną, bo zapewniam cię, że moja miłość do ciebie nie jest przelotnym kaprysem. Kocham cię, Janie, i będę z tobą żyć. Czy to właśnie chciałeś usłyszeć?

Przez długą chwilę patrzył na mnie tak, jak ja wcześniej na niego.

– Powiedz, Janie – zażądałam, tak jak on wcześniej.

W końcu w jego oczach pojawił się uśmiech.

– Zasłużyłem sobie na tę krytykę, prawda? Tak bardzo się myliłem, Katarzyno. Czy jesteś na tyle wielkoduszna, by wybaczyć mi moją ślepotę?

– Czy musisz o to pytać?

Dystans pomiędzy nami zniknął. Jego dłonie oparły się na moich ramionach.

– Dla żadnego z nas nie będzie już odwrotu. Nie może być między nami żadnej niepewności. Tak, w dalszym ciągu będziemy zachowywać się dyskretnie, ale moi ludzie będą wiedzieć, że to ty jesteś kobietą, która stoi w centrum mojego życia, bo dziś uświadomiłem sobie w obliczu Boga, że miłość do ciebie jest mi droższa niż korona Kastylii.

Jego dłonie powoli przesunęły się po moich ramionach i pochwyciły moje dłonie. Przywarłam do nich i mocno trzymałam, gdy książę wypowiadał słowa, jakie pragnęłam usłyszeć. Cieszyłam się każdą sylabą tej zapierającej dech w piersiach proklamacji miłości.

Tego wieczoru książę obnażył przede mną duszę.

– Co mam ci powiedzieć? Jakie piękne słówka trubadurów pragnęłabyś usłyszeć?

– Możesz zacząć od: kocham cię, Katarzyno.

W końcu jego twarz rozświetliła się śmiechem.

– Kocham cię, Katarzyno.

Te najprostsze i najpiękniejsze słowa wypełniły moje serce i duszę niewyobrażalną radością. Oto była wartość jego miłości, fortuna w złotych monetach, którą od niego otrzymałam. Radość w mojej piersi rozwinęła skrzydła i poszybowała wysoko.

Wyciągnął rękę w zaproszeniu, a ja bez wahania wsunęłam w nią swoją dłoń. Skłonił się lekko i poprowadził mnie w stronę łóżka, na którym kołdry były już odwinięte jak na powitanie młodej pary. Znów mnie obrócił i zaczął rozplatać moje włosy, a potem rozwiązywać sznurówki sukni.

– Czy zatrzymałbyś mnie, gdybym chciała cię opuścić? – zapytałam.

– Tak – odrzekł bez cienia wahania.

– Nie jestem twoją żoną.

Mimo wszystko czułam potrzebę, by to powiedzieć, by zmusić go do usprawiedliwienia tego, co robiliśmy, chłodnym rozsądkiem, a nie tylko porywczą dumą. Konstancja nigdy jeszcze nie wpłynęła na nasze życie z taką siłą jak tego wieczoru. Każdy sługa, każdy urzędnik, każdy mieszkaniec zamku Kenilworth miał się rankiem dowiedzieć, w czyim łóżku książę Lancaster spędził noc.

– Ale będę się zachowywał tak, jakbyś nią była. Tej nocy. W tej chwili.

Odłożył na bok moje cenne rękawy, odsunął ciężkie spódnice i zaczął obsypywać pocałunkami moje ramiona i szyję. To było zaledwie preludium rozkoszy, jaka miała nadejść. Nic mnie nie obchodziła legalność naszego związku ani szepty całego dworu. Dokonałam wyboru. Zdecydowałam, że będę z mężczyzną, którego kochałam nade wszystko, i podjęłam tę decyzję już wtedy, w bibliotece pałacu Savoy, gdy owa decyzja pociągała za sobą nie tylko zaspokojenie namiętności, ale również złamane serce. Teraz podjęłam ją ponownie z dumą, spokojną akceptacją i szeroko otwartymi oczami.

– Nigdy cię nie opuszczę ani ty nie opuścisz mnie – powiedział książę, gdy światło poranka dotknęło nieba.

– Nigdy cię nie opuszczę – powtórzyłam.

– Czy sądzisz, że miłość może być trwalsza niż śmierć?

– Udowodnimy, że tak jest.

Jakże miłość opromienia. Lśniliśmy jak anioły w niebie. Moja miłość do księcia była wystarczająco mocna, by pomóc mi przetrwać nie tylko ten dzień, ale i to wszystko, co miało nastąpić później. Jego miłość spadła mi pod nogi jak rękawica i cieszyłam się nią z całego serca.

Mieliśmy być razem w szczęściu tak długo, jak los pozwoli.

ROZDZIAŁ JEDENASTY

Sny miałam pełne krwi, ziejących ran i śmierci. Budziłam się z nich z mocno bijącym sercem. Moje dni były mroczne, pełne poczucia utraty. Książę wyjechał na kampanię wojenną i nie dawał znaku życia. Ta cisza wydawała mi się złowieszcza. To było moje pierwsze prawdziwe doświadczenie rozdzielenia spowodowanego wojną. Dlaczego nie czułam takiego lęku, gdy wyjeżdżał Hugh? Teraz każdy dzień spędzałam w szponach potwornego strachu. Całe moje życie skupiało się wokół pogłosek, które czasem do nas docierały.

– Co się dzieje we Francji? Czy rozpoczęła się już inwazja na Kastylię?

Księżna zadawała to pytanie po kilka razy dziennie, a my nie potrafiłyśmy jej nic powiedzieć. Nawet ja. Mogłam sama o to zapytać, ale wolałam tego nie robić. Nie zdradzałam się ze swoimi obawami. Moje pytanie, gdybym je zadała, brzmiałoby: Jak się miewa książę Lancaster? Czy żyje jeszcze?

Ale wiedziałam, że żyje. Nieustannie chodziłam na wieżę i mury otaczające Tutbury, tak jak kiedyś w Kettlethorpe, gdy sztormy uwięziły księcia w kanale La Manche. Otwarta przestrzeń nieba stwarzała iluzję, że uda mi się go dostrzec, jeśli tylko pozwolę, by mój umysł swobodnie pokonał przestrzeń. Ale teraz był o wiele dalej. Wiedzieliśmy, że zaokrętowanie przebiegło zgodnie z planem. Książę jako głównodowodzący armii był we Francji i maszerował na południe, wiodąc ze sobą sześć tysięcy ludzi. Bardzo trudno było zachować spokój ducha w ciągu tych miesięcy niewiedzy. Wyczekiwałam wiadomości, ale gdy ogłaszano przybycie posłańca, miałam ochotę skryć się w piwnicy albo wśród kuchennych posługaczek, które mieszały w kotłach pod bacznym okiem Stephena, mistrza sosów.

Kraj okrył się letnią szatą. Bóg pobłogosławił nas piękną pogodą. Zastanawiałam się, czy lepiej wiedzieć, czy nie wiedzieć. Przez cały czas żyłam tą jedną myślą. Nadzieja była lepsza od rozpaczy. Co bym zrobiła, gdyby posłaniec bezdusznie oznajmił, że książę nie żyje, że trafiła go jakaś zbłąkana strzała albo został stratowany w ataku kawalerii?

Dowódcy nie byli chronieni przed śmiercią.

– Nie opuszczaj mnie – powiedziałam tuż przed wyjazdem, gdy odeszła ode mnie odwaga.

Poważny, surowy, w każdym calu królewski syn, na pozór pozbawiony ludzkich uczuć, przypomniał mi, gdzie jest moje miejsce:

– Nie możesz mnie o to prosić. Muszę jechać. – Pomimo całej nowo odkrytej miłości do mnie potrafił być szorstki, gdy na jego drodze pojawiła się jakaś przeszkoda, nawet gdy tą przeszkodą byłam ja sama. – Wiesz przecież, że nie zawsze możesz domagać się mojej obecności.

Złagodził tę reprymendę uśmiechem i ucałowaniem moich palców. Szybko nauczyłam się tej lekcji, tak jak i wielu innych. Królewska kochanka musiała mieć wystarczająco dużo siły, by prowadzić życie z dala od swojego kochanka. Nigdy więcej nie prosiłam. To umniejszałoby nas oboje. Ale teraz, gdy pogłoski nie niosły dobrych wieści, nie mogłam już wytrzymać tego oddzielenia. Nie zauważałam kwitnących drzew ani śpiewu zakochanych ptaków.

Potem zaczęli przybywać posłańcy. Konstancja oczywiście musiała przyjąć ich w sali audiencyjnej z zachowaniem odpowiednich form i przeanalizować przyniesione wiadomości. Jak daleko są jeszcze od Kastylii? Ile czasu potrzebują, by zdobyć świętego Graala? Czy jej podły wuj, Henryk Trastámara, wciąż żyje i nadal nosi przynależną jej koronę?

Dopiero później mogłam odciągnąć strudzonego jeźdźca w spokojne miejsce i zasypać pytaniami, gdy posilał się bochenkiem chleba i kuflem piwa.

Niewiele obchodziły mnie postępy w wojnie, destrukcyjny przemarsz *grande chevauchée,* plądrowanie, łupienie i zabijanie. Nie miało dla mnie znaczenia, jak daleko książę jest jeszcze od Kastylii i czy uda mu się strącić Henryka z bezprawnie zdobytego tronu. Zwycięstwo Anglii odrobinę poruszało moje sumienie i zainteresowanie, ale moje myśli skupione były wokół księcia, bo nie otrzymywałam od niego żadnych osobistych wiadomości. Nie dziwiło mnie to; nie byłam w tej chwili najważniejsza i nie oczekiwałam tego. Chciałam tylko dożyć jego powrotu.

Inaczej było z księżną.

– To dobrze – powtarzała Konstancja za każdym razem, gdy opisywano jej przemarsz angielskiej armii na południe i przybycie do Bordeaux. – Nic już go nie zatrzyma. Zniszczy Henryka jeszcze przed końcem roku. – Uśmiech rozświetlił jej twarz, choć teraz nieczęsto się uśmiechała. Zauważyłam, że była bardzo blada i mocno zeszczuplała.

Ja się nie uśmiechałam.

– Czy książę jest w dobrym zdrowiu? – wypytywałam posłańca, który wlał w siebie kufel piwa i wepchnął do ust kawał chleba. – I czy żołnierze nie ucierpieli zanadto od zimy? – Bo jeśli cierpiała armia, cierpiał również książę.

Skończył przeżuwać i jego twarz się ściągnęła. Konstancja w ogóle o to nie zapytała.

– Nie wygląda to dobrze, pani. – Rękawem otarł okruchy z brody. – Połowa armii wyginęła z różnych powodów. Powodzie, zimno i zasadzki. Głodują. Książę stara się nie tracić otuchy, ale w tym życiu nie dotrze do Kastylii. Jeśli chcesz, pani, poznać moje zdanie, to ona tego nie doczeka.

– A książę?

– W równie kiepskim stanie jak każdy inny. On też nie je. Brzuch już przyrósł mu do kręgosłupa.

Moje lęki jeszcze się podwoiły. Dałam mu monetę w podzięce.

– Jej to chyba nic nie obchodzi. – Chrząknął, sięgając po rękawice i sakwę.

– Ma inne troski na głowie – próbowałam ją usprawiedliwić.

Dziewięć miesięcy rozstania. Przeżyłam te dni bez Jana. Niepokój nie odstępował mnie ani na krok. Konstancja zaś kwitła i przepełniona nadzieją, że odzyska ukochaną Kastylię, odcinała się od coraz trudniejszych do zniesienia pogłosek.

Ja nie mogłam tego zrobić. Aż do dnia, gdy książę wrócił do Anglii.

– *Un desastre!* Po prostu katastrofa! Wszystko przepadło, wszystko, co mi obiecał! Wszystko nadaremnie! – Konstancja biegała od jednego końca sali audiencyjnej do drugiego. Jej policzki nie były już blade, lecz mocno zarumienione. – Dlaczego nie przystąpił do bitwy? Co teraz będzie z reputacją Anglii? Zdeptana w porażce! – Spojrzała ze złością na posłańca, który przyniósł złe nowiny. – Nie chcę cię widzieć na oczy! Wyjdź stąd!

Stałam w milczeniu. Posłaniec, tym razem był to młody człowiek z twarzą, na której odbiło się piętno ogromnych cierpień i wyczerpania, skłonił się i dyskretnie wycofał. Wyczułam, że za chwilę nastąpi wybuch. Konstancja nie mogła już dłużej udawać, że pogłoski o porażce Anglii nie są prawdziwe. Była tak zaabsorbowana tym, co usłyszała, że w ogóle mnie nie zauważyła, ale sądziłam, że w końcu to zrobi. Nie mogłam niestety pójść za cierpiącym posłańcem do kuchni.

– Obiecał mi, że zmusi Henryka do poddania i zwróci mi Kastylię. Obiecał mi to! – Przedarła dokument na dwie części. Czyżby był to list od księcia? – I co osiągnął? Nic! Angielska armia jest na kolanach i musi żebrać o chleb! A teraz ich opuścił!

– Nie opuścił, pani. – Lady Alice próbowała wtrącić słowa rozsądku.

– Nie ma go tam, żeby ich poprowadzić naprzód, tak? Czy nie powinien planować nowej kampanii? Dni są już coraz dłuższe. – Zaczął się kolejny rok. Był kwiecień. – Niedługo nadejdzie maj. Dni są wtedy długie. To dobra pora na kampanię. To wiem. A gdzie on teraz jest? Wraca do domu, do Anglii, żeby lizać rany, gdy ja opłakuję utratę mojego dziedzictwa!

Po policzkach Konstancji spłynęły łzy. Zwróciła się do mnie z płonącym wzrokiem:

– Gdzie on jest?

– Nie wiem, pani. – Nie wiedziałam nawet, że wrócił do Anglii. Listy, które przywiózł mi młody posłaniec, spoczywały w kieszeni spódnicy, wciąż nieprzeczytane.

– Sądzę, że dla ciebie to nie ma znaczenia, czy on zdobędzie Kastylię, czy nie.

Zapominając o wszelkiej godności, pogrążona we frustracji i rozpaczy, Konstancja opadła na kolana i przycisnęła ramiona do brzucha, jakby schwycił ją nagły atak bólu. Od ścian odbiło się bolesne zawodzenie. Najwyraźniej jej drobne ciało nie było w stanie znieść takiego nadmiaru waporów. Podskoczyłyśmy do niej, by ją podnieść i pocieszyć, ale lady Alice odpędziła mnie gestem.

– Idź stąd – nakazała. – Na nic się tu nie zdasz. Ona nie będzie teraz słuchać rozsądku. Nie będzie słuchać rozsądku, gdy chodzi o Kastylię, a ty w niczym nie pomożesz.

Wycofałam się przepełniona wielką ulgą z powodu powrotu księcia, ale zaraz pojawił się kolejny powód do smutku. W ciszy szkolnej sali, gdzie Filipa i Elżbieta po przeczytaniu zadanego katechizmu siedziały nad romansem Lancelota i Ginewry, szepcząc coś do siebie, otworzyłam list księcia bardzo ostrożnie, jakby jego zawartość mogła mnie pogryźć.

Jestem w Savoyu i nie wybieram się nigdzie dalej. Przyjedź tu do mnie. Jesteś mi potrzebna. Myśl o Twojej miłości pomogła mi przetrwać najgorsze tygodnie mojego życia.

Były to krótkie słowa, ale serce mi się ścisnęło. Krótkie i pełne rozpaczy. Ale czy to była rozpacz? Próbowałam przeniknąć jego myśli i to było jedyne słowo, jakie przyszło mi do głowy po przeczytaniu tej posępnej prośby. Nie potrafiłam go sobie wyobrazić w tak podłym stanie ducha, z dumą tak mocno nadwątloną poczuciem porażki. Nie widziałam go tak przygnębionego od czasu śmierci Blanki, gdy pogrążył się w mrocznej żałobie.

Myślę, że Anglia nie wybaczy mi tej porażki. Król z pewnością mi nie wybaczy. Zniszczyłem wszystko, co jemu udało się osiągnąć w ciągu całego wspaniałego życia. A jednak cóż więcej mogłem uczynić? Porozmawiamy, gdy przyjedziesz.

Siedziałam, wpatrując się w list, i w głowie miałam tylko jedną myśl: muszę jechać. Od chwili, gdy posłaniec przywiózł wiadomości, wiedziałam, że jeśli książę uzna, że mnie potrzebuje, i poprosi, bym do niego przyjechała, to będę musiała posłuchać i zrobić to dla niego, a także dla siebie. Jakże ostra była krytyka, która spadła na jego głowę, skoro aż tak podkopała w nim poczucie własnej wartości!

Musiałam pojechać do Savoyu.

– Czy to list od mojego ojca? – zapytała Filipa Lancaster. Podniosła wzrok znad tragicznego romansu Lancelota i popatrzyła na mnie z zastanowieniem.

Odpowiedziałam jej spojrzeniem. Miała czternaście lat, była już niemal dorosłą kobietą i wiedziała, że jej dni jako niezamężnej dziewczyny są policzone. Z własnego doświadczenia wiedziałam, jak prędko dziewczęta dorastają na dworze.

– I co pisze? – zapytała natychmiast Elżbieta. Odsunęła książkę na bok i podniosła się. – Czy pyta o nas?

– Nie – odrzekłam najspokojniej, jak potrafiłam. – Wasz ojciec jest w pałacu Savoy, zajęty wojennymi sprawami.

Elżbieta zmarszczyła jasne brwi.

– W takim razie dlaczego napisał do ciebie, lady Katarzyno?

– Chce, żebyś do niego pojechała, tak? – odgadła Filipa.

Zdumiała mnie jej przenikliwość. Gorączkowo szukałam jakiegoś wyjaśnienia, które nie postawiłoby ich ojca ani magistry w niekorzystnym świetle. Ale zanim cokolwiek przyszło mi do głowy, Filipa również wstała i dygnęła, bo w drzwiach pojawiła się księżna Konstancja. Ignorując mnie, królewskim krokiem przeszła przez salę i podeszła do dziewcząt, by sprawdzić, co czytają. Czekałam ze złożonymi rękami. Dobrze wiedziałam, że księżnej nie przyprowadziło tu zainteresowanie edukacją pasierbic.

– Przeczytaj mi to – nakazała, jakby potrzebowała dowodu, że pod moją opieką nauczyły się czegokolwiek wartościowego.

Po kilku linijkach, które dziewczęta przeczytały jak zwykle płynnie, przerwała im ostrym ruchem ręki.

– Czy odmówiłyście dzisiaj modlitwy?

– Tak, pani – odrzekła Filipa spokojnie, podnosząc oczy znad książki.

– Czytałyście katechizm?

– Tak, pani.

– Ty też?

Te pytanie skierowane było do Elżbiety, ale nie czekając na odpowiedź, księżna obróciła się w moją stronę. Łzy już obeschły, powściągnęła złość i twarz miała opanowaną, jakby podjęła jakąś trudną decyzję. Wskazała na otwarty list, który lekkomyślnie położyłam wcześniej na stole.

– Czy to od niego?

– Tak, pani. – Przyszło mi do głowy, że lepiej byłoby to ukryć, by nie narażać się na kolejne upokorzenia. Odpowiedziałam jednak szczerze, bo myślałam tylko o tym, że w całym swym wybuchu spowodowanym poczuciem klęski i rozczarowania Konstancja ani razu nie zapytała, jak się miewa książę. Nie potrafiłam jej tego wybaczyć.

– Gdzie on jest?

– W Savoyu.

– Jak długo zamierza tam pozostać?

Co chciała ode mnie usłyszeć? Czy mimo pogardy spowodowanej brakiem sukcesów jednak troszczyła się o niego? Dostrzegłam na jej twarzy cierpienie skryte pod maską gniewu. Owszem, nadal miałam w pamięci, co stało między nami, jednak ta kobieta wciąż potrafiła wzbudzić we mnie współczucie. Wszystko, o czym marzyła przez całe życie, było dla niej stracone, wszystkie jej plany obróciły się w ruinę. Moje sumienie drgnęło.

– Jeśli pojedziesz, pani, do Savoyu, mój pan będzie mógł ci wyjaśnić swoje zamiary – usłyszałam swój głos.

– Mam do niego jechać? Ja? A dlaczego miałabym to robić?

– Żeby mój pan mógł cię uspokoić, zapewniając, że na nowo podejmie kampanię.

Jednym pełnym pogardy gestem odrzuciła całe współczucie, które udało jej się we mnie wzbudzić, mówiąc przy tym:

– Zapewnić? Cóż więcej mógłby mi powiedzieć ponad to, co już wiem? Nie pojadę! – Z irytacją odgarnęła na bok spódnicę. – Ty do niego jedź! – prychnęła z goryczą. – Pomóż mu wylizać się z ran. Tego właśnie chce, czyż nie? Dlatego do ciebie napisał. – Gdy zawahałam się, dodała: – Chce, żebyś do niego przyjechała, tak?

– Tak, pani. – Była to jednoznaczna odpowiedź na jednoznaczne pytanie. Spodziewałam się kolejnego wybuchu wściekłości.

A jednak usłyszałam:

– On chce ciebie, a nie mnie.

Zatrzymała się na odległość ramienia ode mnie. Gdy wyciągnęła rękę, przypomniałam sobie scenę z solniczką i z trudem powstrzymałam grymas, ale księżna Konstancja tylko sięgnęła po list. Zerknęła na pierwsze linijki i wypuściła go z ręki. Jej spojrzenie było twarde jak krzemień. Spodziewałam się, że zabroni mi wyjazdu, o czym doskonale wiedziała.

– Jeśli nie dam ci pozwolenia – spytała ostrym, zgrzytliwym tonem – czy sprzeciwisz mi się?

Tym samym znacznie ułatwiła mi podjęcie decyzji. Otwarty sprzeciw wobec księżnej oznaczałby ostentacyjną demonstrację, że nie ma nade mną żadnej władzy. Nie wahałam się. Jeśli Konstancja chciała zabronić mi wyjazdu, by udowodnić, że jako żona księcia ma znacznie większą władzę niż jego kochanka, to właśnie poniosła porażkę. Wiedziałam, komu winna jestem lojalność, i znalazłam w sobie siłę, by stawić jej czoło i nie pozwolić się upokorzyć.

– Tak, pani, sprzeciwię ci się.

Wytrzymałam jej wzrok. Atmosfera wypełniła się napięciem. Dziewczęta siedziały bez ruchu, jakby również wyczuwały, że odbywa się tu próba sił. Oto była kolejna warstwa naszej relacji żony i kochanki, ale teraz, pewna miłości księcia, nie zamierzałam się cofnąć.

– Czy mogę cię powstrzymać? – zapytała Konstancja. Oczy miała szeroko otwarte i nieprzeniknione, palce u jej boków powoli zaciskały się w pięści.

– Nie, pani – odrzekłam cicho. – Chyba że zakujesz mnie w łańcuchy i zamkniesz w lochu.

W jej śmiechu, krótkim i twardym, nie było ani odrobiny humoru.

– Więc cóż mam powiedzieć? – Odwróciła się, a potem znów na mnie spojrzała. Powiew wywołany ruchem jej spódnic strącił ze stołu list. Zatrzymała się i przesunęła językiem po ustach. – Jedź do niego!

A więc taka była jej decyzja. Trudno mi było w to uwierzyć. Cała wciąż byłam maksymalnie spięta w oczekiwaniu na jej wybuch.

– Nie słyszysz? – powtórzyła. – Jedź do niego!

Miałam nadzieję na takie rozwiązanie sytuacji i ulga przyćmiła wszystkie inne emocje. Ale nie był to czas na triumfy. Wiedziałam, jak wiele musiało kosztować księżną oddanie mi zwycięstwa, i znów zaczęłam jej współczuć, choć odrzuciłaby moje współczucie ze wzgardą. W tej chwili jednak myślałam tylko o tym, że już nigdy więcej nie będę się musiała obawiać jej władzy.

– Jestem ci bardzo wdzięczna, pani. – Dygnęłam. – Czy mam coś przekazać księciu?

– Nic mnie to nie obchodzi. Nie zobaczę się z nim. On o mnie wcale nie myśli.

Musiałam mu oddać sprawiedliwość.

– Ależ myśli, pani.

– Jak możesz tak mówić? Przecież wysłał moje damy w jakieś odległe miejsce, gdzie siedzą w zamknięciu. Ukarał mnie.

Nie potrafiłam na to odpowiedzieć. Książę wysłał jej plotkujące damy do opactwa Nuneaton, żeby nauczyły się dyskrecji. Ale próby wzięcia go w obronę na nic by się w tej chwili nie zdały, bo księżna już wymaszerowała z sali. Po jej wyjściu atmosfera wyraźnie zelżała. Wzięłam głęboki oddech, zastanawiając się, co udało mi się osiągnąć w naszych nadzwyczaj trudnych stosunkach z Konstancją. Dopiero po chwili zauważyłam Filipę, która cicho stanęła obok mnie.

– Czy jedziesz zobaczyć się z moim ojcem? – Nie pytając o pozwolenie, podniosła z podłogi porzucony list. Pozwoliłam na to, bo w jej tonie nie usłyszałam osądu.

– Tak.

– A czy wrócisz do nas?

To pytanie zdumiało mnie swoją dojrzałością. Filipa była już na tyle dorosła, że potrafiła zrozumieć sens rozmowy z księżną i mogła potępić mnie za decyzję, którą podjęłam. Nie była już małą dziewczynką, która szarpała mnie za spódnicę, gdy wyjeżdżałam z dworu po śmierci jej matki. Mając na względzie naszą bliskość i mój autorytet, musiałam stąpać bardzo ostrożnie. Nie chciałam widzieć pogardy w jej młodzieńczym spojrzeniu, toteż poprawiłam miękkie fałdy jej welonu i zdobyłam się na uśmiech.

– A czy chcesz, żebym wróciła?

Filipa nie odpowiedziała wprost.

– Mój ojciec pisze tu, że tęskni za tobą. – Znów spojrzała na trzymany w ręku list, jakby miała wszelkie prawa, by go przeczytać. – Nie pisze, że cię kocha, a sądziłabym, że powinien to napisać.

Zesztywniałam. Przez chwilę nie potrafiłam znaleźć żadnej odpowiedzi, a potem uznałam, że dziewczyna zasługuje na moją szczerość, a ja na jej dezaprobatę, o ile uzna za stosowne ją wyrazić. Nie można było uchronić Filipy przed tym, o czym wiedzieli wszyscy domownicy. Miała też prawo zareagować tak, jak podpowiadał jej niedziecięcy już umysł, nawet gdyby pogarda młodziutkiej księżniczki miała mnie zranić.

– Skąd wiesz, że mnie kocha? – zapytałam.

– Widziałam, jak na ciebie patrzy.

– I dał ci sokoła – dodała Elżbieta.

Uniosłam brwi, nie mogąc zrozumieć tej logiki, i odparłam:

– Tak. Książę rozdaje wiele podarunków. Jest bardzo hojnym człowiekiem.

– To prawda. – Filipa postukała listem w głowę siostry owiniętą schludnie zaplecionymi warkoczami. – Daje kosztowne podarunki. Kiedy nic go nie obchodzi obdarowywany, daje mu srebrny puchar z pokrywką wysadzany klejnotami. Ale tobie dał sokoła, bo wie, że lubisz polowanie. – Doczytała list do końca i dodała: – Mój ojciec pisze, że chce, żebyś była z nim. Czy to grzech, skoro jest żonaty?

Popatrzyłam na nią spokojnie.

– Nie jest to coś, czego życzyłabym tobie.

– Cóż, wolałabym mieć własnego męża. – Filipa wróciła na miejsce i znów sięgnęła po opowieść o Lancelocie i Ginewrze, kolejnej parze cudzołożników. – Ale na pewno jesteś bardzo szczęśliwa, że tak cię kocha.

Zdumiona jej spokojną akceptacją związku, który powinien raczej wzbudzić ostrą dezaprobatę, powiedziałam tylko:

– Tak, jestem bardzo szczęśliwa.

I byłam szczęśliwa, euforycznie szczęśliwa, przynajmniej w tej chwili. Gdy byliśmy razem z Janem, czułam najbardziej intensywną radość, jaką można sobie wyobrazić, a gdy znajdowaliśmy się z dala od siebie, wpadałam w otchłań rozpaczy. To były konsekwencje naszego uczucia, które musiałam zaakceptować.

Ale nic o tym nie powiedziałam.

Spakowałam się i wyjechałam następnego dnia. Zatrzymałam się tylko na chwilę na dziedzińcu, gdy podeszła do mnie moja siostra Filipa, która nie potrafiła równie łatwo jak jej imienniczka pogodzić się z moim niegodnym sposobem życia.

– Czy to się będzie zdarzać często?

– Zawsze, gdy on będzie mnie potrzebował – odrzekłam krótko.

– A ty potrzebujesz jego. – Jakże wiele złośliwości zawierało się w tych kilku słowach.

– Tak. A ja potrzebuję jego. Czy kiedykolwiek przestanę go potrzebować?

Śpieszyło mi się, zatem ryzykując odrzucenie, uścisnęłam ją, zanim zdążyła się cofnąć. A ponieważ się nie cofnęła, ucałowałyśmy się. Była to swego rodzaju siostrzana gałązka pokoju.

– Daj mu pociechę – szepnęła.

– Dam.

Rezygnacja Konstancji napełniła mnie nowym poczuciem mocy, pewnością siebie, która zdawała się wzrastać przy każdym oddechu i z każdą milą przybliżającą mnie do Savoyu.

Pałac był niezwykle cichy, jakby panowała tu choroba albo śmierć. Czułam się nieswojo bez głosów dzieci i poważnej, przemykającej niespostrzeżenie służby. Nie podobało mi się to.

– Gdzie jest mój pan, książę?

– W bibliotece, pani.

– Sama się zapowiem.

Nie zastukałam i nie usłyszał mnie, gdy otwierałam drzwi. Pogrążony w myślach siedział przy stole przy zapalonej świecy, ale coś było inaczej niż zwykle. Zdawało się, że książę Lancaster nie dostrzega leżących przed nim dokumentów ani zawartości kufla po prawej ręce. Jego myśli błądziły gdzieś daleko, zajęte nieodgadnionymi planami czy też troskami. A może widział przed sobą jakąś przerażającą scenę z Akwitanii. Zawsze był zręczny i szybki w ruchach, ale stracił na wadze, co przy silnej, ale szczupłej posturze nie powinno się stać. Z drugiej strony głód nie miał respektu dla szarży. Podeszłam do niego i tak jak kiedyś stanęłam przy jego boku. I tak jak wtedy położyłam rękę na jego ramieniu.

Przez długą chwilę patrzył na mnie w milczeniu. Widziałam w jego oczach wielki dystans, a także smutek i rozczarowanie, które raniły mi serce. Nieudana kampania wycisnęła na nim trwałe piętno.

– Janie. – Nic innego nie potrafiłam powiedzieć.

Jego zwykłe opanowanie szybko wróciło. Uśmiechnął się do mnie, tak jakby to, że jestem przy nim, było najbardziej naturalną rzeczą na świecie i najbardziej wytęsknionym błogosławieństwem, jakby nie istniały dla nas żadne ograniczenia. W obliczu takiego powitania gardło mi się ścisnęło, a do oczu napłynęły łzy. Moje serce tak bardzo nabrzmiało miłością, że prawie nie mogłam oddychać.

– Chciałem, żebyś przyjechała.

– Tak. – Pozwoliłam sobie dotknąć jego policzka czubkami palców w najdelikatniejszej pieszczocie. – O ile sobie przypominasz, raczej rozkazałeś mi przyjechać.

Byłam zupełnie pewna swojej decyzji. Konstancja dała mi przepustkę nie tylko tym, że pozwoliła mi wyjechać, ale również lekceważącym stosunkiem do tego wszystkiego, co książę wycierpiał w jej sprawie. Brak współczucia, zjadliwa krytyka poczynań małżonka, brak zainteresowania jego obecnym stanem dały mi wolność. Dzięki temu potrafiłam opuścić Tutbury i otwarcie przyjechać do Jana. Ale nie wspomniałam mu o tym. Nie potrafiłby pojąć, dlaczego potrzebowałam pozwolenia. Nie zrozumiałby również tego, że poczucie winy wciąż od czasu do czasu przysiadało na moim ramieniu jak drapieżny ptak. Ale potępienie, z jakim Konstancja odnosiła się do męża, sprawiło, że ptak odleciał. Byłam uwolniona od wyrzutów sumienia.

Książę pochwycił moją rękę i zaczął ją całować, najpierw kostki palców, potem posuwał się dalej. Drżenie serca powiedziało mi, że może to być wstęp do uwiedzenia.

– Jeśli chcesz mi opowiedzieć o tym, co przeszedłeś, chętnie posłucham – zaproponowałam, wciąż niepewna jego nastroju.

– Nie. – Naraz z jego twarzy znikło opanowanie, a z głosu lekki ton. Teraz słyszałam w nim gwałtowne, nieskrywane pożądanie. – To nie jest odpowiednia chwila na wymianę poglądów na temat angielskiej polityki.

Podniósł się szybko, otoczył mnie ramionami i przyciągnął do siebie. Jego usta, gorące i drapieżne, znalazły się na moich.

– Zostaniesz tu. – To był rozkaz.

– Tak długo, jak długo będziesz mnie potrzebował.

– Na zawsze. – Objął moją twarz. – Na Boga, pragnę cię, Katarzyno. Pragnę cię już teraz.

Zadrżałam, patrząc na niego. Przesunął palcami po mojej szyi i niemal siłą zaciągnął mnie do komnaty, którą zajmowałam, gdy mieszkałam w Savoyu. Rozczuliła mnie jego troska o to, bym znalazła się w znajomym otoczeniu i czuła się swobodnie.

– Kiedy po raz ostatni zdarzyło ci się roześmiać podczas zwykłej rozmowy na nieistotne tematy? – zapytałam, próbując rozluźnić nieco atmosferę.

– Śmiech? Co to takiego? – Rozpiął pas, a potem usiadł i niecierpliwymi palcami rozsznurował buty.

– Czy wiesz, ile czasu już minęło, odkąd po raz ostatni byliśmy razem?

– Jestem pewien, że ty mi to powiesz.

– Prawie cały rok.

– W takim razie będziemy świętować nasze ponowne spotkanie. Wystarczająco długo już byliśmy rozdzieleni. Nie traćmy więcej czasu. Przestań gadać i chodź do mnie.

Poddaliśmy się pełnemu napięcia pożądaniu. Książę rozebrał mnie do koszuli, a potem zdjął także i ją, przesuwając palcami po srebrzystych rozstępach na brzuchu, które pozostały mi po noszeniu dzieci. Nie wyglądały tak źle w miękkim blasku kosztownych świec. Ich migotanie skrywało najgorsze zniszczenia mojego ciała. Zresztą książę i tak je dobrze znał. Nie miałam nic przeciwko temu, żeby na mnie patrzył.

Nasze połączenie było gorączkowe i namiętne. Nie był to odpowiedni moment na łagodne uwodzenie. Nie potrzebowałam tego, a księcia prowadziła wewnętrzna potrzeba, by znów mną zawładnąć. Był to wyraz miłości, tęsknoty i radości z tego, że znów jesteśmy razem, próba zapomnienia o porażce doznanej za morzem i rozpaczy. Ból i poczucie straty szybko ustąpiły pod naporem ognia, który nie potrzebował wyjaśnień ani czułych słów. Wystarczało mu zetknięcie dwóch ciał, gorące pocałunki na rozgrzanej skórze. Upajaliśmy się sobą nawzajem. Była to wspaniała celebracja miłości, która potrafi pokonać wszystko i wyzwolić od cierpienia.

Cóż można było powiedzieć? Byliśmy razem. Nasza miłość płonęła tak jasno jak słońce w południe i była delikatna jak język kociaka. Wzajemnie pobudzaliśmy się do śmiechu. Moje usta i czubki palców na nowo poznawały książęcą skórę. Wyrwał ze mnie głębokie westchnienie, gdy pomimo swojego pragnienia zadbał również o moją przyjemność.

– Pozwól, że będę pieścił podeszwy twoich uroczych stóp. Niestety okoliczności sprawiły, że je zaniedbałem.

Zajął się nimi z doskonałym skutkiem. Całe moje ciało wypełniły lekkość i uniesienie.

– Nie potrafisz sobie nawet wyobrazić, jak za tobą tęskniłem. – Przyszpilił mnie do łóżka.

– Naturalnie, że nie – zgodziłam się. – Ja byłam zbyt zajęta, żeby o tobie myśleć.

Z czułością scałował łzy z mojej twarzy. Rozumiał wszystko, czego mu nie powiedziałam. Wiedział, jak trudno jest kobiecie, która pozostała w domu i wciąż wyobraża sobie najgorsze.

– Moja miłość do ciebie jest wieczna – powiedziałam, gdy wreszcie zrobiliśmy sobie przerwę, żeby złapać oddech.

– I za to dziękuję Bogu. – Wreszcie się uśmiechnął.

W końcu wyczerpana zapadłam w drzemkę w jego ramionach, ale nawet pogrążając się w nieświadomości, wiedziałam, że Jan nie śpi.

Gdy się obudziłam, nie było go w łóżku, ale nie zostawił mnie samej. Siedział wyciągnięty na niskim parapecie okna w samej koszuli i nogawicach, oparty plecami o kamienną ścianę. W ręku trzymał małą glinianą miskę. Wyglądał, jakby swobodnie odpoczywał, ale po chwili zauważyłam, że zupełnie nie zwraca uwagi na scenę za oknem. A więc nie udało mi się na dłużej odciągnąć jego myśli od wyprawy i śmierci, czy cokolwiek to było, co wciąż trzymało go w swej mocy. Patrząc na surowe rysy jego twarzy, powiedziałabym, że był to głęboki żal. Przez jakiś czas patrzyłam na niego, wstrząśnięta widocznym w jego postaci cierpieniem. Jadł powoli z miski, jakby zaspokajając apetyt, zarazem zmniejszał swoje zmartwienia.

W końcu gdy miska była pusta, a ja już nie mogłam znieść oddalenia od księcia – jak mogłabym przeżywać szczęście, gdy on najwyraźniej krwawił z jakiejś wewnętrznej rany? – owinęłam się w płócienne prześcieradło, bo nic innego nie miałam pod ręką, i powoli podeszłam do niego. Ale wówczas mój niepokój jeszcze się zwiększył, bo choć Jan swobodnie objął mnie ramieniem, na jego twarz natychmiast opadła maska i ukryła widoczną tam jeszcze przed chwilą rozpacz. Dobrze potrafił udawać. Rozluźnił mięśnie twarzy, a ja podchwyciłam ton. Spokojnie wyjęłam naczynie z jego rąk i postawiłam je na podłodze, nie odważając się zajrzeć w paskudną otchłań jego trosk. Przyklękłam obok niego, oparłam głowę na jego ramieniu i poczułam napięcie mięśni, którego maska na twarzy nie potrafiła skryć.

– Czy było bardzo źle? – zapytałam, sądząc, że mimo wszystko potrzebuje o tym opowiedzieć.

Nie stawiał oporu.

– Było źle. Moi ludzie znosili niewiarygodne cierpienia. – Po chwili dodał: – Nic dobrego nie usłyszałem o tym, czego dokonałem.

Jak zwykle trafił w sedno. Nie mogłam zaprzeczyć. Utrata ludzi i ziem wywołała zjadliwą krytykę i mocno nadwerężyła jego reputację.

– Moja polityka we Francji poniosła porażkę. Kiedyś rządziliśmy potężnym imperium rozciągającym się od Calais do Bordeaux, a teraz mamy miasta, ale straciliśmy łączące je ziemie. Imperium już nie istnieje, a mnie nie udało się wywalczyć zwycięstwa dla Anglii. – Spojrzał w okno, jakby mógł przez nie usłyszeć narzekania i skargi rozlegające się na londyńskich ulicach. – A ty co o tym myślisz?

– Jak mogłabym cię osądzać? – Przesunęłam palcami po jego włosach. Nie potrafiłam nic powiedzieć, co dałoby mu pociechę. Lecz czy w ogóle istniały takie słowa? Książę musiał stanąć przed swoimi demonami i wziąć na siebie ten ciężar ze względu na swoją królewską krew, ale wiedziałam, że nie będzie w tym sam. Zamierzałam stać u jego boku.

– A ja myślę... – zawahał się. – Myślę, że się myliłem...

– Nigdy nie sądziłam, że usłyszę, jak to mówisz – odrzekłam z delikatnym uśmieszkiem.

Skrzywił się lekko i jego czoło nieco się wygładziło.

– Czyżbyś mnie oskarżała o arogancję, lady Katarzyno? Wielu chętnie by to zrobiło. – Wzruszył ramionami. – Cóż może przyjść Anglii z takiej wojny? Po co utrzymywać terytoria, które są tak daleko, a ci, którzy je otaczają, marzą tylko o tym, by je nam odebrać? – Gdy dostrzegł moje zdumienie, dodał żywym tonem: – Mam nie mówić o tym głośno, skoro zaczynam wierzyć, że to prawda? Cóż możemy zyskać oprócz tego, że wyczerpiemy własne zasoby i stracimy żołnierzy? Papież nawołuje do negocjacji i trwałego pokoju. Sądzę, że powinniśmy go posłuchać.

– To nie zostanie dobrze przyjęte – odważyłam się stwierdzić.

– Nie dbam o to. Muszę przetrwać tę burzę. Nie jestem teraz popularny, a straty w Bordeaux ściągną na moją głowę kolejne upokorzenia. Ale kto może mnie skrzywdzić? – Ironiczny uśmiech stał się jeszcze wyraźniejszy. – Zastanów się nad dobrymi stronami takiego rozwiązania. Pokój spowoduje zwiększenie obrotów w handlu i niższe podatki. Nie wytrzymamy długo tak wielkich wydatków i tak wysokich podatków, które zmieniają naszych kupców w żebraków. Plama na reputacji Anglii jest jak rana w mojej duszy.

– Parlament nie poprze pokoju z Francją – zauważyłam.

– Na rany Chrystusa! Nie pozwolę, by parlament dyktował mi politykę.

To nie była dobra prognoza na przyszłość. Zagraniczne interesy Anglii musiały się w końcu zetrzeć z finansami.

– A czy król cię poprze? Czy zgodzi się na pokój? – zapytałam, próbując skierować rozmowę na spokojniejsze tory.

– Muszę go przekonać. Mój brat jest zbyt chory, by sprawować władzę w realny sposób, a zatem to ja muszę ponieść sztandar przyszłości Anglii. Uczynię to z pełnym zaangażowaniem z poparciem parlamentu albo bez niego. Pójdą za mną, jeśli wiedzą, co dla nich dobre.

Poczułam pod swoją dłonią mocne uderzenie jego serca i ogarnęło mnie przeczucie, że to nie są jeszcze wszystkie powody kiepskiego nastroju księcia. Wtulił twarz w moje włosy. Czułam pod dłońmi, jak jego ciało porusza się z wysiłkiem przy oddechu. Wcześniejsza rozpacz wróciła jeszcze mocniejszą falą.

– Janie – szepnęłam z przerażeniem.

Potrząsnął głową, ale ja nie ustępowałam. Próbował się odsunąć, ale przytrzymałam go za ramiona i zmusiłam, by na mnie spojrzał. Tylko tyle mogłam mu dać. W dziwnym przebłysku kobiecej intuicji uświadomiłam sobie, czym spowodowany jest ból w jego oczach. Oddech wciąż miał drżący i urywany.

– Chodzi o księcia, tak?

– On umiera.

Moje serce ścisnęło się z żalu. Jego ukochany starszy brat, jego bohater. Idealny książę.

– Wątpię, by mój brat doczekał śmierci naszego ojca. Co zrobi Anglia, gdy dziecko zostanie królem? Ryszard nie będzie miał więcej niż dziesięć lat, gdy korona spadnie mu na głowę. I co wtedy?

– Powiem ci, co wtedy – odrzekłam z napięciem, zaciskając dłonie na jego nadgarstkach. – Będziesz stał u boku Ryszarda. Będziesz go wspierał i prowadził, aż dorośnie do lat, gdy będzie mógł rządzić samodzielnie. Zrobisz to dla swojego ojca i brata, a także dlatego, że to jest twój obowiązek wobec nazwiska i wobec Anglii. Tak będzie.

Nie mogłam mu dać pociechy, gdy chodziło o zdrowie księcia, ale mogłam namalować jasny obraz przyszłości, w której Jan miał odegrać istotną rolę. Przycisnęłam usta do jego czoła i poczułam, jak rozluźniają się napięte barki.

– Widzisz to bardzo jasno – zauważył.

– Widzę prawdę. – To nie była odpowiednia pora na wątpliwości, więc przybrałam lekki ton. – Czy chcesz się ze mną o to pokłócić? Nie radzę.

Jego oczy stały się przejrzyste, a na ustach pojawiło się coś na kształt uśmiechu.

– Dziękuję ci, lady Swynford.

– Cała przyjemność po mojej stronie, panie – odpowiedziałam wyniośle, wciąż próbując oderwać jego uwagę od zmartwień. – I muszę zauważyć, że zjadłeś wszystkie moje gruszki.

– Doprawdy?

Szturchnęłam palcem u nogi pustą miskę.

– Czego powinnam domagać się w zamian? Daję słowo, jesteś takim samym łasuchem jak mały Henryk, a nigdy nie widziałam chłopca, który potrafiłby zjeść miskę marcepanu tak szybko jak on.

Roześmiał się, wprawdzie nieco szorstko, ale jednak tak się stało. Lecz ten śmiech nie pochodził z serca, i musiałam pogodzić się z tym, że moja moc jest ograniczona. Umysł miał zaprzątnięty bratem i tego ciężaru w żaden sposób nie potrafiłam z niego zdjąć. Jednak moje serce uspokoiło się, bo książę otworzył przede mną nowe drzwi, takie, przez które nigdy wcześniej nie miałam prawa przejść. Pozwolił mi zobaczyć swoje uczucia i lęki, ale tylko na tyle, na ile uznał to za stosowne. Byłam mu wdzięczna, że podzielił się ze mną tym, co go trapiło. Mogłam tylko próbować oderwać jego myśli od ponurych tematów i otaczać go miłością, kiedy tego potrzebował. Sprawiało mi to przyjemność i napełniało radością moje serce. Wiedziałam, że wcześniej nikomu nie zwierzał się ze swoich trosk.

Czyż nie był to cenny kamień milowy na drodze, którą podążaliśmy wspólnie?

– Powinieneś się przespać, Janie – powiedziałam.

Zasnął głębokim snem bez snów, bez majaków, zapewne po raz pierwszy od wielu nocy. Leżałam obok, patrząc na niego. Czyż nie na tym właśnie polega miłość? Moim zdaniem tak. Czasami tylko tyle mogłam dla niego zrobić i była to dla mnie kolejna lekcja. Nie zdawałam sobie wcześniej sprawy z własnej wewnętrznej siły, z której będę musiała czerpać, gdy prawda o naszym związku wyjdzie na jaw. Teraz, gdy nasza miłość stawała się coraz silniejsza, ja musiałam być silna również za Jana, bo do kogóż innego miałby się zwrócić w smutku i w rozpaczy?

Mógł się zwrócić tylko do mnie, a ja byłam gotowa zaspokoić wszystkie jego potrzeby.

Nasze spotkanie w pałacu Savoy miało swoje konsekwencje. Wyjeżdżając z Tutbury, dokąd wstąpił w sierpniu w drodze do Londynu, by uczcić szóstą rocznicę śmierci księżnej Blanki, książę zamknął mnie mocno w pożegnalnym uścisku, bowiem nie miałam mu towarzyszyć. Jego ramiona były silne, usta miękkie. Podniósł głowę i popatrzył na mnie, a potem popatrzył jeszcze raz, wiodąc wierzchem dłoni po mojej obcisłej sukni.

Wstrzymałam oddech i poczułam lekkie zdenerwowanie.

– Czy będziesz miała dziecko? – zapytał.

– Tak.

– Kiedy?

– Na początku nowego roku.

– Czy jesteś zadowolona?

– Tak.

– Ja też jestem zadowolony.

Pocałował mnie bardzo lekko i delikatnie, ale wyczuwałam w tym pocałunku namiętność, która już na dobre stała się częścią mojego życia. Uśmiechnęłam się. Nigdy więcej nie będę musiała uciekać przepełniona lękiem, że książę odrzuci mnie i dziecko. Nasza miłość miała przetrwać wszelkie przeciwności.

ROZDZIAŁ DWUNASTY

Lipiec 1376, pałac Savoy, Londyn

Siedziałam przy łóżku Blanki. Jak to się stało, że dopiero teraz zauważyłam, jaka jest mała mimo upływu lat? Filipa i Elżbieta, a szczególnie Filipa, wyrosły już na młode kobiety, ale Blanka była wciąż moją małą dziewczynką. Miała dwanaście lat i na tle ciężkich kotar przy łóżku wydawała się maleńka. Poduszki zdawały się o wiele za duże, by wesprzeć jej kruchą szyję.

Miała przerażającą angielską gorączkę.

Pamiętałam, że Henryk również ją przechodził, właśnie w Savoyu, gdzie byliśmy teraz. Miał podobne objawy, ale zareagował z młodzieńczym wigorem na potężną mieszankę liści i naparów, którą mu podałam. Wspomnienie jego szybkiego powrotu do zdrowia powinno mnie uspokoić, ale lęk o zdrowie córki narastał coraz bardziej, aż utworzył wielką zaporę, która nie pozwalała mi zaznać spokoju ducha. Siedziałam przy niej już od pięciu dni, ale jej stan się nie poprawiał. Na przemian popadała w deliryczną gorączkę, a potem zaczynała coś mamrotać. Prześcieradła były zupełnie przemoczone.

Podałam jej następną dawkę lekarstwa i odetchnęłam, gdy zasnęła nieco spokojniej. Może tym razem gorączka nie wróci. Czoło miała chłodniejsze, a oddech mniej wysilony. Wydawało mi się, że jest już wieczór, ale nie miałam pewności. Zresztą jakie to miało znaczenie? Nic nie było ważne oprócz tego, czy Blanka jeszcze kiedyś mnie rozpozna, czy usiądzie, będzie się śmiać i poprosi, żeby przynieść jej do towarzystwa śpiewające zięby.

Brat William Appleton, osobisty lekarz księcia, wszedł cicho do sypialni z dłońmi zatkniętymi w rękawy szaty i stanął przy moim ramieniu.

– Jak ona się miewa?

– Chyba lepiej.

– Posiedzę przy niej. Ty musisz odpocząć.

– Nie mogę.

– Możesz. Zrobisz to, pani, jeśli chcesz bezpiecznie donosić swoje dziecko.

Znów nosiłam dziecko. Kostki nóg miałam opuchnięte i bolały mnie plecy. Rozwiązanie było już bliskie. To trzecie dziecko o nazwisku Beaufort męczyło mnie jak żadne poprzednie.

Poszłam do swojej komnaty, ale nie potrafiłam odpocząć i po niecałej godzinie znów znalazłam się przy łóżku Blanki.

– Tylko posiedzę przy niej – obiecałam. – Nie będę się przemęczać.

– Ale będziesz się zamartwiać na śmierć. – Brat William położył dłoń na moim ramieniu. – Jesteś wyczerpana. Książę nie będzie rad, jeśli nie zaopiekuję się również tobą.

Próbowałam się uśmiechnąć.

– Nic mi się nie stanie. Módl się za mnie. Módl się za Blankę.

– Naturalnie, będę się modlił.

Przyniósł mi kubek wina, jeszcze raz powtórzył wszystkie ostrzeżenia i wyszedł, zostawiając mnie samą na noc.

Gdzie jesteś, Janie? – krzyczało moje serce.

Wiedziałam, gdzie jest. Musiał sobie radzić z niechętnym mu parlamentem i coraz słabszym królem. Choć między nami a Francją panował niestabilny pokój, Anglia znów potrzebowała armii. A parlament, postawiony przed koniecznością wyrażenia zgody na wyższe podatki, napinał mięśnie pod wodzą nowego ambitnego spikera. Ten człowiek, Peter de la Mare, chciał uczynić z księcia kozła ofiarnego i obwiniał go za wszelkie zło w Anglii. Któż mógłby być lepszym celem? Uważano, że książę jest zbyt arogancki, zbyt potężny, zbyt nietolerancyjny, że uzurpuje sobie władzę, która powinna przysługiwać tylko królowi, choć słaby na umyśle Edward nie był w stanie takiej władzy sprawować.

W obliczu tak elokwentnej opozycji książę nieustannie tracił cierpliwość i popadał w irytację. Znany był z umiejętności prowadzenia negocjacji między wrogimi stronami, ale nie zawsze wystarczająco ostrożnie dobierał słowa. Wiedziałam na pewno tylko jedno: że nie ma go tutaj ze mną w chwili, gdy najbardziej go potrzebowałam.

Jeszcze nigdy nie czułam się tak samotna. Agnes przebywała w Kettlethorpe, a książę przez cały czas był zajęty. Ostatni raz pojawił się w Savoyu dzień przed tym, nim Blanka, klęcząc w kaplicy, osunęła się na posadzkę z mocno zaczerwienioną twarzą, bólem w członkach i wysoką gorączką.

– Cicho!

Działanie czarnego lulka, który zbijał gorączkę, powoli mijało, i Blanka znów zaczęła się kręcić w pościeli. Próbowałam trzymać ją za rękę i przemawiać łagodnie, ale nie przynosiło to żadnego skutku. Oczy miała otwarte, ale nie rozpoznawała mojej twarzy ani głosu.

– Cicho. Wypij to. Wyzdrowiejesz. Filipa i Elżbieta tęsknią za tobą i pytają o ciebie. Czekają, aż wrócisz do zdrowia.

Wypiła napar z nieprzytomnym wzrokiem. Twarz i pierś miała bardzo gorące. Schłodziłam jej rozgrzane członki i sypialnia wypełniła się ostrym zapachem lawendy.

– Teraz śpij.

Uspokoiła się, ale zdawało się, że niknie w oczach. Jej skóra w blasku pojedynczej świecy stojącej przy łóżku wydawała się przezroczysta. Przesuwając między palcami koralowe paciorki różańca, modliłam się o miłosierdzie Przenajświętszej Panienki, która znała wszystkie blaski i cienie macierzyństwa. W końcu usnęłam obok córki w niewygodnej pozycji, z policzkiem opartym o kołdrę. Różaniec upadł na podłogę.

Po kilku godzinach obudziłam się z zamętem w głowie, nie wiedząc, gdzie jestem. Po chwili wszystko do mnie wróciło i serce ścisnęło mi się boleśnie. Rozejrzałam się za medykiem, a potem spojrzałam na łóżko.

Blanka leżała nieruchomo. Okropnie nieruchomo.

Podniosłam się gwałtownie, opierając dłonie na krzyżu. Całe plecy miałam obolałe i napięte. Czy gorączka w końcu minęła?

Komnatę wypełniała absolutna, niczym niezmącona cisza. Blanka leżała nieruchomo. Gorączka i niepokój ostatnich dni minęły. Twarz miała bladą, powieki zamknięte, rzęsy rzucały cienie na kruche policzki. Może spała? Jej twarz wyglądała tak pięknie, tak doskonale, jakby była tylko uśpiona. Dotknęłam jej policzka grzbietem palca.

Nie spała.

Straciłam ją. Straciłam swoją córkę.

Matko Przenajświętsza. Co ja mam teraz zrobić? Mój umysł krzyczał z cierpienia, jakie odczuwa każda kobieta, która traci swoje pierworodne dziecko. Nic nie mogłam zrobić. Usiadłam na łóżku i delikatnie wzięłam Blankę w ramiona, jakby mogła jeszcze obudzić się, zarzucić mi ramiona na szyję i opowiedzieć o radościach minionego dnia. Ale nie poruszyła się. Jakże lekka była po tych dniach gorączki. Jak piękną młodą kobietą mogła się stać. Blanka Swynford, ukochana towarzyszka córek księcia, niezrównana córka Hugh i Katarzyny Swynford.

– Tak mi przykro, Hugh – wyszlochałam, kryjąc twarz w jej włosach. – Nic nie mogłam dla niej zrobić. Nie mogłam jej ocalić.

Moja Blanka. Moja piękna Blanka nie żyła.

Położyłam ją znów na poduszkach, uczesałam jej włosy i wygładziłam koszulę przy szyi, a potem po prostu siedziałam ze złożonymi rękami i wzrokiem utkwionym w jej twarzy. Nie potrafiłam płakać, jakby wszystkie moje łzy zastygły i utworzyły niekończące się morze lodu. Czy mogłam ją ocalić, gdybym nie zasnęła? Czy mogłam utrzymać ją przy życiu, dopóki gorączka nie minie? Ale nie zrobiłam tego. Odebrano mi ją, gdy nie byłam tego świadoma.

Puste godziny ciągnęły się w nieskończoność. Straciłam córkę, a mężczyzna, którego potrzebowałam, nie mógł być ze mną. Musiałam znosić rozpacz w samotności. Otarłam łzy i poszłam po służących, żeby zanieśli ciało mojej córki do kaplicy.

Byłam zdruzgotana. Nie było na to słów. Ale musiałam znaleźć siłę, żeby znieść tę rozpacz.

Książę wrócił do Savoyu dopiero po dwóch dniach.

– Na Boga, nie pozwolę sobie na to! Czy oni sądzą, że będę zginał kark przed ich żądaniami? – krzyczał gniewnie, nie przebierając w słowach i wymachując jakimś dokumentem jak sztandarem wojennym. – Czy wydaje im się, że są panami tego królestwa? Cóż za duma, jaka arogancja!

Nie wiedział o Blance. Nikt mu nie powiedział.

– Czy nie wiedzą, z jakiego rodu pochodzę? – ciągnął, wrzucając obelżywy dokument do ognia. – Czyżby wbili sobie do głowy, że mogą ograniczyć królewską władzę? Cóż za afront! Każę sobie podać jaja de la Mare'a na półmisku, przyprawione rozmarynem! Nasz parlament narzeka, gdy armia nie odnosi sukcesów, ale nie chce przyznać funduszy, które pozwoliłyby na udaną kampanię za morzem. Nie można mieć jednego bez drugiego, o czym doskonale wiedzą! To tylko przykrywka, żeby zaatakować mnie i powiększyć własną władzę.

Przyszedł do jednej z prywatnych komnat, gdzie siedziałam niepocieszona z nogami wspartymi na stołeczku. Wpadł do środka jak zimowa śnieżyca i biegał od ściany do ściany jak pies myśliwski, który wyczuł krew. W tej chwili nie był mężczyzną, który mnie uwodził i czarował, lecz księciem o twardym spojrzeniu, przepełnionym ambicją i planującym zemstę na tych, którzy kwestionowali jego prawo do użycia władzy, jaka przypadła mu w udziale z powodu słabości króla. Milczałam, bo nie był w odpowiednim nastroju, by słuchać rad.

– Ci wyszczekani członkowie parlamentu nie mają innej władzy niż ta, którą otrzymali z rąk króla. Niech sczezną od zgnilizny!

Przestałam zwracać uwagę na tamborek z haftem, który leżał na moim wydatnym brzuchu. Jakie to miało znaczenie, że szarfa nie jest skończona? I tak jeszcze przez kilka tygodni nie będę mogła jej nosić.

– Ośmielają się oskarżać mnie o korupcję. Parlament został rozwiązany. Nie będę tego więcej słuchał. I niech Bóg uchroni nas przed świętoszkowatymi, moralizującymi księżmi – ciągnął, nie zwracając uwagi na moje milczenie.

Wiedziałam, kogo ma na myśli – Thomasa Walsinghama, księdza o świdrującym spojrzeniu i ciętym piórze, człowieka, który uważał siebie za przedstawiciela Bożej moralności na ziemi i pragnął doprowadzić do upadku księcia, próbując zrzucić na niego całą winę za straty Anglii w kampanii francuskiej. Walsingham również nie przebierał w słowach.

Odłożyłam haft. Sięgnęłam do stojącego obok dzbana, nalałam kubek piwa i wyciągnęłam w stronę księcia.

– Janie.

Przyjął piwo bez podziękowania, nie zatrzymując się nawet.

– Wiesz, co on zrobił? – W jego oczach błysnęła wściekłość. – Znów wyciągnął te stare potwarze!

Nie miałam siły zapytać, które. Znów sięgnęłam po tamborek. Ale Jan i tak mi powiedział.

– Rzekomo zaaranżowałem morderstwo Matyldy, siostry Blanki. Otrułem Matyldę Lancaster. Na Święty Krzyż! Po to, żeby wszystkie ziemie Lancasterów przypadły Blance i mnie! Czyż mógłbym to zrobić? – Syknął wściekle, zatrzymując się przede mną. – Czy Blanka zgodziłaby się za mnie wyjść, gdybym uśmiercił jej siostrę?

Tego wszystkiego było już za wiele. Wzięłam głęboki oddech i zrzuciłam cienkie płótno na podłogę.

– Janie, muszę ci powie...

– Mówią, że mam już na oku tron, bo mój ojciec słabnie z dnia na dzień – stwierdził, wciąż zionąc wściekłością. – Po śmierci króla wyrwę koronę mojemu bratankowi. Tak mówią. Czyż nie złożyłem uroczystej przysięgi mojemu umierającemu bratu, że będę lojalny wobec jego syna? Że będę służył Ryszardowi jako przyjaciel i doradca?

Byłam ogromnie znużona.

– Ryszard ma zaledwie dziewięć lat – zauważyłam. – Jest w wieku Henryka. Czy to dziwne, że będą podejrzewać cię o ambicje sięgające korony, jeśli zostaniesz jego doradcą?

– Ryszard jest spadkobiercą tronu. Czy mógłbym go tego pozbawić? – Znów rozgorzały w nim emocje. – Czy ty również wierzysz w te plotki?

Miałam wrażenie, że jego emocje przelewają się na mnie.

– Nie, nie wierzę i w tej chwili niewiele mnie to obchodzi!

Popatrzył na mnie nieruchomo.

– Sądziłem, że znajdę u ciebie wsparcie.

Imię Blanki nie chciało mi przejść przez usta.

– Nie potrzebujesz mojego wsparcia – odparłam ostrym tonem. – Masz tyle pewności siebie, że wystarczy za nas oboje!

Łzy ścisnęły mi gardło i popłynęły niepowstrzymanym strumieniem, jakby napływały ze źródła bez dna. Byłam zbyt obolała, by mu współczuć. Moja piękna, kochająca Blanka nie żyła, a książę myślał tylko o nieposłuszeństwie parlamentu! Oddech wiązł mi w piersi. Blanka, moja ukochana Blanka. Straciłam ją. Promienna obietnica jej życia została zniweczona przez bezimienną gorączkę, która nie ustąpiła pod wpływem lulka ani szczawiku zajęczego. Nie miałam głowy do polityki i rozgrywek o władzę, gdy moja córka leżała zimna i nieruchoma w kaplicy. Stanęłam pośrodku komnaty z chaosem w myślach. Spodziewałam się, że gdy książę w końcu znajdzie się przy mnie, uspokoję się i poczuję lepiej, ale były to płonne nadzieje.

Wiedziałam, że muszę być silna, opanować rozpacz i nie pozwolić, by przejęła nade mną kontrolę, ale nie byłam w stanie tego zrobić. Zalewał mnie żal. Może to była kara za mój wielki grzech, za moją niemoralność? Zadrżałam w przypływie rozpaczy.

– A szanowni członkowie parlamentu oczywiście twierdzą, że wierzą w każde słowo z tych oskarżeń – ciągnął książę. – I że ożeniłem się z Blanką tylko dla jej posagu. W następnej kolejności wyciągną tę starą plotkę, że nie jestem synem mojego ojca, tylko bękartem. Na Boga, któż ośmieliłby się oskarżyć moją matkę o niewierność! Czyż nie jestem podobny do króla? Ale to pożyteczna strzała, którą można wypuścić w moim kierunku. Jako królewski bękart byłem podwójnie winny wobec Blanki, bo nie miałem prawa jej poślubić! Dlatego zmusiłem Blankę do...

Blanka! Wybuchnęłam łzami.

– Katarzyno? – Dopiero teraz zwrócił na mnie uwagę.

– Blanka nie żyje. Moja córka odeszła ode mnie i nic nie może przywrócić jej do życia.

Przycisnęłam palce do ust i wybiegłam z komnaty.

Schroniłam się na murach, choć gdy wspinałam się po schodach, brakowało mi tchu. Wiatr wiejący od strony Tamizy chłodził mi policzki. Czy można się pogodzić z taką stratą? Wiedziałam, że muszę nauczyć się odczuwać wdzięczność za dar, jakim było jej życie, zamiast szlochać za każdym razem, gdy ktoś wypowie jej imię. Za plecami usłyszałam znajome kroki. Wyprostowałam się, ale nie spojrzałam w jego stronę.

– Wybacz mi, Katarzyno. Nie wiedziałem.

Głos miał równy, bez śladu wcześniejszego gniewu.

– Nie mam ci czego wybaczać. Ty też opłakujesz własną stratę. – Pociągnęłam nosem.

Bowiem książę Edward w końcu przegrał walkę z niekończącym się cierpieniem. W tym roku wszyscy nosiliśmy żałobne szaty. Co więcej, książę, wyjeżdżając do Brugii na negocjacje pokojowe, zabrał ze sobą Konstancję, która powiła tam wyczekanego i wymodlonego syna, który jednak zmarł po kilku krótkich tygodniach.

Był to czas wielkiej utraty i śmierci, ale dla mnie najgorsza ze wszystkiego była śmierć Blanki.

Ponieważ znajdowaliśmy się w publicznym miejscu, książę zachował dyskretny dystans.

– Nie mogę cię pocieszyć. Nie tu, gdzie każdy może nas zobaczyć.

– Nie oczekuję tego. – Otarłam łzy. Moje nastroje w ostatnich tygodniach ciąży były bardzo zmienne.

– Jest mi tak bardzo przykro, najdroższa.

Porzucając wszelkie pozory, pociągnął mnie w kąt murów, w miejsce, skąd schodki prowadziły na dół. Posadził mnie na najwyższym stopniu, a sam usiadł niżej oparty plecami o ścianę. Nie zważając na to, że ktoś nas może zobaczyć, wziął mnie za ręce i wpatrzył się w moją twarz.

– Czuję twoje cierpienie i tak mi przykro z powodu śmierci twojej córki. A także dlatego, że nie potrafię odsunąć na bok własnych trosk – powiedział z trudem. Pochylił głowę i oparł czoło na naszych złączonych dłoniach. Nie widziałam twarzy Jana, ale jego współczucie otoczyło mnie jak świeży, miękki śnieg. – Żałuję, że nie potrafię cię pocieszyć. Żałuję, że mnie samego napędza gniew, choć wiem, że twoja strata jest większa niż moja, bo jest nowa i świeża. Ja wiedziałem wcześniej, że mój brat Edward umiera. Wybacz mi, Katarzyno.

Oparłam policzek o jego włosy. Jakże skomplikowany był ten mężczyzna, którego miałam przywilej kochać. Od rozgorzałej wściekłości do nieskończonej czułości, od burzliwej dumy do rozmyślnego uniżenia.

– Blanka była moją córką chrzestną. Opłakuję ją razem z tobą.

Wstał i pociągnął mnie za sobą. Poczułam jego ciepłe usta na czole. W oczach Jana odbijała się przepełniająca mnie rozpacz, ciężka jak granit. Gdy znów zaczęłam płakać, wziął mnie w ramiona. Wreszcie mogłam w nich spocząć. Były obroną przeciwko całemu światu i czerpałam z nich niewymowną ulgę. Przez tych kilka chwil znów był mój i dał mi pociechę, której potrzebowałam. Twardy kamień w moim wnętrzu zaczął się rozpuszczać.

– Twoi wrogowie użyją wszelkich sposobów, by cię zaatakować – powiedziałam, choć nigdy wcześniej nie chciałam tego przyznać, nawet przed sobą. – Obawiam się, że wbiją między nas klin, bo ty jesteś zirytowany na Petera de la Mare'a, a ja mam zbyt nierówne nastroje, by się pogodzić z tym, że...

Wstrzymałam oddech i książę dokończył za mnie:

– Że prywatna rozpacz musi ustąpić przed potrzebami Anglii. Opłakujemy tych, których kochaliśmy, ale czasami nie możemy wybrać sobie czasu i miejsca.

– Tak. Właśnie tak. – To był wielki ciężar. – Obawiam się, że zapomnę o swojej córce, że nie będę mogła jej opłakiwać tak, jak powinnam.

Scałował łzy z moich policzków.

– Nigdy nie zapomnisz Blanki i nie musisz się obawiać o mnie. Dam sobie radę z de la Mare'em. – Lekko przycisnął moją głowę do swojego ramienia. – Jesteś na to zbyt zmęczona, ukochana. Potrzebujesz odpoczynku.

– Ale jeśli...

– Nie będziemy o tym rozmawiać. Dam sobie radę z Walsinghamem i de la Mare'em. Zamierzam pokazać de la Mare'owi, jak wygląda jedna z moich wież od środka. – Uśmiechnął się z ożywieniem, jakby myśl o długotrwałym uwięzieniu sprawiała mu przyjemność. Westchnęłam. Jego spojrzenie złagodniało i znów spoczęło na mnie. – Idź do swojej komnaty i powiedz pokojówce, żeby spakowała niezbędne rzeczy. – Gdy potrząsnęłam głową, dodał: – Będzie lepiej, jeśli nie będę się musiał martwić jeszcze i o ciebie. Czasami, ukochana, lepiej, gdy jesteśmy osobno. I obydwoje o tym wiemy. To właśnie jedna z takich chwil.

Musiałam się z tym pogodzić. Nie mogliśmy być razem, ale nasza miłość nie mogła ucierpieć z powodu groźnych raf polityki. Niechętnie ustąpiłam przed głosem rozsądku, choć nie chciałam tego robić. Nie chciałam się z nim rozdzielać. Nigdy jeszcze nie byłam tak przygnębiona.

– Pojadę do Kettlethorpe. Muszę zabrać Blankę do domu.

– Nie, nie zrobisz tego. – Pod łagodnym tonem jego głosu czaiła się stal. To był rozkaz. – Muszę wiedzieć, że jesteś w bezpiecznym miejscu, z dala od polityki i groźby zamieszek w mieście. Nie chcę, żebyś była gdzieś, gdzie nie będziesz w stanie się obronić, a Kettlethorpe nie jest obronnym dworem. Pojedziesz do księżnej Hereford do zamku Pleshey.

Znałam księżną Hereford, ale nie miałam ochoty z nią mieszkać.

– Nie chcę jechać do Pleshey. Wolę pojechać do Kettlethorpe.

Książę pozostał nieugięty, choć otarł moje łzy moim rękawem i pocałował mnie w pochmurne usta.

– To, czego chcesz, nie ma żadnego znaczenia. Pojedziesz do Pleshey, bo ja tak mówię, i urodzisz to dziecko w wygodnym i bezpiecznym miejscu. Księżna Joanna powita cię w moim imieniu, a ty, moja droga, będziesz się tam czuła dobrze. Zajmę się pogrzebem Blanki. Spocznie w Kettlethorpe obok swojego ojca. To już postanowione.

Pojechałam do zamku Pleshey. Książę pocałował mnie na pożegnanie i wyprawił w drogę ze sporym orszakiem. Nie pytając mnie o zdanie, nakazał, by Agnes dołączyła do mnie wraz z moimi synami, Janem i Henrykiem. Wysłał także ciało Blanki w ostatnią podróż do domu, gdzie miała spocząć w pokoju obok serca swego ojca. Księżna Joanna, od lat bliska przyjaciółka i krewna księcia, otworzyła przede mną drzwi i z zagadkowym wyrazem twarzy popatrzyła na moją figurę.

– Kiedy to dziecko ma się urodzić?

– Chyba dwa miesiące temu – odrzekłam, z trudem wysiadając z lektyki.

– Wejdź do środka i czuj się jak u siebie. – Uśmiechnęła się. – Zajmę się tobą.

Tu właśnie urodziłam córkę, która pojawiła się na tym świecie, spokojnie przyjmując zmianę otoczenia. Jak można się było spodziewać, miała ciemne włosy o rdzawym odcieniu. Dałam jej na imię Joanna na cześć księżnej, która pozwoliła mi opłakiwać Blankę na swoim szerokim ramieniu i natychmiast powiadamiała o wszystkim, co działo się za murami zamku. Król Edward zmarł. Cały dwór pogrążył się w żałobie, książę nie mógł opuścić Londynu.

– Zanim wrócisz, wszystko się uspokoi – mówiła księżna, która miała wieloletnie doświadczenie we wszelkich sprawach dotyczących dworu. Siedziałyśmy razem w pokoju dziecinnym. Księżna, matka dwóch córek, wprawną stopą poruszała kołyskę z małą Joanną. – Mamy nowego króla. Wszyscy chcą się cieszyć i wypatrują nowych początków z młodym, przystojnym królem u władzy. Jan sprytnie sobie radzi z wrogami, a oni z kolei będą woleli porozumieć się z człowiekiem, który stoi u boku nowego władcy.

To był dobry omen. Podczas inauguracyjnej sesji nowego parlamentu w Westminsterze książę ukląkł i przysiągł lojalność królowi Ryszardowi, tym samym zaprzeczając oskarżeniom o zdradę stanu i tchórzostwo. Lordowie i parlament przyjęli go z honorami i prosili, by zechciał udzielać wsparcia i rady królowi Ryszardowi. Nawet miasto Londyn prosiło go o wybaczenie za niedawną krytykę. Był bezpieczny, znów w łaskach. Nie zagrażał mu już podły Walsingham ani szukający własnego wywyższenia de la Mare.

Ja też się uspokoiłam po urodzeniu córeczki. Świat wrócił do równowagi, myśli płynęły równo i znów czułam się dobrze. Blanka na zawsze miała pozostać blizną na mym sercu, ale wiedziałam, że choć nigdy jej nie zapomnę, nauczę się znosić smutek po niej i odczuwać wdzięczność za to, że była dobrym i kochającym dzieckiem. Wszystkie moje obawy o księcia były bezpodstawne. Jakże byłam głupia! Nawet wiadomość, że uwięził de la Mare'a w zamku Leicester bez żadnej nadziei na proces, nie wytrąciła mnie z równowagi.

I gdy książę napisał:

Przyjedź do mnie do Kenilworth

od razu ruszyłam w drogę.

Kwiecień 1378, Leicester

Był łagodny wiosenny dzień, jeden z tych dni, jakie zdarzają się tylko w kwietniu i wydają się magiczne po ponurym, zimnym marcu. Deszczowe chmury właśnie się rozproszyły i blade słońce lśniło w kroplach na strzechach, drewnianych balach i pączkujących liściach jak w okruchach kryształu. Nawet rubiny przyszyte do rękawic księcia i przypięte do jego hełmu bladły w porównaniu z tym cudem.

Byliśmy razem w Leicester w jednej z tych rzadkich i cennych chwil, które staraliśmy się chwytać, nim książę znów będzie musiał się skupić na angielskiej polityce zagranicznej i edukacji młodego króla Ryszarda, a ja na Kettlethorpe, gdzie panował budowlany chaos, i na moich trojgu dzieciach noszących nazwisko Beaufort, które tam przebywały.

Nigdy nie byłam równie zadowolona z życia jak owego dnia w Leicester. Znów byliśmy razem i moje szczęście było tak wielkie, że prawie czułam jego smak, słodki niczym kropla miodu na języku. Od czasu przymusowej podróży do Pleshey nauczyłam się żyć z dnia na dzień i cieszyć się każdą chwilą. Tego dnia wystarczało mi, że jestem z księciem. Przed końcem lata miał wyjechać na wojnę do Francji i wiedziałam, że wtedy już nie będziemy mogli sobie pozwolić na taką sielankę. Angielska flota wypłynęła z kraju przed tygodniem z zamiarem zmiażdżenia floty Francji i Kastylii, a książę musiał wkrótce za nią podążyć.

Ale na razie mogłam być z nim, pewna swojej pozycji u jego boku, choć podskórne przygnębienie nigdy mnie nie opuszczało, a ja byłam pewna, że ani na moment nie zniknie. Wiedziałam, że nigdy nie doświadczę prawdziwego szczęścia po prostu dlatego, że taką drogę życia wybrałam. Zawsze pozostanie we mnie przenikający na wylot smutek, że nie stanę się stałą częścią życia mężczyzny, którego darzyłam miłością.

Uśmiechnęłam się, choć ten uśmiech zabarwiony był melancholią. Jakże byłam naiwna, sądząc, że mogę tak po prostu wejść w rolę kochanki, pławić się w blasku bliskości księcia i nie zapłacić za to żadnej istotnej ceny. Jakież to było nieodpowiedzialne. Wydawało mi się, że mogę upajać się naszą miłością bez żadnej pokuty. Teraz już byłam bardziej doświadczona. Wiedziałam, że zawsze będą jakieś koszty, i godziłam się z tym. Znosiłam nawet wyraźną dezaprobatę księżnej Gloucester, która traktowała mnie ozięble, nie próbując ukrywać pogardy. Czyż w jej arystokratycznych żyłach nie płynęła królewska krew? W jej oczach ja wywodziłam się z pospólstwa. Ale przywykłam już do jej wyniosłego traktowania i przestało mnie to ranić.

– Pani Swynford?

Zamrugałam w jaskrawym słońcu i wróciłam do teraźniejszości. Książę patrzył na mnie ponad morzem kupieckich kapturów, filcowych kapeluszy i twardych ramion obleczonych wełną.

– Wybacz mi, panie – odrzekłam oficjalnie. Ściągnęłam zbyt luźne wodze i zgarnęłam obfite fałdy spódnicy. Trzeba było już wracać. Westchnęłam na myśl o kolejnych ważnych sprawach, które czekały w zamku.

Książę jednak skierował konia w moją stronę i ściszył głos, przyglądając mi się uważnie.

– Gdzie były twoje myśli?

– Wyznać muszę, że daleko stąd. – Prawdę mówiąc, myślałam o mojej córce Małgorzacie, która z wielkim zadowoleniem przyjęła welon w opactwie Barking. To był zaszczyt i byłam z niej dumna.

– Ale nie tak daleko, bym nie mógł do ciebie dotrzeć. Czy sądzisz, że uda nam się uciec przed tą niekończącą się dyskusją na temat praw miejskich i regulaminów? – Zdziwił mnie ten niezbyt dyskretny komentarz i jego jowialne zachowanie. Zwykle w towarzystwie zachowywał nienaganne maniery, ale teraz był już znużony żądaniami kupców i uporem burmistrza w spornej kwestii podatków. Odsunął ich wszystkich od siebie obojętnym ruchem ręki, nie zważając, jak bardzo są zirytowani ani na to, że zachowuje się arogancko i lekceważąco. – Już tu skończyłem – rzucił i znów zwrócił się do mnie. – Chyba że masz ochotę kupić kosz ostryg, pani.

Z błyskiem w oku skinął na kobietę, która zachwalała swoje towary głosem godnym królewskiego herolda.

– Dlaczego nie? – odrzekłam lekko. Nie miałam nic przeciwko odrobinie flirtu, skoro książę był w stosownym nastroju. Z drugiej strony poczułam się nieswojo, widząc, jak łatwo potrafi przysporzyć sobie wrogów.

– A czy mogę cię przekonać, żebyś tego nie robiła? – Na jego twarz wypłynął szeroki uśmiech.

Serce we mnie stopniało i skrępowanie zniknęło. Książę podejmował własne decyzje i zarządzał swoimi sprawami z taką samą spokojną pewnością jak zawsze. A jeśli chodziło o mnie, to czy jakakolwiek inna kobieta w tym kraju mogła się poszczycić bezgraniczną miłością i podziwem jedynego mężczyzny, który wypełniał całe jej serce? Czy była w tym kraju jakakolwiek kobieta równie szczęśliwa jak ja? Pomyślałam z tęsknotą o spokojnej wyspie oddzielonej od świata wysokimi murami. Moglibyśmy tam razem jeść – zapewne coś innego niż ostrygi – spacerować po ogrodach, rozmawiać o wszystkim, co tylko przyszłoby nam do głowy. Książę czytałby mi, gdybym go poprosiła, i jego piękny głos, który teraz przekonywał mnie, byśmy już stąd odjechali, rozsnuwałby sieć starych legend.

– Sądzę, że powinniśmy się stąd wymknąć, zanim burmistrz przypomni sobie, że jest coś jeszcze, o czym chciałby ze mną porozmawiać. Na przykład stan miejskiego wysypiska śmieci.

Zawrócił konia w stronę zamku, przesyłając gest pożegnania sfrustrowanej gromadzie złożonej z burmistrza i rajców. Szturchnęłam konia, by pojechać za nim, ale moja klacz miała swoje humory i gdy jakiś kundel zaczął obwąchiwać jej nogi, zaparła się kopytami w ziemię i nie chciała ruszyć. Cały książęcy orszak zatrzymał się w chaosie za moimi plecami.

– Rusz się, ty głupie zwierzę! – zawołałam z rumieńcem, wbijając pięty w boki klaczy.

Książę bez słowa zawrócił konia i przyszedł mi na pomoc. Pochwycił za uzdę i pociągnął klacz za sobą do kłusa.

– Dostaniesz ode mnie bardziej energiczne zwierzę – zaproponował. – Ta przy każdej okazji przysypia.

Wciąż trzymał uzdę w dłoni, zmuszając moją klacz, by biegła za towarzyszem. Jechaliśmy w stronę zamku przez ulice pełne mieszczan zajętych swoimi sprawami. Burmistrz, rajcy, duchowni i nasz orszak podążali z tyłu.

– Czy już zdecydowałaś, dokąd pojedziesz w przyszłym tygodniu? – zapytał książę, omijając kobietę z koszami pełnymi małych, pomarszczonych zeszłorocznych jabłek.

– Tak, do Kettlethorpe. Chcę sprawdzić, jak postępuje budowa. Pod koniec lata może będę już mogła przyjmować gości. I oczywiście chcę się zobaczyć z dziećmi.

Beaufortowie. Poczułam na sobie ciężar współczującego spojrzenia Jana. Lekko dotknął mojej dłoni. Dzieci Hugh Swynforda wyszły już spod mojej opieki, ale Jan, Henryk i Joanna czekali na mnie w Kettlethorpe razem z Tomaszem Swynfordem. Uśmiechnęłam się, by go upewnić, że myśl o Blance tym razem nie wywołała u mnie przypływu łez, co czasem wciąż jeszcze się zdarzało.

– Nie zobaczysz mnie w Kettlethorpe – odrzekł z powagą. – Flota już wypłynęła i muszę za nią podążyć bez dalszych opóźnień. – Okrążyliśmy kram, na którym sprzedawano garnki i patelnie. Jedna z patelni z głośnym łoskotem upadła na ziemię, strącona przez czepiające się kramu dziecko. Moja klacz oczywiście znów się spłoszyła, na co Jan wybuchnął śmiechem.

– Przyślę ci prezent.

Pochwyciłam jego spojrzenie.

– Żelazny garnek?

– Potrzebny ci żelazny garnek? Nie mam pojęcia do czego, ale jeśli właśnie tego chcesz... Po co kobiecie coś, czego nie będzie używać?

– Na przykład łańcuch wysadzany rubinami. – Ruchem głowy wskazałam na łańcuch, który miał na szyi. – Twoja córka Filipa powiedziała mi kiedyś, że dajesz cenne podarki tylko ludziom, którzy niezbyt cię obchodzą.

– Tak powiedziała? – W jego oczach odbiło się zdziwienie.

– Na przykład srebrne puchary z pokrywkami.

– A dostałaś taki ode mnie?

– Tak, ale sądzę, że miała rację. – Roześmiałam się. – Dlatego chętnie przyjmę od ciebie żelazny garnek, wóz drewna albo dziczyzny i beczkę wina.

– To chyba o czymś świadczy, skoro troszczę się, żebyś miała dach nad głową i coś do jedzenia – przyznał z rozbawieniem.

Wciąż ściskał moją uzdę, bo klacz wyczuła stajnie przed zamkiem i próbowała skręcić w stronę bramy. – Nie zdawałem sobie sprawy, że Filipa jest taka bystra.

Co sprawiło, że podniosłam głowę i spojrzałam w drugą stronę? Coś przykuło moją uwagę, niczym ostrzegawcze brzęczenie szerszenia na chwilę przed użądleniem. Ale nie było żadnego owada, nie zaalarmował mnie żaden dźwięk. Popatrzyłam na tych, którzy jechali za nami. Burmistrz bez reszty zaabsorbowany był listą skarg na ściskanym w dłoni pergaminie. Kupcy przepychali się, by zająć lepsze miejsce w szeregu. Ksiądz wyglądał tak, jakby dostał do picia skwaśniałe piwo, ale on rzadko się uśmiechał. Zerknęłam na księcia, który patrzył na spór dwóch mężczyzn przy sprzedaży konia. Wydawało się, że niczego nie zauważył.

Dokoła nas nie działo się nic niepokojącego. Jechaliśmy dalej. Wkrótce ulice stały się nierówne i znów przejęłam kontrolę nad swoim koniem. Na rozstajach, gdzie mieszczanie mieli się z nami rozstać, rozmowa znów zeszła na czynsze i dzierżawy. Zostałam z tyłu. Dalej już pojechaliśmy sami.

– O co chodzi? – zapytał cicho Jan, który na ostatnim odcinku drogi znów zrównał się ze mną i od razu zauważył mój niepokój.

– Sama nie wiem. Może to nic takiego.

Nic się nie działo, co mogłoby dać mi powody do zmartwień i zepsuć te ostatnie dni. Na dziedzińcu zamkowym zsunęłam się z siodła. Simon Pakenham, tutejszy ochmistrz, podszedł do nas i z ukłonem przejął ode mnie wodze klaczy.

– Mam nadzieję, że miło spędziłaś dzień, pani. – Twarz miał pochmurną, głos ponury, ale zawsze tak się zachowywał. Tylko nieliczni spośród urzędników księcia okazywali mi aprobatę.

Książę znów szedł obok mnie.

– Czy coś cię martwi?

– Nie, zupełnie nic. Tylko to, że mnie opuścisz.

Pożegnaliśmy się na osobności, namiętnie i słodko-gorzko.

„Nie opuszczaj mnie". Kiedyś tak powiedziałam. Teraz już nie umniejszałam siebie ani Jana, ubierając swoją tęsknotę w słowa. W życiu, które prowadziliśmy, nie było miejsca na bycie razem, na planowanie wspólnych dni miesiąc po miesiącu. Wiedziałam jednak, że bez względu na to, dokąd wezwie go obowiązek, i tak do mnie wróci.

Na osobności poddawaliśmy się emocjom. Publicznie książę przekazał mnie pod ochronę eskorty, skłonił się i życzył dobrej drogi.

Moja podróż do Kettlethorpe przebiegła bez przygód. Spotkanie z Agnes i dziećmi było pełne radości i hałaśliwe. Nawet widok dwóch kłócących się wron na moim nowym dachu nie dał mi do myślenia.

Z okna swojej izby dostrzegłam niewielką kawalkadę składającą się z trzech koni i jednego wozu na bagaż. Bezmyślnie czekałam, aż podjadą bliżej. Po dwóch tygodniach w Kettlethorpe stwierdziłam, że pan Burton, młody i pełen entuzjazmu następca pana Ingoldsby'ego, dobrze sobie radzi z zarządzaniem moim nowym domostwem i całą posiadłością. Nie potrzebował nadzoru, mogłam zatem wrócić do Hertford. Zamierzałam zabrać ze sobą Agnes i dzieci. Dni, gdy ukrywałam Beaufortów, już dawno minęły. Teraz mieli dołączyć do pokoju dziecinnego w Hertford – o ile przypadkowi goście nie zatrzymają mnie na miejscu.

Trzymając Joannę w ramionach, wskazałam na przybyszów. Pan Burton miał zaoferować im piwo i chleb, a potem w kulturalny, dyplomatyczny sposób wyprawić w dalszą drogę. Coraz bardziej śpieszyło mi się do Hertford, choć wiedziałam, że księcia tam nie będzie.

Gdy podróżni wjechali na dziedziniec, czekałam na nich z Joanną przyciśniętą do piersi. Zatrzymali konie, ale nie zeszli z siodeł. Podeszłam do jeźdźca, który przewodził kawalkadzie.

– Co ty tu, na litość boską, robisz?!

Nie było to może najbardziej uprzejme powitanie, ale jak doskonale wiedziałam, mój gość nie przepadał za odludziem w Lincolnshire. Zsunęła się z konia, stanęła obok mnie i dopiero wtedy dostrzegłam wyraz jej twarzy pod maską znużenia.

– Filipo! Co się stało?

Nie miałam pojęcia, co mogło sprowadzić moją siostrę tutaj aż z Hertford, a gdy tylko popatrzyła na mnie bez słowa, ogarnęło mnie przerażenie.

– Czy coś się stało z Małgorzatą? – spytałam nerwowo.

– Nie. – Na krótką chwilę jej twarz złagodniała. Śmierć Blanki wywarła piętno na nas wszystkich. – Małgorzata czuje się dobrze. Moje dzieci też.

– W takim razie książę...

– To nie ma nic wspólnego z dziećmi ani z księciem. Nikt nie umarł – przerwała mi. W jej wzroku błyszczały emocje. Wydawało się, że przejechała całą drogę dręczona jakąś troską, jakby uwierał ją kamyk pod siodłem.

– Co się stało?

– Niebo zwaliło ci się na głowę, Katarzyno.

– Co?

Była blada i zaciskała zęby. Nie mogłam zrozumieć, o co tu chodzi.

– I wziąwszy wszystko pod uwagę, na moją głowę też. Uznałam, że na razie lepiej będzie, jeśli zniknę z domu księżnej Konstancji.

– Dlaczego?

– Nie będę o tym rozmawiać tutaj.

– Przecież tu nikt nas nie słyszy.

Jej służba zniknęła. Pan Burton kazał zaprowadzić konie do odnowionych stajni. Nie było przy nas nikogo, kto mógłby podsłuchiwać, oprócz Joanny, która skupiona była na obserwowaniu kaczek łażących po trawie za moimi plecami.

– Mimo wszystko wolałabym powiedzieć to, co mam ci do przekazania, gdy zamkniemy się w czterech ścianach. To nie są słowa, jakich używam normalnie.

Przez chwilę próbowałam przeniknąć skomplikowaną pajęczynę myśli mojej siostry, ale wciąż nie potrafiłam sobie wyobrazić, jaka przyczyna mogła wywołać w niej takie wzburzenie. Była tylko jedna możliwość.

– Czy chodzi o Geoffreya? – zapytałam w końcu.

Filipa zalała się łzami.

Po chwili byłyśmy już w mojej komnacie. Siostra zrzuciła płaszcz i siedziała na łóżku z kubkiem wina w jednej ręce i płócienną chusteczką w drugiej. Jej szloch przeszedł w czkawkę, ale w oczach, wciąż pełnych łez, błyszczała wyraźna wrogość. Siedziałam obok niej, a Joanna bawiła się na podłodze u moich stóp.

– Co on zrobił?

– Kto?

– Geoffrey.

– Nie przyjechałam tu w sprawie Geoffreya. Chodzi o ciebie! – Filipa wzięła głęboki oddech. – Jak mogłaś być tak głupia?

Poczułam się tak, jakby wymierzyła mi mocny policzek.

– A co ja zrobiłam?

– Nic. Tylko zniszczyłaś swoją reputację.

– Nie! – To musiało być jakieś nieporozumienie.

– Czy mam ci powtórzyć, co o tobie mówią i piszą?

Powtórzyła, nie czekając na moją odpowiedź. Słowa, których używano wobec mojej osoby, wypełniły komnatę tak zapiekłą nienawiścią, że prawie nie mogłam oddychać. Ale gdy spróbowałam się podnieść, ręka siostry znów pociągnęła mnie na miejsce i przytrzymała przy sobie na łóżku.

– Posłuchaj tego, Katarzyno. Zobacz, co narobiłaś. Stworzyłaś potwora. Kurwę. – Filipa mnie nie oszczędzała. – Niegodna konkubina. Cudzoziemka, która wciągnęła księcia w bezwstydne cudzołóstwo i wszeteczeństwo. Dziwka. Ladacznica, która uwiodła księcia i dla której złamał przysięgę małżeńską.

W pierwszej chwili nie mogłam w to uwierzyć. Oczywiście wszyscy na dworze Lancasterów zdawali sobie sprawę z mojej niejednoznacznej pozycji, ale jeszcze nigdy nie słyszałam takiego potoku złośliwych obelg i wiedziałam, że nie mogły one pochodzić z ust Konstancji. Dyskrecja i brak ostentacji miały osłonić nas przed poniżeniem. Wiedziałam, rzecz jasna, że poza murami zamku Lancasterów ludzie będą gadali, ale skąd pochodziła ta diatryba?

– Skąd to wzięłaś? – zapytałam. – Z pewnością nikt nie mógłby uwierzyć w takie bzdury.

– Uwierzą, gdy te bzdury wychodzą z ust i spod pióra Walsinghama!

Na dźwięk tego nazwiska przeszył mnie zimny dreszcz. Thomas Walsingham, zgorzkniały ksiądz i plujący jadem pisarz. Milczał od roku, od czasu, gdy po śmierci króla Edwarda książę naprawił swoje relacje z parlamentem.

– Walsingham? Ale dlaczego zwrócił się przeciwko mnie?

– Nie wiesz? – Z Filipy wciąż wylewała się złość. Na jej ustach pojawił się brzydki grymas gniewu. – Z tego, co rozumiem, powodem była twoja głupia przejażdżka po ulicach Leicester. Tylko mi nie mów, że tego nie zrobiłaś, bo jestem pewna, że tak.

– Leicester? – Cóż takiego zrobiłam w Leicester, by zasłużyć sobie na takie upokorzenie?

– Tak. Leicester. Jeździłaś po mieście z księciem.

– Naturalnie, że tak. Ale to jeszcze nie czyni ze mnie kurwy. – To słowo z trudem przeszło mi przez gardło.

– Jak mogłaś być tak nieostrożna?

– Czy byliśmy nieostrożni? Zawsze bardzo dbamy o to, by nie ściągać na siebie uwagi...

– A to, że wziął twojego konia za wodze i poprowadził go do zamku, to był zapewne szczyt dyskrecji. Czy tak właśnie było?

Przypomniałam sobie moją upartą klacz i sposób, w jaki książę wybrnął z kłopotu, i dopiero teraz uświadomiłam sobie, jak intymne było takie zachowanie między mężczyzną a kobietą.

– Czy tak było? – powtórzyła Filipa.

– Tak. Tak było.

– Katarzyno, ty głupia.

– Nie pomyślałam... On też nie.

– No i zobacz, w co się wpakowałaś. Wiedziałaś przecież, że któregoś dnia to się musi zdarzyć, jeśli nie będziecie panować nad pożądaniem.

– To nie było pożądanie! Książę po prostu okiełznał narowistego konia.

– To był szczyt głupoty. Pokazaliście całemu światu, że łączy was niestosowna intymność.

– Nie! Nie zgadzam się z tym! Pozwól mi pomyśleć. – Podniosłam się i podeszłam do klęcznika, ale nie byłam w stanie uklęknąć. To nie była odpowiednia chwila na modlitwę. Trzeba było przyjrzeć się twardym faktom. Wróciłam myślami do tamtego szczęśliwego dnia w Leicester i do chwili, gdy wydawało mi się, że wyczułam wokół siebie atmosferę dezaprobaty, ale uznałam, że to tylko moja wyobraźnia, a ja doszukuję się cieni tam, gdzie ich nie ma. Pozwoliłam się uwieść słodko-gorzkim emocjom rozstania z księciem. Nie pozwoliłam sobie na jasność widzenia.

A jednak nie myliłam się. Cień się pojawił. Bardzo dokładnie wyczułam atmosferę panującą w naszej grupce, a także niechęć w oczach ochmistrza. Ale jak to się stało, że lekki powiew dezaprobaty na ulicach Leicester zmienił się w burzliwą diatrybę, która wyszła spod pióra największego wroga księcia? Nasze szczęście nas uśpiło. Zapomnieliśmy o potrzebie dyskrecji i tak oto sami wpadliśmy mu w ręce. Przejażdżka po ulicach miasta stała się dla niego okazją do nienawistnego ataku. Ale to, co dziwiło mnie najbardziej i ściskało za gardło...

– Dlaczego obrzucił mnie takim błotem? – zapytałam, spoglądając przez ramię na Filipę, która wciąż siedziała na łóżku, na przemian składając i rozkładając wilgotną chusteczkę.

– Bo nienawidzi wszystkich kobiet jako córek Ewy, a wy daliście mu do ręki doskonałą broń. Poza tym nie ma znaczenia, dlaczego to robi. Zło już się stało.

Staliśmy się lekkomyślni, zbyt śmiali. Przestaliśmy zważać na to, jak postrzega nas świat. Poczułam zdumienie i przerażenie. Cała moja pewność siebie i spokój ducha prysły. Wiedziałam, że już nigdy więcej nie odzyskam takiego spokoju wewnętrznego, jaki czułam w sobie w tamtych szczęśliwych chwilach. Znalazłam się na ustach wszystkich, ale nie głoszono mojej chwały, tylko wręcz przeciwnie.

Ale Filipa jeszcze nie skończyła.

– Walsingham mówi, że jesteś czarownicą.

Mój wzrok natychmiast zatrzymał się na jej twarzy. Czary? Sypała się na mnie lawina coraz bardziej niebezpiecznych oskarżeń. Jakie jeszcze szkody mógł Walsingham wyrządzić w moim życiu?

– Nie jestem żadną czarownicą.

– Przekonaj o tym Walsinghama, który głosi, że jesteś lubieżną cudzołożnicą i nie nadajesz się na guwernantkę księżniczek z rodu Lancasterów. Zachowujesz się ostentacyjnie i upokarzasz piękną i cnotliwą księżną, która powinna czuć się bezpieczna w małżeństwie.

Gniew zapłonął w mojej duszy, zastępując strach. A siostra mówiła dalej:

– Oskarża cię o to, że jesteś bezczelna i bezwstydna, a do tego również nisko urodzona. Czy można znaleźć gorszą obelgę? Można. Jeśli nie wiesz jaką, to ci powiem. On twierdzi, że...

– Cicho!

Filipa cofnęła się nieco w obliczu mojego gniewu.

– Sądziłam, że chciałabyś o tym wiedzieć.

– Potem, kiedy już skończysz robić mi awanturę. Powiedz, co mówi o księciu.

Przytłaczało mnie poczucie winy. Wszystkie moje myśli krążyły wokół tego, co Walsingham powiedział o mnie, ale jakimi kalumniami obrzucił księcia? Skoro uznał mnie za godny uwagi cel, jakiej amunicji dostarczyliśmy mu przeciwko Lancasterowi? Zadrżałam, gdy Filipa powtarzała te obelgi takim samym bezbarwnym tonem, jakim wcześniej opowiadała, co Walsingham myśli o mnie.

– Będąc naczelnym wodzem, porzucił swoje wojskowe obowiązki podczas ekspedycji we Francji, a zrobił to dla grzesznego związku. Wszystkie nasze porażki z ostatnich lat podczas kampanii wojennych są jego winą, a także twoją.

– To nieprawda. – A więc za to również zostałam obwiniona...

– Stał się człowiekiem niegodnym w oczach Boga, wszetecznikiem i cudzołożnikiem. Dąży do luksusów, wygód i zmysłowych przyjemności. Nie nadaje się do rządzenia Anglią. Nie jest odpowiednią osobą na doradcę młodego króla.

– Czyli o to chodzi... – Było o wiele gorzej, niż mogłam przypuszczać.

– Mówi, że księżna była z tobą w Leicester i jechała wraz z wami, gdy publicznie ją upokorzyliście. Prawowierna małżonka została zepchnięta w cień, a ciebie książę wywyższył.

– To nieprawda, na Przenajświętszą Panienkę! Czy książę poświęcałby mi uwagę, gdyby żona jechała u jego boku?

– Nie wiem – wymamrotała Filipa. – Sama już nie wiem, czego się mogę po tobie spodziewać, a czego nie.

Usiłowałam zignorować jej słowa.

– Czy jest jeszcze coś, o czym powinnam wiedzieć?

– Jeszcze ci mało?

– A co mówi księżna?

– Naprawdę chcesz, żebym ci to powtórzyła? Przeważnie mówi to głośno i po kastylijsku.

– Czy widziała się z księciem?

– Tak.

– W takim razie jest jeszcze wiele rzeczy, o których mi nie powiedziałaś.

– Chyba nie muszę. – Filipa przechyliła głowę na bok. – Sądziłam, że bardziej się przejmiesz.

– A co mam twoim zdaniem zrobić? – zapytałam chłodno, wyobrażając sobie konfrontację księcia i księżnej, wściekłość Konstancji i dumę zaatakowanego Jana. Zaraz jednak moja wyobraźnia natrafiła na zwykłą przeszkodę. Czy Jan mnie bronił, czy też prosił Konstancję o wybaczenie za to, że cudzołóstwo jej męża stało się pożywką dla sępów z angielskiego parlamentu? Czy pozwoli mi wziąć ciężar winy na siebie?

– A co mam twoim zdaniem zrobić? Wylewać z siebie żółć? – powtórzyłam. Sięgnęłam do kufra przy łóżku i wyjęłam cenne szklane naczynie, jeden z wielu podarków, które dostałam od księcia. – Mam zniszczyć coś cennego? – Podniosłam naczynie, jakbym chciała je upuścić i potłuc, a potem odłożyłam ostrożnie z powrotem do kufra. Nie mogłam pozwolić na to, by Walsingham i moja siostra doprowadzili mnie do daremnej rozpaczy i samozniszczenia. Musiałam ufać w miłość księcia. Zebrałam całą siłę woli i powiedziałam spokojnie: – Czy mam szlochać i wyznawać grzechy? Paść na kolana przed księdzem? Nie zrobię tego, Filipo. W głębi duszy spodziewałam się takiej chwili od dnia, kiedy książę powiedział, że pragnie mnie ponad wszystko inne. Wiedziałam, że jeśli zostanę jego kochanką, któregoś dnia wyjdzie to na jaw i okryję się wstydem. Nie sądziłam tylko, że nastąpi to już teraz. Gdy przywołuje nas głos szczęścia, niezmiernie łatwo zapomnieć o tym, co świat może pomyśleć o naszym związku. Nie sądziłam, że wyleje się na nas tyle nienawiści. Ale nie, nie będę płakać.

Nie byłam w stanie płakać, bo wciąż przepływały przeze mnie kolejne fale wściekłości. Najokrutniejsze oskarżenia były skierowane na mnie, na kobietę, córę Ewy winną uwiedzenia.

Tak było zawsze, od początków czasu. To ja zwabiłam potężnego mężczyznę do swojego łóżka, przez co opuścił walczącą armię i pozostawił ją bez przywództwa, by na własną rękę zmagała się z siłami wroga. To była moja wina. A teraz żądano, bym zapłaciła za to rzekome uwiedzenie. Jak wysoka miała to być cena? Czy książę będzie w stanie odsunąć żarłoczne kły parlamentu od mojego gardła?

Nie, jeśli zależy mu na tym, by nadal liczył się w polityce.

Przeszył mnie lęk, ale nie zamierzałam poddać się bez walki.

– No cóż, przywiozłaś mi dobre wiadomości – oznajmiłam z odrobiną czarnego humoru. – Czy chcesz pozostać tu na noc, czy też sumienie nie pozwala ci dzielić łóżka i stołu z taką grzesznicą jak ja? – Zaraz jednak przypomniałam sobie, co powiedziała. – Ale przecież przyjechałaś tu na dłużej, tak?

Przybyła tu w towarzystwie służby i z wozem pełnym dobytku.

– Tak. – Na jej twarzy znów pojawiły się łzy.

– Dlaczego? Czy księżna cię wyrzuciła, czy...?

I wtedy Filipa znów zaczęła szlochać.

– Geoffrey i ja postanowiliśmy się rozstać. – Gdy podeszłam do niej i z westchnieniem wzięłam ją w ramiona, dodała: – Przez cały czas trwania naszego małżeństwa prawie nie żyliśmy razem. Chyba w ogóle tego nie zauważę...

Czuła się jednak zraniona. Kołysałam ją w ramionach, mrucząc słowa pociechy, choć w moim sercu nie było żadnej pociechy i ze wstydem przyznaję, że to nie los siostry ciążył mi najbardziej. Cena, jakiej Walsingham zażąda, mogła się okazać kolosalna. Czego mógł chcieć od księcia jako rekompensaty za nasz grzech? I jak wiele książę będzie gotów poświęcić, by uciszyć nienawistnego księdza w obliczu tak nieoczekiwanego ataku?

Ta myśl najbardziej ciążyła mi na sercu, gdy trzymałam Filipę w objęciach. Czy to ja będę ceną, którą książę będzie musiał zapłacić za odkupienie swoich win w oczach Anglii? Czy ja, niegodna córka Ewy, zostanę wybrana jako jagnię ofiarne? Ostatnimi czasy czułam się zbyt bezpieczna w naszej miłości i nie myślałam o zagrożeniach z zewnątrz. Nie kwestionowałam też siły uczucia księcia, nawet w tej chwili. Ale szczerze mówiąc, Walsingham był potężnym wrogiem, a głos miał wystarczająco donośny, by poruszyć opinię całej Anglii.

Jak się czuło moje sumienie, gdy Walsingham ogłaszał po całym kraju, że jestem dziwką? Tej nocy, gdy Filipa zapadła w niespokojny sen, sięgnęłam po lusterko, przypominając sobie, jak wpatrywałam się w twarz początkującej kurtyzany, gdy zaatakowały mnie damy dworu Konstancji. Zastanawiałam się wtedy, co widzę, i rozpaczałam, że dostrzegam piętno wstydu okrywającego moją duszę. Byłam zdumiona i przerażona tym, że czegoś nie dostrzegłam w porę. Tego mianowicie, że pozycja ukochanej księcia doprowadza mnie do ruiny.

Otoczona opieką możnego i wspaniałego Jana Lancastera nawet w połowie nie potrafiłam przewidzieć konsekwencji naszego związku. Czy teraz był jeszcze w Anglii ktoś, kto nie patrzyłby na mnie ze skrajną pogardą?

Odłożyłam zwierciadło licem w dół. Na oprawie z kości słoniowej zastygła w ruchu dama nakładała wieniec kochankowi. Nie mogłam patrzeć na swoje odbicie, na tę grzeszną twarz. Lęk powrócił żywszy niż kiedykolwiek, lęk o okrutnych szponach. Zawsze wiedziałam, że któregoś dnia zostaniemy rozdzieleni. Wiedziałam to od samego początku, gdy podarowałam księciu zwiędłą różę i moje dobre imię. Chmura wisiała nad nami przez cały czas, jak miecz Damoklesa gotów dzielić i niszczyć.

Czy księcia czeka wybór między mną a chwałą Anglii? Zadrżałam z lęku. Logicznie rzecz biorąc, nie dostrzegałam innego rozwiązania. Wiedziałam, że Jan będzie musiał podjąć decyzję, a ja nie mogę na nią wpłynąć. Miał obowiązki wobec kraju. Był potężnym doradcą niedoświadczonego króla Ryszarda i to było jego najważniejsze zadanie. Nie wolno mi było nawet próbować.

– Przyjechałem.

Tylko tyle powiedział. To wystarczyło.

– Wiedziałam, że przyjedziesz.

Stał w mojej świeżo odnowionej wielkiej sali w podróżnym stroju z wełny i skóry, ale jak zawsze pod warstwą kurzu na jego czapce i tunice błyszczały klejnoty. Zachowywał się ze swobodnym wdziękiem, jakby miał przed sobą zagranicznych dygnitarzy, a nie dwie nieszczęśliwe kobiety w prostych domowych strojach.

– Cieszy mnie twój widok, Janie – powiedziałam tak jak wiele razy wcześniej. Mój głos zabrzmiał dziwnie i nieco szorstko. Przebijał przezeń niepokój, który nieustannie towarzyszył mi w tych dniach.

Spojrzawszy na księcia, Filipa dygnęła i wymknęła się z sali. Jej wzrok mówił mi: „Tylko nie pogarszaj sytuacji, która i tak jest już wystarczająco okropna".

Staliśmy naprzeciwko siebie, kontemplując ruinę naszego wspólnego życia. Ile to już razy staliśmy tak, rozdzieleni otchłanią poczucia winy, obowiązku czy też sumienia, i ileż razy przekraczaliśmy tę otchłań, by znów być razem. Ale teraz, w obliczu diabolicznych oskarżeń Walsinghama, otchłań mogła się okazać zbyt głęboka, by wystarczyło nam odwagi na jej przekroczenie.

Czekałam, aż Jan przemówi, starając się nie myśleć o bezsennych nocach, gdy serce rozrywał mi lęk, że ze względu na swoją reputację i małżeństwo, na władzę w Anglii, a nawet na politykę zagraniczną książę może mnie odrzucić, beznamiętnie odsunąć na bok jako niebezpieczną przeszkodę. Kiedyś żyłam w lęku, że to Konstancja odwoła się do jego honoru, teraz musiałam przyznać, że Walsingham był znacznie bardziej niebezpiecznym przeciwnikiem. A jeśli książę poprosi, żebym zwróciła mu wolność, by mógł odzyskać dobre imię i miejsce u boku młodego króla, co mu wtedy powiem? Czy będę w stanie wycofać się i oddalić od niego? Czy wystarczy mi na to siły?

Drżałam na tę myśl.

Podeszłam do Jana, a on uniósł nieco ręce i obrócił je wnętrzem w moją stronę, gestem równie opanowanym jak jego twarz. Kości policzkowe rysowały się ostro, skóra była napięta od zmęczenia po dalekiej i szybkiej podróży. Znajome rysy twarzy, po których tak często wędrowały moje palce w chwilach uspokojenia po wybuchu namiętności, były ostrzejsze niż zwykle.

Słowa, jeszcze niewypowiedziane, zawisły między nami w powietrzu wraz z dymem z paleniska.

– Może zaprosisz mnie w wygodniejsze miejsce? Czy jest tu jakieś pomieszczenie, w którym nie musiałbym widzieć twojej skrzywionej siostry? – Przy innej okazji można byłoby uznać, że te słowa są zabarwione humorem, ale nie dzisiaj.

Co myślał? Nie miałam pojęcia, choć bardzo uważnie wpatrywałam się w jego twarz. Jego oczy były nieprzeniknione jak czarne agaty. Wiedziałam, że niczego się nie dowiem, o ile on sam nie odkryje przede mną swoich myśli. Wiedziałam też, że nie będzie mówił o swojej reakcji na atak Walsinghama. Nie po to tu przyjechał. Ale w takim razie co miał mi do powiedzenia? Co kazało mu przebyć taki kawał drogi i przybyć do Kettlethorpe, skoro powinien teraz myśleć tylko o inwazji? Pełna lęku otworzyłam drzwi wewnętrznej izby, a gdy już znaleźliśmy się w środku, stanęłam przed nim i oświadczyłam:

– Moja siostra twierdzi, że niebo zwaliło nam się na głowy.

– Na to wygląda – odrzekł, wzruszając ramionami. Wyczułam w nim napięcie.

– Cóż takiego zrobiliśmy?

– Ściągnęliśmy na siebie uwagę.

– Tak mi przykro...

– To była moja wina, nie twoja.

– Walsingham twierdzi co innego. – Jakże bolesne były te słowa, nawet teraz, gdy je powtarzałam. – Mówi, że jestem dziwką i uwodzicielką.

Książę zacisnął usta.

– Powinienem zdawać sobie z tego sprawę. Wziąłem twojego konia za uzdę i poprowadziłem przez ulice Leicester na oczach wszystkich kupców, handlarzy i uliczników. – Zacisnął dłonie w pięści, ale jego głos pozostawał zupełnie bezbarwny. – Dla tych, którzy mają ochotę przysporzyć mnie i tobie kłopotów, była to jasna oznaka naszego upadku, dowód, że mam nad tobą kontrolę i posiadam twoje ciało. Równie dobrze mógłbym to wykrzyczeć z dachu. Co innego, gdy biorę cię do łoża w zaciszu pałacu Savoy, Kenilworth czy zamku Leicester, ale nie można tolerować publicznego okazywania, że do mnie należysz. – Wziął głęboki oddech. – Zapomnieliśmy o dyskrecji, Katarzyno. Zapomnieliśmy...

Rozumiałam, jak wielką szkodę wyrządziliśmy bezmyślnie w ten jasny poranek pełen marzeń, kiedy książę flirtował ze mną nad beczką ostryg i żelaznym garnkiem.

– A przecież mnie ostrzegano – dodał. – Powinienem był wziąć to sobie do serca.

– Ostrzegano? – Nie było we mnie złości, lecz zdumienie. – A zatem jeszcze wcześniej ktoś już uznał, że jestem skazą na twoim życiu?

Nie odpowiedział. Nie musiał nic mówić. Jego spowiednik, doradcy, nawet sir Thomas Hungerford, zarządca wszystkich posiadłości Lancasterów położonych na południu – z pewnością oni wszyscy ostrzegali go przede mną. Po dworze krążyło mnóstwo raniących mnie docinków i obelg.

– Dlaczego mi o tym nie powiedziałeś?

– To nie było istotne.

Na widok zamkniętego wyrazu jego twarzy zrozumiałam, że nie powie nic więcej.

– Czy Walsingham może ci zaszkodzić?

– To nic nowego, że wypuszcza strzały w moją stronę – odrzekł, znów unikając bezpośredniej odpowiedzi.

– Ale teraz ma więcej amunicji i w cięższym gatunku.

– Być może. Zajmę się swoją obroną. – Duma Plantagenetów lśniła na jego czole jak korona. – Ale nie przyjechałem tu, żeby rozmawiać o Walsinghamie.

Teraz ja wstrzymałam oddech.

– Zatem dlaczego przyjechałeś?

– A jak sądzisz, Katarzyno?

Zobaczyłam w jego oczach płomień, a na twarzy fizyczne pragnienie. Nie, nie przyjechał tu, by rozmawiać o kalumniach i reputacji. Przyjechał, żeby mnie zobaczyć, a także by pokazać, że Walsingham nie może splamić tego, co istniało między nami. Cokolwiek przyniesie przyszłość, bez względu na to, czy będziemy razem, czy osobno, nasza miłość pozostanie nienaruszona.

Z mojej sypialni nie było widać skrzywionej Filipy. Nie było też miejsca na długie wymiany słów, grzebanie się w duszy ani wyrzuty. Nawet na to, co mogła nam przynieść przyszłość. Nawet nie zaświtała mi myśl, że jeśli książę postanowi naprawić szkody wyrządzone jego pozycji, nasze rozstanie, które czekało nas następnego dnia, może być pożegnaniem ostatecznym.

Nie przypuszczałam, że miał to być czuły wstęp do rozstania.

„Naturalnie, że książę zerwie ten związek, jeśli ma choć odrobinę rozsądku" – szeptał mi do ucha głos Filipy.

Odcięłam się od niego.

„Upokorzyłaś mnie i nadal to robisz!" – parskała Konstancja skryta w cieniach za szafą na ubrania.

Od niej też się odcięłam.

„Jesteś złem wcielonym, uwodzicielką" – intonował Walsingham zza wezgłowia łóżka.

Odwróciłam się do niego plecami.

„Ostrzegałam cię, czyż nie?" – Nawet twarz Agnes była jak wykuta z kamienia.

Wstrzymałam oddech, widząc, że ona też mnie potępia.

– O czym myślisz? – Książę cicho zamknął drzwi i patrzył na mnie, gdy krążyłam po sypialni.

– W tej sypialni panuje zbyt wielki tłok.

– Mnie wydaje się zupełnie pusta.

Dopiero teraz do mnie podszedł.

– Oczywiście, że jest pusta. – Zmusiłam się, by się zatrzymać. Ułatwił mi to, otaczając mnie ramionami. Oparłam czoło o jego ramię i nawet udało mi się zaśmiać. – Po przebudowie w domu nie było nawet myszy. – Oddech miałam płytki i krótki. – Janie, moja miłości. Moje życie. Tak bardzo cię potrzebowałam w ostatnich dniach.

Czułam bicie jego serca pod swoimi dłońmi.

– Kocham cię. Uwielbiam cię – odpowiedział.

Trzymałam jego dłonie w swoich, jakbym brała go pod swoje skrzydła w izbie, gdzie nie było żadnych cieni oprócz naszych.

– Myślę, że nie powinnam być z tobą – szepnęłam. Ale niezależnie od tego wszystkiego, co Walsingham mógł uczynić, by nas zniszczyć, w moich żyłach płynęło czyste pożądanie, jakbym była panną młodą, która po raz pierwszy łączy się z uwielbianym mężczyzną. Bez fałszywego oporu pozwoliłam poprowadzić się Janowi do łoża.

– O co chodzi? – zapytał zajęty rozbieraniem mnie i siebie, jak zwykle zniecierpliwiony guzikami na moich rękawach.

Mogłam ukryć to, co ciążyło mi na sercu, ale nie zrobiłam tego.

– Nie byłam w stanie spojrzeć na siebie w lustrze... – Słowa płynęły z moich ust, nawet gdy wstrzymałam oddech pod dotykiem Jana. – Bałam się tego, co zobaczę. Widzisz, popełniłam wielki grzech. Zawsze wiedziałam, że tak jest, ale nie rozumiałam w pełni...

Oczy miał nieprzeniknione i ciemne, twarz surową. Popatrzył na mnie, jakby po raz pierwszy zrozumiał rozmiar mojego poświęcenia. Powiódł palcem po zarysie moich ust i pogładził policzek, a potem objął moją twarz i lekko pocałował w usta, jakby składał jakąś obietnicę.

– Winien ci jestem wielkie przeprosiny, Katarzyno Swynford, przeprosiny płynące z głębi duszy. Wziąłem cię dla własnej przyjemności, bezmyślnie, jak wszystko inne w życiu. Nikt nigdy nie sprzeciwiał się mojej woli ani nie kwestionował moich postanowień. Obydwoje jesteśmy winni grzechu, ale nie zastanawiałem się, jak mocno ucierpi kobieta tak uczciwa jak ty. Żałuję tego. Nie wiem, jak możesz mi wybaczyć to, że wstąpiłem na drogę, która, jak wielu twierdzi, prowadzi wprost w piekielny ogień. Nie myślałem o tym, jak bardzo potępienie świata zrani ciebie. A powinienem o tym pomyśleć. Powinienem się troszczyć przede wszystkim o ciebie.

Skrucha w jego oczach, posępna i zimna, zaparła mi dech. W obliczu tak brutalnej spowiedzi mogłam tylko podnieść dłonie do jego policzków i oddać mu pocałunek.

– Powiem ci, co możesz zobaczyć w zwierciadle – mówił dalej – bo właśnie na to patrzę. Zobaczysz kobietę, która miała odwagę przyjąć to, co jest między nami, nie zważając na opinię świata. Kobietę, która miała siłę, by mnie kochać i przyjąć moją miłość, kobietę obdarzoną niezłomnym duchem. Mogę cię tylko szanować za wybór, którego dokonałaś, by połączyć swoje życie z moim. Nic, co mógłbym powiedzieć ani zrobić, nie może wyrazić mojej miłości do ciebie.

– Mój ukochany. Mój najdroższy. – Nigdy nie sądziłam, że usłyszę takie słowa, że książę w taki sposób rzuci mi się do stóp. Wezbrały we mnie emocje, ale łzy nie popłynęły, bo równocześnie rozkwitała w mojej duszy radość. – Myślałam, że Walsingham zniszczył nasze szczęście. – Znów go pocałowałam. – Myślałam, że jego słowa splamią to, co jest między nami.

– Nie. Nie jest w stanie tego zrobić. Zawsze będziesz w moim sercu. Razem tworzymy pełnię.

Tak jak wiele razy wcześniej, odcięliśmy się od całego świata, nawet od Walsinghama. Udało mi się odepchnąć od siebie niepokój i lęk, choć w naszej miłości było coś dziwnie rozpaczliwego, jakbyśmy próbowali zaznać spełnienia, zanim zbiorą się burzowe chmury. Ale było też uniesienie i poczucie triumfu. Czuliśmy się nietykalni. Nie było tu miejsca na żal.

Nie spałam już, kiedy wstał o świcie. Nie spałam już od jakiegoś czasu, patrząc na jego piękną twarz w jaśniejącym brzasku i starając się zapamiętać każdy szczegół. Pocałowałam go bez słowa i pozwoliłam mu się ubrać. Cóż jeszcze można było powiedzieć o naszej miłości, czego nie powiedzieliśmy w ciągu nocnych godzin, czego nie dowiodły jego dłonie i silne ciało, które brało w posiadanie moje?

Co do innych spraw, nie zamierzałam uprzedzać wydarzeń.

W nogawicach, butach i przepasanej pasem tunice usiadł na łóżku obok mnie i wsunął palce w moje potargane włosy.

– Zawsze zapominam, jakie masz wspaniałe włosy. Ich bogactwo zapiera dech. – Niemal bez pauzy dodał: – Nie mogę tu zostać, nawet na dzień. – Cofnął rękę tak gwałtownie, jakby moje włosy parzyły.

– Wiem. Nie prosiłabym cię o to.

– Dziękuję – szepnął z ustami przy moich ustach.

– Za co? – Serce głośno dudniło mi w piersi.

Musiał to usłyszeć albo poczuć dotykiem, bo znów objął moją twarz i kilkakrotnie delikatnie pocałował usta.

– Za to, że nie prosiłaś. Słyszę pytanie, które krąży ci w myślach.

– Jest tylko jedno, na które chcę znać odpowiedź, ale nie zadam go.

– Nie musisz go zadawać. Znasz odpowiedź i brzmi ona „nie". Obydwoje wiemy, że jest już na to o wiele za późno. – Gdy mocno pochwyciłam jego dłoń i podniosłam do ust, spytał: – Zamierzasz tutaj zostać?

– A dokąd miałabym pojechać?

Wątpiłam, by Konstancja powitała mnie ciepło. Jakże mogłaby udawać ślepą, gdy cały kraj już wiedział, jak wielki grzech połączył jej męża i guwernantkę jej córek. Wystawiona na potępiające spojrzenia całej Anglii, nie mogła dłużej tego tolerować. Moja rola na dworze Lancasterów dobiegła końca.

– A ty? – zapytałam, sądząc, że powie mi, do jakiego portu zmierza.

Tymczasem usłyszałam:

– Konstancja i ja rozstaliśmy się.

Tylko tyle powiedział. Tak istotny krok, a tak niewiele słów. Wyobrażałam sobie, jaki musiał to być cios dla jego dumy, a także dla jej dumy, ale nie skomentowałam tego ani słowem. Nigdy o niej ze mną nie rozmawiał, za co go szanowałam.

– Będę się o ciebie modlić – obiecałam.

Pocałował mnie.

– Niech Bóg cię zachowa.

Podszedł do drzwi, ale zawrócił. Zdziwiłam się, gdy sięgnął po mój różaniec leżący na klęczniku i ukląkł przy łóżku.

– Obiecałem, że będę cię chronił, i przysięgam, że to uczynię. Nigdy więcej nie pozwolę, byś cierpiała z powodu wyboru, jaki poczyniłaś, łącząc swoje życie z moim. – Westchnął ledwie dostrzegalnie. Zauważyłam to tylko dlatego, że znałam go tak dobrze. Przycisnął krucyfiks do ust, a potem zwinął różaniec i wcisnął mi w dłoń. – Pamiętaj o mnie i niechaj Bóg cię zachowa.

Podniosłam różaniec do ust, przyjmując przysięgę księcia.

Filipa podeszła do mnie, gdy patrzyłam na wyjazd księcia ubrana w domową suknię, z włosami niestarannie splecionymi w warkocz i nakrytymi lekkim welonem. Nastrój mojej siostry w ostatnich dniach nie poprawił się ani na jotę.

– Dokąd on jedzie?

– Do Savoyu, a potem do Southampton.

– A więc cię zostawił – zauważyła z okrutnym zadowoleniem.

Byłam rozdrażniona, choć książę próbował dodać mi pewności. Wiedziałam, że atak Walsinghama mocno nadwerężył jego i tak już mocno osłabioną i niestabilną pozycję. Po tym, jak Walsingham stwierdził, że to ja jestem przyczyną, dla której książę nie popłynął razem z flotą, parlament gotów był skorzystać z każdej okazji, by znów rzucić się mu do gardła. Książę Lancaster okazał się słaby i pozwolił, bym odwiodła go od obowiązku. Wiedziałam, że to wszystko kłamstwa. Nie popłynął razem z flotą, bo dowodził dodatkowymi okrętami. Ale było wielu ludzi gotowych uwierzyć Walsinghamowi.

– Opuścił mnie, bo musiał – odrzekłam, nie chcąc zdradzać się z dręczącego mnie niepokoju przed Filipą. – Nie mogę go powstrzymać od wyruszenia na wojnę.

– Nie to miałam na myśli.

– Wiem, ale muszę to powiedzieć. Źle oceniasz nas obydwoje. – Odprowadzałam orszak księcia spojrzeniem, aż barwy Lancasterów znikły na horyzoncie.

Filipa jednak nie zamierzała ustąpić.

– Chciałam powiedzieć, że cię porzucił. Czy dał ci pensję za usługi i życzył wszystkiego najlepszego na przyszłość?

Ponieważ księcia nie było już widać, zwróciłam wzrok na siostrę.

– Czasami żałuję, że w twojej duszy nie ma więcej miłosierdzia, Filipo.

– A czy powiedziałam nieprawdę? Nawet cię nie pocałował przed wyjazdem.

Nie odezwałam się więcej. Nie musiałam. Wszystkie nasze pocałunki zostały wymienione na osobności. A pytanie, którego nie zadałam i którego w końcu nie musiałam zadawać, brzmiało: Czy rozstajemy się na zawsze, byś mógł zawrzeć pokój z Anglią i z Bogiem?

Jego odpowiedź brzmiała „nie". Jest już na to za późno.

Książę mnie nie porzucił ani nie zostawił na jakiś bliżej nieokreślony czas. Jak moglibyśmy się rozstać na dobre, skoro nasza miłość była niezniszczalna i wystarczająco mocna, by wytrzymać brutalny atak Walsinghama. Nie mogliśmy się jej wyprzeć.

Przymrużyłam oczy, próbując dostrzec po raz ostatni chorągwie Lancasterów, i przypomniałam sobie, jak kiedyś porównywałam swoje życie do prostej melodii złożonej ze znajomych nut, bez wielkich wzlotów i upadków. Jakże inna okazała się ta miłość, którą zostaliśmy pobłogosławieni. Zapierała dech w piersiach, wytrącała z równowagi, misterna i skomplikowana jak wspaniałe polifonie w kaplicy Świętego Stefana w Westminsterze. Nieprzewidywalna, pełna skrajności, prowokująca do radości lub łez, majestatyczna. Potęga tej muzyki serc oszałamiała nas obydwoje.

Wiedziałam, że gdy książę wróci do domu czy to z wojny, czy z debaty parlamentu, czy z negocjacji, przyjedzie do mnie, bo to ja stanowiłam centrum misternej harmonii jego losów, tak jak on moich. U kresu życia stanę przed boskim tronem i wyznam miłość do niego. I wiedziałam, że on uczyni to samo.

ROZDZIAŁ TRZYNASTY

Czerwiec 1381, dwór Kettlethorpe, Lincolnshire

– To nic innego jak powstanie, pani – poinformował mnie ponuro Jonas, mój kowal, po czym zabrał się do swoich obowiązków.

– Nie – zaprzeczyłam, patrząc na jego plecy.

Jonas obejrzał się i podrapał po nosie czarnym paznokciem.

– Zapamiętaj, pani, moje słowa. Powstanie jak nic.

– W takim razie nie mów dziewczynom z mleczarni! – zawołałam za nim. – I bez tego przez cały czas zajmują się plotkami, a ser zupełnie ich nie obchodzi.

Fundamenty świata, który znałam, zaczynały się trząść.

Moja siostra Filipa w końcu wyjechała i wróciła do domu księżnej Konstancji. Obydwie poczułyśmy ulgę. Konstancja doszła do wniosku, że jej zadowolenie z towarzystwa Filipy jest większe niż niechęć do niej jako do siostry kochanki księcia. Życzyłam Filipie wszystkiego najlepszego. Wiedziałam, że będzie o wiele szczęśliwsza w Tutbury, Hertford czy w każdym innym miejscu, w którym zamieszka księżna, niż w Kettlethorpe. Konstancja i książę wciąż żyli osobno, spotykali się tylko przy okazji rozmaitych ceremonii i uroczystości rodzinnych.

Nie brakowało mi jednak kobiecego towarzystwa, bo była przy mnie druga Filipa, urocza córka księcia, teraz już dorosła. Zwykle była bardzo pewna siebie i pod jej uderzającą urodą kryła się silna wola, teraz jednak wolała oddzielić się od Elżbiety, która choć młodsza, była już zaręczona i miała wstąpić w dynastyczne małżeństwo z młodym hrabią Pembrokiem. Przez to Filipa zaczęła się niepokoić o własną przyszłość.

A potem zaczęły docierać do nas strzępy wiadomości, które oderwały nasze myśli od przechwałek Elżbiety, rozczarowania Filipy i donośnych żądań mojego kolejnego syna Tomasza, który urodził się w środku wietrznego stycznia i swoim głosem mógłby obudzić umarłego. Na początku słuchałyśmy pogłosek z niedowierzaniem, potem próbowałyśmy je wyprzeć ze świadomości. Musiały to być wymyślone historie, przesadzone ponad wszelkie proporcje. Z pewnością chodziło tylko o jakieś drobne zamieszki sprowokowane przez zbyt wysokie podatki, które miejscowi urzędnicy szybko stłumią. Nie pokładałam wiary w tych plotkach.

Jednak podróżni co jakiś czas stukający do naszych drzwi przynosili kolejne wieści o zbuntowanych chłopach, którzy gromadzą się w Kent i w Essex. Słuchałam tego wszystkiego i zaczęłam się martwić, ale tylko trochę. Kent leżało daleko od Lincolnshire. Tutaj dni mijały monotonnie i najpoważniejsze zamieszki wywołał spuszczony ze smyczy chart, który dorwał się do kur. Cóż to powstanie mogło mieć wspólnego ze mną? Jaką szkodę mogło nam wyrządzić? Byliśmy bezpieczni, jak zawsze na uboczu, z dala od świata. Nie było powodu bać się każdego cienia. Poza tym, powiedziałam domownikom, mury obronne Londynu są na tyle mocne, że zatrzymają każdą czeredę chłopów. Ich skargi też brzmiały bardzo znajomo. Czyż nie powtarzali ich w kółko przez ostatnich dziesięć lat? Znienawidzone podatki, przegrane bitwy we Francji, ograniczenie zarobków, gdy brakowało rąk do pracy po zarazie. Cóż mogło się teraz zmienić?

Moje argumenty podziałały, i uspokojona skupiłam myśli na księciu. Od mojego wyjazdu z Leicester minął już miesiąc. Książę wybierał się do Szkocji. Rozejm ze Szkocją dobiegał końca, dlatego Ryszard wysłał Jana, by rozpoczął negocjacje. Zapewne przebywał teraz w Knaresborough, w Pontefract albo w Berwick, więc nie groziło mu żadne niebezpieczeństwo.

Rozległ się tętent kopyt na drodze. Westchnęłam, podałam śpiącego Tomasza Agnes i wzięłam Joannę za rękę.

– Kolejni podróżni, którzy będą siać lęk przed śmiercią i zniszczeniem, jakby mało było krakania Jonasa...

Powoli wyszłam na podwórze, osłaniając oczy przed słońcem i mocno trzymając Joannę przy sobie, zresztą ku jej wielkiej irytacji. Mój spokój ducha natychmiast prysł, gdy na dziedzińcu pojawiła się niewielka grupa żołnierzy na zakurzonych i spienionych koniach. Nie mieli na sobie żadnych barw i nie sposób było określić, kim są. Zdrętwiałam i zasłoniłam Joannę spódnicą. Czyżbym wykazała się lekkomyślnością, sądząc, że jesteśmy bezpieczni w głębi Lincolnshire? Jeden z żołnierzy zsiadł z konia i podszedł do mnie. Sądząc po półzbroi i orężu, był to przywódca. Rozpoznałam twarz skrytą w cieniu hełmu. To był jeden z kapitanów księcia.

Odetchnęłam z ulgą i wzięłam Joannę na ręce, ale moja ulga nie trwała długo. Żołnierz skłonił się szybko i powiedział:

– Rozkaz od mojego pana, księcia Lancastera, pani.

Rozkaz? Uśmiechnęłam się i wyciągnęłam rękę.

– Wejdźcie do środka. Znajdzie się piwo dla ciebie i dla twoich ludzi. Zdaje się, że przyda wam się odpoczynek.

– Nie! – Potrząsnął głową, jakby chciał złagodzić swoją gwałtowną, wręcz arogancką odpowiedź. Dopiero teraz uświadomiłam sobie, że pozostali żołnierze nadal siedzą w siodłach. – Nie, pani. Masz spakować najpotrzebniejsze rzeczy, tyle, żeby zmieściły się na jednym koniu, i jechać ze mną. – Zatrzymał wzrok na Joannie, która w przypływie nieśmiałości ukryła twarz na mojej szyi. – Wszyscy mają jechać. Musicie poszukać schronienia. Kraj jest w rękach buntowników, tutaj nie jesteście bezpieczni.

Przypomniałam sobie wszystkie ostrzeżenia z ostatnich dni, ale wciąż nie byłam w stanie uwierzyć, że naprawdę grozi nam prawdziwe niebezpieczeństwo. Potrzebowałam dowodu, jeśli miałam się zgodzić na taką rewolucję w życiu. Pochwyciłam kapitana za rękaw.

– Powiedz...

Nie pozwolił mi skończyć.

– Nie ma czasu, pani. Musimy wyjechać stąd w ciągu godziny. Taki mam rozkaz. Jesteście w niebezpieczeństwie.

To nie miało sensu. Wokół wszystko pławiło się w spokoju w czerwcowym upale. Słyszałam tylko zwykłe odgłosy domowej krzątaniny i wrzaski głodnego Tomasza.

– Ale dlaczego? Dlaczego ma nam coś grozić?

– To książę jest w niebezpieczeństwie – odrzekł kapitan, wzdychając niecierpliwie, i dodał jeszcze bardziej szorstko: – A także wszyscy, którzy do niego należą. Mój pan mówi, że nie może ryzykować, byście tu pozostali, bo rebelianci mogą przekuć swoje oskarżenia w czyn.

A zatem rebelianci oskarżali księcia. Zmarszczyłam czoło. Przecież udało mu się przetrwać wszelkie burze w parlamencie, choć problemy z podatkami wciąż były paląco żywe, nie odniósł też żadnego znaczącego zwycięstwa we Francji. Czyżby tym razem nie zdołał załagodzić konfliktu? Nie widziałam potrzeby przenoszenia gdzieś całego domu włącznie z dziećmi.

– Dlaczego nie możemy zostać tutaj? Jesteśmy daleko od miast. Albo jeśli tu jest zbyt niebezpiecznie, to możemy pojechać do Lincoln.

Teraz kapitan chrząknął z frustracją.

– Nie słyszałaś, pani, o powstaniu? Jesteś znaną osobą. Wszyscy wiedzą o twojej bliskości z moim panem. – Zarumienił się, ale nie odwrócił spojrzenia. – Zapewniam, że w Lincoln też. Masz pojechać ze mną do Pontefract na rozkaz mojego pana – dodał, jakby to kończyło wszelką dyskusję. – Przeczekacie tam najgorsze, dopóki sytuacja się nie zmieni.

Popatrzyłam na domowników, którzy zaalarmowani podniesionymi głosami i przybyciem żołnierzy, wyszli za mną na dziedziniec. Filipa stała niespokojnie przy moim ramieniu, mocno ściskając dłoń Henryka. Agnes z małym Tomaszem, którego płacz już ucichł, Jan, który wyszedł ze stajni pokryty pyłem węglowym. Czy naprawdę groziło nam niebezpieczeństwo?

Były jeszcze moje pozostałe dzieci. Tomasz był dobrze chroniony w orszaku księcia, a Małgorzacie z pewnością nie groziło żadne niebezpieczeństwo w klasztorze w Barking. Mimo wszystko nie chciałam się pogodzić z myślą, że moje życie może być w niebezpieczeństwie. Przecież książę był najpotężniejszym człowiekiem w kraju. Nikt nie odważyłby się tknąć mnie choćby palcem. Plotki rozpuszczane przez Walsinghama głosiły, że brak mi zasad moralnych, ale nie mogłam uwierzyć, by ktokolwiek poważył się zaatakować mnie albo moją rodzinę. Wyjaśniłam to kapitanowi.

– Tak sądzisz, pani? – odrzekł lakonicznie. Widać było, że jego cierpliwość jest na wyczerpaniu. – Właśnie w tej chwili mordują Flamandów w Londynie, w całym kraju zresztą też. Ty jesteś uważana za cudzoziemkę. Czy myślisz, że spotkałby cię lepszy los?

– Nie jestem Flamandką. Pochodzę z Hainault, to żadna tajemnica.

– Moim zdaniem nikt nie będzie pytał o różnicę. Z Flandrii czy z Hainault, staniesz się celem ich nienawiści. – Potrząsnął głową. – Powiem ci tylko, pani, że musisz zadbać o siebie i rodzinę.

Wciąż wpatrywałam się w niego, aż wreszcie powiedziałam:

– Nie masz na sobie barw Lancasterów.

Odparł natychmiast, zaciskając rękę na głowni miecza.

– Nie, i nie założę ich. A jeśli nadal chcesz tracić czas, wypytując dlaczego, to ci powiem. Nie zobaczysz już więcej młodego giermka, Henry'ego Warde'a. Barwy Lancasterów oznaczają śmierć dla tych, którzy wpadną w ręce buntowników.

– Co? – szepnęłam. Dobrze znałam Henry'ego. Był to spokojny ciemnowłosy chłopak, szybki i sprawny w działaniu.

– Wpadł w ręce motłochu w Essex jako jeden z ludzi Lancasterów. Zabili go za to, że miał na sobie barwy swego pana. – Gdy dostrzegł, jak wstrząsnęła mną ta wiadomość, jego głos złagodniał. – Aż do dnia śmierci będę służył mojemu panu w jego barwach czy bez nich. Jeśli się nie pośpieszysz, pani, ten dzień może nadejść już wkrótce. Mój pan przysyła ci to w dowód szacunku. – Odchrząknął. – Na wypadek, gdybyś miała ochotę zlekceważyć jego radę.

Skinął na jednego ze swoich ludzi, który z przebiegłym uśmiechem odpiął od siodła sakwę z wełnianą wyściółką, doskonale nadającą się na długą podróż dla sześciomiesięcznego dziecka. Uśmiechnęłam się, choć moje serce wypełniał lęk. Książę zarzucał swoich podwładnych srebrnymi pucharami, ale mnie dał właśnie to, czego potrzebowałam.

– I cóż, pani?

– Jedziemy.

Książę doskonale mnie znał. Sakwa była ostatnim źdźbłem, które przeważyło szalę. Nagle dotarło do mnie, że muszę chronić jego dzieci. To było najważniejsze, moje opory i ocena sytuacji nie miały znaczenia. Rozkaz to rozkaz. Sam miał dość kłopotów na głowie bez mojego nieposłuszeństwa.

W ciągu godziny spakowaliśmy najniezbędniejsze rzeczy, a oprócz tego, zupełnie bez sensu i głupio, niewielki srebrny półmisek do podgrzewania potraw, niedawny prezent od księcia. Był bardzo elegancki, z trzema nóżkami i uchwytem, zdobiony wzorem liści bluszczu. Nie potrafiłam go zostawić. Wyruszyliśmy. Była to nocna ucieczka, bardzo denerwująca jazda. Zdawało się, że niebezpieczeństwo czai się za każdym krzakiem. Agnes, dzieci i Filipa. Mały Tomasz jechał w wygodnej sakwie, pozostałe dzieci rozdzieliliśmy między siebie. Zatrzymaliśmy się tylko na krótką chwilę, by napić się wina i zjeść kawałek chleba, ale kapitan nie pozwolił nam długo wypoczywać. Moje myśli przez cały czas biegły do księżnej Konstancji, Elżbiety i mojej siostry. Modliłam się, by były bezpieczne w Hertford. My wkrótce mieliśmy się znaleźć w Pontefract, siedzibie księcia na północy. Miała wieże, barbakan i mocne mury, które mogły odeprzeć każdy atak.

Jednak wciąż nie mieściło mi się to w głowie. To nie mogła być prawda. To były tylko zwykłe zamieszki sprowokowane przez Wata Tylera. Doradcy króla Ryszarda zrobią to, co konieczne – spacyfikują Tylera i jego kompanów obietnicami i odeślą z powrotem do wiosek. Wszystko skończy się dobrze. Nie mogło być inaczej. Oczywiście, że nie, powtarzałam sobie, jadąc przez noc.

Ostrożny konstabl księcia nie wpuścił nas do zamku, dopóki nie sprawdził, kim jesteśmy. Mieliśmy tu bezpiecznie doczekać lepszych dni.

Zamknięta w Pontefract, mogłam sobie pozwolić na lęk o księcia. Bogu dzięki, że był bezpieczny za mocnymi murami Berwick.

Po usłyszeniu nowin wpadłam w wielką złość, a potem rozpłakałam się w samotności. Niektórzy pewnie uznaliby mnie za płytką, skoro tak silne uczucia wzbudziło we mnie dzieło ludzkich rąk, symbol ziemskiego bogactwa. Jak mogłam szlochać z powodu zniszczenia złota i srebra, wspaniałych klejnotów i jeszcze piękniejszych tapiserii, gdy mężczyźni i kobiety w całym kraju musieli uciekać, obawiając się o własne życie, i nie wszystkim udawało się je ocalić?

Tak jak strażnikom w pałacu Savoy.

Płakałam, bo te oznaki bogactwa i władzy, piękno i wspaniałość pałacu Savoy były nierozłączną częścią moich wspomnień związanych z księciem i z naszym związkiem. Wraz z ich zniszczeniem moje cenne wspomnienia zostały skażone przerażeniem i grozą – grozą przed tym, co miało jeszcze nadejść.

– Jak to możliwe? Czy nikt nie mógł ich powstrzymać? – zapytała Filipa z oczami pociemniałymi z lęku.

Pałac Savoy. Wspaniała, luksusowa rezydencja Jana położona na brzegu Tamizy, arcydzieło rzemiosła, w którym po raz pierwszy wyznaliśmy sobie miłość, przestała istnieć. Została zupełnie zniszczona, nie pozostał nawet kamień na kamieniu. Wat Tyler i jego rebelianci zrównali pałac z ziemią, a wszystko, co się w nim znajdowało, wrzucili do rzeki albo spalili na wielkich stosach. Tłum buntowników wdarł się do środka przez bramy i mury, wtargnął do sal audiencyjnych, kaplicy, wielkiej sali, prywatnych komnat, a nawet do sypialni.

Mogłam tylko siedzieć i patrzeć z szokiem i niedowierzaniem na mnicha, którego wpuszczono przez bramy po dokładnym przesłuchaniu i który w mojej opinii zabarwiał swoją opowieść niezdrowym entuzjazmem. W pierwszej chwili nie chciałam uwierzyć, że stryj króla, książę królewskiej krwi, może być tak znienawidzony, że jego posiadłość zniszczono z taką zajadłością. Ale musiałam w to uwierzyć, słuchając kolejnych szczegółów. Musiałam też uwierzyć w zupełnie niewiarygodne opowieści z Londynu, gdzie dokonano egzekucji arcybiskupa Canterbury i lorda skarbnika na Tower Hill. Nawet brat William Appleton, który dodawał mi sił, gdy umierała Blanka, zapłacił głową za swoją wierność. To wszystko nie mieściło mi się w głowie.

Och, Janie! Mój najdroższy, mój ukochany, jak sobie z tym poradzisz? Skóra mi cierpła, gdy wyobrażałam sobie te sceny. Ludzie, których znałam, z którymi rozmawiałam, z którymi siedziałam przy kolacji. Ludzie, których książę znał i szanował.

Mnich skończył opowiadać i zawiesił głos. Odesłałam go do kuchni, by go nakarmiono i dano mu piwa. Poszłam z nim i przekazałam go pod opiekę Hugh, kucharza, który również pragnął usłyszeć nowiny. Nie mogłam sobie pozwolić na wybuch niekontrolowanych emocji. Musiałam stawić czoło znacznie gorszym rzeczom niż splądrowanie pałacu Savoy. Powoli wróciłam do swojej izby.

– To podłość! – Filipa, która czekała na mnie, gdy ja słuchałam o katastrofalnych wydarzeniach i zniszczeniach, pociągnęła nosem i wytarła oczy.

– Tak.

– A czy nasi domownicy w Savoyu są bezpieczni?

– Sądzę, że schronili się gdzieś w mieście. – Nie powtórzyłam jej, czego dowiedziałam się o losie strażników.

Filipa znów zaczęła szlochać, ja jednak byłam opanowana jak jeszcze nigdy w życiu. Nie mogłam jej powiedzieć. Jeszcze nie teraz. Może później, gdy sytuacja trochę się wyjaśni i emocje nie będą miały nad nią tak wielkiej władzy. Zniszczenie kamienia i drewna, złota i klejnotów nie było najgorsze. Człowiek tak bogaty jak jej ojciec potrafi je zastąpić. Książę mógł odbudować pałac równie wspaniały jak wcześniej. Ale dlaczego przeprowadzono tak nienawistny atak, choć nawet go tam nie było? Dlaczego zemsta dosięgła nawet jego służby? Wiedziałam dlaczego.

W drodze do kuchni zaciągnęłam mnicha do spiżarni, gdzie nikt nas nie słyszał.

– Dlaczego to się stało? – Patrzyłam mu w oczy, choć wyraźnie miał ochotę umknąć spojrzeniem w bok. – Co mówili buntownicy, kiedy podpalali tapiserie i wrzucali cenne naczynia do Tamizy? Dlaczego spośród wszystkich budynków w Londynie zniszczyli właśnie pałac Savoy?

Mnich wciąż usiłował omijać mnie wzrokiem, milcząc uparcie.

– Powiedz mi! Nie uwierzę, że nie wiesz. – Szarpnęłam jego szatę, a w końcu sięgnęłam do sakiewki przy pasie i wyjęłam monetę. – Może to odświeży ci pamięć? – Ugryzłam się w język, by nie parsknąć pogardliwie.

– Boją się go. Gardzą nim. – Od tych oskarżeń krew w moich żyłach zlodowaciała. – Mówią, że gotów jest przejąć tron królewski. „Nie chcemy króla o imieniu Jan" wrzeszczeli, kiedy...

Odpowiedź była prosta i właśnie taka, jak się obawiałam. Nie mogło być żadnego innego powodu. Pałac, który znałam i kochałam, został zniszczony jako symbol samego księcia. Dom Lancasterów, ich siedziba w Londynie, miejsce, z którego emanowała cała jego władza, ten dom stał się celem nienawiści, jakby był to sam książę. W zastępstwie księcia został poobijany, splądrowany i doszczętnie zniszczony.

– Ale dlaczego właśnie on? – Jednak tę odpowiedź również znałam.

– Pani, nie mogą winić czternastolatka, który nie ma jeszcze zarostu.

Oczywiście. Potrzebny był kozioł ofiarny, tak jak zawsze. A kto nadawał się do tej roli lepiej niż człowiek stojący po prawej ręce młodego króla? Ale skąd się brała aż taka nienawiść?

– Winią go za wszystkie swoje nieszczęścia – rzekł mnich, jakby czytał w moich myślach. – Podatek pogłówny to duże obciążenie, a panowie nie chcą płacić więcej za pracę w swoich posiadłościach. – Wzruszył ramionami i ze zniszczonej szaty rozszedł się kwaśny zapach. – Kogo mają za to winić, jeśli nie człowieka, który trzyma ster władzy?

Przyszła mi do głowy okropna myśl. Co zrobiliby z księciem, gdyby był wtedy w pałacu? Czy potraktowaliby go z takim samym brakiem respektu jak zawartość jego prywatnej kaplicy?

– A co mówią o księciu? – To było ostatnie pytanie, zanim pozwoliłam mnichowi się posilić.

Pewnie wyczuł determinację w moim uścisku, bo odpowiedział bez wahania:

– Uważają go za najgorszego zdrajcę i żądają jego głowy. Wysłali petycję do młodego króla. Chcą pomścić swoje cierpienia. Głowa księcia ma być zapłatą.

Wciąż miałam wiele pytań. Czy nikt nie dostrzegał poczucia sprawiedliwości księcia i jego oddania sprawie Anglii? Może gdy trochę otrzeźwieją, zadowolą się zemstą na jego posiadłości i dobytku? A co uczyni sam książę? Czy zgromadzi siły i wyruszy na południe, żeby stłumić bunt w imieniu króla?

Przez te wszystkie lata, kiedy go kochałam, nauczyłam się akceptować długie rozłąki i panować nad pragnieniem, by spędzać z Janem każdą chwilę, ale teraz żałowałam, że nie mogę być razem z nim w Berwick. Pojechałabym do niego, gdybym mogła. Przepełniał mnie tak wielki niepokój, że poszłam do kaplicy i padłam na kolana.

– Najświętsza Panienko, zwróć swoją twarz w stronę Jana Lancastera i chroń go przed wrogami. Zachowaj go od krzywdy. Jeśli okażesz mu miłosierdzie, ofiaruję ci nowennę.

Zapaliłam świece u stóp posągu.

Jeśli Jan przeżyje, złożę ofiarę. Jeśli zostanie oszczędzony, każę zrobić złote lichtarze na ołtarz w Kettlethorpe. Uśmiechnęłam się, gdy uświadomiłam sobie, że w myślach nazywam go nie tylko Janem, ale zdrabniam to imię, czego nigdy nie robiłam. To pokazywało, jak wielki jest mój lęk.

– Najświętsza Panienko, zmiłuj się nad nami, nad Janem i nade mną.

Panujący wokół spokój dodał mi pewności. Najświętsza Panienka nie pozwoli, żeby moje modlitwy pozostały bez odpowiedzi. Książę będzie bezpieczny.

Codziennie stawałam na blankach zamku Pontefract, szukając Jana umysłem i tajemnymi emocjami. Wiedziałam, że żyje. Wiedziałam, że jest zdrowy i pełen energii. Wkrótce będziemy razem i zamęt ucichnie. Jan stanie u boku Ryszarda i osądzi buntowników sprawiedliwie i łaskawie. Odbuduje pałac Savoy, wróci do mnie i pocałunkami rozproszy mój lęk. Może urodzę mu kolejnego syna, kolejnego Beauforta. Rozpostarłam palce na fałdach sukni i uśmiechnęłam się.

Poczułam jego obecność przy sobie niczym płaszcz okrywający moje ramiona, otaczający serce jak puchowa kołdra w zimowy poranek.

Coś było nie tak. Coś się stało, choć nie wiedziałam co. Wiedziałam tylko, że coś jest nie tak, choć nie potrafiłam tego dostrzec oczami duszy ani usłyszeć. To było jak niejasny szept w mojej głowie, który od czasu do czasu przykuwał moją uwagę. Zdawało się, że cały zamek zastygł w dziwnym oczekiwaniu.

Nie chodziło o wiadomości z południa, gdzie sytuacja zmieniała się ze złej na jeszcze gorszą. Choć trudno było w to uwierzyć, zaatakowano zamki księcia w Hertford i Leicester. A byliśmy absolutnie pewni, że księżna i jej domownicy są bezpieczni! Bogu dzięki zostali ostrzeżeni i udało im się uciec, być może do Kenilworth. Masywne mury tego zamku mogły powstrzymać całą armię.

Nie, nie chodziło o to, choć nasze dni wypełnione były modlitwą, a noce pełne lęku.

Nie chodziło też o straszne opowieści z Leicester, gdzie wyposażenie pałacu i przedmioty należące do księcia, całych pięć wozów, zostały ukryte na dziedzińcu kościoła w Newark przez przerażonego podkomorzego, który nie znalazł dla nich innego miejsca, choć burmistrz Leicester wezwał straż miejską do zachowania porządku. Nawet opat odmówił mu schronienia.

Nie, nie chodziło o to.

Podwoiliśmy straże na murach zamku Pontefract i bezustannie obserwowaliśmy drogę prowadzącą na północ i na południe. Nie spodziewaliśmy się księcia, który z tego, co słyszeliśmy, wciąż prowadził negocjacje w Szkocji. Gdyby rebelia rozszerzyła się aż tak daleko na północ i dosięgła nas, musielibyśmy się bronić sami.

Ale o to też nie chodziło. Zamek Pontefract był silną, dobrze zaopatrzoną twierdzą. My również mogliśmy wytrzymać oblężenie sporej armii.

Jednak coś niedobrego czaiło się w atmosferze.

W zachowaniu Filipy pojawiło się dziwne ożywienie, zupełnie niepodobne do zwykłej powagi, jakby księżniczka próbowała zapomnieć o czymś, co było zbyt bolesne, by o tym myśleć. Miałam wrażenie, że przynajmniej w mojej obecności starała się mnie czarować i zabawiać, jakby przyjęła na siebie rolę trefnisia.

– Czy coś cię niepokoi? – zapytałam, gdy jej nienaturalna wesołość zaczęła mnie irytować.

– Zupełnie nic – oznajmiła. – Dlaczego?

– Tak mi się tylko wydawało. – Właściwie sama nie wiedziałam, co mi się wydawało. Zauważyłam jednak, że Filipa omija mnie wzrokiem.

– Czuję się doskonale.

– Może chodzi o twoje perspektywy małżeńskie?

– Z pewnością nie!

Nie byłam przekonana, ale nie wracałam więcej do tej rozmowy.

Jeśli chodziło o urzędników księcia, sir William Fincheden, zarządca, wypełniał wszystkie moje polecenia sprawnie i z kamienną twarzą. Z kolei konstabl zapewniał mnie często, że wszystko skończy się dobrze, musimy tylko poczekać.

Agnes wciąż przypatrywała mi się zwilgotniałymi oczami.

– Co się dzieje? – pytałam.

Ale ze wszystkich stron sypały się zaprzeczenia.

Czułam się tak, jakby ktoś z rodziny umarł, a mnie o tym nie powiedziano i wszyscy starali się zataić przede mną złe wiadomości. Przynajmniej dzieci, cała czwórka, zachowywały się równie hałaśliwie jak zawsze. Joanna chodziła za mną krok w krok z ukochaną lalką, dwóch starszych chłopców dręczyło żołnierzy, domagając się krwawych opowieści, a Tomasz w piorunującym tempie zaczynał raczkować.

Zastanawiałam się, kiedy to się zaczęło. Chyba wtedy, gdy odwiedzili nas podróżni, którzy szukali schronienia na noc. Zmierzali na południe z Richmond. Poprosili o gościnę i dostali posiłek oraz nocleg. Nie widziałam ich. Poleciłam zarządcy, by zajął się nimi, bo Tomasz właśnie ząbkował i głośno obwieszczał całemu światu swoje cierpienie. Ale być może ich wizyta stała się iskrą, która rozpaliła żarzące się węgle niepokoju. Może natrafili po drodze na jakiś wyjątkowo makabryczny widok.

W porze komplety wszyscy domownicy dołączyli do mnie w kaplicy i uklękli, gdy ksiądz modlił się o pociechę dla nas w tych czasach zamętu. Prosiliśmy o wspomożenie i pokój ducha, o świętą opiekę. Ksiądz zwracał się do Wszechmogącego pewnym siebie tonem, potem jednak jego głos zadrżał przy słowach:

– Módlmy się za lorda Jana, księcia Lancastera, aby pod naporem ostatnich wydarzeń wystarczyło mu siły, by obstawać przy tym, co słuszne. Panie, ześlij mu zrozumienie własnych grzechów i pobłogosław jego pragnienie, by uczynić to, co dobre i sprawiedliwe.

– Amen – zaintonowaliśmy.

Przymknęłam oczy i zmarszczyłam czoło. Zrozumienie własnych grzechów?

– Wszechmogący Boże, daj mu ochronę i odwagę w walce ze złem, które przeniknęło jego życie.

– Amen.

Po mojej lewej stronie Agnes westchnęła ciężko.

– Modlimy się, Wszechmogący Boże, byś dał pociechę jego duszy w tych mrocznych dniach.

Zło? Pociecha duszy?

– Amen.

– Módlmy się, by wynagrodził wszystkie przewinienia, które popełnił czy to prywatnie, czy publicznie przeciwko królowi Ryszardowi i królestwu Anglii. Módlmy się, by lord Jan naprawił swoją opinię. – Ksiądz wziął głęboki oddech i wyraźnie przełknął. – Módlmy się, by przestało go zaślepiać ziemskie pożądanie.

– Amen.

O co tu chodziło? Otworzyłam oczy, ale nie byłam w stanie spojrzeć na księdza. Nie odważyłam się. Poczułam na sobie przepełnione troską spojrzenie Filipy. Zarządca Fincheden stał przy ścianie sztywno wyprostowany i patrzył przed siebie, nieruchomy jak drewniana rzeźba.

Czyżby książę zginął? Czy o to chodziło? Przez krótką chwilę nie byłam w stanie oddychać, ale zaraz odrzuciłam tę myśl, napominając się w duchu za głupie wybryki wyobraźni. Gdyby zginął, gdyby zabito go brutalnie w Edynburgu albo w drodze na południe, odprawialibyśmy tu rekwiem, a nie zwykłą wieczorną kompletę. Po prostu zbyt wiele już przepełnionych lękiem dni minęło bez żadnych wiadomości. Gdyby nie żył, wiedziałabym chyba o tym. Nie potrafiłam sobie wyobrazić, że mogłabym nie wyczuć jego odejścia z tego świata.

Ale słowa księdza cięły jak świeżo naostrzony sztylet. Grzech. Zło. Ochrona w mrocznych dniach. Ksiądz mówił dalej. Jego głos zabrzmiał mocniej, kiedy doszedł do końcowego błogosławieństwa, ale gdy w końcu odwróciłam głowę i spojrzałam na Filipę, ta zarumieniła się i na jej twarzy odbiła się niepewność, zaraz znów pokryta maską opanowania.

Podniosłam się gwałtownie.

– Chodź ze mną – powiedziałam bez wstępów i wyszłam.

Nie opierała się, choć czułam, że miałaby na to ochotę. Agnes z własnej woli podążyła za nami. Skierowałam kroki do mojej komnaty.

– Zamknij drzwi – nakazałam Agnes, która krążyła niepewnie przy progu. Stanęłam przed nimi i choć moje serce wypełniał lęk, głos brzmiał lekko i równo: – Co tu się dzieje? Co was trapi, o czym nie chcecie mi powiedzieć? I dlaczego nie chcecie mi powiedzieć? Dlaczego modliliśmy się o siłę dla księcia w zniszczeniu zła, które przeniknęło jego życie? Nic nie wiem o tym, żeby w jego życiu było jakieś zło. – Czułam, że w moim gardle rośnie kula histerii. – Filipo, powiedz mi, co wiesz.

– Nic, pani – odpowiedziała z pochyloną głową, jakby wciąż była dzieckiem stojącym przed guwernantką w szkolnej komnacie. Ale nadal nie podnosiła na mnie wzroku.

Zmieniłam cel ataku.

– Dlaczego ksiądz prosił Boga o siłę w walce ze złem i grzechem? – zwróciłam się do Agnes.

– Ach...

Lęk, narastający ponad wszelką miarę, ściskał mi gardło.

– Powiedz mi. – Mój głos nie brzmiał już lekko ani równo. – Czy sądzisz, że jestem zbyt słaba, by znieść ten ciężar? – Gdy Agnes i Filipa wymieniły nerwowe spojrzenia, dodałam: – Wiem, że chodzi o księcia. On nie zginął. Czy grozi mu jakieś niebezpieczeństwo?

Agnes uniosła ręce w geście, który mógł wyrażać tylko desperację, i rzekła błagalnym tonem:

– Powiedz jej.

Tak więc Filipa, która nie potrafiła kłamać i darzyła mnie szczerym uczuciem, zrobiła to. Jej słowa były proste i brutalnie szczere:

– Mój ojciec wygłosił publiczną deklarację. To było wtedy, gdy dowiedział się o buncie i zniszczeniu pałacu Savoy. Wyraził skruchę za to, że... – Urwała na chwilę, po czym szybko mówiła dalej: – Wyraził skruchę za złe uczynki w swoim życiu, za grzech, który sprawił, że Bóg odwrócił się od niego i od Anglii. I zrobił to publicznie, żeby nie było żadnych wątpliwości i fałszywych plotek.

– Publicznie? Wyznał grzechy publicznie? Nie zrobił tego!

W moim głosie zabrzmiało niedowierzanie. To było niemożliwe. Oburzające. Duma Plantagenetów nigdy nie pozwoliłaby księciu wyspowiadać się z grzechów przed całym światem. Przed księdzem tak, to oczywiste, ale w publicznej deklaracji? A jednak Filipa zignorowała mój protest.

– Podobno szlochał. Twarz miał mokrą od łez, gdy przyznał się do grzechów, które popełnił.

– Nie zrobił tego! – powtórzyłam. – Kto szerzy takie kalumnie?

– Podróżny, który trafił do naszych bram, a także ci z Richmond – stwierdziła Agnes z wyraźną konsternacją w oczach.

– Ja tego nie słyszałam.

– Nie rozmawiałaś z nimi.

Nie, nie rozmawiałam. Ale mimo wszystko... A w dodatku wiedziałam, że nie usłyszałam jeszcze najgorszego.

Zmusiłam się do spokoju.

– Dobrze. A zatem książę wyraził żal za grzechy. Czyż wszyscy nie żałujemy swoich grzechów?

Znów wymieniły spojrzenia.

– Mój ojciec przyznał, że to jego wina – ciągnęła Filipa. – Że Bóg go ukarał i z powodu jego niegodziwości ukarał całą Anglię, dopuszczając do rozlewu krwi i rebelii. – Przygryzła usta. – On...

Spojrzała na Agnes z takim cierpieniem w oczach, że znów poczułam ucisk w brzuchu.

– Usiądź lepiej, Katarzyno – powiedziała Agnes, porzucając oficjalne formy, jakby znów była moją niańką.

– Nie usiądę. – Szpony strachu wbijały się w moje serce.

– W takim razie słuchaj. Mój pan, książę Jan Lancaster, otwarcie przyznał się do grzechu rozpusty – wyjawiła Agnes.

Rozpusta. Grzech cielesny. Zrobiło mi się zimno, gdy uświadomiłam sobie, co to znaczy. Skoro przyznał się do takiego grzechu, mogło chodzić tylko o mnie.

– Czy to prawda? – Nie próbowałam już zaprzeczać. Teraz w moim głosie brzmiało błaganie. – Książę szlochał z powodu związku ze mną?

– Tak mówią.

Ściągnęłam z głowy obręcz przytrzymującą włosy i welon. Naraz nie potrafiłam znieść jej ciężaru. Odrzuciłam ją na bok i wyciągnęłam szpilki z włosów. Cała głowa pulsowała z bólu.

– Chyba jednak nie jestem w stanie tego znieść.

Musiałam wyglądać na zdruzgotaną, bo pociągnęły mnie w stronę łóżka i posadziły, a same spoczęły po obu moich stronach. Nie pozwoliłam im wziąć się za ręce, złożyłam je mocno na kolanach.

– Powiedzcie mi całą resztę.

Skoro musiały, zrobiły to. Opowiedziały mi o wszystkich okrutnych i bolesnych szczegółach publicznego aktu odrzucenia mojej osoby przez księcia, wtrącając mnie w bezgłośną rozpacz.

– Czy mam w to uwierzyć? – zapytałam w końcu, gdy wspólnymi siłami udało im się zniszczyć to wszystko, co stanowiło jakąkolwiek wartość w moim życiu – całą radość, jaką odczuwałam, budząc się każdego poranka, całe zadowolenie, które mi towarzyszyło, gdy kładłam się spać. Szczęście, jakim napawała mnie świadomość, że książę mnie kocha, i które nie opuszczało mnie podczas godzin wypełnionych pracą i obowiązkami rodzinnymi. Wszystko to legło u moich stóp nieważne już, przemienione w popiół.

– To musi być prawda – powtarzała Filipa. – Musisz w to uwierzyć dla własnego dobra, Katarzyno. Walsingham chwalił mojego ojca za to, że odwrócił się od gniewu Bożego. Zatem to musi być prawda.

Byłam ogłuszona. Prawie nie mogłam oddychać. Zdawało się, że na mojej piersi spoczywa wielki kamień.

– Gdzie to wszystko się stało?

– W Berwick. Ale teraz sądzimy, że mój ojciec schronił się w Edynburgu. Podobno... – Filipa urwała.

Tym razem Agnes podjęła wątek, gładząc dużą dłonią moje potargane włosy, jakbym była pięcioletnią Joanną.

– Podobno mój pan wezwał księżną, by udała się na północ na spotkanie z nim. Chce się z nią pogodzić.

Zaczęłam szlochać. Zakryłam twarz dłońmi.

– Odrzucił cię, Katarzyno – powiedziała Agnes cicho. – To on jest winien, że nakłonił cię do grzechu, i to on musi to naprawić. Odrzucił cię...

Kiedyś sądziłam, że nigdy się nie rozstaniemy. Jeszcze godzinę temu czułam, że nasza namiętność jest bezpieczna i tak silna, że oprze się wszelkim próbom rozdzielenia nas. Czyż nasza miłość nie była tak niezłomna jak ogniwa złotego łańcucha? Mieliśmy się nigdy nie rozstać, dopóki śmierć nie przyjdzie po któreś z nas.

A teraz... Jak mogłam przypuszczać, że książę, mój ukochany Jan, stanie się brutalnym wykonawcą tego rozstania? Nagle poczułam, że nie chcę pociechy Agnes. Odepchnęłam jej pełną współczucia dłoń i wstałam, ale zaraz znów zwróciłam się twarzą do niej i Filipy. Ślubowałam ofiarę za jego bezpieczeństwo i właśnie wtedy, gdy ja obiecywałam przekazać złote lichtarze do kaplicy w Kettlethorpe, on wykreślał mnie ze swojego życia. Gdy ja składałam w ofierze modlitwy i obietnice w zamian za boską opiekę nad nim, on rzucał mnie wilkom na pożarcie. „Będę cię chronił", przysiągł kiedyś z dłonią na moim krucyfiksie.

Zniszczył mnie.

Popatrzyłam na Agnes i Filipę.

– Kiedy zamierzałyście mi o tym powiedzieć?

Znów wymieniły spojrzenia, po czym Filipa odrzekła cicho:

– Gdy będziesz na tyle silna, by się z tym pogodzić.

– Nigdy nie będę wystarczająco silna. Pokażcie mi kobietę, która potrafi pogodzić się z tym, że mężczyzna, którego kocha, przeklął ją i uznał za przyczynę swojego cudzołóstwa.

Janie! – krzyczałam w myślach przepełniona cierpieniem. Coś ty mi zrobił? Ale nie usłyszałam żadnej odpowiedzi. Wiedziałam tylko, że on, sens mojego istnienia, moja miłość, odrzucił mnie jako źródło rozpusty w swoim życiu.

W dniach, które nastąpiły, wpatrywałam się w każde drgnienie twarzy tych, pośród których mieszkałam w garnizonie Pontefract. Widziałam rezerwę, litość, czasami złośliwą radość. Musiałam się nauczyć stawiać czoło temu wszystkiemu już do końca życia.

Zostałam postawiona pod pręgierzem, wywleczona na widok gawiedzi jako źródło wielkiego grzechu księcia Lancastera.

To nie chciało odejść. To nigdy już nie miało odejść.

Na początku, jak każda głupio pewna siebie kobieta postawiona przed trudną do przełknięcia prawdą, nie chciałam w nią uwierzyć i gorączkowo, dogmatycznie obstawałam przy swoim. Podróżni byli źle poinformowani, mieli podłe intencje, ich celem było sianie zamętu. Nie mogłam uwierzyć, by książę mógł postąpić tak okrutnie. To po prostu było niemożliwe, by mężczyzna, który miał władzę nad moim sercem, dzielił ze mną łoże, był ojcem moich dzieci, źródło całej mojej radości, wyrzucił mnie ze swojego życia i domu. A co więcej, jeśli nawet przestał mnie kochać, to byłby ostatnim człowiekiem na świecie, który mógłby odrzucić mnie, ogłaszając to publicznie i czyniąc w takich okolicznościach, że cały świat dowiedział się o tym wcześniej niż ja. A jeśli chodzi o to, że szlochał ze skruchy i padł na kolana przed tłumem gapiów...

Ale w myślach znów stał się dla mnie księciem, choć było to tak absurdalne, że aż śmieszne.

Mogłam zrozumieć, że książę być może okazał skruchę, jeśli uznał, że jak wielu twierdziło, zawinił arogancją, rządząc Anglią w imieniu młodego Ryszarda, ale nie to, że miałby mnie w ten sposób odrzucić. Absolutnie nie to. A co do jego pojednania z Konstancją... Czyżby wyznania miłości skierowane do mnie nie znaczyły więcej niż grzechot kamyka w pustym garnku? Nie, z tym również absolutnie nie mogłam się pogodzić.

Filipa i Agnes, sfrustrowane i coraz bardziej na mnie zirytowane, zostawiły mnie w końcu samą razem z moją złością i zaprzeczeniami. Ale docierały do nas wciąż nowe pogłoski. Zlatywały się jak osy do lepkich dzikich śliwek, zmuszając, bym słuchała i bym w końcu z tym się pogodziła. Były to krwawe opowieści o pożarach, plądrowaniu i zniszczeniach na nabrzeżach i ulicach Londynu. Zaczęłam czuć lęk o kraj i o życie, jakie znałam dotychczas. Flamandzkich kupców wyciągnięto w Londynie z kościoła, w którym próbowali się schronić, i na ulicy obcięto im głowy. Z moim pochodzeniem z Hainault rzeczywiście byłam zagrożona. Nikt by się nie trudził, by zapytać mnie o różnicę.

W dodatku wszyscy wychwalali księżną Konstancję, jej dobroć, tolerancję, miłość do męża, nieskazitelną urodę i odwagę, jaką wykazała, znosząc upokorzenie, na które naraził ją Lancaster wraz ze swoją dziewką. Konstancja trafiła do serc całego ludu.

Czekałam na list albo posłańca w barwach Lancasterów przybywającego z północy od samego księcia, na jakieś wyjaśnienie, które porządkowałoby wszystko i w które byłabym w stanie uwierzyć. Ale nic nie nadchodziło. Może książę wyjechał już z Edynburga i teraz był w Anglii? A może podążał z Berwick na południe i zamierzał mnie odwiedzić? Z pewnością to zrobi. Pojawi się, zamknie mnie w ramionach, złaje za mój brak wiary i wszystko znów będzie dobrze. Weźmie mnie do łóżka i udowodni, że jego miłość jest większa niż moje lęki. Jego uwielbienie nie będzie już grzechoczącym kamykiem, ale gładką jak aksamit opoką.

Nieustannie wyglądałam na drogę. Duma mnie opuściła. Filipa stała obok mnie z twarzą pełną surowej dezaprobaty, drżąc z lęku równie wielkiego jak mój, choć dni były upalne.

– Przyjedzie? – zapytała, gdy zbliżał się kolejny wieczór.

– Gdy będzie mógł.

Nie zostawiaj mnie tu w niewiedzy, Janie, błagałam bezgłośnie. Ból niewiedzy jest zbyt wielki. Moje serce jest rozdarte.

Dni zdawały się nie mieć końca.

Któregoś czerwcowego wieczoru, gdy zaczynał zapadać zmierzch, usłyszałam:

– Ktoś nadciąga. To nie są zwykli podróżni.

Konstabl, surowy i pochmurny, stał przy moim ramieniu. W ostatnim tygodniu po raz pierwszy podczas mojego pobytu wysłano z zamku zwiadowców, jakbyśmy spodziewali się ataku. W obliczu zamętu i niepewności dotyczącej stanu umysłu księcia nasz garnizon nie mógł ryzykować.

– Czy wiemy, kto to? – Odruchowo wytężyłam wzrok i spojrzałam na północ, wypatrując chorągwi Lancasterów.

– Nie, pani, ale jadą z południa.

Moja nadzieja, tak szybko rozbudzona, jeszcze szybciej zgasła.

– Jadą szybko i poprzedza ich przednia straż. Nie widać żadnych barw.

Zmusiłam się, by skierować myśli na praktyczne tory.

– Czy otworzymy im bramy? – W tych niespokojnych czasach trudno było nie wpuścić kogoś na noc.

– Poczekamy i zobaczymy, pani. Nie zrobię niczego, co mogłoby narazić twoje życie na niebezpieczeństwo. Mój pan obdarłby mnie ze skóry, gdybym tak zrobił.

– Mimo że mnie odrzucił? – zapytałam z goryczą, nim zdołałam się powstrzymać. Z drugiej jednak strony konstabl z pewnością wiedział o wszystkim.

– Mimo że cię odrzucił, pani. Kazał ci tu przyjechać dla twojego bezpieczeństwa i dla bezpieczeństwa tej damy. – Ruchem głowy wskazał na Filipę, która wyłoniła się z cienia i stanęła obok nas. Rzadko zostawiała mnie samą na dłużej, jakby obawiała się o mój stan umysłu. Ale z moim umysłem było wszystko w porządku, dręczyły mnie tylko gwałtowne emocje. – Muszę teraz zająć się obowiązkami. Później odpowiem na pytania.

Czekaliśmy, patrząc na południe, i wkrótce przed bramą zatrzymała się grupa podróżnych. Jechali w zwartym szyku, na dobrych koniach i byli dobrze uzbrojeni. Nie mieli żadnych barw, które pozwoliłyby określić, czy to wrogowie, czy przyjaciele.

– Kim jesteście? – wykrzyknął konstabl. – Przedstawcie się!

Na gest przywódcy kawalkady rozwinięto proporzec i w zapadającym zmierzchu rozbłysły poruszane wiatrem złote lwy Lancasterów. Lancaster! Ale to nie był książę. Drugi proporzec dopowiedział resztę historii. Złote zamki Kastylii. Serce zabiło mi gwałtownie. Przechyliłam się przez parapet i popatrzyłam w dół.

– Otwórzcie bramy! – zawołał władczo głos z dołu.

– Kto się domaga?

– Mówię w imieniu mojej pani, księżnej Lancaster, królowej Konstancji Kastylijskiej.

Dopiero teraz rozwinięto pełną chorągiew Lancasterów lamowaną złotem. Uniosła się leniwie i władczo. To była Konstancja, Konstancja zmierzająca na północ na spotkanie z księciem.

Nie byłam nieszczęśliwa. Nazwałabym to inaczej. Byłam wstrząśnięta, poruszona od czubka głowy do stóp. Zacisnęłam palce na twardym kamiennym parapecie. Wszelkie iluzje zostały zniweczone przez tę jedną okropną, nieprzewidzianą wizytę, która potwierdzała wszystko, czemu usiłowałam zaprzeczać. Lwy i zamki złowieszczo połączone ze sobą na chorągwi. Książę posłał po Konstancję. I gdy w końcu dotarło do mnie, że księżna stoi u moich bram, otoczona symbolami władzy Lancasterów, dostrzegłam postać, która wysunęła się naprzód ze środka grupy. Odrzuciła kaptur ciężkiego płaszcza, w który była obleczona pomimo upału, i podniosła pobladłą twarz do miejsca nad barbakanem, gdzie staliśmy na murach. Towarzyszył jej kapitan garnizonu w Hertford. To jego głos dochodził do nas:

– Mój pan, książę Lancaster, rozkazał, by księżna dołączyła do niego w podróży na południe z Edynburga. Księżna życzy sobie zaczekać tutaj, w Pontefract, aż mój pan przybędzie, by ją powitać.

A zatem to wszystko była prawda. Otrzymałam kolejne, tym razem rozstrzygające potwierdzenie. Książę wezwał Konstancję na spotkanie. Jej twarz, odległa i skryta w cieniu, zdawała się bez wyrazu, wyobrażałam sobie jednak zaciśnięte z determinacją usta i oczy błyszczące odwagą, konieczną do tego, by wyruszyć w taką podróż. Książę prosił ją, by przybyła na północ, a ona w chęci, by być przy nim, zgodziła się i przejechała całą Anglię konno, wystawiając się na liczne niebezpieczeństwa. Gdy kiedyś chciał, by mu towarzyszyła w podróży do Niderlandów, musiał wydać rozkaz, by ruszyć ją z wygodnego pałacu i zamków, które znała. Teraz wystarczyło, że wyciągnął rękę do zgody, a ona przyjęła ją z wielką gorliwością.

Opadło mnie przygnębienie. Czułam się bardzo nieszczęśliwa, zdawałam też sobie sprawę z jeszcze głębszych emocji, które nie przynosiły mi chwały. Z zimną wściekłością bez słowa wpatrywałam się w Konstancję suchymi oczami. Konstabl przez cały czas stał przy moim boku, a przy drugim Filipa, również milcząca. Trzeba było podjąć decyzję. Cały czas prowadziłam ze sobą w myślach żenujący spór:

– Czy mam nakazać, by otworzono przed nią bramy? Czy potrafię się zdobyć na to, by spędzić kilka godzin, a może nawet kilka dni, w towarzystwie Konstancji?

– Ona musiała spędzać całe dni w twoim towarzystwie, gdy ty byłaś faworytą.

– Ale ja nie mogę. Nie mam tyle siły co ona. Nie teraz, gdy fundamenty mojego życia zostały zniszczone i ziemia usuwa mi się spod stóp.

– Ma prawo domagać się, by ją wpuszczono.

– A czy ja mam prawo odmówić?

– Nie, nie masz.

– Ale mam prawo nie być obecna przy jej spotkaniu z księciem.

– Jeśli nie chcesz na to patrzeć, to wracaj do Kettlethorpe.

A potem przyszła mi do głowy godna pożałowania myśl, że rzeczywiście mogę odmówić jej wstępu, odesłać sprzed bram. Stałyśmy zbyt daleko od siebie, by nasze spojrzenia mogły się zetknąć, jednak czułam między nami napięcie. Czy Konstancja wiedziała, że jestem tutaj, na murach nad bramą, i podejmuję decyzję dotyczącą jej przyszłości? Siedziała nieruchomo, wyprostowana w siodle, niewątpliwie znużona do szpiku kości, ale zdecydowana tego nie okazać.

Filipa oparła rękę na moim ramieniu.

– Musimy ją wpuścić.

– Tak, chyba... tak – odrzekłam z napięciem.

Konstabl popatrzył na mnie i gdy nasze oczy się spotkały, wyczułam, że przebiegło między nami dziwne zrozumienie, jakby przejrzał do głębi cały mój samolubny opór przed wpuszczeniem żony księcia pod mój dach. Konstancja zwyciężyła. Książę wybrał ją, a nie mnie, żonę, a nie kochankę. Wydawało mi się, że nie będę w stanie patrzeć na to, jak ona bierze przede mną pierwszeństwo we wszystkich trywialnych sprawach życia codziennego. W ostatnich latach, pewna miłości księcia, znosiłam to całkiem dobrze, ale teraz było inaczej. Może nie kochał Konstancji, ale w tych pełnych śmiertelnych zagrożeń i desperacji dniach z pewnością dowiódł, że mnie również nie kocha.

Jak mogłam być świadkiem ich ponownego połączenia? Jak mogłam żyć ze świadomością, że wybrał ją?

Och, Janie, coś ty ze mną zrobił!

Konstabl przez długą chwilę czekał na moją odpowiedź, a gdy nie otrzymał żadnych instrukcji, przechylił się przez parapet i poinformował wszystkich czekających na dole:

– W tym zamku przebywa lady Swynford.

Wypuściłam oddech przez zaciśnięte zęby. Cóż takiego wyczytał w mojej twarzy? Filipa pochwyciła mnie za ramię. Koń Konstancji poruszył się niespokojnie, jakby jej dłonie ściągnęły wodze.

– Nic mnie nie obchodzi, kto tu mieszka, nawet gdyby był to sam diabeł – odpowiedział sarkastycznie kapitan Konstancji. – Dla wszystkich starczy miejsca. Otwórz wreszcie bramy, człowieku! Musisz nas wpuścić.

Znów poczułam na sobie spojrzenie konstabla.

– Lepiej zabierz księżną do Knaresborough.

– Czy ośmielasz się odmówić księżnej gościny?

Konstabl nie wahał się. Chyba tylko ja zauważyłam, że kostki jego dłoni, zaciśnięte na kamiennym parapecie, były równie białe jak moje.

– Odmawiam wam wstępu. Mój pan umieścił tu lady Swynford dla jej bezpieczeństwa. Zamek jest pod moją pieczą. Przebywa tu również lady Filipa. W tych okolicznościach nie byłoby odpowiednie, żeby księżna znalazła się pod tym samym dachem. Lepiej będzie, jeśli pojedziecie dalej.

Zakręciło mi się w głowie. W tej odmowie nie było żadnej logiki, wynikała wyłącznie z chęci ochrony mnie przed upokorzeniem i ostrym językiem Konstancji. Wsparcie konstabla przyniosło mi dziwną pociechę, gdy wszystko wokół wydawało się pogrążone w czarnej rozpaczy.

Kapitan krótko naradził się z Konstancją i oznajmił:

– Księżna obawia się jechać dalej. Bez względu na okoliczności prosi, byście pozwolili nam przenocować.

Palce Filipy na moim ramieniu zacisnęły się jeszcze mocniej.

– Nie pozwolę – odpowiedział konstabl ze zdumiewającym spokojem. – Pośpieszajcie do Knaresborough, zanim całkiem się ściemni.

– Lady Swynford. – To był głos Konstancji, cienki, lecz doskonale słyszalny. – Lady Swynford, proszę.

A więc cały czas wiedziała, że tu jestem. Cofnęłam się, jakby to, że nie będzie mogła mnie dostrzec, miało sprawić, że moja odmowa będzie łatwiejsza do przyjęcia, choć wiedziałam, że nic nie może mnie usprawiedliwić. Był to godny potępienia uczynek, brak chrześcijańskiego miłosierdzia, ale choć czułam się winna, nie potrafiłam się przełamać.

W ostateczny sposób sprawę rozstrzygnął konstabl:

– Decyzja należy do mnie, pani. Jedźcie do Knaresborough, tam będziecie bezpieczni. W tej okolicy nie było żadnych zamieszek.

Konstancja i jej orszak w milczeniu zwinęli sztandary i proporce, zawrócili i odjechali w stronę Knaresborough.

Czy rzeczywiście mogłam na to pozwolić? Znów podeszłam do krawędzi parapetu. Gdybym teraz podniosła rękę i zawołała, mogłabym przerwać ten spór. Zawołać do Konstancji i powiedzieć, że zaszło nieporozumienie. Mogłabym wysłać za nimi jeźdźca, by sprowadził ich z powrotem. Na mój rozkaz otwarto by bramy i Konstancja, księżna Lancaster, wjechałaby do środka jako przedstawicielka władzy sprawowanej przez męża. Musiałabym dygnąć przed nią i usunąć się na bok. Miałabym czyste sumienie.

Podniosłam rękę, ale zaraz pozwoliłam jej opaść. Nie odezwałam się, nie próbowałam ich przywołać.

– Katarzyno – szepnęła Filipa z przyganą, a jej dłoń zacisnęła się na moim ramieniu z żelazną siłą. Już dawno przestała się zwracać do mnie w oficjalny sposób. Skończyła dwadzieścia jeden lat, była dorosła i posługiwała się własnym osądem, nie starając się mnie oszczędzać. – Źle czynisz. Nie możesz na to pozwolić. Jeśli coś jej się stanie, wina spadnie na ciebie.

Strząsnęłam jej rękę. I tak dręczyły mnie wyrzuty sumienia. Szłam wzdłuż blanków, patrząc za znikającą kawalkadą. Chorągwie znów były zwinięte. Zlekceważyłam względy miłosierdzia, dobrego wychowania, obowiązku, posłuszeństwa wobec tych, którzy mnie zatrudnili. Czy w rezultacie nie wypowiedziałam posłuszeństwa również księciu? Oczekiwał przecież, że zaoferuję jego żonie schronienie i bezpieczeństwo.

Byłam przerażona tym, co uczyniłam. Ale nie mogłam jej wpuścić. Nie mogłam.

– Nie powinnyśmy tego robić. – Filipa nieustępliwie szła za mną. To, że wzięła na siebie część odpowiedzialności za decyzję, w niczym mi nie pomogło.

– W tych okolicznościach tak jest lepiej – odpowiedziałam bezbarwnie. – Knaresborough nie leży daleko stąd.

– Ale jeśli coś jej się stanie...

To było echo moich własnych myśli. Jakże były ciężkie do zniesienia. Podkreślały jaskrawo wszystko, co uczyniłam.

– Wówczas wezmę winę na siebie. Ty nie brałaś w tym udziału. Ja za to odpowiem przed księciem i przed Bogiem.

Porzuciłam jej towarzystwo i poszłam do kaplicy, by się pomodlić do Najświętszej Panienki o wstawiennictwo i wybaczenie. Moje myśli przez cały czas umykały od słów modlitwy do scen, których nie mogłam zobaczyć. Próby usprawiedliwiania siebie przypominały uporczywe, ale daremne stukanie ptasiego dzioba.

Konstancja będzie bezpieczna i połączy się z księciem. Cały kraj kocha ją i darzy najwyższym szacunkiem. Nikt jej nie napadnie, nie weźmie w niewolę, nie zabije jako znienawidzonej cudzoziemki. Nikt nie życzy jej źle. To ja byłam tą złą. Gdyby ktokolwiek ośmielił się ją zaatakować, to wystarczyłoby jej wyjawić, kim jest, i zostałaby potraktowana z czcią, podczas gdy mnie rozerwano by na strzępy. Znów włoży dłoń w dłoń księcia, ocali jego reputację i w oczach całej Anglii wszystko będzie dobrze dla niego i dla niej.

To ja miałam zostać ukarana. Jakąż mściwą kochanką była Anglia.

Oderwałam się od tych rozmyślań. W kaplicy płonęły świece, w powietrzu wciąż unosił się zapach kadzidła. Nawet łagodna twarz Najświętszej Panienki wydawała się przede mną zamknięta, surowa i pozbawiona uśmiechu. Zdawało mi się, że jej spuszczone oczy rozmyślnie odwracają się ode mnie. Niewątpliwie zasłużyłam na to. Przycisnęłam złożone dłonie do ust, błagając ją o współczucie. Płaszcz utkany ze wstydu był niezmiernie ciężki.

Poczułam jakieś poruszenie, a po chwili Filipa opadła na kolana obok mnie.

– Będę się za ciebie modlić. Najświętsza Panienka nas wysłucha.

– Sądzę, że nie.

– Wysłucha. Nie potępi cię za to, że kochasz zbyt mocno i masz złamane serce.

Och, Filipo! Łzy wezbrały mi w oczach, ale to nie była odpowiednia chwila na płacz.

– Źle uczyniłam.

– Miałaś swoje powody.

– Nie takie, które Bóg mógłby wybaczyć. Okazałam nikczemną mściwość.

Filipa nie odpowiedziała, tylko pochyliła głowę i jej palce zaczęły się przesuwać po paciorkach różańca. Poszłam za jej przykładem, po czym uświadomiłam sobie, że patrzę na koralowe i złote paciorki różańca, który dostałam od księcia. Zacisnęłam na nich dłoń. Nie mogłam go używać. Okazałabym się przez to jeszcze większą hipokrytką.

W końcu Filipa podniosła głowę i przeżegnała się.

– W takim razie to musi być prawda – powiedziała, patrząc na ołtarz. – Mój ojciec naprawdę to uczynił.

– Tak.

Droga, która się przede mną rozciągała, była mroczna, a ja nie miałam pojęcia, dokąd prowadzi. Jeszcze nigdy w życiu nie czułam się tak przestraszona i bezbronna. Nie miałam żadnej nadziei.

Znów zostawiłam Filipę i jeszcze raz wspięłam się na blanki, by popatrzeć na północ, choć dokoła panował mrok. Jak często ostatnio to robiłam? Kiedyś wyczułabym go. Wyczułabym kierunek, w jakim zmierzają jego myśli, powiew emocji, jego miłość. Tego wieczoru nie czułam nic, jakbym stała zwrócona twarzą do kamiennego muru. Umocniony bastion, pomyślałam, choć nie byłam w poetycznym nastroju.

Książę zamknął się przede mną.

Podniosłam ręce w desperackim, bezgłośnym błaganiu, ale zaraz je opuściłam, gdy usłyszałam za sobą szybkie kroki. Jeszcze zanim dotarły do szczytu schodów, wiedziałam, do kogo należą.

– Janie. – Wzięłam syna za rękę, a drugą oparłam na jego głowie. – Powinieneś być w łóżku.

– Uciekłem Agnes.

– Domyślam się.

Jak należało się spodziewać, tuż za nim pojawił się Henryk. Wzięłam go na ręce, żeby mógł wyjrzeć za mur.

– Gdzie jest mój ojciec? – zapytał Jan.

– Chciałabym to wiedzieć.

– Czy przyjedzie tu niedługo?

– Nie wiem.

– Czy wie, że tu jesteśmy?

– Wie. – Postawiłam Henryka na ziemi. – A teraz wracajmy na dół, bo Agnes będzie się gniewać.

Pobiegli przede mną, zdumiewająco żwawo pokonując schody. Pomyślałam, że gdy będą starsi, staną się doskonałymi żołnierzami.

Życie płynęło dalej, moje i ich, chociaż jeśli chodzi o mnie, to całkiem nie wiedziałam, jak mam żyć.

Co miałam zrobić, przestraszona i bezradna? Nigdy nie sądziłam, że mogę doświadczać tak wyczerpujących emocji. Mocna pewność siebie, zbudowana przez lata, zupełnie się załamała, choć nieustannie powtarzałam sobie, że nie jestem całkiem bezbronna. Mój syn Tomasz miał odziedziczyć Kettlethorpe i Coleby. Miałam swój roczny dochód i powiązania w Lincoln. Małgorzata i Tomasz byli zabezpieczeni. Wiedziałam, że moim małym Beaufortom niczego nie zabraknie. Znałam księcia na tyle dobrze, by mieć pewność, że cokolwiek stanie między mną a nim, poczucie honoru nie pozwoli mu zaniedbać dzieci zrodzonych z jego krwi.

Czyżby brakowało mi siły charakteru, by znieść ten okropny cios?

Wracaj do Kettlethorpe, myślałam, ale nie mogłam tego zrobić. Nie potrafiłam jeszcze przeciąć więzów. Pochwycona przez prąd wydarzeń, pozostałam w Pontefract, nie będąc w stanie podjąć decyzji. W końcu podjęto ją za mnie.

Rozmawiałam z kucharzem, który nadzorował rozbieranie tuszy, zamierzając przyrządzić salceson z mózgu i podrobów. Już dawno bym stąd poszła, gdyby nie jego rozwlekłe narzekania na jakość mięsa i jego niewielką ilość. I tam właśnie otrzymałam list. Przyniósł go kurier, którego skierowano do kuchni.

– Polecono mi dostarczyć ci to do rąk własnych, pani.

Wyjęłam list z jego rąk, korzystając z okazji, by odwrócić się plecami do flaków, które przestały już mieć jakiekolwiek znaczenie. List napisany był ręką księcia. Wiadomość była uderzająco krótka, jakby pisana w pośpiechu. Brakowało nawet nagłówka z moim imieniem.

Nie wyjeżdżaj z Pontefract. To rozkaz. Zostań tam, dopóki nie przyjadę.

Pod spodem znajdował się podpis.

Książę zamierzał tu przyjechać. Przyjechać do mnie.

Natychmiast przeczytałam wiadomość po raz drugi. Siła tego rozkazu była tak wielka, że nie musiałam podejmować żadnej decyzji. Nie miałam zamiaru wyjeżdżać. Było coś, co koniecznie musiałam mu powiedzieć.

Wyczułam jakiś ruch obok mnie. Podniosłam wzrok. Kucharz z tasakiem w ręku patrzył na mnie uważnie, podobnie jak posłaniec, choć nie robił tego aż tak ostentacyjnie. O wiele łatwiej byłoby wyjechać stąd i wrócić do Kettlethorpe, gdzie mogłabym lizać rany w odosobnieniu, nie narażając się na każdym kroku na spojrzenia ciekawskich oczu. Miałam wrażenie, że te spojrzenia przenikają mnie do samej kości.

– Zechcesz usiąść, pani?

Jakie emocje kucharz dostrzegł na mojej twarzy? Potrząsnęłam głową, ale przyjęłam od niego kubek piwa i napiłam się. Krew znów zaczęła normalnie we mnie krążyć. Nie, nie ucieknę do Kettlethorpe. Byłam kochanką Lancastera przez dziewięć lat. Urodziłam mu czworo dzieci. Zaczekam i posłucham, co ma do powiedzenia. Nie będę szlochać u jego stóp, co podobno uczyniła Konstancja, kiedy spotkali się na drodze. Gdy usłyszałam obrazową relację z ich pełnego emocji spotkania, poczułam niewyobrażalną wściekłość.

Ta wściekłość teraz do mnie wróciła. W ataku złości wrzuciłam list do ognia i z satysfakcją patrzyłam, jak woskowa pieczęć przedstawiająca Jana Lancastera, króla Kastylii w otoczeniu atrybutów władzy, stopiła się i sczezła w płomieniach. Cóż może mi powiedzieć, co mogłoby go przywrócić do łask w moich oczach? Czy kiedykolwiek będę w stanie wybaczyć mu to, co zrobił?

– Czy to było coś ważnego, pani? – Kucharz odłożył tasak i pociągnął mnie na stołek. Widocznie wyglądałam bardziej krucho, niż sądziłam.

– Nie, zupełnie nic ważnego. – Zdobyłam się na uśmiech i usiadłam, bo nogi zaczęły się pode mną uginać.

Ale miałam zamiar poczekać. Będę tu, gdy on przyjedzie. I być może wysłucham, co ma mi do powiedzenia.

ROZDZIAŁ CZTERNASTY

Książę Lancaster wjechał wraz z orszakiem na dziedziniec Pontefract.

– Zaczekałaś do mojego przyjazdu.

– Jak widzisz.

Początek rozmowy nie wróżył dobrze. Dziedziniec był szary i lśniący wilgocią po ulewie. Ostatnie krople wciąż spadały mi na głowę i ramiona, jakby deszcz nie miał ochoty odejść i buntował się tak jak ja. Choć mokłam, nie schroniłam się pod dach, dopóki książę nie zsiadł z konia. Zaczekałam na niego, tak jak nakazał. Zamierzałam być uległa i otwarta na perswazję. Zmusiłam się, by stać spokojnie i przyglądać się z godną podziwu obojętnością, jak zsiada z siodła i oddaje wodze giermkowi. Jego wzrok ani na chwilę nie schodził z mojej twarzy.

Przeszło mi przez myśl, by pozostać w komnacie i kazać mu na siebie czekać, ale uznałam, że to byłoby dziecinne zachowanie, zatem wyszłam go powitać, jak już to robiłam wiele razy. Zamierzałam wysłuchać tego, co miał mi do powiedzenia.

Książę dał sygnał swoim towarzyszom, by również zsiedli z koni i schronili się pod dachem.

– Zauważyłem, że garnizon w zamku jest duży.

Trudno było tego nie zauważyć. Zamek był pełen uzbrojonych mężczyzn.

– Tak – odpowiedziałam. – Otrzymaliśmy twoje rozkazy.

Oprócz krótkiego zdania napisanego do mnie, owe rozkazy były jedyną wiadomością, jaką dostaliśmy od niego przez te wszystkie trudne tygodnie.

Milczenie przedłużało się. Książę wciąż nie odrywał wzroku od mojej twarzy. Pomimo zgiełku i zamętu wywołanego na dziedzińcu przez rozpraszający się orszak, siła tego spojrzenia wzbudzała we mnie dreszcz, choć nie był to dawny dreszcz przyjemności. Oddawałam mu spojrzenie, czekając w napięciu na to, co miało nadejść.

Spodziewałam się, że przyjedzie znużony podróżą, wstrząśnięty nienawiścią, jaką żywili do niego buntownicy, utratą pałacu Savoy, najbardziej ukochanej posiadłości, a także tym, że jego życie znalazło się w niebezpieczeństwie, a zagrożenie pochodziło od Anglików. W najgłębszym zakamarku serca miałam nadzieję dostrzec na jego twarzy przynajmniej troskę. Jeśli ja czułam się starsza niż moje trzydzieści dwa lata, dlaczego on nie miałby się tak czuć, skoro był o dziesięć lat starszy ode mnie? Nie podobały mi się drobne zmarszczki, które pojawiły się na moim czole, i cienie pod oczami spowodowane brakiem snu. Zwierciadło nie było już moim przyjacielem.

Tkwiłam tak na niegościnnym dziedzińcu, który stawał się coraz bardziej mokry, podobnie jak fałdy mojej sukni, i narastała we mnie bardzo kobieca niechęć. Dlaczego nie miałam tyle rozumu, by wejść do środka? Dlatego że od bardzo dawna przygotowywałam się do tego spotkania, zarazem wyczekując i obawiając się go. Wiedziałam, że to, co nas łączyło, oszałamiające uczucie, które kazało zaprzeczyć wszelkim zasadom moralnym i zdrowemu rozsądkowi, nigdy już nie będzie takie samo jak wcześniej. Nie mogłam się wycofać.

Toteż uważnie przyglądałam się księciu, gdy stał tak na odległość ramienia ode mnie, i zauważyłam, że nie wyglądał na znużonego. Jego ruchy były równie pełne wdzięku i opanowane jak zwykle. Linie między nosem a ustami rysowały się ostro, ale tak było zawsze, gdy pojawiał się jakiś problem związany z przemieszczaniem oddziałów albo z dostawami do garnizonu, i kubek ciepłego piwa wystarczał, by je wygładzić. Nie, zupełnie nie sprawiał wrażenia człowieka, który błagał Boga o wybaczenie na kolanach, z twarzą zalaną łzami, i który jednym szybkim ruchem, na oczach gawiedzi, odciął się od kobiety, którą kochał od dziewięciu lat, nie uprzedzając jej o tym.

Stłumiłam przypływ gniewu.

– Widzę, lady Katarzyno, że jesteś w dobrym zdrowiu i w dobrym stanie ducha.

Mokry welon ocierał mi się o szyję. To było ostatnie źdźbło, które przeważyło szalę. Uniosłam głowę i bez jednego słowa obróciłam się na pięcie. Jeśli chciał porozmawiać, musiał pójść za mną. Akurat w tej chwili mój stan zdrowia zupełnie mnie nie interesował, a co do stanu ducha...

Szłam po schodach, słysząc za sobą jego kroki, przepełniona ulgą, że podążył za mną, ale złość była większa niż ulga. Otworzyłam drzwi do jednej z izb, których używano tylko przy okazji świąt. Teraz była pusta, znajdowały się tu jedynie skrzynia i dwa stołki bez oparcia oraz podwyższenie na końcu. Ściany, zwykle obwieszone wspaniałymi tapiseriami, jak wszystkie komnaty we wszystkich posiadłościach księcia, teraz były nagie i ponure. W kącie stała sterta drewnianych skrzyń i stojaków, na których spoczywały zwinięte tapiserie.

Było to ponure miejsce ponurego spotkania. Zatrzymałam się na środku sali i zwróciłam do księcia:

– Porozmawiamy tutaj. Tu nikt nie będzie nas podsłuchiwał i komentował mojego ani twojego upokorzenia.

Książę skłonił głowę. Cicho zamknął za sobą drzwi i rzucił rękawice na wieko skrzyni, wzbijając tuman kurzu. Powinnam się tym zająć, pomyślałam obojętnie. To pomieszczenie nie było ostatnio używane i nie będzie, bo nie byliśmy w nastroju do świętowania. Wybuchu jakich emocji miało zaraz stać się świadkiem? Książę nie próbował do mnie podejść. Stał nieruchomo, z dłońmi zatkniętymi za pas. Blade światło odbijało się od napierśnika zbroi.

– I cóż? – Mój głos zabrzmiał irytująco ostro. – Pozostałam tu, jak nakazałeś. Co zatem masz mi do powiedzenia, panie?

Chwila wahania była króciutka, ledwie dostrzegalna.

– Z pewnością już słyszałaś?

– Tak. Słyszałam chyba wszystkie plotki na nasz temat, jakie krążą po całym kraju.

Nie zamierzałam mu niczego ułatwiać.

– Zniszczyli Savoy – powiedział.

Cały świat już o tym wiedział. Uniosłam brwi, ale nie odezwałam się ani słowem.

Pod gładką skórą policzka zadrgał mięsień. Tak się zdarzało, gdy książę zmagał się z dokumentem od kłopotliwego petenta. Złożyłam dłonie na klamrze pasa. Przez cały ten czas, gdy sytuacja jątrzyła się coraz bardziej jak zaniedbana rana, zastanawiałam się nad wszystkim, co usłyszałam. Książę byłby zdziwiony, gdyby wiedział, jak wiele nowin przynieśli nam podróżni. Przechyliłam głowę na bok, jakby to, co zamierzał powiedzieć, nie interesowało mnie zanadto, i powstrzymałam palce, nim zdążyły zacisnąć się w pięści. Zamierzałam pozostać opanowana i rozsądna, a nawet pełna zrozumienia. Na Przenajświętszą Panienkę, musiałam się na to zdobyć!

– Po co przyjechałeś?

– Musiałem przekonać się na własne oczy, że jesteś bezpieczna.

– Bezpieczna – powtórzyłam bezbarwnie.

– Ale wiedziałem, że tak jest. Bóg zachował cię przed wszelką krzywdą. Prosiłem Go o to.

Moje brwi wciąż pozostawały uniesione.

– Pochlebiasz mi, panie. No, chyba pochlebiasz...

– Poza tym musiałem przyjechać, żeby powiedzieć ci to osobiście.

Postąpił o krok do przodu, jakby badał przed sobą grunt w obawie, że pod posadzką znajduje się niewidzialna otchłań, która może go pochłonąć. Ledwie dostrzegalnie skrzywiłam usta.

– Tak twierdzisz?

Stał prosto jak młody jesion. Głos miał ochrypły, ale może był po prostu spragniony po długiej podróży. Nie zaoferowałam mu niczego do picia. Zamek należał do księcia, jeśli czegoś chciał, sam mógł zawołać ochmistrza.

– To byłoby niegrzeczne wobec ciebie – ciągnął tym samym bezbarwnym tonem – gdybyś słuchała tych wszystkich plotek, nie wiedząc, dlaczego... dlaczego uczyniłem to, co uczyniłem. Przyjechałem, żeby spróbować ci to wyjaśnić, abyś nie pozostawała w niewiedzy.

Nie poruszył się ani na cal. Jego oddech był zupełnie spokojny, jakby targował się o konia.

– Wyjaśnić? – Obiecywałam sobie, że okażę mu zrozumienie, ale palce same mi się zginały, a paznokcie wbijały we wnętrza dłoni. Mówiłam cicho i bardzo starannie dobierałam słowa, wiedząc doskonale, że są niewybaczalnie jadowite. – Wyjaśnić? I mam ci za to podziękować? Oczywiście powinnam być ci wdzięczna, że w jakimkolwiek stopniu troszczysz się o moją sytuację, choć podobno nazwałeś mnie narzędziem szatana. Ale z drugiej strony zawsze troszczyłeś się o służbę, czyż nie, panie? Jakże to było miłosierne z twojej strony, że zwolniłeś swoją służbę w Szkocji, by nie musiała cierpieć z tobą na wygnaniu, z dala od rodziny i przyjaciół. Gdybym była z tobą w Edynburgu, niewątpliwie uczyniłbyś to samo dla mnie. Czy płakałbyś nade mną, tak jak podobno płakałeś nad nimi? Bo wydaje się, że nie jestem dla ciebie nikim lepszym niż służąca.

Wypowiedziałam to ostatnie słowo z wyraźnym syknięciem. Aż do tej pory nie zdawałam sobie sprawy, jak wielka jest moja gorycz.

– To nieprawda. – Jego usta prawie się nie poruszyły.

– Ach. Czy to znaczy, że pogłoski były fałszywe? Nie sądzę, ale chętnie dam się przekonać. Odpowiedz mi na jedno pytanie, mój szlachetny, rycerski panie. Czy mnie odsyłasz?

Milczenie, które zaległo w izbie, było tak napięte, jak cięciwa łuku przed wystrzeleniem śmiertelnej strzały.

– Tak. – Westchnął, jakby chciał powiedzieć coś jeszcze, ale powtórzył tylko: – Tak, odsyłam cię.

Mój gniew niebezpiecznie wezbrał, gotów wylać się na zewnątrz.

– Nie sądzę, bym kiedykolwiek potrafiła ci wybaczyć – wycedziłam przez zaciśnięte zęby. – Wybaczyć sposób, w jaki to zrobiłeś.

– Co takiego usłyszałaś?

– Nie uwierzyłbyś w to, co usłyszałam. Ja sama na początku w to nie wierzyłam, ale za każdym razem, gdy słyszałam to znowu, czułam się tak, jakby ktoś wymierzał mi policzek.

– I teraz już wierzysz w to, co ludzie mówią? Uznałaś, że to prawda, zanim jeszcze wysłuchałaś tego, co ja mam do powiedzenia? Zanim się dowiedziałaś, dlaczego podjąłem decyzje, które podjąłem? – Jego dłonie wciąż zaciskały się na pasie. – Czy nie zasługuję przynajmniej na to, byś mnie wysłuchała? Właśnie ty, ty spośród wszystkich ludzi. Jeśli mnie kochasz, to mnie wysłuchasz.

To był bolesny cios. Przymknęłam oczy, ale zaraz znów je otworzyłam.

– Wysłucham cię, panie. Ale trudno mi mieć jakiekolwiek wątpliwości, skoro Konstancja przejeżdżała tędy w drodze na spotkanie ze swym księciem, gotowa pojednać się z tobą uczuciowo i fizycznie. – Nie spodziewał się tego. Jego oczy otworzyły się szerzej, a ja zapytałam dobitnie: – Czy do tego doszło?

– Tak – potwierdził bezbarwnie.

Niczego więcej nie potrzebowałam. Tego właśnie obawiałam się bardziej niż czegokolwiek innego. Nie potrafiłam patrzeć na księcia bez łez. Odwróciłam się do niego plecami, podeszłam do okna i wbiłam kostki dłoni w kamienną futrynę. Przez mokre od deszczu grube szkło nic nie było widać.

– Och, z wielką przyjemnością opowiadali mi o wszystkich szczegółach – powiedziałam, wpatrując się w okno, choć nic przed sobą nie widziałam. – Cóż to za radość przekazać dziwce wszystkie szczegóły triumfu źle traktowanej żony. – Spojrzałam przez ramię, usiłując zapanować nad tonem głosu. – Opowiedzieli mi, jak spotkaliście się na drodze pod Northallerton, a zrozpaczona księżna padła na kolana u twoich stóp i błagała cię o wybaczenie za brak uczuć. Podobno upokorzyła się tak trzykrotnie, szlochając głośno i zalewając się łzami, aż w końcu podniosłeś ją i zapewniłeś, że teraz już wszystko między wami będzie dobrze. Czy tak było?

Dostrzegłam ironiczny grymas na własnych ustach, odbity w szarym szkle, ale w tym grymasie nie było humoru. Biedna Konstancja. Czy w końcu zrozumiała, że po części to ona była winna rozdźwięku między nimi? Czy atak na drogi jej sercu Hertford wzbudził w niej tak wielki lęk, że dostrzegła konieczność upokorzenia się i błagania męża o ochronę? Przepełniona żalem nad własną stratą, nie potrafiłam wzbudzić w sobie miłosierdzia dla niej. Odwróciłam twarz, żeby książę nie zauważył, że mam wilgotne policzki, i spojrzałam na jego odbicie w szkle.

– Zrobiłeś to? Podniosłeś ją i wziąłeś w ramiona?

– Tak.

Skinęłam głową, jakbym się z nim zgadzała.

– Naturalnie, że tak. To bardzo do ciebie podobne. A potem zawiozłeś ją do wygodnego i bezpiecznego domu biskupa Durham, gdzie świętowaliście radosne pogodzenie. Podobno świętowanie trwało aż do świtu. Prosiłeś ją o wybaczenie za swoje błędy, a ona chętnie ci wybaczyła. – Podniosłam wzrok i w kamiennej ramie nad moją głową zauważyłam rzeźbę kota, który czaił się, by schwytać jakąś dziwną istotę. Nigdy wcześniej nie mówiłam do księcia takim tonem, ale nie dbałam o to. Nic mnie nie obchodziło, czy wzbudzę jego gniew. – Na Boga, Janie, akurat ja nigdy nie zostałam zaproszona do bezpiecznego domu biskupa. To nie było odpowiednie miejsce dla mnie. Nie dla dziwki.

– Nie.

Znów to zimne potwierdzenie moich oskarżeń, bezbarwna akceptacja, choć moja dusza pragnęła, by zaprzeczył.

– Nie – powtórzyłam. – Tam nie mogło być dla mnie miejsca.

Oczami wyobraźni zobaczyłam te dwa tak różne spotkania z księciem, Konstancji i moje, jedno obok drugiego – jedno dramatyczne i pełne emocji, szczere pojednanie z księżną, znaczone pocałunkami i obietnicami na przyszłość, i drugie pełne goryczy i surowego żalu, gdy stoimy tutaj rozdzieleni szerokością komnaty, jakby rozdzielała nas żelazna krata. Gdy ta wizja wypełniła mój umysł, straciłam kontrolę nad sobą. Obróciłam się na pięcie i stanęłam oparta plecami o kamień.

– Odrzuciłeś mnie. Wyrzekłeś się mnie. Powiedziałeś, że prowadziłeś ze mną życie pełne zła, przepełnione wszeteczeństwem. – Niemal splunęłam przy tym słowie. – Czy nasza miłość była wszeteczna? Powiedziałeś to i wszyscy to słyszeli. Dziwię się, że nie kazałeś swojemu heroldowi ogłaszać tego przy dźwiękach trąbki. Powiedziałeś, że wyrzucisz mnie ze swojego domu, zabronisz mi wstępu. Tak powiedziałeś, prawda?

– Czy w to właśnie wierzysz?

– Tak słyszałam.

Jego twarz była zupełnie nieruchoma, klejnoty błyszczały równym blaskiem. Miałam wrażenie, że kurczowo trzyma na wodzy dumę Plantagenetów. Jeszcze nigdy nie widziałam go w takim stanie. Mogłam to przypisać tylko poczuciu winy.

– I czy to prawda, że nazwałeś mnie diablicą? – Głos mi się załamał przy tym słowie. – Czarownicą, która skusiła cię, byś złamał przysięgę małżeńską. Czy jestem diabelskim narzędziem, które chwyta mężczyzn w sidła grzechu?

Gwałtownie wciągnął powietrze.

– To nie są moje słowa.

– Nie? No cóż, Bogu dzięki i za to.

– Ale ty uwierzyłaś, że tak powiedziałem?

Usłyszałam w jego głosie odrazę, ale zignorowałam to.

– Sądzę, że dałeś to do zrozumienia, bo powtórzono mi twoje słowa dokładnie. A może po prostu nie kwapiłeś się, by temu zaprzeczyć. Nie byłoby to w twoim interesie, nieprawdaż? Jaką przyjemność musiał odczuwać Walsingham, wkładając w twoje usta tak jadowite słowa. Przypuszczam, że padł na te swoje pobożne kolana, by podziękować Bogu za takie wyznania potężnego księcia Lancastera, przyszłego króla Kastylii.

W końcu przerwałam na moment, by zaczerpnąć powietrza, i w ciszy rozległo się echo tego tytułu. Niczego nie żałowałam. Nawet jeśli wziął na siebie oskarżenia o cudzołóstwo, to mnie wysmarował błotem pomówień o czary. To było przerażające oskarżenie. Na jakie jeszcze ataki mogłam zostać wystawiona?

– Nie masz nic do powiedzenia? – podjęłam. – Ja cię oskarżam, a ty się nie bronisz? Czy nie masz nic na swoją obronę? Czy jesteś winien wszystkiego, o co cię oskarżam?

Przez króciutką chwilę patrzył na swoje dłonie, a potem spojrzał na mnie i zobaczyłam to, czego nie dostrzegałam wcześniej. Jego oczy, zmęczone i o twardym, ponurym wyrazie, nie były oczami mojego ukochanego Jana. To były oczy księcia Lancastera, potencjalnego króla Kastylii. To nie był człowiek, którego znałam. Stał się już kimś innym.

Z jaką łatwością przestał mnie kochać.

– Nie obwiniałem cię, Katarzyno.

– Ha!

– Ale tak, powiedziałem, że musimy się rozstać.

– Wiem, że zrobiłeś to dla dobra swojej nieśmiertelnej duszy. Czy byłam tylko dworską konkubiną? Czy przez te dziesięć lat, kiedy dzieliłam twoje łoże i urodziłam ci czworo dzieci, nie byłam dla ciebie nikim więcej? – Mocno zacisnęłam palce na spódnicy. – Dla ciebie wyrzekłam się wszystkiego. Kiedy mnie zaprosiłeś do swego łóżka, byłam szanowaną wdową. Czy to ja cię do tego nakłoniłam? Nie sądzę, panie. O ile sobie przypominam, inicjatywa pochodziła od ciebie. A jednak nazywasz mnie czarownicą i oskarżasz, że czarami podkopałam twoją siłę i zasady moralne.

– Mówiłem już... – Jego głos był cichy, ale linie dookoła ust znacznie się pogłębiły. – To nie były moje słowa.

– Ale odepchnąłeś mnie. Zniszczyłeś wszystko, czym dla siebie byliśmy. Odarłeś to ze wszystkiego, co było dobre. Wdeptałeś w ziemię jak najohydniejszy grzech.

Jego nozdrza zwęziły się jak przy gwałtownym wdechu. Sądziłam, że powie coś więcej, ale usłyszałam tylko:

– To, że byliśmy razem, było grzechem. Wiedzieliśmy o tym obydwoje.

– To prawda. Wiedzieliśmy obydwoje i byliśmy gotowi z tym żyć, a jednak teraz mnie odrzucasz. Dałam ci swoje dobre imię, moją bezwarunkową miłość, moje ciało, moje sumienie. Oddałam to wszystko w twoje ręce.

– Może nie trzeba było tego robić.

Zaparło mi dech. Nic nie potrafiłam odpowiedzieć na to przerażające stwierdzenie, że popełniłam błąd, oddając mu w zaufaniu moje życie, szczęście i duszę.

– A nasze dzieci? – szepnęłam przepełniona cierpieniem. – Czy one również są grzeszne?

– Nie. – Rozprostował dłonie i wyrzucił je w moją stronę. – Katarzyno, to był mój grzech.

– Wybacz, ale zdaje się, że większa jego część spadła na moje barki. – Mój głos był ostry jak tasak kucharza. – Wszyscy mną pogardzają, a Konstancja wyszła z tego w pełnej chwale, w olśniewająco białej szacie. Nie mogę zaprzeczyć, że cudzołożyłam razem z tobą i że za moją sprawą pozycja Konstancji w twoim życiu i domu została podkopana. Nie jestem dumna z tego, że ostentacyjnie obnosiliśmy się z naszą miłością na jej oczach, ani z tego, że zajęłam miejsce przy twoim boku i w twoim łożu, które powinno należeć do niej. Ale ona cię nie chciała. Nie przyjmę na siebie całej winy.

Przez jego twarz przemknęło jakieś uczucie, którego nie potrafiłam odczytać.

– Nie da się ciebie przekonać, czyż nie?

– Nie.

– Cóż więcej mogę powiedzieć?

– Czy to prawda, że publicznie szlochałeś i obnażałeś swoją duszę? – Nie potrafiłam sobie wyobrazić, że mógłby płakać i okazywać skruchę na oczach wszystkich. Nie potrafiłam. Ze wszystkich plotek ta była najbardziej niedorzeczna.

Książę nie odpowiedział. W obliczu mojej nieubłaganej natarczywości jego surowość przeszła w wyraźne znużenie. Rzekł tylko ostro i szorstko:

– Musisz zrozumieć nowe zagrożenie. Francuzi planują inwazję na Anglię. Najbardziej skuteczny sposób, by temu zapobiec, to zawiązać sojusz z Portugalią. Razem możemy najechać i zmiażdżyć Kastylię, sojusznika Francji. – Widziałam, że jego umysł jest już pochłonięty planowaniem. – Jeśli mam przeprowadzić inwazję na Kastylię, to muszę się pogodzić z Konstancją. Henryk nie żyje, ale na tronie zasiada jego syn Jan. Muszę się oprzeć na prawach Konstancji, jeśli mam zrzucić króla Jana z tronu i odzyskać Kastylię.

Odczułam to jako kolejny cios wymierzony we mnie. Ignorując wymogi angielskiej polityki zagranicznej, zapytałam z okrutną satysfakcją:

– A więc władza w Kastylii jest dla ciebie ważniejsza niż ja? Naturalnie. Niczego innego nie mogłam się spodziewać. Przecież zawsze tak było.

Skinął głową w potwierdzeniu i nie omieszkał obrócić noża w zadanej ranie, oznajmiając:

– Zawsze wiedziałaś, że mam wielkie ambicje.

Nie mogłam zaprzeczyć. Nie byłam w stanie dłużej prowadzić tej rozmowy. Ręce i nogi drżały mi od wilgotnego powietrza i emocji. Podeszłam do ściany, rozsunęłam spódnice i usiadłam na jednym ze stołków. Nie wypadało mi łajać księcia, jakbym była żoną rybaka. Należało posłużyć się zdrowym rozsądkiem.

– A zatem skończyłeś ze mną, panie. Przypuszczam, że dziesięć lat to dobry wynik dla kochanki. – Mój głos brzmiał lekko. Mogłam być dumna z siebie. – Zostaję zesłana do Kettlethorpe razem z dziećmi. Nie ma już dla mnie miejsca w twoim życiu. – Popatrzyłam na swoje splecione palce. Naraz cały gniew uleciał i poczułam się bardzo znużona.

– Mam więcej win do wyznania, Katarzyno.

– Więcej? Co mogłeś uczynić, żeby mnie jeszcze bardziej zranić?

Usłyszałam ciężkie westchnienie.

– Nie byłem ci wierny. Gdy wyraziłem skruchę, wyrzekłem się wszystkich kobiet, z którymi sypiałem.

Powoli wypuściłam oddech.

– Wszystkich?

– Nie byłaś jedyną, z którą grzeszyłem.

– Były inne? – Nie czekając na jego odpowiedź, wykrzyknęłam: – Na Boga, Janie! Czy chcesz się tłumaczyć słabością ciała? Okazją? Tym, że były pod ręką?

Zesztywniał i błysk złości przedarł się przez jego opanowanie jak płomień przez suchą łąkę.

– Jestem mężczyzną i mam apetyty jak każdy mężczyzna, ale nie próbuję się usprawiedliwiać.

Nie potrafiłam tego zrozumieć. Poczułam się zagubiona. Wszystko, w co wcześniej wierzyłam, sczezło, jak podbijany lud ginie pod naporem ognia i miecza wrogich sił. A więc były inne kobiety w łożu księcia. Gdy naiwnie sądziłam, że jego miłość należy tylko do mnie, swym ciałem zdradzał mnie. Nie byłam w stanie myśleć o tym, ile było tych kobiet i jak często gościły w jego łożu.

– Ile? Jedna, dwie? – Podniosłam się gwałtownie i podeszłam do drzwi. Upokorzenie i ból nie pozwalały mi zostać tu dłużej. – Czy mam być ostatnią, która się o tym dowie? Czy Konstancja wie? – Nie potrafiłam znieść takiego poniżenia i zlekceważenia moich uczuć.

– Nie tak wiele, jak twierdzą plotki – odrzekł, jakby czyniło to jakąkolwiek różnicę.

Mój gniew znów się rozpalił.

– I sądzisz, że to poprawia sytuację?

– Nie. Moja pokuta nie przyniesie ci żadnej pociechy. Moje serce należało do ciebie, ale czasami...

– Czasami potrzebowałeś ulżyć fizycznym potrzebom – przerwałam mu. – I każda kobieta się do tego nadawała.

– Nie będę się bronił, Katarzyno. Zdarzało się, że potrzeby ciała przeważały nad lojalnością duszy.

– Podczas kampanii?

– Tak.

– Tutaj, w Anglii?

– Tak.

Patrzyłam na niego bez słowa. Wcześniej mnie zranił, ale teraz czułam się zupełnie zdruzgotana. Przypomniałam sobie, jak stałam na murach zamku Pontefract, w którym nadal przebywałam, i płonęła we mnie jeszcze iskierka nadziei, choć już wtedy czułam się zraniona, a nie znałam jeszcze nawet połowy prawdy. Teraz nadzieja zgasła zupełnie.

– W tym łożu, które dzieliłam z tobą?

– Nie, Katarzyno. Nigdy tam.

Zbliżył się do mnie o krok, a ja cofnęłam się o krok, aż oparłam się plecami o drzwi. Naraz uderzyła mnie okropna myśl.

– Ale nie z moją siostrą? Na Boga, proszę, tylko nie to!

– Nie! – Jego twarz ściągnęła się cierpieniem. Sądziłam, że moja wygląda podobnie. – Nie z twoją siostrą. Nie zrobiłbym tego. Czy potrafisz mi uwierzyć?

Nie byłam w stanie myśleć. Nie miałam pojęcia, w co powinnam wierzyć ani co powiedzieć. Czułam się nieskończenie nieszczęśliwa.

– Zraniłeś mnie śmiertelnie, Janie.

W milczeniu podszedł do tego samego okna, przed którym ja wcześniej stałam. Zobaczyłam odbicie jego twarzy, błyszczące, blade jak duch. Potem znów obrócił się twarzą do mnie i po raz pierwszy w czasie tej rozmowy zaatakował, odparował cios. Klejnoty na jego piersi zalśniły życiem.

– Muszę odwrócić Boży gniew, Katarzyno. Muszę żyć w zgodzie z Jego dyktatami. Jak możemy zaprzeczać, że sprowokowaliśmy gniew Boga, gdy po całej Anglii roznosi się bunt i zniszczenie? Jeśli to ja jestem przyczyną, jeśli moje życie ściągnęło karę na ten naród, to muszę wyrazić skruchę i uczynić pokutę.

Mówił to wszystko z okropną, spokojną, precyzyjną, nieubłaganą pewnością, ale ja nie chciałam słuchać.

– W takim razie mam nadzieję, że twoje postanowienie okaże się wystarczająco mocne, by zapewnić ci miejsce na prawicy Boga. – Z głębi serca wyrwał mi się okrzyk, którego nie potrafiłam powstrzymać. – Czy jesteś mną już zmęczony? Jeśli tak, to wolałabym, żebyś mi o tym powiedział!

– Wiesz, że nigdy nie mógłbym się tobą zmęczyć.

– Nie wiem. Nie potrafię tego wszystkiego zrozumieć.

Nie dostrzegałam powodu, dla którego wyrzekł się mnie, zamiótł w kąt, jakby nasza miłość była grzechem albo zbrodnią. Kim właściwie dla niego byłam? Ladacznicą na podorędziu? Mój umysł ciągle wracał do tego samego pytania, aż w końcu obok bólu poczułam obrzydzenie. Wiedziałam, że nigdy tego nie wybaczę Janowi.

– Dobrze mi tak, prawda? Pamiętam dzień, kiedy wyznałeś mi miłość w przytomności twojej żony i dam dworu. Nie potrafisz sobie nawet wyobrazić, jak bardzo wtedy czułam się szczęśliwa. A teraz wyrzekłeś się tej miłości przed całą Anglią. Złamałeś mi serce.

Położyłam dłoń na zasuwie u drzwi. Wbrew wszystkiemu w mojej duszy kołatała się jeszcze nadzieja, że powie coś głębokiego i oczyszczającego, co zniweluje cierpienie tych ostatnich minut. Spojrzałam przez ramię na ściągniętą przystojną twarz i mocno napięte ramiona. Stał bez ruchu, znów doskonale opanowany.

– Zraniłeś mnie, Janie. Zniszczyłeś całe moje szczęście.

Jego odpowiedź była surowa, rozmyślna i nieśpieszna:

– Nie mogę uleczyć twoich ran, Katarzyno, moich zresztą też. Może nie zasługujemy na szczęście. Może, podążając za własnymi pragnieniami, spowodowaliśmy zbyt wielkie zniszczenia, zraniliśmy zbyt wielu ludzi. A teraz musimy zapłacić cenę za naszą samowolę i lekkomyślność.

Nie sposób było wymierzyć bardziej bolesnego ciosu, bardziej wychłostać zmysłów. To był policzek, ulewny lodowaty deszcz, lęk wzbudzony przez piorun, który zapalił drzewo w lesie. Nasze szczęście, za którym podążaliśmy samolubnie i lekkomyślnie, niewątpliwie zraniło innych, zmuszając ich do trudnych wyborów. Jakie kompromisy musiały poczynić Filipa i Elżbieta z miłości do ojca? Największą cenę zapłaciła Konstancja.

Nie był to argument, który mogłabym zignorować, o czym Jan dobrze wiedział.

Czułam głęboką niechęć do niego za to, że zmusił mnie, bym dostrzegła własną moralną nicość. Nie spodziewałam się, że mój kochanek wymierzy mi tak skuteczny cios w plecy.

Otworzyłam drzwi i obejrzałam się jeszcze raz. Pusta sala, odarta z wszelkich atrybutów przeszłej chwały z wyjątkiem swego właściciela, który stał tam wciąż z kroplami deszczu na włosach, na aksamicie i zbroi. Było to odpowiednie miejsce na zakończenie uczucia, które miało przetrwać wieczność, odpowiednie miejsce, by wypowiedzieć słowa, których nigdy nie zamierzałam wypowiadać, a gdy już to zrobiłam, natychmiast tego pożałowałam.

– Czy już mnie nie kochasz?

Przycisnęłam palce do ust z przerażeniem i wstydem, zdumiona, że moje usta bezlitośnie mnie zdradziły. Takie pytanie mogło tylko upokorzyć nas oboje. Jan, z przenikliwym spojrzeniem i twarzą zupełnie pozbawioną koloru, wyglądał tak, jakbym wbiła mu nóż w pierś.

Nie odpowiedział. Wyszłam z komnaty. Nie próbował mnie zatrzymać.

Ani razu nie dotknęliśmy się.

Gdy szłam szybko do swojej sypialni, uderzyła mnie myśl, że prawie niczego mi nie wyjaśnił ani nie próbował się usprawiedliwiać. Powiedział tylko, że musi odwrócić Boży gniew od Anglii. Ale z drugiej strony cóż tu było do wyjaśniania?

To było pierwsze nasze spotkanie, kiedy nie wymieniliśmy nawet uśmiechu, bo też i nie było ku temu powodów.

Nasza miłość została zniszczona i upokorzona przez okrutne ciosy Walsinghama, ale śmiertelny cios zadał sam książę za sprawą swego poczucia obowiązku.

Nic mnie nie obchodził kurz w izbie, choć dobra gospodyni powinna się tym zająć. Nic mnie nie obchodziło, że mogłam napisać palcem swoje imię na wieku kufra. Nigdy więcej nie zamierzałam wchodzić do tej komnaty.

Nic już mnie nie trzymało w zamku w Pontefract. Skończyłam z księciem Lancasterem, z jego światem, z jego nowo rozbudzoną świętoszkowatością. Skończyłam z tym raz na zawsze. Podczas bezsennej nocy z suchymi oczami podjęłam decyzję przepełniona gniewem. Nie była to trudna decyzja. Nie mogłam tu zostać.

Uścisnęłam moją drogą Filipę, doglądając przygotowań do wyjazdu, ale niewiele mogłam jej powiedzieć oprócz słów pożegnania.

– Napisz do mnie – szepnęła z twarzą przy moim kapturze.

– Dobrze. A ty do mnie. – Z trudem zdobyłam się na właściwe słowa i na grymas, który od biedy mógł uchodzić za uśmiech. – Napisz, kiedy znajdziesz męża i co słychać u Elżbiety. – Nie sądziłam, by Elżbieta zechciała do mnie napisać.

W oczach Filipy błysnął niepokój. Przestałam się uśmiechać.

– Gdzie on jest? – Nie byłam w stanie wypowiedzieć jego imienia. Cały zamek huczał od plotek, przeważnie bliskich prawdy, z wyjątkiem tej, że wyciągnęłam przeciwko niemu nóż. Zachowałam się absolutnie przyzwoicie, przede wszystkim dlatego, że nie miałam pod ręką żadnego sztyletu. Jedyne ostrza, jakie znajdowały się w komnacie, gdzie rozmawialiśmy, były wyhaftowane na pozwijanych tapiseriach.

Zamierzałam zachować spokój i opanowanie, tak jak przez cały czas od chwili, gdy usłyszałam, co książę zrobił. Nie chciałam go więcej widzieć, przynajmniej dopóki rana w sercu nie przestanie krwawić. Po tym, co między nami zaszło, najlepiej byłoby, gdybyśmy już nigdy się nie spotkali. Zatrzasnęłam drzwi do moich nieuporządkowanych emocji i skupiłam się na sprawach praktycznych. Zajęłam się pakowaniem dobytku na wozy i usadzaniem dzieci w wielkiej, ciągniętej przez konie lektyce. Jakim sposobem udało nam się zgromadzić tak wiele rzeczy od dnia, kiedy schroniłam się w Pontefract, całkowicie pewna, że moje bezpieczeństwo leży księciu na sercu? Mniejsza o to. Nie należałam już do domu Lancasterów.

– Nie wiem, gdzie jest mój ojciec. – Filipa zerknęła na okna jego apartamentu nad naszymi głowami. Nic się za nimi nie poruszało.

Odetchnęłam głęboko, tłumiąc czającą się gdzieś w głębi serca iskrę żalu. Spaliśmy osobno w zimnych, samotnych łóżkach. Nie przyszedł, by zjeść ze mną śniadanie, nie przyszedł mnie pożegnać.

On nie wie, że wyjeżdżasz, pomyślałam uczciwie.

No cóż, powinien wiedzieć. Powinien rozumieć, że tu nie zostanę, a jeśli nie jest głuchy, to powinien również usłyszeć zgiełk spowodowany naszym wyjazdem. Nie sposób było nie słyszeć donośnych głosów Jana i Henryka, paplaniny Joanny i płaczu Tomasza.

Wsiadłam na konia i wyjechałam za bramę, pewna, że nigdy więcej nie wrócę do żadnego z zamków Lancasterów. Wilgoć na moich policzkach była rzecz jasna spowodowana ostrym wiatrem.

Przez pierwsze pół godziny jechałam w milczeniu obok sierżanta, zupełnie nieświadoma otoczenia. Nie docierały do mnie nawet głosy dzieci i ostre uwagi Agnes. Moje emocje natychmiast wpadły w znajome tory. Będę żyła sama, złożę śluby czystości i choć nie odetnę się od ludzi, moje dni będą wyznaczane rytmem pobożności i tego, co właściwe. Tak jak wiele pogrążonych w żałobie wdów, otoczę się płaszczem uporządkowanych emocji, wprowadzę się w stan ducha typowy dla zakonnicy i będę błagać Boga, by mi wybaczył grzeszne życie. Mój wewnętrzny ogień, który książę podziwiał, zostanie stłumiony, zastąpiony zimnym, szarym i nieistotnym popiołem. Od tej pory będę oddaną posiadłości panią na Kettlethorpe, której porywy uczuć staną się zupełnie obce. Jan Lancaster nie będzie odgrywał żadnej roli w moim życiu i zniknie z moich myśli, a nawet ze snów. Teraz, gdy jego perfidia została obnażona, bez trudu zamknę kufer ze wspomnieniami. Zrobię to, a klucz wrzucę do studni w Kettlethorpe.

Ukradkiem otarłam uporczywe łzy.

A tymczasem, czerpiąc z resztek sił, musiałam prowadzić rozmowę z sierżantem, jak uczyniłaby to każda rozsądna i dobrze wychowana kobieta. Zapytałam o wioski, przez które przejeżdżaliśmy.

– Tu jest dość spokojnie – odrzekł, wyjawiając kierunek swoich myśli. – Ale, rzecz jasna, to są ziemie mojego pana. Tylko ta przeklęta rodzina Percych dopuściła się zdrady.

Zaciekawiło mnie to, bo znałam rodzinę Percych, potężnych hrabiów Northumberland, którzy władali ziemiami na północy równie autokratycznie jak każdy inny książę.

– Co takiego zrobili?

– Zerwali z nim stosunki. To była obelga, a mój pan powiedział tylko, że ich rozumie, bo znaleźli się między młotem a kowadłem. Ja bym zarządził atak na któryś z ich zamków, żeby ich ukarać, ale mój pan oczywiście nie chciał o tym słyszeć.

– Powiedz mi coś więcej.

– To było wtedy, gdy zmierzaliśmy z Berwick na południe. Mój pan chciał się zatrzymać w Bamborough. Znasz, pani, tę wielką fortecę na wybrzeżu. I co wtedy zrobił Harry Percy? Przysłał wiadomość, że mój pan nie będzie tam mile widziany, i zamknął przed nim bramy. A Harry Percy rzekomo był naszym sojusznikiem. Powiedział, że Lancasterowie nie mają wstępu do żadnego z jego zamków, dopóki król Ryszard nie poinformuje go osobiście, że książę godzien jest zaufania. Moim zdaniem to była wielka zniewaga.

Nie powiedział mi o tym. Nie powiedział, że książę Lancaster, najpotężniejszy i najbardziej doświadczony ze wszystkich angielskich panów, został potraktowany jak wyrzutek. Płomień nie przygasł, nie udało mi się też zamknąć wspomnień w kufrze. Płomienie wciąż podskakiwały i lizały pokrywę. Na myśl o upokorzeniu, jakie musiał znieść, po moich policzkach cicho spłynęły łzy. Otarłam je wierzchem rękawicy i dumnie uniosłam głowę. Nie dam się zwieść na manowce opowieściami o jego cierpieniach. Jeśli miałam spędzić samotnie resztę życia, to potrzebowałam siły, którą najlepiej było zacząć gromadzić już teraz.

– Stać!

Nagły rozkaz sierżanta zaskoczył mnie. Zacisnęłam dłonie na wodzach i moja klacz zarzuciła łbem. Cała grupa zatrzymała się raptownie. Lektyka zachwiała się na rusztowaniu.

– Co się dzieje?

Nie zauważyłam w pobliżu żadnych nadciągających kłopotów. Czyżby któryś koń okulał? Nie ujechaliśmy jeszcze daleko, bo niewygodna lektyka spowalniała podróż.

– Jacyś konni za nami.

Sierżant gestem nakazał trzem żołnierzom wyciągnąć miecze i stanąć z tyłu grupy, by chronili nas przed ewentualnym atakiem. Dosłyszałam w dali tętent kopyt. W obecnej sytuacji nie można było czuć się bezpiecznie nawet na ziemiach księcia. Zbliżaliśmy się do rozstajów, gdzie miałam skręcić na wschód, do Lincoln. To miejsce miało złą reputację. Często zdarzały się tam zasadzki i dochodziło do rozlewu krwi.

Mój lęk narastał z każdą chwilą. Odciągnęłam klacz na bok i stanęłam przy lektyce. Joanna i Henryk, nieświadomi niebezpieczeństwa, odsunęli skórzaną zasłonkę i wyjrzeli na drogę. Bez słowa sięgnęłam do rękojeści sztyletu, który w podróży zawsze trzymałam w rękawie.

Sierżant podjechał do mnie.

– Czy to rabusie? – zapytałam.

– Nie. Jest ich zbyt wielu i jadą w zwartym szyku.

Tętent kopyt stał się głośniejszy, podobnie jak dudnienie mojego serca. Była to spora grupa i jechali szybko.

– Może to jakiś rycerz z orszakiem – powiedział sierżant, ale zauważyłam, że niespokojnie sięgnął ręką do głowni miecza. Potem jego twarz rozjaśniła się i chrząknął. – Nie ma powodu do obaw, pani. – Wskazał głową na grupę jeźdźców, która wyłoniła się zza drzew na zakręcie drogi. – To mój pan.

Przymknęłam na chwilę oczy, bo przez moment pomyślałam, że wolałabym grupę rabusiów i rzezimieszków. Do wszystkich wymykających mi się spod kontroli uczuć dołożyła się jeszcze złość, że tak mnie wystraszył.

Jakże łatwo wpadałam w złość w tamtych dniach.

Siedziałam w siodle ze zdecydowanie nieprzyjaznym wyrazem twarzy i patrzyłam, jak zbliżają się do nas, chłonąc każdy szczegół. Jechali kłusa, barwy na tunikach i chorągwi były doskonale widoczne. Tu nie musieli ich ukrywać i książę podróżował w pełnej chwale królewskiej czerwieni, złota i błękitu z herbami Lancasterów i Kastylii. Słońce odbijało się od jego zbroi, rękawic i krwistoczerwonych klejnotów na hełmie. Obok niego jechał herold w tunice, z laską i rogiem, a za ich plecami eskorta złożona z tuzina mężczyzn w barwach Lancasterów i Plantagenetów. Dwóch z nich wiodło juczne konie.

Wyglądali wspaniale i z pewnością było to zamierzone. Książę wiedział, jak sprawić imponujące wrażenie. Dobrze go znałam od tej strony. Słońce lśniło w złotych niciach i kosztownych klejnotach. To nie był pokutnik przygnieciony ciężarem swych grzechów, lecz Plantagenet w pełnej chwale królewskiej krwi.

Ale dlaczego? Czy to był tylko zbieg okoliczności, że właśnie w tej chwili pojawił się na drodze? Naturalnie, mogło się tak zdarzyć. Nawet to, że na nasz widok zwolnili, niczego nie dowodziło. Książę nie mógł przecież wyminąć mnie jak nieznajomą podróżną, skoro wszyscy w jego i w moim towarzystwie wiedzieli, że sypialiśmy razem.

Zwolnił jeszcze bardziej, zbliżając się do mnie. A jeśli przyjechał, by zabrać mnie ze sobą do domu? Czy to możliwe, by po wszystkich złych słowach, które wymieniliśmy, zmienił decyzję i przedłożył swoją kochankę, swoją miłość ponad żądania mściwego Boga i zaniedbywanej żony? Czy przyjechał, by wszystko naprawić?

Nie, to było niemożliwe.

Zatrzymali się z brzękiem uprzęży i tupotem kopyt. Książę zdjął błyszczący hełm i skłonił się nisko. Patrzyłam na niego w milczeniu, myśląc: Co tu robisz, Plantagenecie? Dlaczego za mną przyjechałeś, potężny książę? Czy po to, żeby jeszcze dołożyć mi cierpienia?

– Przyjechałem, by się z tobą pożegnać, lady Swynford, skoro uznałaś za stosowne wyjechać z Pontefract bez uprzedzenia.

– Niepotrzebnie się fatygowałeś, panie – odrzekłam szybko z nadzieją, że uda mi się nie przedłużać tej sytuacji. Gardło miałam wyschnięte jak koryto rzeki w lecie. Nie chciałam przyjmować tej oznaki książęcego szacunku. Miałam nadzieję, że łzy na mojej twarzy obeschły, nie zostawiając żadnych śladów. Nie byłam w odpowiednim nastroju, by unieważnić tak niedawno wyrzeczone słowa. – Już wczoraj powiedzieliśmy sobie wszystko, co było do powiedzenia.

– Tak sądzisz? Ja uważam, że nie. Są rzeczy, które należy zrobić, zanim ktokolwiek, mężczyzna czy kobieta, odejdzie ze służby u mnie.

Sądząc po jego surowej twarzy i lakonicznym tonie, czuł się równie źle jak ja. Dłonie w rękawicach spoczywały na łęku siodła, jedna na drugiej. Zwracał się do mnie takim tonem, jakbym była kłopotliwym petentem odwołującym się do jego miłosierdzia. To był dla niego obowiązek, nieprzyjemny i męczący, ale taki, którego jego zimne rycerskie serce nie mogło zaniedbać.

– Co zamierzasz uczynić, panie? Chcesz mi ofiarować kolejny ładny półmisek do podgrzewania potraw? A może powinnam ci zwrócić ten, który dostałam wcześniej? Konstancji na pewno by się spodobał. Mam go tu ze sobą.

Jego brak reakcji był godny uznania, ale wiedziałam, że go zraniłam, bo skłonił głowę, przyznając, że cios sięgnął celu. Jego maniery były lepsze niż moje.

– Mogę ci dać coś lepszego, pani.

– Niczego od ciebie nie potrzebuję, panie. – Twarz wciąż miałam zastygłą w grymasie niechęci. Trudno było wypowiedzieć słowa, które chciałam wypowiedzieć, ale zrobiłam to, i nie były to uprzejmości. – Nic mi nie jesteś winien i nie mam do ciebie żadnych praw.

Ignorując mój brak dobrego wychowania, książę przywołał gestem herolda, który podjechał do mojego boku i podał mi złożony dokument opatrzony pieczęcią. Wzięłam go do ręki, ale nie otworzyłam.

– To w podzięce za twoją służbę, przede wszystkim za to, co zrobiłaś dla moich córek, ale również dla syna. – Zachowywał się bardzo oficjalnie, nie zważając na moją nieuprzejmość. – Nie mógłbym znaleźć nikogo lepszego. Moje córki dozgonnie będą twoimi dłużniczkami. To jest dożywotnia pensja w wysokości dwustu marek rocznie za to, że wzorowo zajmowałaś się ich edukacją i szczęściem.

– Nie! – Miał czelność płacić mi za moje usługi! Wypuściłam pergamin z ręki.

– Zapracowałaś na to – zauważył. – Czy chcesz powiedzieć, że twoja opieka nad moimi córkami była bezwartościowa? Nie godzi się, lady Swynford, odmawiać mi możliwości wynagrodzenia cię za służbę dla mojego domu.

Poczułam, że twarz płonie mi z zażenowania. Jakże sprytnie pokazał mi bezsens mojej reakcji. Herold cierpliwie zsiadł z konia i podniósł ubrudzony dokument. Przyjęłam go, jakbym upuściła go tylko przez zwykłą nieuwagę.

– Nie potrafię wyrazić, jak bardzo jestem ci wdzięczna, panie. Proszę, wybacz mi moje niczym nieuzasadnione zachowanie. – Wciąż nie oddawałam mu sprawiedliwości, ale dostrzegłam swój błąd. Miałam nadzieję, że to już koniec i będę mogła jechać dalej. Zgarnęłam wodze, ale herold stojący przy kłębie mojego konia pochwycił go za uzdę, chociaż zmarszczyłam groźnie brwi.

Książę trącił swego konia piętą i podjechał bliżej.

– Nie godzi się, byś porzucała zatrudnienie u mnie i opuszczała mój dom bez mojej wiedzy. To niestosowne, byś uciekała jak złodziej w nocy. – Podniósł rękę, przywołując grupkę służących, którzy do tej pory trzymali się z tyłu. Teraz podjechali bliżej, prowadząc dwa konie obładowane jukami i wierzchowca w bogatej uprzęży. – Zechciej uczynić mi ten zaszczyt i zsiądź z konia, lady Swynford.

Nawet nie drgnęłam.

Książę zeskoczył z siodła i stanął na ziemi, patrząc na moją twarz. Jego twarz wydawała się wykuta z kamienia.

– Proszę, moja pani.

Wyjął uzdę mojego konia z dłoni herolda i zacisnął na niej palce. Widziałam w jego oczach, że jeśli nie ustąpię, ściągnie mnie z grzbietu klaczy siłą. Mocno ściskając w ręku dokument, którego nie miałam zamiaru upuścić po raz drugi, zsiadłam z chłodną godnością.

Książę pstryknął palcami, przywołując giermka. Chłopak nie potrzebował żadnych poleceń. Wyjął dokument z moich zdrętwiałych palców, rozpiął broszę, która przytrzymywała mój płaszcz – jak mi się wydawało, w bardzo dobrym gatunku – i jednym energicznym ruchem zarzucił mi na ramiona inny, z delikatnej wełny lamowanej sobolim futrem. Podprowadzono do mnie wierzchowca. Giermek wsunął dokument do sakwy, a do drugiej mój zwinięty stary płaszcz.

Jan przez cały ten czas stał w milczeniu. Na twarzy Agnes, która wyglądała z lektyki, zdumienie mieszało się z rozbawieniem. Ja byłam posłuszna i milcząca, choć cała gotowałam się w środku.

– Nie potrzebuję nowego płaszcza – powiedziałam do giermka, który właśnie spinał go złotą broszą z krwistoczerwonym kamieniem. A zatem zamierzał mi zapłacić sobolami i klejnotami.

– Takie jest życzenie mojego pana – powiedział giermek z ukłonem.

– Mam już konia.

– A teraz masz lepszego, pani – odrzekł Jan tonem niedopuszczającym sprzeciwu. – W jukach na grzbietach tych koni jest mięso i wino. Moja eskorta odprowadzi cię do Kenilworth, dla twojego spokoju – popatrzył mi prosto w oczy – i mojego też.

A więc miałam podróżować w splendorach, by wszyscy widzieli, jak wysoko ceni mnie książę Lancaster.

– Dlaczego to robisz?

Nie odpowiedział. Podszedł do lektyki, oparł ramię na drążku i zajrzał do środka. Po raz pierwszy jego twarz nieco złagodniała. Potargał włosy Jana, poprawił na poduszkach małego Henryka i podał mu niewielkiego rycerzyka. Powiedział coś cicho do Joanny i poprawił jej czepek, a na koniec dotknął policzka Tomasza. Serce mi się rozdzierało, gdy na to patrzyłam. To były jego dzieci, tak samo jak moje. Czy nic go to nie obchodziło? Je też porzucał. Nie chciałam na to patrzeć.

Ale patrzyłam. Dzieci nie odezwały się ani słowem, olśnione jego wspaniałością. W końcu jednak Jan pochwycił go za rękaw.

– Pojedziesz z nami, sir?

– Nie, nie dzisiaj. – Jego głos brzmiał ochryple. Zmusił się do uśmiechu. – Ale moi ludzie zapewnią wam bezpieczeństwo. Będziesz jechać z eskortą, tak jak powinien jechać młody książę. Jak ci się to podoba?

– Kiedyś będę rycerzem – odpowiedział Jan.

– Też tak myślę. Będziesz doskonałym wojownikiem.

Odwrócił się i znów skinął głową do giermka, który z uprzejmymi słowami ujął mnie pod ramię i pomógł wsiąść na nowego konia. Książę również wsiadł na swojego i skłonił się z czapką w ręku.

– Powierzam ciebie i twoje dzieci Bogu, lady Swynford, i ufam, że wybaczy nam to, co zaszło między nami. Wynagrodzę ci krzywdy, które ci wyrządziłem. Niczego nie będzie ci brakować. – Nawet stojąc pośrodku gościńca na odludziu, wyglądał majestatycznie i mówił donośnym głosem, by wszyscy go słyszeli. – Rozumiem, że nie masz ochoty przyjmować niczego z mojej ręki, ale mam nadzieję, że czas uleczy te rany i że nie odrzucisz moich podarków. Moi synowie i córki nie powinni cierpieć niedostatku.

Przez cały ten czas siedziałam rozzłoszczona i milcząca, mierząc go twardym spojrzeniem. Czy sądził, że duma nie pozwoli mi przyjąć jego wsparcia dla dzieci, że moje upokorzenie podyktuje mi przyszłe decyzje dotyczące ich życia? Tak nie było.

– Dopilnuję, byście bezpiecznie dotarli do Kettlethorpe.

– Dziękuję ci, panie. – Tylko tyle potrafiłam wykrztusić.

– Jeśli kiedykolwiek będziesz w potrzebie, pani, albo w niebezpieczeństwie, wystarczy, że przyślesz słowo.

To nie była prośba, toteż nie odpowiedziałam.

– Zachowam cię w moich myślach, Katarzyno.

Odwróciłam się bez słowa i odjechałam owinięta sobolowym płaszczem, na nowym siodle, tak wspaniałym, jakbym pochodziła z królewskiego rodu. Z suchymi oczami i surową twarzą przysięgłam, że wypełnię obietnicę złożoną Najświętszej Panience i ufunduję złote ozdoby na ołtarz w Kettlethorpe. Książę żył i był bezpieczny. Należało wypełnić przysięgę złożoną przy ołtarzu, nawet jeśli złamał mi serce.

Wszyscy w orszaku znali prawdę i mieli ochotę poszeptać między sobą na nasz temat. Wiedziałam, że te plotki rozprzestrzenią się jak nieprzyjemna wysypka.

Naprawdę nie miałam pojęcia, co o tym myśleć. Zdziwiło mnie, że książę tak otwarcie złożył mi dowody uszanowania i pokazał całemu otoczeniu, jak wiele dla niego znaczyłam. W gruncie rzeczy była to kolejna publiczna spowiedź: jeszcze raz przyznał się do winy i odpowiedzialności, znów narażając się na gniew Boży i nienawiść Kościoła pod paskudną postacią Walsinghama, który z pewnością miał o tym usłyszeć. Ale zarazem w bardzo intymny sposób okazał, jak ważne miejsce zajmowałam w jego życiu – ja, a także dzieci.

Dlaczego to uczynił? Czy chciał zyskać moje przebaczenie? A może to poczucie winy kazało mu pojechać za mną i obdarzyć mnie tak wielkimi darami? No cóż, jeśli chciał mnie ułagodzić, jego trud był nadaremny. Nie zamierzałam mu wybaczyć. Postawił mnie pod pręgierzem tak samo jak Walsingham. Teraz już wszyscy w Anglii wiedzieli, że byłam kochanką Lancastera i wciągnęłam go w grzeszne życie.

Odjechałam od niego, nie odwracając się, na nowym koniu, w nowym płaszczu, otoczona książęcym orszakiem, wioząc ze sobą podarek o wielkiej wartości. Dokument potwierdzający moją pensję niemal wypalał dziurę w skórzanej sakwie. Dwieście marek rocznie to była ogromna suma. Ze względu na czwórkę naszych dzieci nie mogłam jej odrzucić, ale pustka w mojej piersi mogłaby pomieścić cały nieboskłon.

Powtarzałam sobie, że poczuję się lepiej, gdy wrócę do Kettlethorpe. Tam będę mogła zapomnieć i zdecydowanie wkroczyć na nową drogę życia.

Wspaniały płaszcz był o wiele za ciężki przy ciepłej pogodzie, ale buntowniczo miałam go na sobie przez całą drogę do domu.

Nie było lepiej. W ogóle nie było lepiej. Dlaczego ta miłość nie chciała mnie opuścić? Dlaczego przez cały czas beznadziejnie i bezradnie pragnęła pojednania?

Nie było na to nadziei, ale nie potrafiłam zapomnieć. Pragnęłam, by ta miłość umarła, ale ona nie chciała umrzeć.

Kettlethorpe stało się dla mnie miejscem żałoby. Jakie prawo miał książę prześladować moje myśli i sny, przypominając mi nieustannie o tym, co straciłam, skoro nie byłam już częścią jego życia i nie należałam do jego domu? Nie potrafiłam się z tym pogodzić, nie docierało do mnie wszystko to, co się zdarzyło. Wszystko, czym byliśmy dla siebie, teraz zostało zniszczone. Moje serce drżało z rozpaczy i bezgranicznej samotności.

Wciąż nie opuszczało mnie zdumienie. Czyż w dalszym ciągu nie byliśmy więźniami namiętności, która nie pozwalała nam istnieć z dala od siebie, jak srebrny karp z mojego stawu pochwycony w sieć? Nienawidziłam księcia, ale pragnęłam znów ujrzeć, jak wjeżdża na dziedziniec przez moją nową bramę. Jak można było zaprzeczyć wszystkiemu, co razem mówiliśmy i robiliśmy? Cała litania zapewnień o miłości i honorze teraz została porwana na strzępy i rozproszona na wietrze.

Srebrny karp zapewne pragnąłby uciec z sieci, ale ja w głębi serca wcale tego nie chciałam. Puste miejsce w mojej piersi rozrastało się coraz bardziej, aż pochłonęło mnie całą. Nie ożywiłam się nawet wtedy, gdy moja siostra Filipa pojawiła się w Kettlethorpe i z irytującym brakiem empatii stwierdziła, że jej zdaniem potrzebuję rady. Księżna Konstancja, zaabsorbowana swoim ożywionym na nowo małżeństwem, mogła się bez niej obyć przez tydzień lub dwa.

– Popatrz tylko na siebie. Marniejesz i popadasz w szaleństwo – oświadczyła Filipa.

– Nie marnieję i nie popadam w szaleństwo – odrzekłam krótko i pociągnęłam ją do salonu, kolejnego nowego pomieszczenia w moim domu. Nawet jeśli rzeczywiście marniałam, to nie zamierzałam zwierzać się Filipie ze swojej słabości.

Moja siostra jednak nie dała się zbić z tropu. Przymrużonymi oczami przyjrzała się mojej bladej twarzy i zmarszczonej na piersiach sukni.

– Skoro on tak wiele dla ciebie znaczy, to dlaczego godzisz się na rozstanie? Jeśli twoja miłość jest tak silna, jak twierdzisz, to jedź do Kenilworth i powiedz mu, że nie zgadzasz się, by cię wyrzucił ze swego życia.

– Jak mogłabym to zrobić? Jak mam walczyć z Bogiem i z całą Anglią?

– Nie sądziłam, że to może cię powstrzymać.

Udało jej się doprowadzić mnie do śmiechu, choć był to śmiech pozbawiony humoru.

– Za bardzo mnie zranił.

– Powinnaś znów wyjść za mąż – zauważyła siostra, patrząc na moje zarumienione policzki, gdy pod koniec dnia znów usiadłyśmy razem nad szyciem.

– Dlaczego tak uważasz? – Uśmiechnęłam się lekko, żeby ukryć zdumienie. Czy tak już miało być zawsze? Czy ci, którzy mnie znali, nieustannie będą mnie zachęcać, bym przykryła rozczarowanie kolejnym związkiem?

– Żeby odciągnąć myśli od Lancastera.

Filipa zawsze była bardzo bezpośrednia. Agnes, siedząca przy jej boku, skinęła głową z aprobatą.

– A któż godny chciałby wziąć kobietę owianą taką niesławą jak ja? – zapytałam pełna niechęci do ich matrymonialnych zapędów.

– Z pewnością znalazłoby się wielu chętnych do ożenku z kobietą, która ma gwarantowany dochód od Lancastera.

– I czworo nieślubnych dzieci.

Filipa wzruszyła ramionami i wbiła igłę w tkaninę.

– Dlaczego nie? Dzieci zostaną dobrze zaopatrzone. Lancaster nie zostawi cię na łasce losu, nawet jeśli będziesz miała nowego męża.

Pochyliłam głowę nad szyciem. Ścieg był nierówny, ale nie miałam ochoty go poprawiać. Powtórne małżeństwo? Czy potrafiłam sobie wyobrazić, że miałabym mieszkać w jakimś innym dworze albo w miejskim domu w Lincoln z obcym mężczyzną, z którym miałabym dzielić stół i łoże, myśli i słowa pod koniec długiego dnia, i któremu nosiłabym kolejne dziecko?

– Nie zrobię tego.

– A zatem zamierzasz złożyć śluby czystości i żyć jak zakonnica, tylko bez klasztoru? – Filipa uderzyła się dłonią w kolano. – Na Boga, jesteś jeszcze młoda i powinnaś mieć jakieś własne życie! Czy zamierzasz pogrążać się w rozpaczy tylko dlatego, że jeden mężczyzna odwrócił się do ciebie plecami?

– Nie pogrążam się w rozpaczy.

– A ja sądzę, że tak. Nie ma powodu, byś nie mogła odwiedzić przyjaciół, nawet na dworze. Król zawsze bardzo cię szanował, a teraz, gdy ma mieć nową młodą żonę, z pewnością chętnie cię powita. A ty zamykasz się tutaj, jakby nic cię już nie czekało oprócz śmierci.

Popatrzyłam na nie, ale natychmiast odrzuciłam ich radę. Młody król wraz ze swą piękną żoną Anną Czeską być może chętnie zobaczyłby mnie na dworze, ale spotkałabym tam również księcia Lancastera i Konstancję.

– Nie, nie pojadę na dwór. I wcale się nie zamknęłam, po prostu zajęłam się obowiązkami w Kettlethorpe i w Coleby. Jestem zadowolona z tego życia i nie będę odwiedzać przyjaciół. Nie pojadę na dwór, nawet gdyby król Ryszard mnie zaprosił, ani nie wyjdę powtórnie za mąż. Musimy przetrwać tu razem – trzy samotne kobiety bez żadnego mężczyzny, który zakłócałby nasze życie.

Mój uśmiech już dawno zgasł.

Filipa, która również nie miała nadziei na pogodzenie ze swoim będącym ciągle w podróżach mężem, rzuciła robótkę na podłogę.

– Potrafię sobie wyobrazić lepsze życie.

Ja też potrafiłam, ale nie zmierzałam przyznać tego głośno.

– W takim razie musisz wrócić do księżnej – powiedziałam tylko. W moim obecnym nastroju wolałabym, żeby to zrobiła. Ja zaś zamierzałam prowadzić tryb życia zakonnicy, na jaki skazał mnie książę.

ROZDZIAŁ PIĘTNASTY

Dochodziły do mnie wieści o poczynaniach księcia i o jego osiągnięciach, choć wolałabym tego wszystkiego nie słyszeć. Jakże wielkie było jego poświęcenie i jak wspaniałe rezultaty przyniosło! Powinnam się radować, że odcięcie się ode mnie pozwoliło mu powrócić do chwały. Rada królewska, wcześniej tak wroga, teraz przyjmowała go z honorami i wychwalała pod niebiosa, gdy odmówił zemsty na tych, którzy zniszczyli pałac Savoy. Walsingham uśmiechał się do niego i opiewał jego determinację w naprawianiu skutków dawnego wszetecznego życia. Podobnie król Ryszard, który powierzył mu zadanie powitania nowej królowej i przeprowadzenia jej przez ulice Londynu.

Miałam rację, że nie pojechałam na tę uroczystość. Nie mogłabym się do niego uśmiechnąć.

Księżną Konstancję często widywano u jego boku, zadowoloną z odświeżenia małżeńskiego związku. Książę planował kolejną kampanię, która miała na celu zdobycie Kastylii. Księżna i książę Lancaster wiedli prawdziwie błogosławione życie, ale ich żniwa to mnie pozbawiły liści i kwiatów.

Zebrałam całą biżuterię, którą dostałam od księcia przez te wszystkie lata, i wrzuciłam ją na dno kufra, w którym trzymałam nienoszone już suknie. Obróciłam w ręku dwie niewielkie brosze, przypominając sobie, jak niecały rok temu przypinał je do mojego gorsetu – małe złote serduszko z brylantem w środku i spinka z dwiema dłońmi splecionymi dokoła rubinu. Wrzuciłam je do kufra i zamknęłam na klucz, ale wcześniej dołożyłam jeszcze różaniec ze złota i koralu.

Nigdy więcej nie miałam zamiaru tego nosić.

W pierwszym tygodniu lutego, gdy drogi znów stały się przejezdne, bo błoto ściął tęgi mróz, do moich drzwi zawitał posłaniec w jaskrawej liberii Lancasterów.

– Co tym razem? Czy w tym tygodniu zamierza wkraść się w moje łaski dostawą piwa i dziczyzny? Przysięgam, że to mu się nie uda.

W tych ciemnych dniach po Nowym Roku nie miałam cierpliwości do nikogo. Przyjęłam przesyłkę dość niegrzecznie.

Rozstaliśmy się zaledwie przed kilkoma tygodniami, ale miałam wrażenie, że żyję w głębi czarnej studni. Każdego dnia toczyłam walkę ze sobą, by zachować spokój i uprzejmość wobec domowników. Udawało mi się to dzięki temu, że zamknęłam emocje pod maską chłodnej apatii jak pod zbroją nieprzepuszczającą niczego, co mogłoby mnie zranić. Odrzuciłam wszystkie pojednawcze gesty księcia. Nie chciałam jeździć na nowej klaczy, choć była bardzo łagodna i sierść miała gładką jak aksamit. Płaszcz lamowany sobolami trafił do kufra razem z biżuterią. Byłam *femme sole*, kobietą samotną i niezależną, i jak nigdy dotąd zamierzałam wziąć sobie do serca tytuł pani na Kettlethorpe.

Zaniosłam paczkę do pokoju dziecinnego, usiadłam i podniosłam z podłogi Tomasza, który miał teraz rok i był krzepkim chłopcem. Uścisnęłam jego drobne ciałko, spoglądając na dokument. O dziwo, wyglądał bardzo oficjalnie. Przyszło mi do głowy, że może dotyczyć finansowego zabezpieczenia dzieci. Tak, to z pewnością to. Posadziłam sobie Tomasza na kolanach i powiodłam dłońmi po grubej kopercie. Pod palcami wyczułam pieczęć.

– Zamierzasz to otworzyć? – Krążąca w pobliżu Agnes wyczuwała moją niechęć, ale ciekawość przeważyła. – Nic się nie zmieni, jeśli tego nie przeczytasz. Pergamin nie może cię skrzywdzić. Ja wezmę dziecko.

– Nie. – Z jakiegoś powodu potrzebowałam czuć bliskość Tomasza. Uśmiechnęłam się do Joanny, która stanęła przy moim kolanie, i pocałowałam ją w czoło. Kosmyk rudawych włosów wysunął jej się spod czepka. – Zobaczymy, co wasz ojciec ma nam do powiedzenia. Wczoraj przysłał dwie beczki dobrego wina z Gaskonii. Co będzie dzisiaj?

Złamałam pieczęć i rozwinęłam dwa arkusze pergaminu. Jeden wyglądał bardziej oficjalnie, dlatego pierwszy przykuł moją uwagę. Tak, to był oficjalny dokument napisany ręką skryby. Przeniosłam wzrok na sam dół arkusza, gdzie znajdowała się pieczęć. To była pieczęć księcia. Serce zaczęło mi bić nieco szybciej. Przytrzymałam Tomasza mocno wpół, gdyż zaczął mi się wyrywać. Dlaczego książę uznał za stosowne przysłać mi oficjalny dokument? Na pierwszy rzut oka nie miał on nic wspólnego z roczną pensją dla dzieci.

Zaczęłam czytać, przemawiając cicho do Tomasza. Naraz zamilkłam.

Wszystkim czynimy wiadomym, że oddaliliśmy, zwolniliśmy ze zobowiązań i w pełni wyrzekliśmy się w imieniu własnym i naszych dziedziców związku z lady Swynford, byłą guwernantką naszych córek.

Mój wzrok cofnął się i zatrzymał na tym jednym słowie. „Wyrzekliśmy się". Nie potrafiłam powstrzymać cichego okrzyku.

Czytałam dalej, linijka po linijce.

Ani my sami, ani nasi spadkobiercy, ani nikt inny w naszym imieniu czy też za naszym pośrednictwem nie może w przyszłości domagać się ani rościć sobie praw do wspomnianej lady Katarzyny i ze wszystkich naszych działań zostaje ona w zupełności wykluczona.

Co to było?

Ku poświadczeniu powyższego pieczętujemy ten dokument na odwrocie naszą prywatną pieczęcią z wytłoczonym znakiem naszego pierścienia.

To był akt zrzeczenia się praw. Wiedziałam, co to takiego.

Lekko potarłam policzkiem o włosy Tomasza, jakbym szukała pociechy w jego cieple. Moje serce zdawało się kruche jak sopel lodu, gdy czytałam pomiędzy linijkami prawnego tekstu. Oto książę Lancaster zrzekał się wszelkich praw do mnie, a co dla mnie było jeszcze gorsze – moich do niego. Tym samym byliśmy rozdzieleni prawnie. W przyszłości żadne z nas nie mogło zgłaszać żadnych roszczeń wobec drugiego. Nasz związek został nieodwołalnie zakończony, co zostało poświadczone podpisem i pieczęcią.

Jeśli trzymałam się jeszcze resztek nadziei, że przepaść między nami może zostać zasypana i że któregoś dnia w odległej przyszłości może znów będziemy razem, ten dokument nie pozostawiał mi żadnych złudzeń.

Przeczytałam wszystkie słowa, a potem po prostu siedziałam i patrzyłam przed siebie niewidzącym wzrokiem, do głębi upokorzona. Czułam, jak to upokorzenie rozchodzi się po moich żyłach niczym miód ściekający z plastra.

Czy naprawdę sądził, że będę go nękać o pieniądze, o wsparcie dla jego dzieci? Czy obawiał się, że pojawię się w jego drzwiach w Hertford czy Symeon z dziećmi i dobytkiem spakowanym na wozy, i będę się domagać uznania swoich praw? Wezbrała we mnie duma. Nie zrobiłabym tego nawet bez tego zimnego dokumentu. Ale książę Lancaster dopilnował, żebym nie mogła tego uczynić, jakbym była natrętnym żebrakiem, którego trzeba utrzymać z dala od siebie prawnymi sposobami. Ani ja, ani moje dzieci nie mieliśmy już do niego żadnych praw. Pieczęć wytłoczona w czerwonym wosku przecinała więź między nami równie skutecznie, jak miecz.

Ze wszystkich naszych działań zostaje ona w zupełności wykluczona.

Siedziałam i patrzyłam na te słowa i w miarę, jak docierało do mnie w pełni, co książę uczynił, ogarniała mnie coraz większa groza. Wedle prawa byłam wygnana z jego życia. Czy nie wystarczyło mu to, że po prostu odesłał mnie i nazwał czarodziejką, w domyśle czarownicą, żeby cały świat mógł mnie wytykać palcem i oglądać wścibskimi oczami? Nigdy nie próbowałabym wykorzystywać naszej przeszłości, on jednak podejrzewał, że mogę podjąć jakieś kroki przeciwko niemu i domagać się swoich praw. Jakich praw? Nigdy nie zgłaszałam żadnych praw oprócz praw miłości.

Czy tak mało mnie znał po tym wszystkim, co razem przeżyliśmy? Moje zdumienie nie miało granic. Ta legalna separacja nie była konieczna, a to, że przesłał dokument przez posłańca, jeszcze przydawało jej okrucieństwa. Przepaść, którą książę w ten sposób wykopał między nami, majaczyła przede mną ciemna i głęboka. Jak moja miłość mogła przetrwać taki cios?

Pozwoliłam, by dokument upadł na posadzkę. Nie czułam pragnienia zemsty za ten oburzający akt wobec mnie i dzieci, nie potrafiłam też szlochać nad okrutnym ciosem. Moja rozpacz była zbyt wielka, bym mogła pozwolić sobie na luksus łez. Przypomniałam sobie nasze spotkanie na drodze z Pontefract i zapłonął we mnie gniew. „Nic mi nie jesteś winien i nie mam do ciebie żadnych praw", powiedziałam wtedy i miałam zupełną rację. Rozstaliśmy się na zawsze i prawo było przeciwko nam. Może w chwilach największej słabości miałam nadzieję, że sytuacja się odwróci, może sądziłam, że nie będzie potrafił beze mnie żyć, ale jakże się myliłam!

– Jak mogłeś zadać mi taki cios prosto w serce?! – wykrzyknęłam. – Pogardzam tobą! – Pochyliłam głowę nad Tomaszem, walcząc ze łzami, które w końcu napłynęły do oczu, gdy emocje przerwały wszelkie zapory.

– Pani. – Poczułam na ramieniu dłoń Agnes. Jej głos był miękki i równy. Miała to, czego mnie brakowało. – On nie zraniłby cię w ten sposób.

– Wiem przecież, co napisał! – wykrzyknęłam z bólem. – A właściwie napisał to John Crowe, jego skryba. Po co miałby robić to sam, skoro ma sługę, który pisze za niego?

Nie widziałam nic oprócz tych przeklętych słów zrzeczenia, jakby były napisane krwią.

Ze wszystkich naszych działań zostaje ona w zupełności wykluczona.

Nie zauważyłam wejścia mojej siostry aż do chwili, gdy zabrała ode mnie Tomasza, który zaczął marudzić. Pochyliła się nad ramieniem Agnes, spojrzała na zrzeczenie i wyjęła mi je z ręki, usuwając poza zasięg rączek dziecka.

– Ha! Cóż, z całą pewnością widać w tym rękę mężczyzny. Dlaczego płaczesz? Czego się po nim spodziewałaś właśnie teraz, gdy wrócił na wdzięczne łono Konstancji? Pewnie to ona go do tego namówiła, a skoro znów ma widoki na Kastylię i błogosławieństwo papieża dla wszystkich sojuszników, to nic go nie powstrzymuje przed tym, by jej słuchać. Jaki mężczyzna gotów byłby przedłożyć kobietę, która przez dziesięć lat grzała jego prześcieradła, ponad własne ambicje? Ja takiego nie znam.

– Książę to nie Geoffrey – odparowałam, wciąż nie mogąc w to uwierzyć. – Nigdy nie wątpiłam w jego miłość. Nigdy nie miałam powodu. Po tamtej konfrontacji z Konstancją zawsze stał przede mną jak tarcza. Jak mogłabym w niego wątpić?

– Tym bardziej jesteś głupia. Ja nauczyłam się swojej lekcji. Mężczyźni nie wiedzą, co to lojalność, gdy w grę wchodzą ich lędźwie albo ambicje. Powinnaś być mądrzejsza i nie rzucać swojego honoru i reputacji pod but Lancastera. Ale zrobiłaś to wbrew wszystkim moim radom, bo sądziłaś, że miłość okaże się silniejsza niż ambicja czy groźba publicznej niesławy. Nie był wierny Konstancji i nie był wierny tobie. Zasługuje na każdą krytykę. Jego rycerska reputacja została porwana na strzępy. Mężczyźni nie mają w sobie ani odrobiny rycerskości, gdy w grę wchodzą ich interesy.

Jej gwałtowność skierowana przeciwko księciu i mężczyznom w ogóle wstrząsnęła mną, choć może nie powinna. Filipa wzruszyła ramionami i z dezaprobatą zacisnęła usta, a potem jeszcze raz przebiegła wzrokiem dokument i wybuchnęła ostrym śmiechem. Wyrwałam jej pergamin z ręki.

– Nie widzę tu niczego, z czego można by się śmiać.

– Bo nie widzisz tego, co masz przed samym nosem. Wciąż jesteś nim zauroczona.

Tego było już za wiele. Pochwyciłam listy, w tym jeden wciąż nieprzeczytany, i wyszłam z pokoju dziecinnego. W uszach wciąż dźwięczały mi oskarżenia Filipy wobec mnie i księcia. Był niegodny zaufania, pozbawiony honoru, niewart nazwania go rycerzem. Ja zaś byłam zaślepiona, samowolna i w pełni zasłużyłam na złamane serce.

Zapomnij o nim. Wyrzuć go z myśli, powtarzałam sobie.

Czy to było ostateczne zakończenie naszej miłości? Czy zniszczył ją sam książę, a nie Walsingham? Gdy Walsingham nazwał mnie kurwą, książę podniósł mnie z otchłani cierpienia. Teraz sama musiałam stawić czoło burzy.

Czyż nie wiedziałam, że nasza miłość pewnego dnia napotka na przeszkodę nie do przezwyciężenia?

Ale nie taką. Nigdy nie wyobrażałam sobie, że tak to będzie wyglądać.

Resztę dnia spędziłam na doglądaniu czyszczenia nielicznych tapiserii, którymi mogło się poszczycić Kettlethorpe. Potem, gdy byłam wyczerpana, cała pokryta pajęczynami i kurzem, ale moje myśli trochę się uspokoiły, wróciłam do salonu i z westchnieniem dostrzegłam, że nikogo tam nie ma. Było zimno, a w palenisku nie płonął ogień. Dopiero teraz rozwinęłam drugi dokument, którego dotychczas nie przeczytałam. Trzymałam go przez cały czas w rękawie. W porównaniu z poprzednim nie mógł zawierać nic szczególnie ważnego, a ja już byłam zmęczona oficjalnymi dokumentami. Na szczęście był na tyle krótki, że dało się go przeczytać jednym rzutem oka. Był zapieczętowany osobistą pieczęcią księcia, ale napisany czytelną ręką sir Thomasa Hungerforda:

Zaproszenie dla lady Katarzyny Swynford i jej córki Joanny Beaufort do domu księżnej Hereford w Rochford Hall w hrabstwie Essex w kwietniu obecnego roku. Mamy nadzieję, że lady Swynford zechce użyć swych umiejętności dla dobra lady Marii de Bohun, księżnej Derby.

Patrzyłam na list i mimo własnych smutków czułam współczucie dla młodej Marii de Bohun, która mając niewiele ponad dziesięć lat została poślubiona Henrykowi Lancasterowi, obecnie noszącemu tytuł hrabiego Derby. Obydwoje byli jeszcze zbyt młodzi, by spełnić fizyczne wymogi małżeństwa, zgodzono się więc, że nie powinni mieszkać razem, dopóki Maria nie osiągnie odpowiedniego wieku, by bezpiecznie urodzić dziecko.

Ale któż może wyrokować w takich sprawach? Ci dwoje wyraźnie mieli się ku sobie. Maria była zauroczona, a Henrykowi zabrakło siły woli, by się powstrzymać. Była ładną i słodką dziewczyną i w wieku trzynastu lat nosiła już książęcego dziedzica. Była zbyt młoda do rodzenia dzieci, młodsza niż ja, kiedy nosiłam Blankę. Nie zdziwiło mnie zatem, że księżna Hereford, zatroskana matka Marii, prosiła mnie o pomoc przy tej niosącej wielkie zagrożenia ciąży.

A jednak byłam zdziwiona. Miałam zakaz wstępu do domu Lancasterów, dlaczego zatem księżna zechciała otworzyć przede mną drzwi Rochford Hall, podobnie jak kiedyś przyjęła mnie do zamku Pleshey? Z zastanowieniem złożyłam zaproszenie i przejechałam paznokciem po zgięciach.

To zaproszenie nie wyszło bezpośrednio z ust księżnej. Czy była to ze strony księcia kolejna próba osłodzenia naszego rozstania? Jeszcze jedna próba uspokojenia sumienia, obok pieniędzy oraz częstych dostaw wina i dziczyzny, które z pewnością lada dzień znów pojawią się na moim progu? Po co zawracał sobie głowę tymi próżnymi zabiegami? Dokument zrzeczenia był jasny jak słońce, toteż mogłam bez wahania odrzucić zaproszenie do domu spadkobiercy księstwa i jego młodziutkiej żony. I zamierzałam to zrobić.

Zmięłam arkusz w ręku, a potem w ataku buntu porwałam go na strzępy i rozsypałam po zimnym palenisku. Nie pojadę! Nie pojadę do Rochford Hall w kwietniu ani w żadnym innym czasie. Wszystkie więzy między mną a księciem Lancasterem zostały zerwane.

Co do zrzeczenia, wepchnęłam dokument do kufra. Moje palce otarły się przy tym o miękkie futro. Syknęłam, jakby poparzyło mi skórę, i szybko zatrzasnęłam pokrywę. Jak na jeden dzień miałam już zupełnie dość Lancasterów i nie potrzebowałam jeszcze kuszącego widoku tych wspaniałych soboli.

Pojechałam do Rochford Hall. Pomimo moich dumnych oświadczeń i deklaracji samowystarczalności, urok Kettlethorpe po kolejnym miesiącu deszczu zbladł na tyle, że zaczęłam myśleć rozsądnie.

– Witaj w moim domu.

To była oficjalna formuła. Po pierwszej chwili wahania – stałam się ostatnio bardzo wyczulona na wszelkie uchybienia, prawdziwe i wyimaginowane – księżna Hereford pociągnęła mnie do swojej izby. Na jej szerokiej twarzy odbijał się niepokój. Zacisnęła palce na lamowanym futrem skraju mojego rękawa. Ciężki adamaszek moich spódnic omiótł malowane kafle posadzki. Przyjemnie było znów nosić piękne dworskie suknie, jednak niepokój spowodowany tym, jak księżna mnie przyjęła, sprawił, że zesztywniałam i powiedziałam oficjalnie:

– Czuję się zaszczycona twoim zaproszeniem, pani.

Te słowa zabrzmiały chłodno, choć skierowane były do kobiety, która wyciągnęła do mnie przyjazną rękę i pozwoliła urodzić dziecko pod swoim dachem. Ale było to, zanim jeszcze napiętnowano mnie jako czarownicę i nim książę potępił mnie jako przyczynę swoich grzechów.

Zatrzymałam się w wygodnym, obwieszonym tapiseriami pomieszczeniu, czekając na równie chłodną odpowiedź. Przyszło mi do głowy, że Joanna FitzAlan, księżna Hereford, znana ze swoich szerokich powiązań, być może zgodziła się wystosować zaproszenie pod presją. Może jednak powinnam pozostać ze swoim nieszczęściem w Kettlethorpe, pośród deszczu i powodzi.

Księżna Joanna puściła mój rękaw i potrząsnęła głową z lekkim zażenowaniem.

– Gdybyś nie pojawiła się w tym tygodniu, zamierzałam po ciebie posłać – oznajmiła. – Twoja wiedza i doświadczenie z głupimi brzemiennymi żonami i dziećmi, które pojawiają się na świecie przed terminem, mogą się nam bardzo przydać. Zresztą nie tylko to.

Moja córka Joanna, obecnie pięciolatka, dumna z tego, że została zaproszona razem ze mną, stała obok z poważną miną przyciśnięta do moich spódnic. Porwałam zaproszenie na strzępy, potem jednak zdecydowałam się je przyjąć, sytuacja bowiem dotyczyła kobiet bliskich mi tak, jakby należały do mojej rodziny. Nie mogłam odwrócić się plecami do księżnej w kłopotach ani do jej córki, nawet jeśli obecnie nasze stosunki mogły się okazać trudne i bolesne.

Ale to jeszcze nie znaczyło, że ulegnę woli Lancastera i będę podtrzymywać więzi z jego rodziną. Podzielę się doświadczeniem, użyczę swoich umiejętności księżnej i lady Marii z nadzieją na szczęśliwy poród, a potem zabiorę Joannę i wrócę do Kettlethorpe.

W buntowniczym nastroju przyjechałam na klaczy, którą dostałam od księcia. Dlaczego taki dar miałby się marnować? Dlaczego nie miałabym używać tak ładnego konia? Czy nie byłam warta swojej zapłaty? Ale nie ruszyłam płaszcza lamowanego cennymi sobolami. Tego nigdy nie miałam zamiaru zrobić. Dotyk ciepłego futra przy mojej skórze zdawał się zbyt intymny.

Czasami zadziwiała mnie głębia mojego cynizmu.

Stojąc w salonie i sondując atmosferę, przyjrzałam się księżnej. Być może widziała we mnie kusicielkę, która zwiodła Jana Lancastera na manowce. Kiedyś zarzuciłaby mi ramiona na szyję i uścisnęła – jej spontaniczność zawsze mnie zdumiewała – a ja odwzajemniłabym uścisk. Teraz jednak nie potrafiłam zachować się spontanicznie. Po raz pierwszy od czasu, gdy książę mnie odrzucił, wyszłam z domu i znalazłam się w wysoko urodzonym towarzystwie. Uznałam, że najbezpieczniej będzie skryć się za dworską etykietą.

Dygnęłam i z szacunkiem spuściłam wzrok.

– Zrobię, co w mojej mocy, pani.

Księżna westchnęła ciężko i stając przede mną, oparła dłonie na rozłożystych biodrach. Bardziej przypominała teraz żonę rybaka z targu patrzącą na żebraka, który ukradł rybę z jej straganu, niż damę, której ślub zaszczycił jej krewniak król Edward III. Patrzyła na mnie z wyraźnym niezadowoleniem.

– Pani? – zapytałam, myśląc, że jest gorzej, niż się obawiałam.

– Pierwsza rzecz, jaką możesz zrobić, Katarzyno Swynford, to zetrzeć z twarzy ten skwaszony wyraz i zwracać się do mnie po imieniu, jak to robiłaś przez ostatnich dziesięć lat. Czy nie siedziałam przy tobie, gdy na cały głos przeklinałaś Jana za to, że zmajstrował ci tego dzieciaka? – Pochyliła się, życzliwie pogładziła po głowie swoją imienniczkę i ucałowała ją w policzki. – Przecież nadałaś jej imię po mnie. Myślałam, że jesteśmy w przyjaźni. Mam dość zmartwień i bez urażonej metresy. A jeśli myślisz, że książę tu przyjedzie i będzie cię nękał, to jesteś w błędzie. Ja w każdym razie nic o tym nie wiem. Teraz jest zajęty adorowaniem Konstancji w Tutbury. Próbuje nadrobić dziesięć lat zaniedbań ze swojej strony i braku zainteresowania z jej strony. Znów mają na widoku Kastylię, a Jan ma nadzieję, że przekona parlament, by przeznaczył pieniądze na kampanię. Jeśli masz ochotę zemścić się na nim za to, że wystawił cię pod pręgierz opinii publicznej, to może wystarczającą zemstą będzie dla ciebie myśl o lodowatej atmosferze w ich sypialni, gdzie niewątpliwie właśnie próbują spłodzić męskiego dziedzica na tron kastylijski. – Zaśmiała się nieskromnie, a w jej oczach błysnęło zamiłowanie do plotek. – Na twoim miejscu zupełnie bym się nie przejmowała tym, że po raz kolejny stałaś się natchnieniem Walsinghama, by zaczął pluć jadem. A jeśli chodzi o to, czy Jan rzeczywiście wierzył w to, co powiedział i zrobił...

Opancerzyłam się przeciwko jej życzliwości. Gdybym tego nie zrobiła, gotowa byłabym wybuchnąć szlochem, bowiem nie spodziewałam się tego.

– Oczywiście, że wierzył. Sam mnie o tym zapewniał – wykrztusiłam i wszystkie moje żale znów wypłynęły na wierzch, niosąc ze sobą tyle chłodu, że wystarczyłoby do wyziębienia całego letniego ogrodu.

– Nigdy nie wierz w to, co mówi mężczyzna, którego władza jest zagrożona. – Księżna pogładziła mnie po głowie, jakbym miała tyle lat co Joanna. – Dość już o nim. Rozchmurz się i sprawdźmy, co możemy zrobić dla mojej zagubionej córki.

Wskazała Joannie stołek, mnie posadziła na wyściełanej ławie i wsunęła w rękę puchar wina, a sama usiadła obok mnie i wychyliła swój puchar prawie do dna, jakby zawierał eliksir życia. Zaskoczona wybuchnęłam śmiechem. Jakaż to była ulga usłyszeć to wszystko powiedziane w tak bezpośredni sposób! W każdym razie wyglądało na to, że mam na tym świecie jedną prawdziwą przyjaciółkę. Przekonanie, że nie ma ani jednej takiej osoby, zaczęło już podkopywać całą moją pewność siebie.

– Wybacz mi, Joanno – westchnęłam zdumiona emocjami, które ściskały mi pierś. – Jestem nieszczęśliwa jak przeziębiony kot.

– W takim razie pij. To najlepsze wino, jakie mamy. Na pewno lepsze niż wszystko, co masz w Kettlethorpe. Chociaż może nie. – W jej dużych oczach znów pojawił się błysk. – Założę się, że Jan wciąż cię zaopatruje.

Znów się roześmiałam, upajając się bliskością, której tak bardzo mi brakowało.

– Opowiedz mi o Marii.

– Chodź, sama zobaczysz – powiedziała nieco szorstko. Widać było, że jest zmartwiona, ale nie potępiała żadnego z młodocianych małżonków, podobnie jak nie potępiła mnie. – Głupie dzieciaki. Zdawałoby się, że powinni być mądrzejsi, w każdym razie Henryk. Ale młodość to młodość. Może powinnam bardziej uważać na Marię, lecz niby jak miałam odgadnąć? Ale cóż, co się stało, to się stało, nie ma sensu płakać nad rozlanym mlekiem. Jestem ci nieskończenie wdzięczna, że tu przyjechałaś.

Po raz pierwszy od miesięcy zapomniałam o swojej złości, rozpaczy i samotności. I pośród wymagających obowiązków, którym oddawałam się w następnych tygodniach, moje samolubne troski odchodziły w coraz głębsze zapomnienie.

Dziecko urodziło się w kwietniu i było donoszone. Nie był to łatwy poród. Młoda matka i niemowlę byli osłabieni. Zawinęłam piszczącego noworodka w płótno i zaniosłam do sąsiedniej komnaty, gdzie czekał Henryk. Ubłocony i spocony, przyjechał co tchu z turnieju w Hertford, by być przy żonie podczas porodu.

– Masz syna, panie.

Sądziłam, że w tak radosnym dniu powinnam zwrócić się do niego oficjalnie. W odpowiedzi otrzymałam szybki uśmiech. Syn! Wyciągnęłam dziecko w jego stronę. Było małe, ale wyglądało na to, że będzie się trzymać życia.

Henryk ostrożnie dotknął malutkiej rączki. Na jego twarzy odbiło się zdumienie i podziw.

– Nie połamie się – powiedziałam.

– Wiem. – Spodziewałam się, że będzie niezręczny, że z większą swobodą obchodzi się z łukiem czy z mieczem niż z jednodniowym noworodkiem, ale wziął dziecko z moich ramion zadziwiająco umiejętnie. – Edward. Będzie się nazywał Edward, po moim dziadku, starym królu.

– To dobre imię.

Czas się cofnął i zobaczyłam inną, choć bardzo podobną scenę w sali audiencyjnej w Hertford. Tak jak teraz, trzymałam w ramionach nowo narodzone dziecko, ale przyjmował mnie książę, a w jego oczach błyszczało pożądanie. To było wiele lat temu, gdy wszystko między nami wciąż było nowe i promienne. Serce ścisnęło mi się z żalu nad tym, co straciłam. Henryk, nieświadomy moich burzliwych uczuć, pochylił głowę i ucałował czoło syna, a potem zaśmiał się lekko, gdy dziecko zapłakało. Przycisnął synka mocniej do piersi, jakby obawiał się, że może go upuścić.

– Czy Maria czuje się dobrze?

– Tak, panie. Jest zmęczona, ale zobaczysz ją wkrótce.

– A ty, pani, zachowujesz się bardzo oficjalnie. Pamiętam, jak rozebrałaś mnie do naga i wrzuciłaś do kąpieli, gdy udało mi się wpaść do rynsztoka w Symeon. Szorowałaś mnie bez cienia litości. Zawsze zwracałaś się do mnie po imieniu. Co się teraz zmieniło? – Na chwilę urwał, po czym dodał poważnie: – To, co zaszło między tobą a moim ojcem, nie zmniejsza mojego szacunku do ciebie, lady Katarzyno.

Jakże łatwo traciłam kontrolę nad sobą w obliczu najmniejszego dowodu uczuć. Emocje znów wzbierały, ale wzięłam od niego dziecko, poruszona ponad wszelką miarę, gdy pochylił się i ucałował mój policzek w oficjalnym pozdrowieniu z takim samym eleganckim wdziękiem, z jakim czynił to kiedyś jego ojciec.

W drzwiach pojawił się jakiś cień. Henryk podniósł głowę. Musiał usłyszeć kroki wcześniej. Niestety, ja ich nie usłyszałam. Nie miałam żadnego przeczucia. Intuicja nie powiedziała mi, że książę przyjechał wraz z Henrykiem do Rochford Hall. Jak to było możliwe? Kiedyś, gdy łączyła nas miłość, potrafiłam wniknąć w jego umysł i duszę nawet na wielką odległość. Teraz nie wyczułam jego obecności, nawet gdy stał na progu tej samej komnaty. Straciłam umiejętność przywoływania go w myślach.

Czy tak skutecznie udało mi się przed nim zamknąć? A może to on zamknął się przede mną? Przebiegł mnie zimny dreszcz. Jakże potężna była jego zdrada. Czułam się tak, jakby rozdzielał nas nieprzenikniony dębowy las, ale musiałam pogodzić się z myślą, że teraz to nie ma żadnego znaczenia. Nie miałam już do niego żadnych praw.

Mimo wszystko serce mi się ścisnęło, gdy drzwi do izby otworzyły się szerzej i książę ze swobodnym wdziękiem stanął przy boku syna. Ta sama imponująca sylwetka, ta sama aura królewskiego autorytetu. Nie miałam czasu, żeby zebrać myśli, i mój umysł zupełnie się rozproszył. Po raz pierwszy od chwili, gdy mnie pożegnał na gościńcu pod Pontefract, staliśmy obok siebie, zajmując to samo miejsce w przestrzeni i oddychając tym samym powietrzem. A obecną chwilę od tamtej dzielił okropny akt zrzeczenia. Nie miałam pojęcia, co powinnam zrobić czy powiedzieć, toteż tylko przycisnęłam dziecko mocniej do piersi.

Jego spojrzenie zatrzymało się na mojej twarzy, lekkie, taksujące i pewne własnej mocy, jakby przeszedł przez wielkie cierpienie i wyłonił się po drugiej stronie bardziej niż kiedykolwiek pewny siebie i swoich celów. I zapewne tak było. Książę Lancaster znów był uważany za człowieka, z którym trudno się mierzyć. Odrzucił grzeszne życie, zmuszono go do pokuty i odniósł wielki sukces. Znów stał po prawicy króla Ryszarda. Zdawało się, że dla niego nasze rozstanie było ostateczne i po jego życiu nie błąkały się już żadne nieprzyjemne echa naszego związku. Podjął decyzję, wprowadził ją w życie i czuł się z tym swobodnie. W końcu bardzo wiele na tym wygrał.

W niewielkiej komnacie sprawiał imponujące wrażenie. Nawet młodość i energia syna, radującego się narodzinami pierworodnego dziecka, nie mogły się z nim równać. Gdy mnie serce dudniło w gardle, a po plecach przebiegały zimne dreszcze, on był wspaniale opanowany. Z drugiej strony wiedział wcześniej, że mnie tu zastanie, i miał czas na opanowanie swoich reakcji. Ja wciąż stałam jak zastygła, czekając na to, co powie, i przez cały czas zastanawiając się, czy mam jeszcze moc, by poruszyć jego uczucia, ale w jego przejrzystym spojrzeniu i dumnej sylwetce nic na to nie wskazywało.

W równie dumnej odpowiedzi moja twarz przybrała uprzejmy wyraz. Dygnęłam szybko i ledwie dostrzegalnie.

– Wasza Wysokość.

Potrafiłam posługiwać się uprzejmością jak toporkiem bojowym, ale on też to potrafił. Skłonił się, przykładając dłoń do serca.

– Pani.

To było wszystko, co powiedzieliśmy. Książę odwrócił się ode mnie i położył rękę na ramieniu Henryka.

– Syn?

– Tak.

Zauważyłam, że jego dłoń zacisnęła się mocniej.

– Musisz teraz zaczekać, Henryku. Przez wzgląd na nią.

Henryk zrozumiał to doskonale.

– Wiem. Zaczekamy. Lady Katarzyna mówi, że wkrótce będę mógł ją zobaczyć. Muszę jej powiedzieć...

Wzruszył ramionami i cała jego twarz aż po linię włosów oblała się rumieńcem. Znów stał się młodym chłopcem.

– Wkrótce – potwierdziłam. Mój uśmiech był przeznaczony dla niego, a nie dla księcia. Obróciłam się na pięcie, chcąc zabrać dziecko, ale po kilku krokach usłyszałam:

– Madame Swynford.

Zatrzymałam się, nie odwracając twarzy.

– Tak, panie?

– Dziękuję ci za to, że tu przyjechałaś.

– Zostałam zaproszona – odrzekłam, patrząc w przestrzeń przed sobą. – Księżna Derby potrzebowała mnie. Nie mogłam uczynić nic innego, panie.

– Czy księżna Hereford jest teraz z córką?

– Tak. Powiem jej, że tu jesteś.

Z sercem przepełnionym cierpieniem zabrałam dziecko i wyszłam, myśląc o tym, że za tydzień już go tu nie będzie. Nic nas nie wiązało. Po cóż mi było znać jego myśli?

Księżna Hereford stała tuż za drzwiami. Gdy ją mijałam, skinęła mi głową. Czyżby sądziła, że potrzebna nam przyzwoitka, bo inaczej padniemy sobie w ramiona i wznowimy nasz nielegalny związek? Jakże się myliła. Henryk i dziecko w zupełności wystarczali za przyzwoitkę. Nawet gdybym znalazła się wraz z księciem Lancasterem na odludnym wrzosowisku, nie dotknąłby mnie ani ja jego. Żadne z nas nie miało na to ochoty. Książę widział swoją drogę w przyszłość u boku księżnej Konstancji, a ja, choć nie potrafiłam ani wybaczyć, ani zapomnieć, zamierzałam przebyć swoją drogę sama.

A jednak jedna myśl nie odstępowała mnie przez całą drogę do sypialni: kochałam go. Wciąż go kochałam i mimo wszystko wiedziałam, że zawsze będę go kochać. Złościłam się i złorzeczyłam, ale gdy wszedł do komnaty, cały dystans między nami zniknął, przynajmniej dla mnie. Namiętność, która nas łączyła, wciąż nie umarła.

Powinien to być czas radości. Nowy dziedzic Lancasterów, pierwszy z nowej generacji Plantagenetów, którzy pewnego dnia mieli przejąć Kenilworth i całą związaną z tą posiadłością władzę. Planowano bankiet. Odprawiono mszę. Wypito toasty.

Świętowanie nie trwało długo. Dziecko zmarło po czterech dniach życia z powodu gwałtownej gorączki, która nie chciała ustąpić przed żadnymi znanymi sposobami. Wszyscy pogrążyli się w rozpaczy.

Maria szlochała. Henryk był nieszczęśliwy.

Między księciem a mną ziała przepaść. Było jasne, że próbuje mnie unikać. Czasami, gdy zachowywał się z uprzejmym dystansem, jak arcybiskup Canterbury, a nie były kochanek, czułam się tak, jakbym nosiła na sobie dzwonek trędowatego. Ale ja sama w jego obecności zachowywałam się jak zakonnica, która wyrzekła się towarzystwa wszystkich mężczyzn.

Nic nie mogło przekonać mnie bardziej, że nasze rozstanie jest ostateczne. Podczas tych kilku krótkich dni w Rochford Hall czułam się tak, jakby zostało to wypisane na pergaminie i ozdobione malunkami. Nieustanna i nie zawsze subtelna obecność księżnej była zupełnie zbędna. Nie mieliśmy sobie nic do powiedzenia i nawet nie próbowaliśmy cokolwiek powiedzieć.

Czasami znów pogrążałam się w żalu i poczuciu straty, i choć wściekle próbowałam temu zaprzeczyć, szlochałam z powodu niedosiężności księcia i pragnienia, by zareagował na moją obecność. Żałowałam, że tu przyjechałam. Żałowałam, że książę przyjechał razem z Henrykiem. Moją jedyną radością było to, że w orszaku swojego nowego pana przybył również Tomasz Swynford. Jakże dumny byłby Hugh ze swojego syna.

Książę nie zwracał na mnie uwagi. Obydwoje zachowywaliśmy lodowaty dystans.

Zdarzył się tylko jeden wstrząsający i trudny do wyjaśnienia wybuch emocji.

Nasze ścieżki przecięły się, bo było niemożliwe, by się w końcu nie przecięły w plątaninie komnat i korytarzy, z których składał się Rochford Hall. Moje myśli towarzyszyły pogrążonej w rozpaczy Marii. Wracałam z zielarni, niosąc misę suszonych ziół, które miały działać uspokajająco i poprawiać nastrój. Na widok znajomej postaci wychodzącej z drzwi naprzeciwko zatrzymałam się gwałtownie i natychmiast cofnęłam. Byłam znużona i wyczerpana nadmiarem emocji w Rochford i nie miałam ochoty na słowne potyczki.

Książę również zatrzymał się w pół kroku, z twarzą bez wyrazu, jakbym była służącą przyłapaną w miejscu, gdzie nie powinna się znaleźć.

– Wybacz mi, panie. – Cofnęłam się jeszcze o krok. Ucieczka nie wydawała się trudna. Jeszcze jeden krok i znajdę się poza komnatą, z dala od niego. Nabrałam już w tym wprawy.

– Nie musisz uciekać. – Jego głos donośnie rozległ się w izbie.

Zarumieniłam się, bo właśnie to zamierzałam zrobić.

– Nie chciałam uciekać, panie. – Jakże nielogiczny jest kobiecy umysł. Nie mogłam się oprzeć, by nie dodać: – Nie chcę ci tylko narzucać mojego towarzystwa, skoro ty go nie szukasz i nie szukałeś od tygodnia.

Cofnęłam się jeszcze o krok. Drzwi ucieczki były już blisko.

– Powiedziałbym, że ty ze swojej strony również stałaś się zadziwiająco niewidzialna, lady Swynford.

Jego ton był suchy jak kurz. Ogarnęła mnie złość. Zignorowałam tę uwagę, a także groźbę nadciągającej burzy.

– Dziwi mnie, że to zauważyłeś, panie.

Jego twarz ogarnął płomień, zupełnie jakbym rzuciła pochodnię na stertę drewna wyschniętego w letnich upałach. Potok jego słów przypominał wybuch ogni piekielnych. Jak mogłam myśleć, że moja obecność go nie porusza? Słowa uderzały celnie i precyzyjnie niczym strzały z wymierzonego we mnie łuku.

– Czy sądzisz, że łatwo jest mi zachowywać dystans między nami, gdy widzę cię tu dzień po dniu? – Zbliżał się do mnie powoli i nieubłaganie z wdziękiem polującego kota, a jego słowa raniły do żywego. – Czy sądzisz, że łatwo mi przyszło publicznie wyspowiadać się z grzechów? Czy sądzisz, że czułem satysfakcję, tarzając się w kurzu w Berwick, gdy Walsingham przeglądał wszystkie zakamarki mojego życia i wyciągał z nich to, co uważał za śmiertelny grzech? A potem, gdy widziałem, jak uśmiecha się do mnie, do mnie – księcia królewskiej krwi, i udziela mi rozgrzeszenia, by Anglia znów mogła znaleźć się w łaskach Boga? Czy sądzisz, że te ostatnie miesiące nie odcisnęły się piętnem na mojej duszy? Na Boga, lady Swynford! Odcisnęły się! To wszystko nie sprawiło mi żadnej satysfakcji!

Zdumiał mnie płomień wściekłości na jego twarzy. Widywałam już u niego tak gwałtowne emocje, ale wówczas przyczyną wybuchów był uparty parlament albo nadmiernie ambitni dworzanie, którzy kwestionowali prawo księcia Lancastera do sprawowania władzy. Ja sama nigdy jeszcze nie byłam celem takiej wściekłości, a ponieważ moja cierpliwość nie była nieskończona, użyłam tej samej broni, pragnąc go zranić równie mocno, jak on zranił mnie.

– Och, nie! Nigdy nie oskarżyłabym cię o zadowolenie z siebie, Janie. – Umyślnie użyłam jego imienia, choć przysięgałam sobie, że nigdy więcej tego nie uczynię. – Człowiek tak dumny ze swojej królewskiej krwi jak ty nie mógł czuć się dobrze, obnażając cierpiącą duszę przed angielskim motłochem. Wiem, że twoja arogancja nie ma sobie równej w całym kraju.

– Arogancja? – Gwałtownie wciągnął powietrze, rozdymając nozdrza.

– Pamiętam jedyną wiadomość, jaką dostałam od ciebie w Pontefract – przypomniałam mu. – „Nie wyjeżdżaj z Pontefract. To rozkaz. Zostań tam, dopóki nie przyjadę". Tak napisałeś. Nie napisałeś: Wybacz mi, uczyniłem ci wielką krzywdę. Powiedziałeś: Katarzyna Swynford jest złą kusicielką.

– Tego nie powiedziałem.

– Przekazano mi co innego. Nazwałeś mnie złą kusicielką, a także innymi słowami, których wolę nie przytaczać. – Pamiętałam je wszystkie, jakby były wyryte w moim sercu. – Ale ja pamiętam, że nie byłam żadną kusicielką. To ty żądałeś, bym dzieliła twoje łoże.

– Nie żądałem!

– Prześladowałeś mnie bez litości.

Jego wściekłość znów się rozjarzyła niczym ostrze sztyletu w blasku słońca. A ja w głębi ducha właśnie na to liczyłam. Miałam już dosyć jego chłodnej godności i czerpałam przyjemność z tego, że udało mi się wywołać w nim gniew. Wybuch emocji wcale nie jest zły.

– Na Boga, kobieto!

– Tak jak ja to widzę, powinieneś być niezmiernie zadowolony, Janie. Wróciłeś do łask w oczach Boga, no i rzecz jasna Walsinghama. Połączyłeś się w małżeńskim szczęściu ze swoją księżną. Dlaczego tolerowałeś mnie tak długo, skoro wyrzeczenie się mnie i powrót do moralnego, legalnego małżeństwa przyniosły ci znacznie większe korzyści? Słyszałam, że znów masz widoki na Kastylię z błogosławieństwem Konstancji. Jakże jest wspaniałomyślna w swoim triumfie! Warto było uklęknąć w kurzu i błagać cię o wybaczenie!

Moja złość tryskała szerokim strumieniem, zalewając nas oboje. Ramiona księcia zesztywniały, całe ciało napięło się do odparcia ataku.

– Cynizm do ciebie nie pasuje, Katarzyno.

– Przekonałam się, że pasuje doskonale.

– Źle mnie osądzasz.

– Chyba nie. Osądzam to, co widzę i słyszę, a nie usłyszałam od ciebie wyrazów żalu. Dwie beczki wina dostarczone do moich drzwi nie mogą zapewnić ci odkupienia. No i oczywiście akt zrzeczenia. – Musiałam odetchnąć głęboko. Na samą myśl o tym dokumencie traciłam wszelkie hamulce. – Czy naprawdę musiałeś to zrobić? Już wcześniej rzuciłeś mnie na kolana. Nie było potrzeby jeszcze walić mnie w głowę prawnym odcięciem się ode mnie i oficjalną separacją.

Te słowa najwyraźniej go zdumiały.

– Nie takie były moje intencje!

– Nie? Przysłałeś mi dokument stwierdzający, że nie mam żadnych praw do ciebie ani do twoich spadkobierców, ani ty nie masz żadnych praw do mnie. Czy spodziewałeś się, że stanę u twoich drzwi jak żebraczka? – Podniósł rękę, ale mówiłam dalej: – Nie, nie jestem w odpowiednim nastroju do wybaczania. Może Bóg będzie bardziej litościwy niż ja. Jak mam ci to wybaczyć? Jak mogłeś to zrobić? Jak mogłeś?

Nie stłumiło to jego gniewu, lecz po raz kolejny pobudziło do działania. W trzech krokach znalazł się przede mną i bezlitośnie pochwycił mnie za ręce. Misa, którą przez cały czas trwania tej brutalnej rozmowy trzymałam w rękach, upadła na posadzkę i rozprysnęła się. Chmura suszonych ziół opadła na nas oboje i pokryła podłogę.

– A co twoim zdaniem powinienem zrobić? Miałem pozwolić, by Anglia cierpiała Boży gniew dla mojego albo twojego osobistego szczęścia? Tego ode mnie oczekiwałaś? Wiesz równie dobrze jak ja, przed jakimi problemami stoi król. Anglia traci posiadłości zamorskie, w kraju szerzy się bunt, chłopi podnoszą rękę przeciwko Kościołowi i państwu. Do tego młody król, który w wieku piętnastu lat nie ma doświadczenia, by sobie z tym wszystkim poradzić. Ryszard mnie potrzebuje. Anglia mnie potrzebuje. – Jego twarz zabarwiła się rumieńcem. – Ryszard mnie potrzebuje i muszę być silny, by zrównoważyć wpływ takich ludzi jak Robert de Vere, którzy chcą go odciągnąć od obowiązków. Nie chciałby mnie słuchać, gdyby moja dusza była czarna od grzechu albo gdyby cały kraj zwrócił się przeciwko mnie. Musiałem się ukorzyć. Czy winisz mnie za to? Czy wolałabyś, żeby Ryszard znalazł się pod jeszcze większym wpływem de Vere'a albo jakiegoś innego nic niewartego faworyta, który wyrwałby władzę z jego głupio hojnych rąk?

Choć nadgarstki bolały mnie od ucisku jego palców, zastanowiłam się nad tymi pełnymi żaru słowami. Moja odpowiedź zabarwiona była szczerością, niechętną, lecz konieczną, ale nie było w niej ciepła.

– Miałeś wszelkie powody, by uczynić to, co uczyniłeś. Jak sam mówisz, moje osobiste szczęście jest niczym w porównaniu z chwałą Anglii. Jak mogłabym twierdzić inaczej? Po prostu tak się nieszczęśliwie złożyło, że to właśnie mnie przypadła rola ofiarnego baranka.

Na chwilę odwrócił wzrok, gdy za drzwiami po drugiej stronie komnaty rozległy się jakieś kroki. Gdy ucichły, jego spojrzenie znów wwierciło się w moją twarz.

– Czy sądzisz, że ja nie burzyłem się przeciw Bogu i przeciw niesprawiedliwości tego wszystkiego? Czy myślisz, że moja miłość do ciebie była udawana? Czy nie wiesz, że wciąż przepala mnie na wylot, w każdej chwili, w każdej minucie, w każdej godzinie? Wolałabyś, żebym nie zrobił nic, by cię ochronić przed tymi, którzy atakowali mnie? Czy naprawdę jestem aż tak samolubny, by przedkładać własne pragnienia nad twoje bezpieczeństwo?

Jedno pytanie następowało za drugim, a każde wymierzone było z siłą ciosu miecza. Wytrzymałam jego spojrzenie. Wszystkie myśli zamarły w mojej głowie. Ten nowy punkt widzenia wkłuwał się w mój umysł jak czubek igły w płótno, tworząc kolejny, jeszcze bardziej skomplikowany wzór, który zasłaniał poprzedni. Odpowiedziałam jednak z ponurym uporem, trzymając się poczucia, że zostałam wykorzystana, bo to było jedyne znajome mi uczucie w tym bagnie, które zdawało się mnie wciągać i dusić.

– Nie mam pojęcia. Przestałam już rozumieć, co myślisz i co robisz. Zresztą to już nie jest moja sprawa. Skończyłeś ze mną.

Popatrzył na mnie tak, jakby chciał mną potrząsnąć, ale nie zrobił tego z obawy, że go odepchnę.

– Nie. I bardzo szkoda, że nie uważasz już tego za swoją sprawę. – Opanował złość, w jego zachowanie znów wkradł się chłód. – Zbudowałem między nami wspaniałą zaporę, czyż nie?

– Tak, to godna podziwu konstrukcja. Możesz być z niej dumny.

– Wypełnia swój cel. Osiągnęła to, co miała osiągnąć.

Nie rozumiałam, o czym on mówi.

– Zgniatasz mi ręce, panie.

Jego dłonie natychmiast opadły.

– Wybacz. I tak zbyt wiele przeze mnie wycierpiałaś. – Twarz miał jak wyrytą z kamienia. Niemal namacalnie czułam, jak wiele wysiłku wymaga od niego ta samokontrola. Leciutko skinął głową i odsunął się, ale zdążyłam dostrzec błysk emocji w jego oczach.

Patrzyłam na niego, wytrącona z równowagi i nieszczęśliwa do głębi duszy. Wszystkie moje postanowienia, by oprzeć się sile mężczyzny, którego wciąż kochałam, zostały podkopane. Jedno przynajmniej było dla mnie jasne: książę był równie nieszczęśliwy jak ja.

W czystym odruchu, chcąc go wbrew wszystkiemu pocieszyć, wyciągnęłam do niego rękę, ale nie zauważył jej, zwrócony do mnie plecami.

– Janie.

Nie usłyszał.

Tak oto zakończyła się nasza jedyna rozmowa w Rochford Hall – gniewna, pełna oskarżeń i uporu. Potem znów wycofaliśmy się w lodowatą obojętność. Może nie zasługiwałam na nic lepszego? Może powinnam wreszcie się odsunąć, zostawić go w spokoju i pozwolić, żeby każde z nas prowadziło własne życie na spokojniejszych wodach.

Znużona nad wszelkie wyobrażenie, przyklękłam, by pozbierać skorupy miski. Wydawało się jednak, że to bez sensu, skoro i tak cała posadzka pokryta była suchymi ziołami, toteż po prostu przysiadłam na piętach, zastanawiając się nad naszą rozmową. Dlaczego książę wpadł w taki gniew? Wcześniej rzadko pozwalał, by emocje do tego stopnia przejmowały nad nim kontrolę. A jednak jego złość bulgotała jak kociołek zostawiony zbyt długo na ogniu. Czy była to rozpacz spowodowana śmiercią dziecka? Z pewnością dotknęło go to głęboko, ale nie na tyle, by miał z tego powodu zalewać mnie takim jadem i ściskać moje ręce tak mocno, jakby nie czuł, że zadaje mi ból. Ślady jego palców wciąż były dostrzegalne na skórze. Wciąż czułam jego siłę i impet gniewu, który wylał na moją głowę.

Z jaką łatwością wciąż potrafił mnie zranić.

Długo siedziałam w pustej komnacie. Wszystkie gorzkie słowa, które wypowiedzieliśmy, krążyły mi w umyśle, aż w końcu przypomniałam sobie coś, co mnie zastanowiło.

„Czy wolałabyś, żebym nie zrobił nic, by cię ochronić przed tymi, którzy atakowali mnie? Czy naprawdę jestem aż tak samolubny, by przedkładać własne pragnienia nad twoje bezpieczeństwo?".

Czyżbym się pomyliła i źle go osądziła? Czy rzeczywiście chciał mnie chronić?

Moje szczere przekonanie, że książę mnie zdradził, zaczęło się rozpraszać nad rozsypanymi ziołami. Zostawiłam skorupy i zioła, tak jak leżały. Rękawy mojej sukni były wystarczająco długie, by zakryć sińce na przegubach, co uchroniło mnie od komentarzy.

Książę wyjechał, zabierając ze sobą Henryka. Nieżyczliwie przypuszczałam, że wrócili na turniej. Niewiele było trzeba, by odciągnąć umysł mężczyzny od smutku. Wystarczyło porządne rozładowanie energii z mieczem lub kopią w ręku i wszystko znów wracało na swoje miejsce. Tymczasem Maria wciąż opłakiwała bolesną stratę, a ja w duchu złościłam się na siebie i na moją żałosną nieumiejętność przezwyciężenia żalu. Nowa misa ziół nikomu nie przywróciła spokoju ducha ani dobrego nastroju.

Gdy wyjeżdżali, stałam w wielkiej sali razem z resztą domowników, by ich pożegnać. Książę przez dłuższy czas rozmawiał z księżną Joanną. Ruszyłam do wyjścia, ale w ostatniej chwili obejrzałam się przez ramię. Jan stał przy drzwiach z głową zwróconą w moją stronę. Na pozór wkładał rękawice, ale patrzył na mnie. Nasze oczy się spotkały. Zatrzymał wzrok na mojej twarzy, ale nie potrafiłam przeniknąć jego uczuć. Może była to tęsknota, której żadne z nas nie mogło zaspokoić. Odwróciłam się pierwsza, zupełnie zbita z tropu i niepewna, co myśleć.

– No cóż, pojechał – zauważyła księżna Joanna, gdy natrafiłam na nią później tego ranka. Na mnie również czas już był zbierać się do odjazdu. – Czy to było bardzo bolesne?

– Nie – skłamałam i udało mi się uśmiechnąć. – Nie musiałaś odgrywać roli przyzwoitki. Nasze pragnienie, by rzucić się sobie w ramiona, należy już do przeszłości. Teraz nie dzieje się między nami nic niestosownego. – W podzięce dotknęłam jej dłoni. – Zauroczenie księcia wypaliło się.

Przechyliła głowę.

– Tak sądzisz? Ja widziałam mężczyznę, który kontroluje się z najwyższym trudem. Gdybyś została dłużej, to zobaczyłabyś, że dźgnął konia ostrogą i popędził do Londynu, jakby ścigało go stado diabłów. Czy nic między wami nie zaszło?

– Nic. Cóż mogłam mu powiedzieć albo on mnie? – Uniosłam brwi w doskonałej imitacji niedowierzania. – Sądzę, że to śmierć dziecka tak go wzburzyła – dodałam z powagą. – Bardzo troszczy się o Henryka i Marię. To nie miało żadnego związku ze mną.

Księżna Joanna patrzyła na mnie przez dłuższą chwilę.

– Ja widzę co innego, ale może masz rację. Któż to może wiedzieć? A co z twoim zauroczeniem, Katarzyno? Czy również minęło?

Ale na to pytanie nie miałam już zamiaru odpowiadać. Och, dokładniej mówiąc, nie mogłam na nie odpowiedzieć.

Bo niczego już nie byłam pewna.

ROZDZIAŁ SZESNASTY

– Słyszałaś, pani?

– O czym?

Mój służący przed chwilą otworzył drzwi, do których ktoś gwałtownie dudnił pięściami. Na moim progu stał dziekan katedry w Lincoln owinięty w czarny płaszcz jak złowróżbny ptak, z wyrazem przerażenia i grozy na ascetycznej twarzy.

– Zechciej wejść, sir. – Walenie do drzwi było tak głośne, że stałam już za ramieniem służącego. – Czy jesteś chory?

– Nie, pani. To znaczy tak, wejdę. – Potknął się o posadzkę. – Mam złe wiadomości.

Ujęłam go pod ramię i poprowadziłam na wygodne miejsce w przestronnym salonie kanonii.

– Usiądź i powiedz, co cię trapi.

Dziekan bardzo lubił przynosić złe wiadomości. Zwykle chodziło o jakieś hulanki w mieście, które rozniosły się na tereny kościelne. Tego dnia nie doszły mnie słuchy o niczym podobnym, ale powitałam go z radością.

Po pobycie w Rochford Hall nie potrafiłam się odnaleźć w Kettlethorpe, zabrałam zatem Agnes i dzieci do Lincoln i odnowiłam wynajem budynku kanonii od dziekana i kapituły katedralnej. Moje życie w samym środku ruchliwego miasta okazało się komfortowe i przyjemne, spełniło wszystkie moje nadzieje. Kanonia była wygodna i odpowiednia do wymogów mojej pozycji. Miałam tu wielką izbę, doskonałą do przyjmowania gości, prywatną kaplicę i kobiecą komnatę na parterze – pomieszczenie o dobrych proporcjach, w którym spałam i wiodłam życie prywatne. Były tu rzeźbione drzwi, doskonałe stajnie, dziedziniec i sady pełne drzew owocowych. Dostatek i piękno tego miejsca bardzo mi odpowiadały. Nie byłam już biedna i mogłam sobie pozwolić na stworzenie nowego życia w Lincoln.

Trzy lata już minęły od starcia pomiędzy złością księcia a moją sztywną nieustępliwością w Rochford Hall. Przez te trzy lata mogłam do woli rozmyślać nad motywami, którymi kierował się Jan. Jeśli akt zrzeczenia miał być gwarancją, że Walsingham i jemu podobni zostawią mnie w spokoju, to książę dopiął swego, ale oczywiście nie mogłam być pewna, czy właśnie to miał na celu. Nie było między nami żadnych bezpośrednich kontaktów. Cierpienie spowodowane samotnością trochę przycichło i popadłam w odrętwienie. W każdym razie wolałam tak myśleć i całkiem dobrze szło mi udawanie, że pogodziłam się z naszym rozstaniem. Miłość do księcia i wspomnienia o naszym wspólnym życiu zbladły, tak jak wszystko z upływem czasu.

– Powiedz, co się stało, sir – zachęcałam, gdy dziekan przełknął wino, które mu podałam. – Mówiłeś, że to złe wiadomości.

– Tak, pani. Najgorsze. – Pochylił się do przodu i głosem nabrzmiałym grozą wyjawił: – Zamach na księcia Lancastera.

Otworzyłam usta i moje palce zacisnęły się na pucharze.

– Może już o tym słyszałaś, pani? – zapytał dziekan, opacznie zrozumiawszy moje milczenie.

Potrząsnęłam głową. Nie byłam w stanie wykrztusić słowa. Zginął. Książę nie żył. Pobladłam i na czoło wystąpiły mi krople potu.

Nie dostrzegając mojego przerażenia, dziekan zaczął opowiadać o intrydze, która miała uwolnić króla od władczego wuja, ja zaś walczyłam ze sobą, by nie pogrążyć się w bezgranicznej rozpaczy. Co by pomyślał mój gość, gdybym upadła przed nim na kolana i schowała twarz w dłoniach? Siedziałam więc prosto. Dla nikogo nie było to zaskoczeniem, mówił dziekan. Relacje między księciem a królem Ryszardem systematycznie się pogarszały, odkąd król znalazł się pod wpływem Roberta de Vere'a. Królewski faworyt pragnął kontrolować królewskie decyzje, Ryszard zaś nie miał nic przeciwko temu, by uciec całkowicie od surowych wykładów na temat dobrych rządów, które wygłaszał mu wuj. Intryga de Vere'a polegała na tym, by książę zginął podczas turnieju.

Nie mogłam już dłużej znieść drżenia całego ciała. Moje myśli biegły we wszystkie strony naraz. Niech Najświętsza Panienka ma mnie w swojej opiece! Zginął podczas turnieju. Był martwy. Jego drogie mi ciało zmieniło się w zimną glinę. Nie oddychał już, nie śmiał się, nie złościł. Mój umysł nie potrafił tego ogarnąć.

– Na szczęście plan się nie powiódł – usłyszałam.

– Zaraz! – Pochwyciłam dziekana za ramię i wreszcie oprzytomniałam.

– Tak, pani?

Przełknęłam kamień, który zalegał mi w gardle.

– Czy on nie żyje?

– Nie, nie, pani. Czy nie powiedziałem tego?

– Nie, nie powiedziałeś. – Wypuściłam wstrzymywany oddech, ale od wstrząsu i ulgi oblały mnie zimne poty.

– Intryga się nie powiodła – ciągnął dziekan z ożywieniem, nadal nie zauważając, jak bardzo jestem wytrącona z równowagi. – Ale niewiele brakowało. Moim zdaniem dni księcia są policzone. Król i jego faworyt są przeciwko niemu, chociaż teraz książę pogodził się z królem.

Podziękowałam dziekanowi, słuchając jednym uchem opowieści o pogodzeniu Ryszarda z księciem. W końcu przeprosiłam i wyszłam, zostawiając go w towarzystwie sługi, który miał odprowadzić go do drzwi razem z jego nieproszonymi komentarzami.

W swojej izbie otoczyłam się ramionami, żeby uspokoić drżenie ciała. Dni księcia są policzone, powiedział dziekan. Czy Ryszard również brał udział w odrażającej intrydze? Mogłam tylko przypuszczać, że tak.

Poczułam obezwładniające pragnienie, by porozmawiać z księciem, by go po prostu zobaczyć, ale jednocześnie wiedziałam, że to niemożliwe. Co moglibyśmy sobie teraz powiedzieć? Nic. Zupełnie nic.

Czy jakakolwiek kobieta tęskniła kiedyś za mężczyzną tak mocno jak ja? Wcale się nie pogodziłam z naszym rozstaniem. Czułam się osierocona i beznadziejnie samotna. Uwielbiałam Jana tak samo jak zawsze i wiedziałam, że nigdy nie przestanę go uwielbiać, bo to nie było zależne od mojej woli. Wciągnął mnie do swojego serca i zostałam tam już na zawsze, przykuta żelaznymi kajdanami.

Przywołałam go w myślach. Stanął przede mną jak przed trzema laty w Rochford Hall – zagniewany, ale w każdym calu wspaniały Plantagenet, pełen życia i witalności. Wciąż jeszcze żył. Musiałam trzymać się tej jednej myśli.

Ale nie mogłam. Lęk nie pozwalał mi odetchnąć. Jak długo może potrwać zgoda między królem a księciem? Rozdzielenie od księcia to jedno, ale co by było, gdyby zmarł, a ja bym o tym nie wiedziała? Czy mogłabym nie wiedzieć, że nić jego życia przeciął sztylet zamachowca albo książę został zamordowany na skutek intrygi podczas turnieju?

Jak zdołałabym dalej żyć, gdyby go zabito?

– Żyłabyś tak samo jak teraz, bo jesteś rozsądną kobietą – powiedziałam sobie. – Nauczyłaś się pokazywać światu spokojną twarz i nadal będziesz korzystać z tej umiejętności.

Obnażyłam zęby w grymasie, który najlepiej świadczył, co sądzę o tej radzie, a potem obróciłam głowę, bo usłyszałam stuk haczyka w drzwiach. Szybko wygładziłam spódnicę i szerokie rękawy nowej sukni.

– Płakałaś? – usłyszałam natarczywe pytanie.

– Naturalnie, że nie.

Odwróciłam twarz od okrutnego światła.

– Kłamiesz. Myślałam, że już wyrzuciłaś Lancastera z myśli.

Filipa, która przyjechała na krótko, by dotrzymać mi towarzystwa, dopadła mnie, zanim zdążyłam zastosować wyuczone umiejętności. Najwyraźniej również słyszała już nowinę. Czasami przychodziło mi do głowy, że wolałabym, by tu nie przyjeżdżała, ale potem kajałam się i uznawałam za niewdzięczną. Pomimo ostrego języka była moją siostrą i była mi droga. Współczułam jej z powodu niejasnego stanu matrymonialnego. Była żoną, a zarazem nią nie była. Jej dzieci rozproszyły się po świecie. Tomasz służył w wojsku, a Elżbieta poszła do klasztoru, tak jak moja córka. Zdawało mi się, że Filipa również patrzy na mnie ze współczuciem z powodu mojej izolacji od dworu. Nie zamierzałam dawać jej kolejnych powodów, by mogła się nade mną litować.

– Nie myślę już o nim – stwierdziłam spokojnym tonem, jakiego nie powstydziłby się sam książę. – Nasze ścieżki się rozeszły. Tak powinno być. Skończyłam już z mężczyznami.

Sądziłam, że Filipa się ze mną zgodzi, jak zawsze, gdy chodziło o perfidię mężczyzn. Z tego, co mi opowiadała, rozdźwięk między nią a Geoffreyem nigdy nie został zaleczony. Niespokojnie wstała z łóżka i podeszła do okna, za którym roztaczał się widok na wypielęgnowany trawnik dokoła katedry. Usiadła, wzięła na kolana moją lutnię i spojrzała na mnie ostrożnie.

– Więc nie wiesz, co się stało? – Leniwie przeciągnęła palcami po strunach. Głowę miała pochyloną nad instrumentem, więc nie dostrzegła grymasu na mojej twarzy. – Nie chciałaś się dowiedzieć jak najwięcej o spotkaniu Lancastera z królem po tym, jak się dowiedziałaś, że zamierzano go zabić podczas turnieju?

– Nie.

– Nie wiesz, co powiedzieli sobie w Tower, gdzie Ryszard żarliwie przepraszał za tę próbę zabójstwa?

– To nie było w Tower, tylko w Sheen, a Ryszard za nic nie przepraszał... – Urwałam i syknęłam z desperacją.

– Tu cię mam! – Filipa odrzuciła lutnię na bok. Nigdy nie nauczyła się dobrze grać. Struny zadrżały, wydając głuchy dźwięk, ona zaś wbiła we mnie przenikliwe spojrzenie. – Widzę, że wiesz wszystko, co do najdrobniejszego szczegółu. Wciąż cię to obchodzi. Nadal jesteś nim zauroczona.

Nie zamierzałam przyznać, że wpadłam w pułapkę, którą na mnie zastawiła.

– Nie, nie jestem zauroczona. Ale to jeszcze nie znaczy, że życzę mu śmierci.

Filipa pobłażliwie złożyła ramiona na piersiach.

– No cóż. Żyje, więc możesz przestać się martwić. To już druga próba zamachu na księcia i druga nieudana. De Vere jest podstępny, ale Lancaster wydaje się niezniszczalny.

Wiedziałam o tym wszystkim. Wszyscy słyszeliśmy o coraz większym wpływie na króla Roberta de Vere'a. Młody, dobrze urodzony, atrakcyjny i ambitny hrabia Oksford był właśnie takim człowiekiem, jaki mógł wzbudzić podziw Ryszarda. Robert de Vere bardzo chciał powiększyć swoje wpływy i zachęcał króla do lekceważenia parlamentu i ministrów. Książę jako jedyny człowiek w kraju, który mu się przeciwstawiał i stanowił przeszkodę do zdominowania Ryszarda, musiał stać się jego celem.

Zaiste, były to niebezpieczne czasy, a książę znajdował się w samym środku wydarzeń, uzależniony od rozsądku i lojalności bratanka, który jednak, jak się zdawało, nie miał zbyt wiele ani jednego, ani drugiego. Czy Filipa sądziła, że to wszystko nic dla mnie nie znaczy? Wzięłam głęboki oddech, próbując ukryć emocje, i powiedziałam surowo:

– Umyłam ręce od tego wszystkiego. Jeśli zostanie ranny, Konstancja może go pielęgnować i chłodzić jego rozpalone czoło. Nie potrzebuje do tego mnie.

– Słyszę, co mówisz, ale widzę też ślady łez na twojej twarzy.

Moja długo powstrzymywana rozpacz wylała się na zewnątrz, zupełnie jakby wały na którymś ze strumieni w Lincolnshire zostały przerwane.

– Musi nosić napierśnik, gdy zbliża się do króla w Sheen, możesz w to uwierzyć? – Bezskutecznie próbowałam otrzeć łzy zbierające się od trzech lat. – A uzbrojony strażnik musi pilnować go od tyłu. Co to za życie? Jakim królem zostanie Ryszard, gdy dojdzie do lat?

Wiedziałam, że książę będzie to uważał za swoją porażkę. Ryszardowi brakowało siły i dobrego osądu. Nie był królem, jakim książę chciałby go widzieć.

– Nie mogę wziąć tego ciężaru na siebie – dodałam. – I nie potrafię też żyć w lęku, że lada dzień usłyszę, że zginął od ciosu sztyletem w plecy.

– On nie potrzebuje, żebyś brała ten ciężar na siebie – zauważyła Filipa.

– Wiem! I przez to jest jeszcze o wiele gorzej. Dlaczego moje uczucia są wciąż tak silne po trzech pustych latach? Dlaczego ta tęsknota nie chce umrzeć i nie mogę odzyskać spokoju?

Jak udało mi się wcześniej przekonać siebie, że moja miłość zmieniła się w uczucie lekkiej sympatii? Tak nie było i nigdy tak nie miało się stać.

– Droga Katarzyno. – Filipa ujęła moje dłonie i odsunęła lutnię na bok, robiąc mi miejsce obok siebie. Ze zdziwieniem dostrzegłam współczucie na jej twarzy. Jej głos również złagodniał. – Nie możesz wiecznie opłakiwać tego, co już minęło. Są rzeczy, z którymi musisz się pogodzić.

– Nie mam się z czym godzić – zaprzeczyłam, wściekła na siebie za to, że nie potrafiłam panować nad swoimi reakcjami w żadnej sprawie, która dotyczyła księcia. – Gdy spotkaliśmy się po raz ostatni w Rochford Hall, nie miał mi nic do powiedzenia.

– Z tego, co słyszałam, ty jemu również nie.

Nikomu nie wspominałam o naszej jedynej gorzkiej rozmowie.

– Nie myślę już o nim. W każdym razie niezbyt często.

– Katarzyno! Masz mężczyznę, który cię kocha i który zawsze cię chronił, nawet wtedy, gdy ty nie widziałaś w nim nic dobrego.

Patrzyłam na nią i słuchałam żarliwych słów, zdumiona nieoczekiwanym obrotem spraw. Wyrwałam ręce z jej dłoni.

– Chronił mnie? Jak możesz tak mówić? Naprawdę próbujesz go bronić? Może dał ci jeszcze jeden puchar i to wpłynęło na twój osąd? A może to, że znów należysz do dworu księżnej?

– Nic z tych rzeczy. Patrzę na wszystko realistycznie, a ty nie. Książę troszczy się o ciebie. Troszczył się nawet wtedy, kiedy go odtrąciłaś, a on się ciebie wyrzekł. Gdybyś nie była tak przepełniona niechęcią do niego, sama byś to dostrzegła. Jak sądzisz, dlaczego cię odesłał?

– Żeby pojednać się z Bogiem i zmazać plamy na swojej duszy – odrzekłam, nadal nic nie rozumiejąc. – Żeby ocalić Anglię przed Bożym gniewem. Powiedział mi to w Rochford.

– Zdawało mi się, że nie rozmawialiście w Rochford. – Potrząsnęła głową. – Ale mniejsza o to. Jak sądzisz, dlaczego podpisał akt zrzeczenia?

– Chciał przeciąć wszelkie więzy, żebym niczego nie mogła się od niego domagać.

– A czy zauważyłaś, z jaką datą ten akt był wystawiony?

Data? Jak miałam zauważyć datę? To było trzy lata temu!

– Nie.

– A powinnaś zauważyć. Czternastego dnia lutego.

– A jakie to ma znaczenie?

– Dzień świętego Walentego, moja głupia siostro. Dzień świętego Walentego, kiedy wszystkie ptaki radośnie ćwierkają i dobierają się w pary. Tak w każdym razie twierdził Geoffrey w jednym ze swych bardziej kwiecistych poematów.

Zdumiona próbowałam sobie przypomnieć te wersy. Poezja Geoffreya stale była obecna na dworze Lancasterów. *Sejm ptasi*, napisany na okazję zaręczyn króla Ryszarda z młodą i urodziwą Anną Czeską, łączył dzień świętego Walentego z romantyczną miłością.

– „Bo działo się to właśnie w święto Walentego, Gdy każdy ptak przybywa w to miejsce na gody, By wybrać swoją lubą bądź spotkać lubego".[1] Czy jakoś tak. – Filipa zarumieniła się, widząc, że zdziwiła mnie tak szczegółowa znajomość tych wersów. – Nie to, żeby Geoffrey wiedział wiele o romansach oprócz tych, które opisano w książkach. W każdym razie przy mnie nigdy się z tą wiedzą nie zdradził. – Zamilkła i w jej oczach pojawiły się łzy. – Wybacz. – Przełknęła, ocierając twarz rękawem. – Chodzi o Geoffreya...

– Wiedziałam, że o niego musi chodzić! Ale nie rozumiem dlaczego, skoro nie żyjecie już razem.

Przez długą chwilę po prostu na mnie patrzyła, a potem z udręką na twarzy powiedziała mi wszystko w urywanych zdaniach, głosem ochrypłym od łez, którym nie pozwoliła popłynąć.

– Geoffrey miał romans. Ma syna. Oskarżono go o gwałt. Ona ma na imię Cecily.

Patrzyłam na nią w milczeniu, nie wiedząc, co powiedzieć. Gwałt? Moim zdaniem to było zupełnie niepodobne do Geoffreya.

– W każdym razie uwiódł ją. – Filipa na koniec zdobyła się na szczerość. – Zdecydowała się go nie oskarżać. Chłopiec ma na imię Lewis. Nigdy mu tego nie wybaczę, to zawsze będzie żywa rana, choć postanowiliśmy żyć osobno. A teraz ma z tą kobietą następnego syna.

Wszystko to wydawało się bardzo niejasne, ale rozumiałam targające nią emocje.

[1] Geoffrey Chaucer, *Sejm ptasi*, tłum. Marcin Ciura. Kraków 2013.

– Och, Filipo! I nic mi nie powiedziałaś wcześniej?

– To było zbyt bolesne, a ty byłaś bez reszty pogrążona w żalu nad sobą – stwierdziła z goryczą.

– Ale przecież zrozumiałabym cię. Wiem coś o niewierności. Och, moja droga, głupia Filipo!

– Wiem, że na pewno byś zrozumiała, ale nie mogłabym tego znieść. Ja straciłam wszystko, a książę troszczył się o ciebie i robił, co tylko mógł, by cię ocalić. By cię chronić. Powinnaś mieć więcej wiary w niego. – Wstała i pociągnęła mnie w ramiona w rzadkim siostrzanym uścisku. – Zastanów się nad tym. Przypomnij sobie wszystko, co o nim wiesz. Nie musisz szaleć z gniewu do końca życia. Przecież z nas dwóch to podobno ty zawsze byłaś bystrzejsza. Przysięgam, że on wciąż cię kocha.

– Wiem – przyznałam w końcu w równym stopniu przed sobą, co przed siostrą. – Ale byłam na niego wściekła.

Próbował mnie ocalić, chronić. Czyż pierwsze wątpliwości nie pojawiły się już w Pleshey, kiedy sam dał mi to do zrozumienia? „Czy naprawdę jestem aż tak samolubny, by przedkładać własne pragnienia nad twoje bezpieczeństwo?" – zapytał, ale ja byłam tak wściekła, że nie chciałam go słuchać.

Napisał akt zrzeczenia w dniu poświęconym miłości.

Miałam trzy lata, żeby wszystko zważyć i zmierzyć, i w końcu przyznać to, co moje serce zawsze wiedziało. Na poły pomyślałam, na poły wyszeptałam te oto słowa:

– Czy człowiek, którego kochałaś i któremu rodziłaś dzieci, mógłby być tak pozbawiony serca, by napisać akt zrzeczenia tylko po to, by się ciebie pozbyć? Znałaś go intymnie. Dla niego postawiłaś swoje życie na głowie. Ten mężczyzna wciąż przemawia do twojej duszy. Jak mogłaś uwierzyć, że byłby zdolny do takiego okrucieństwa? Od dawna wiedziałaś, że chodziło mu o coś innego.

Był już najwyższy czas, bym przestała się użalać nad sobą i posłuchała własnego serca.

Wróciłam do Kettlethorpe. Filipa pojechała ze mną, zamierzając stamtąd wyruszyć do Tutbury. W sypialni czekały na mnie listy: kolejne wezwania do oczyszczenia mojego kawałka Fossdyke, królewska licencja uprawniająca mnie do ogrodzenia trzystu akrów pól i lasów wokół Kettlethorpe na teren łowiecki, zawiadomienie o przyznaniu przez księcia znacznej rocznej pensji mojemu synowi Tomaszowi Swynfordowi. Obróciłam je w rękach i odłożyłam na bok. Zamierzałam zająć się nim później, nad pucharem wina.

Wstrzymałam oddech, gdy moje palce dotknęły ostatniego dokumentu. To nie było wezwanie prawne ani skarga od sąsiadów. Podniosłam list czubkami palców, jakby parzył mi skórę, a potem opadłam na skraj łóżka i wygładziłam zagięcia. To nie mogło czekać. Pot wystąpił mi na czoło, plecy miałam mokre. To było widmo z przeszłości, list napisany ręką Jana. Znałam jego pismo równie dobrze jak własne. Zaczęłam czytać – powoli, uważnie, chłonąc każde słowo:

Do mojej najdroższej Katarzyny.

Jako młody człowiek nigdy nie sądziłem, że będę musiał na piśmie prosić o wybaczenie za swe uczynki, ale muszę to zrobić, bo sumienie nie daje mi spokoju. W ostatnim roku dwukrotnie omal nie zginąłem z ręki zamachowca. Jakże żałosny byłby mój koniec, gdybym zginął, nie widząc Cię więcej ani nie próbując wyjaśnić wszystkiego między nami.

Wiem, że to, co uczyniłem, było w Twoich oczach niegodziwe. Nie próbuję się usprawiedliwiać. Nie potrafiłem odpowiedzieć na Twoje oskarżenia w Pontefract, gdy byłaś przepełniona furią, a ja rozpaczą, że stałem się przyczyną Twojego cierpienia. W Rochford Hall nie było lepiej. Nigdy nie poczujesz do mnie tyle niechęci, ile ja czuję do siebie, gdy przypominam sobie swój gniew.

Teraz, gdy czas pozwolił nam obojgu zastanowić się nad wszystkim, pragnę spróbować wszystko naprawić.

Musisz zrozumieć, że najważniejszą sprawą było odsunąć od Ciebie gniew Kościoła i moich wrogów w Anglii. Nie sądź nigdy, że akt zrzeczenia miał Cię zranić. Gdy się nad tym zastanowisz ze spokojnym umysłem, sama zauważysz, że próbowałem unieszkodliwić ostrze, które mogło Cię skrzywdzić.

Mój umysł w żadnym razie nie był spokojny, ale czytałam dalej.

Wybacz mi, wybacz, najdroższa moja miłości. Opłakuję nasze rozdzielenie i to, że nie mogę się z Tobą zobaczyć. Prawna separacja w postaci aktu zrzeczenia zapewni Ci w przyszłości bezpieczeństwo i komfort. Ani Ty, ani Twoje dzieci nigdy nie zaznacie krzywdy z mojej ręki lub za moją przyczyną. Nie mogę pozwolić, byście cierpieli.

Bezpieczeństwo i komfort. Mój wzrok powrócił do tych słów, a umysł przedzierał się przez emocje, gdy czytałam o tym, co zaszło w Anglii przed trzema laty:

Jak zapewne wiesz, mój medyk oraz jeden z moich giermków zostali zamordowani z powodu lojalności wobec mnie. Skoro buntownicy nie zawahali się rozlać krwi mojego doktora, to jakież okropności mogliby uczynić z kobietą, z którą zdecydowałem się dzielić życie? Nie mogłem pozwolić, byś stała się celem ich ataku z powodu trwającego związku ze mną i z tej przyczyny wystawiłem akt zrzeczenia. Nie można Cię o nic oskarżać, bo nie mamy już do siebie żadnych praw. Jesteś bezpieczna, nie spotka Cię jakikolwiek odwet w przyszłości.

Nie mogłem pozwolić, byś została ukarana za mój grzech.

Obawiał się o moje życie i życie moich dzieci. Jako cudzoziemska kochanka byłam łatwym celem. Szybko, zachłannie czytałam dalej.

Musiałem zrehabilitować Cię w oczach Anglii, oczyścić Twoje nazwisko i przywrócić Ci dobre imię. Dlatego było konieczne, byśmy zamieszkali osobno.

A więc o to chodziło. Zrobił, co mógł, żeby usunąć plamę z mojego nazwiska, nawet kosztem oczernienia własnego. Ja zaś dostrzegłam w jego odrzuceniu tylko egoizm i dbałość o własne interesy. Czyż nie obiecał, że będzie mnie chronił? Ale ja natychmiast go potępiłam, sądząc, że postawił mnie pod pręgierzem, by oszczędzić siebie. „Bóg ocalił cię przed krzywdą", powiedział. „Prosiłem Go o to". A ja w swoim zaślepieniu odpowiedziałam mu jadem. Czy książę wziął na swoje barki całą karę Bożą za nasz grzech, żeby uwolnić od kary mnie?

To właśnie zrobił. Dopiero teraz mój umysł zrozumiał to, co serce wiedziało zawsze.

Poczucie winy z powodu mojego wybuchu wściekłości było obosiecznym mieczem.

Data wystawienia aktu powinna Ci dać do myślenia. Nie była przypadkowa. Chciałem wyrazić to, czego nie mogłem już wyrazić inaczej. Po naszym spotkaniu w Rochford sądzę, że nie zwróciłaś na to uwagi. Moja droga, niemądra Katarzyno.

Byłam głupia. Znalazłam akt zrzeczenia w kufrze i popatrzyłam jeszcze raz, by się upewnić. Uśmiechnęłam się na widok śladów zębów Tomasza na brzegu pergaminu. I rzeczywiście, akt wystawiony był z datą czternastego dnia lutego tysiąc trzysta osiemdziesiątego drugiego roku.

Cóż to był za dar! Dar ochrony, wielkodusznej i pełnej miłości ochrony. Książę zwrócił mi niezależność i obdarzył wolnością od ataków i obelg. Moja posiadłość i wszelkie podarki należały tylko do mnie i nie podlegały konfiskacie. Żadne przyszłe oskarżenia wobec mnie nie mogły mieć wagi w świetle prawa. Dopiero teraz, o trzy lata za późno, poczułam miłość płynącą z tego pergaminu.

„Jak sądzisz, dlaczego cię odesłał?" – podpowiadała Filipa, ale ja odrzekłam krótko: „Żeby pojednać się z Bogiem".

I uczynił to, ale uczynił również o wiele więcej.

Usiadłam i zastanowiłam się nad wszystkim, co zrozumiałam w ciągu ostatnich pięciu minut. Zmusiłam się, by spojrzeć na uczynki księcia znacznie uczciwiej. Bez uprzedzeń, jak określiłaby to Filipa.

„Nie mogłem cię karać za mój grzech". Skrzywiłam się, ale właśnie o to chodziło. W świetle tego, co wiedziałam teraz, książę odrzucił mnie, by odpokutować swój grzech i odwrócić gniew Boga, który ukarał Anglię porażkami za granicą i krwawymi zamieszkami w kraju. Czego innego mogłam oczekiwać od człowieka honoru? Zajadła nienawiść, która kazała buntownikom zniszczyć pałac Savoy, musiała zadać bolesne rany księciu, który od kołyski przepełniony był dumą i poczuciem własnej wartości. Musiałam pogodzić się z tym, że książę miał prawo podjąć taki wybór, skoro narzucił sobie rolę doradcy swego bratanka, młodocianego króla. Dobro Anglii było najważniejsze. Musiałam zaakceptować to, że nie jestem na pierwszym planie.

Co do jego pogodzenia z Konstancją, musiał trwać przy jej boku, jeśli nadal marzył o zdobyciu Kastylii, bowiem to księżna miała prawo do tego tronu na mocy krwi. Z tym było mi się trudniej pogodzić, ale książę był ambitnym człowiekiem, a ja właśnie w takim mężczyźnie się zakochałam. Nie mógł liczyć na zdobycie władzy w Anglii, musiał szukać pola do działania gdzie indziej.

Moje myśli płynęły dalej.

Przyznał się do niewierności. O tym nie miałam ochoty myśleć, ale zmusiłam się, by spojrzeć na to rozsądnie. Przez wszystkie lata naszej miłości czasami byliśmy rozdzieleni całymi miesiącami. Jaki mężczyzna pełen sił żywotnych potrafiłby tak długo zachować czystość? Zaiste, była to słabość ciała, ale nie mogłam zmienić tego, co się stało. Czy moja miłość do niego była wystarczająco mocna, by trwać, choć o tym wiedziałam, i uznać jego zdrady za część przeszłości, co prawda niezbyt przyjemną, ale taką, którą już więcej nie muszę się trapić?

To jeszcze nie był koniec listu.

Jeśli zapytasz, czy Cię kocham, odpowiem: zbyt mocno. Moje serce należy do Ciebie. Moja dusza jest odbiciem Twojej. Nigdy nie kwestionowałem Twojej miłości do mnie i Ty nie możesz kwestionować mojej, pomimo grzechów ciała. Proszę tylko o dar przebaczenia.

Musiałam wreszcie odpowiedzieć sobie na to pytanie: Czy potrafię się pogodzić z jego niewiernością? A czy miałam jakikolwiek wybór? To był mężczyzna, którego kochałam na zawsze, do ostatniego tchu. Energiczny, potężny książę, który przed laty przemówił do mojego serca wraz ze wszystkimi swoimi wadami i brakami. Czy ja sama byłam wolna od grzechu? Moje życie było równie splamione jak jego życie – poznaczone wybuchami złości i nietolerancji, a także tym największym z grzechów, którego nie potrafiłam się wyrzec.

Tak, zdecydowałam, kierowana dopiero teraz zdobytą dojrzałością. Mogę i muszę zaakceptować w moim kochanku grzechy ciała. Moja miłość była wystarczająco silna, by mu to wybaczyć.

Ofiarowałem ziemię i pieniądze na kaplicę świętej Katarzyny i Przenajświętszej Panienki w Roecliffe w Yorkshire. Do Twojej świętej patronki zanoszone będą modlitwy, by Cię strzegła i chroniła, skoro ja sam nie mogę tego robić.

Moje serce zalała fala ciepła, a z oczu popłynęły łzy.

Musimy żyć osobno, ale moje serce jest przy Tobie, podobnie jak myśli.

Łzy popłynęły jak wodospad.

Nigdy nie użyłem nikczemnych słów, które mi przypisano. Nigdy nie zrzuciłbym na Ciebie takiego upokorzenia. Jeśli płakałem, to nie z żalu nad własnymi grzechami, lecz nad cierpieniem, które moje uczynki sprawiły Tobie. Walsingham i jego pachołkowie włożyli mi te słowa w usta dla własnych celów. Nawet gdybyś była czarodziejką, i może nią jesteś, ja widziałbym w tym tylko dobro. Misterna sieć Twojej miłości otacza mnie przez cały czas i pozostanie nietknięta, póki nie spocznę w grobie.

Jestem Twoim sługą i pozostanę nim dzisiaj i zawsze.

Na dole był podpis. Tylko imię, bez tytułu. Jan.

A zatem miałam czarno na białym wszystkie powody, dla których wystawił akt zrzeczenia. Zrobił to z miłości, a nie z zemsty. Z troski, nie z podłości. Było to zwolnienie ze zobowiązań, a nie odrzucenie. A co ja zrobiłam w Rochford? Uwierzyłam w najgorsze, bo zaślepiał mnie własny ból.

Teraz moje cierpienie wzbierało na nowo, wraz z poczuciem winy. Kochał mnie, zawsze mnie kochał, a jednak musimy żyć osobno. Wystarczyłoby najlżejsze podejrzenie, że nie zachowujemy separacji, a Walsingham rzuciłby się na nas z ogniem i mieczem niczym święty Michał na szatana.

Poczułam się jeszcze bardziej osamotniona.

Otarłam jednak łzy i pomyślałam, że teraz nie mam już żadnych wątpliwości, jak cenna jest miłość księcia do mnie – znacznie cenniejsza niż złote i srebrne puchary. Przypomniałam sobie chwilę, gdy wyjeżdżał z Rochford Hall i popatrzył na mnie przez szerokość komnaty. Sądziłam wtedy, że jest bezlitosny i pozbawiony uczuć. Tak nie było. Jakże się myliłam, sądząc, że jego cierpienia nie da się porównać z moim. Jego żal był równy mojemu, jeśli nie większy.

Byłam przekonana, że zmęczył się mną i nawet nie chce mnie dotknąć podczas oficjalnego pożegnania, bo nic już dla niego nie znaczę. Teraz wiedziałam. Ściąganie na nas uwagi byłoby zbyt niebezpieczne. Doskonale wiedział, że w Rochford Hall bacznie śledzi nas wiele par wścibskich oczu, mimo że księżna Joanna starała się nam zawsze towarzyszyć.

Ostatnie linijki listu, nabazgrane na dole, były tak pełne żalu, że serce znów zaczęło mi krwawić.

Wielkie cierpienie sprawia mi myśl, że nigdy więcej Cię nie dotknę, choć tak bardzo pragnę trzymać Cię w ramionach i poczuć

Twoje usta przy swoich. Ale byłoby to zbyt niebezpieczne. Nawet wyróżnienie Cię w publicznym miejscu ściągnęłoby na nas nieprzychylne komentarze. Pobyt w Rochford był dla mnie torturą, jak zapewne i dla Ciebie. Pościeliłem sobie to łoże boleści dla dobra Anglii i teraz muszę w nim spać do końca życia.

Ciebie również skazałem na samotne noce. Wybacz mi, najdroższa i najukochańsza towarzyszko.

Anglia musi kwitnąć, a ja muszę zrehabilitować się w oczach Konstancji, na ile to możliwe.

Muszę też zapewnić Cię o mojej miłości, teraz i na zawsze.

Nie mam nadziei, że Twoje serce okaże się na tyle wielkie, by mi wybaczyć.

Kochał mnie. Kochał. Teraz wiedziałam, dlaczego był tak bardzo rozgniewany. Okazywałam mu chłód i lekceważenie, nie rozumiejąc, co dla mnie uczynił. Byłam sztywna i nieugięta, bo w swojej złości i bólu nie dostrzegałam prawdziwej wartości zawartej w tym, co uczynił. Ale teraz byłam starsza i miałam nadzieję, że również mądrzejsza. Rady siostry wciąż krążyły mi w głowie. Wiedziałam, że muszę pozbyć się dawnych żalów, jeśli mam żyć w pokoju ze sobą i z mężczyzną, którego zawsze będę kochała, choć nigdy już nie będę mogła z nim żyć. Muszę uznać, że wciąż nas łączą nierozerwalne więzi serca, duszy i umysłu, i po prostu wybaczyć.

Skrzywdziłam go, dlatego teraz ja naprawię swój błąd.

Wiedziałam, co muszę zrobić. Myśląc nad tym, zniszczyłam pióro, a gdy Filipa zajrzała do komnaty, spojrzałam na nią tak ponuro, że szybko się cofnęła. Wciąż była w Kettlethorpe. Wracając do księżnej, miała zabrać ten list ze sobą.

Kontakty między mną a księciem powinny być owiane wielką dyskrecją, dlatego musiałam to zrobić ukradkiem, jak mysz wspinająca się do beczki z jabłkami w mojej piwnicy. Mogłam wyrazić żal, że osądzałam Jana niesprawiedliwie, ale nasz związek z bardzo ważnych powodów pozostanie związkiem dusz, a nie ciał. Musiałam uszanować jego wybór, choć był to wybór okrutny dla nas obojga i moje serce wciąż się przeciw niemu buntowało. Mogłam tylko zapewnić księcia o moim zrozumieniu i o tym, że jego poświęcenie nie było nadaremne. Musiałam uważać, by jednym nieostrożnym słowem nie zniszczyć murów, które postawił między nami i które widziała cała Anglia. Udało mu się odbudować reputację i cieszyłam się z tego. Dla żadnego z nas nie było już odwrotu.

Jak zatem miałam to wyrazić?

Najlepiej pisząc o sprawach dotyczących posiadłości, jako właścicielka ziemska składająca wyrazy wdzięczności innemu właścicielowi, pomimo różnic w naszej pozycji. Mogłam mu przecież podziękować w taki sposób, by na pozór nie było w tym nic osobistego. Filipa dopilnuje, żeby list trafił bezpośrednio do niego, a nie w ręce sir Thomasa Hungerforda. Ale na wypadek gdyby przeczytał go ktoś inny...

Do księcia Lancastera.

Z podziękowaniem za niedawną dostawę dębowych bali do Kettlethorpe. Wdzięczna jestem za drewno, bo zamierzam dobudować kilka komnat do dworu.

Pisałam szybko i płynnie o zupełnie nieistotnych szczegółach dotyczących rozbudowy. A potem zaczęłam mój pierwszy i jedyny osobisty list do niego. Jakież to było trudne. Zniszczyłam kolejne pióro. Wiedząc to, co teraz wiedziałam, musiałam napisać, co mam w sercu, skrywając jednak tańczącą w duszy radość, że wciąż mnie kochał i że ja mogłam kochać jego, choć z oddali.

Co się tyczy aktu zrzeczenia...

Uznałam, że te słowa wyglądają wystarczająco oficjalnie.

Podczas naszego ostatniego spotkania w Rochford Hall zapewne uznałeś, że nie dostrzegam rzeczywistego znaczenia tego dokumen-

tu. Przyznaję, że nie rozumiałam jego treści tak dobrze, jak powinnam. Teraz rozumiem i w końcu odzyskałam rozsądek.

Dzięki otrzymanym wyjaśnieniom mogę podjąć odpowiednie kroki i powiadomić Cię o tym.

Te słowa były suche jak pieprz. Czy on je zrozumie? Sądziłam, że tak. Przełknęłam emocje, których nie odważyłam się wylać na pergamin i które omal nie spłynęły w postaci łez. Nie było powodu do płaczu przy rozmowie o minionych sprawach. Pisałam dalej, bardzo uważnie dobierając słowa i wybierając najzimniejsze z możliwych terminów:

Rozumiem, co uczyniłeś i dlaczego to uczyniłeś, ale by to zrozumieć, musiałam przebyć bardzo bolesną i długą drogę. Wiem, że muszę pogodzić się z przyczynami, które skłoniły Cię do tej decyzji.

Pióro znów było poznaczone śladami moich paznokci. Wbrew rozsądkowi napisałam jeszcze:

Musisz wiedzieć, że moje uczucia do Ciebie pozostają takie, jakie były zawsze – bezwarunkowe i bezgraniczne. Modlę się o Twoje bezpieczeństwo. Oby Bóg zechciał chronić Cię i wspierać. Będę wyczekiwać wieści o Tobie.

Pragnę, byś zachował mnie w myślach jako zawsze oddaną sługę domu Lancasterów.

Ani jednego słowa o miłości, od której nigdy się nie uwolnię.

Zostawiłam kilka pustych linijek i dużym, śmiałym pismem dodałam jeszcze opis jednego z projektów rozbudowy, by zmylić wścibskie oczy.

Bardzo wiele czasu i wysiłku zabiera mi ostatnio grodzenie pastwisk i włączanie ich do parku myśliwskiego w Kettlethorpe. Jest to kłopotliwe i spotykam się ze sprzeciwem miejscowych, ale mam na to pozwolenie króla i zamierzam dopiąć swego.

Pomimo smutku zaśmiałam się cicho, dopisując ostatnie linijki. Pomyśli, że zupełnie straciłam rozum, chyba że zrozumie, po co to uczyniłam. Ale jak miałam zakończyć list? Wiedziałam, co chciałabym napisać.

Dzisiaj, pisząc z trudem te słowa, kocham Cię tak samo, jeśli nie bardziej niż kiedykolwiek. Będę Cię kochać jutro i pojutrze. Jakąż siłę można odnaleźć w przeciwnościach! Pomimo upływu lat moje serce wciąż należy do Ciebie, a moja dusza raduje się myślą, że Ty również mnie kochasz. Pozostań w pokoju, mój najdroższy.

Ale to byłoby zbyt niedyskretne, zatem napisałam po prostu:

Raz jeszcze dziękuję za Twoją hojność i troskę o dobry stan mojej posiadłości. Pozostaję na wieki wdzięczną sługą,

Katarzyna Swynford

Przeczytałam ten list z dziwnym smutkiem. Kiepska próba wyrażenia skruchy, marny podstęp, ale nie potrafiłam się zdobyć na nic lepszego. Podałam list Filipie wraz ze wskazówkami, jak ma go doręczyć. Miałam nadzieję, że książę zrozumie wszystko, czego nie odważyłam się wyrazić w słowach.

– Dostarczę ten list, ale nie oczekuj, że on do ciebie przyjedzie – powiedziała, widocznie dostrzegając nadzieję w mojej twarzy.

Myliła się jednak. Nie miałam na to nadziei. Wiedziałam, że nie spotkamy się osobiście.

– Musisz nauczyć się żyć bez niego – ciągnęła. – On i Konstancja są teraz nierozłączni. W każdym razie dzielą ze sobą pościel. Ona ma nadzieję urodzić mu następne dziecko.

– W takim razie życzę jej wszystkiego dobrego.

Tylko na taką odpowiedź potrafiłam się zdobyć, gdy kolejna strzała utknęła w moim sercu.

Przekazałam list księciu.

List od Filipy był długi.

Boli mnie, że muszę Ci to napisać, ale księżna jest znacznie podniesiona na duchu i modli się żarliwie, by znów udało jej się nosić dziecko. Książę obdarza ją wszelkimi względami. Planuje kolejną wyprawę na Kastylię i chciałby, żeby uznano ją za krucjatę. Na dworze panuje optymizm i szczęście. Książę i księżna są bardzo zgodni. Dziecko urodzone w Kastylii byłoby wspaniałym zwieńcze-

niem ich wysiłków. Moje myśli są z Tobą, droga Katarzyno, jeśli mimo zaprzeczeń miałaś nadzieję, że Twój list doprowadzi do Waszego pojednania.

Rozumiałam. Naturalnie, że tak. Nie oczekiwałam odpowiedzi. Wystarczyło mi, że Jan pozna kierunek, w którym zmierzają moje myśli. Dni gorzkiej rozpaczy już dawno minęły.

Zdarzały się jednak noce, gdy opłakiwałam utraconą miłość, która musiała wznosić między nami kolejne zapory dla dobra naszej reputacji i dla chwały Anglii.

– Agnes, Agnes! Nigdy nie uwierzysz, co on zrobił!

Zupełnie zapominając o godności pani na Kettlethorpe, podciągnęłam spódnicę i wbiegłam do pięknie odnowionej sali. Nie zwracałam jednak najmniejszej uwagi na wszystkie ulepszenia i piękne, nowo zakupione tapiserie.

Agnes wyszła z komnaty na piętrze i stanęła u szczytu schodów, przywołana moimi okrzykami.

– Co się dzieje? Kto co zrobił?

– Nie mogę w to uwierzyć! – wołałam, wbiegając po dwa schodki naraz.

– W co? – Agnes zmarszczyła czoło.

Ale nie byłam w stanie tego powiedzieć. Jeszcze nie. Brakowało mi tchu. Byłam na dziedzińcu i rozmawiałam z jednym z woźniców Lancasterów. Pomimo chlapy i roztopów, które panowały od Nowego Roku, przywieźli mi cały wóz drewna i wina. Nie była to zwykła pora na podróż w tak mało istotnym celu. Woźnica sztywno zsiadł z wozu i dał mi list przewozowy. Przebiegłam go wzrokiem. Na liście towarów znajdowały się również koszyk królików oraz bela cienkiej wełny.

Ale pod spodem dodane było postscriptum, a w nim, na samym dole, kolejna lista – lista pięciu nazwisk, które doskonale znałam. Cała krew odpłynęła mi z twarzy.

– Powinnaś wejść do środka, pani – doradził woźnica. – Kufel piwa dobrze ci zrobi. Mnie też.

Ale ja już biegłam na górę, zapominając o woźnicy, drewnie i królikach. Przepchnęłam się obok Agnes i Joanny, która weszła za mną do izby, zdziwiona moim wołaniem, i opadłam na kolana obok kufra.

– Czego szukasz?

– Tego.

Wyciągnęłam z kufra płaszcz podbity sobolami. Joanna wyjęła mi go z rąk i z uśmiechem zaczęła wygładzać fałdy, wybierając z nich gałązki bagna i lawendy. Komnata wypełniła się ciężkim zapachem. Tego dnia łatwo było się uśmiechać.

– Coś takiego! A ja myślałam, że ktoś nas najeżdża – wymamrotała Agnes. – Tyle zamieszania o futrzany płaszcz, którego nigdy nie nosiłaś.

– Powiedziałaś, że nigdy więcej go nie włożysz – zauważyła Joanna, która była już małą kobietką i bardzo liczyła na to, że oddam jej ten płaszcz.

– Zmieniłam zdanie.

– Chwała Bogu. Jest za dobry, żeby miał się marnować w kufrze. – Agnes przyjrzała mi się, mrużąc oczy. – Co się stało?

– Jadę do Lincoln.

– Nie rozumiem, dlaczego wyjazd do Lincoln miałby sprawić, że będziesz kłuć wszystkich w oczy tym dowodem swoich przeszłych grzechów.

– Tak mówiłam? – Roześmiałam się, jakbym znów była młodą dziewczyną. Nie mogłam sobie przypomnieć, kiedy po raz ostatni czułam się tak głupio szczęśliwa. – Zobaczę się z księciem.

Agnes z chrząknięciem wyjęła ciężki płaszcz z rąk Joanny i opadła na stołek.

– Najwyższa pora.

Zdumiały mnie te słowa.

– Nie sądziłam, że ci się to spodoba.

– Podoba mi się i nie podoba. To nie ma sensu, pani, ale gdy kobieta pobłogosławiona jest tak wielką miłością, jaką ty otrzymałaś, to grzechem jest ją zmarnować. Takie jest moje zdanie. – Jej twarz była równie mocno zarumieniona jak moja. – Zacznę przygotowania. Całe szczęście, że mole nie zjadły tego cennego daru.

ROZDZIAŁ SIEDEMNASTY

Dokoła mnie wznosiły się smukłe kolumny okrągłej kapituły przy katedrze w Lincoln. Mój lamowany sobolami płaszcz opadał w obfitych fałdach na posadzkę. Zdawało mi się, że duma tworzy dokoła mnie świetlistą aureolę, podobną do złoconych aureoli świętych namalowanych na ścianach kapituły. Żadne słowa nie mogły oddać mojej wdzięczności. Pomimo uśmiechu w moich oczach błyszczały macierzyńskie łzy, choć ze wszystkich sił starałam się wyglądać godnie z okazji tego niezwykłego dnia.

Ale chyba nikt nie mógłby mnie winić za te łzy. Agnes w milczeniu podała mi płócienną chusteczkę i jej palce otarły się o moje. Ona również to czuła.

Kiedyś sądziłam, że nie czeka mnie już w życiu żadna radość, że nie może się już zdarzyć nic, co wypełniłoby wszystkie zakamarki mojego serca czystym szczęściem. Bardzo się myliłam. Tego dnia, pod kamiennym żebrowaniem stropu, pośród surowego piękna tego miejsca, krew żywo płynęła mi w żyłach. Co więcej, miałam wszelkie prawa, by tu być. Oczekiwano tego po mnie. Była to kwestia lojalności wobec rodziny, więc nie mogła ściągnąć krytyki ani na mnie, ani na księcia. Podniosłam głowę i pozwoliłam, by duma wypełniła mnie całą.

– Spójrz – szepnęła dziewięcioletnia Joanna. – Tam jest Robert.

Choć była już duża i wiedziała, jak powinna się zachować, jej podniecony głos wzniósł się nieco zbyt donośnie.

– Cicho! – upomniała ją Agnes, gładząc życzliwie po ramieniu obleczonym w pięknie haftowaną sukienkę.

– Wygląda wspaniale, prawda?

– Bardzo ładnie – odszepnęłam.

Sir Robert Ferrers, spadkobierca znacznych posiadłości Botelerów na zachodzie kraju, miał czternaście lat, był bardzo poważny i od dzisiaj zaręczony z moją małą Joanną. Ten doskonały związek został zaaranżowany przez księcia, a ponieważ ożywienie, bystry wzrok i uśmiech chłopca spodobały się Joannie, tym większa była moja wdzięczność.

– To dobry chłopak – cicho powiedziała Agnes, nie spuszczając oczu z Henryka i Tomasza, którzy stali razem z nami, ostrzeżeni, że mają się odpowiednio zachowywać.

Znów się uśmiechnęłam. Potrafiłabym wymienić dowolnie długą listę dumnych i szlachetnych rodzin, które w żaden sposób nie zatroszczyły się o przyszłość swoich nielegalnych potomków, ale księcia z pewnością nie można było o to oskarżyć. Złożyłam dłonie na pasie, w miejscu gdzie zatknięty był niepozorny list przewozowy, cenny jak talizman. Znałam go już na pamięć. Nie potrzebowałam dowodu, a jednak zatrzymałam go.

Przyjedź do Lincoln dziewiętnastego dnia lutego 1386 roku na uroczystość przyjęcia pewnych znanych Ci osób do Konfraterni Katedry. Przy tej okazji żadne wymówki nie zostaną przyjęte.

Gdy książę po raz ostatni odwiedził Lincoln, rok po naszej kłótni w Rochford Hall, cała rozdygotana uciekłam do Kettlethorpe, by nie przebywać w tym samym mieście co jego orszak. Obawiałam się go spotkać. Ale teraz zorganizował wszystko tak, że nie miałam wyboru i musiałam się pojawić. List przewozowy zawierał nazwiska pięciu osób, które miały zostać przyjęte do Konfraterni Lincoln, prestiżowego bractwa, do którego przyjęto również samego księcia, gdy miał zaledwie trzy lata. Ja także dostąpiłam tego zaszczytu, ale teraz uzyskałam o wiele więcej.

Książę dodał jeszcze w swym krótkim liście:

Słusznym jest, byś przy tym była. Jeśli nie przybędziesz, wyślę po Ciebie eskortę.

Choć najeżyłam się z irytacji na to jawne wydawanie mi rozkazów, to jednak przyjechałam, bo wypisane pod tym rozkazem nazwiska sprawiały, że rzecz stawała się zdumiewająco osobista. Nie mogłam odmówić.

Henryk, hrabia Derby

Sir Jan Beaufort

Sir Tomasz Swynford

Pani Filipa Chaucer

Sir Robert Ferrers

Wszyscy ci członkowie mojej rodziny, którzy znaczyli dla mnie więcej, niż potrafiłam wyrazić, stali teraz we wspaniałej kapitule, którą tak dobrze znałam. Wszyscy dostąpili tego zaszczytu. Ta ceremonia nie mogła wywołać nawet cienia skandalu. Nie był to żaden podstęp ze strony księcia, który miałby na celu wystawić jego niegdysiejszą kochankę na widok publiczny, lecz poważna sprawa rodzinna dotycząca Boga i życia po śmierci.

– Tam jest Jan! – zawołała Joanna, której nie sposób było uciszyć.

Nie miałam serca znów jej upominać. Była równie dumna ze swego najstarszego brata jak ja.

Stał tam, wysoki i smukły jak ojciec, o rok młodszy od sir Roberta, niedawno na prośbę księcia pasowany na rycerza. Książę miał wiele roboty z Beaufortami. Dwóch moich synów i zaręczyny córki. Nawet moja wybuchowa siostra przynajmniej raz wydawała się oszołomiona zaszczytem, jakiego dostąpiła za sprawą służby u Konstancji. Ona również miała zostać przyjęta do prestiżowej Konfraterni Katedry. Wiedziałam, że książę uczynił to, by uhonorować mnie, a także całą piątkę, oraz by obdarzyć ich Bożym błogosławieństwem i zapewnić codzienną modlitwę w katedrze w ich intencji. Był to ogromny honor.

Ale pod przepełniającą mnie radością wciąż czaiła się iskierka lęku, która gdybym na to pozwoliła, mogła zepsuć cały ten dzień. Wszyscy wiedzieli, że książę chce uporządkować swoje sprawy przed wyruszeniem do Kastylii na nową kampanię. Nie pozwoliłam sobie jednak zaprzątać tym głowy. Na to przyjdzie czas później.

Patrzyłam na swoich synów, zdumiona ich dorosłością. Cieszyłam się z uroczystego przyjęcia Filipy do Konfraterni, tak jakby to chodziło o mnie samą, i przypominałam sobie własną inicjację. Od czasu do czasu pozwalałam, by moje spojrzenie zatrzymało się na księciu, który stał w pewnej odległości ode mnie, wysoki, szczupły i prosty. Nie różnił się zanadto od mężczyzny, który żył w mojej wyobraźni przez wszystkie lata naszej separacji, nawet wtedy, gdy codziennie sobie powtarzałam, że nim pogardzam.

Mój list nie był daremny. Moje serce śpiewało hymn niczym ptak na widok pierwszego brzasku. Choć nie rozmawialiśmy ze sobą, wystarczało nam, że znaleźliśmy się pod tym samym dachem.

– Kiedy pojedziesz? – zapytałam Filipę podczas krótkiej przerwy, gdy podawano wino i słodycze gościom i nowym członkom bractwa. Wszyscy ruszyli w stronę zamku, gdzie miała się odbyć uroczysta uczta. Pogratulowałam już swoim dzieciom i sir Robertowi. Udało mi się nawet pohamować macierzyńskie uczucia i powstrzymać się od uścisków. Hrabia Henryk ucałował mnie w policzek. Nie rozmawiałam z księciem, którego zagarnął biskup. Może tak jest lepiej, pomyślałam, skrywając irracjonalne rozczarowanie pod fałdami soboli, i zwróciłam się w stronę Filipy, która postanowiła towarzyszyć księżnej w podróży do Kastylii.

– Zapewne w lecie – odrzekła.

– Jesteś pewna, że tego chcesz?

– Cóż mnie zatrzymuje w Anglii? Moja córka wstąpiła do zakonu. Mój syn od jakiegoś czasu należy do orszaku księcia. Geoffrey nic dla mnie nie znaczy ani ja dla niego. – W jej uśmiechu nie było żalu. Miałam wrażenie, że wyczekuje tej podróży.

– Będzie mi ciebie brakowało.

– Jestem pewna, że tak. – Wyczułam lekką ironię w jej uśmiechu.

– Gdzie jest Konstancja?

– Na pielgrzymce. Odwiedza ulubione świątynie, prosząc o dziedzica. Czy spodziewałaś się zobaczyć ją tutaj?

– Nie. Obydwie jesteśmy światowymi kobietami i wiemy, że lepiej zachować dystans.

– Możliwe, że to nie będzie konieczne, jeśli księciu uda się w końcu zdobyć dla niej Kastylię. Wówczas Konstancja tam zamieszka. Pytanie tylko brzmi...

– Wiem. Co wówczas zrobi książę?

Oczywiście było możliwe, że na resztę życia zamieszka w Kastylii.

Nie myśl o tym, powiedziałam sobie. Nie teraz. Jeszcze nie.

Rozmawiałam z Tomaszem, który teraz nazywał się sir Tomasz Swynford i pozostawał w służbie u Henryka, hrabiego Derby. Był równie dumny jak ja, choć lepiej to ukrywał pod maską beztroski. Starałam się nie przesadzać z wyrazami podziwu i omówiłam z nim pewną drobną sprawę, która wciąż siedziała mi w głowie. Chciałam to zrobić, ale ostateczna decyzja musiała należeć do Tomasza. Gdy odpowiedział, pochwyciłam jego dłonie i pozwoliłam sobie ucałować jego policzek. Zarumienił się mocno, ale nie protestował. Hugh byłby pełen podziwu dla tak wspaniałego syna.

– Dziękuję – rzekłam z leciutkim uśmiechem.

– Kiedy mu powiesz?

– Nie mam pojęcia.
– Ja mogę to zrobić w twoim imieniu – zaproponował.
– Możliwe, że będziesz musiał – zgodziłam się ze smutkiem.

Jedynym powodem do rozczarowania było to, że książę jako gospodarz tego wydarzenia nie miał ani jednej wolnej chwili. Ponieważ było to jego oficjalne pożegnanie, na uroczystość przybyło wielu gości – ważnych oraz takich, którzy tylko uważali się za ważnych. Wszyscy jednak życzyli sobie rozmowy z nim i szybko pochłonął go tłum. Wiedziałam, że w zamku będzie jeszcze gorzej, i gdy zgiełk przybierał na sile, a tych, którzy próbowali na siebie ściągnąć uwagę księcia, było coraz więcej, podjęłam decyzję. Nie zostanę tutaj. Wrócę do kanonii.

Ze względu na Roberta pozwoliłam Joannie pozostać pod czujnym okiem Agnes, rozbawionej swoją nową rolą przyzwoitki, sama zaś zgarnęłam Henryka i Tomasza, którzy byli zbyt młodzi, by brać udział w uczcie, i zabrałam ich ze sobą. Zamierzałam w spokoju napawać się swoją radością i dumą z synów, a także z tego, co udowodniłam sobie podczas tej krótkiej przerwy. Potrafiłam wycofać się w odpowiednim momencie, nie popadając przy tym w przygnębienie, co było dla mnie niezmiernie ważne, pokazywało bowiem, że życie bez księcia jest możliwe. Ceremonia okazała się dla mnie wielkim sukcesem, ale było już po wszystkim i każda rozsądna kobieta wiedziałaby, że mądrze uczyni, usuwając się ze sceny. Pomyślałam, że takie doświadczenie przyda mi się później, gdy książę i Konstancja zostaną już ukoronowani na króla i królową Kastylii.

Znów użyłam chusteczki Agnes. Jakże łatwo przychodziły mi łzy.

Wieczór w dzielnicy katedralnej był spokojny. Byliśmy zbyt daleko od zamku, by słyszeć muzykę i śpiew. Siedziałam ze spokojną duszą, całkowicie pewna, że słusznie uczyniłam. Uśmiechałam się na myśl o Joannie uradowanej z zaszczytu, który spotkał jej narzeczonego.

Naraz mój uśmiech zbladł i uwagę przykuło jakieś poruszenie pod oknem w ogrodzie. Nasłuchiwałam, ale nie zauważyłam nic nadzwyczajnego. Może to po prostu kot, który wybrał się na łowy.

Pokojówka położyła spać Henryka oraz Tomasza i czuwała przy nich, czekając, aż usną. Siedziałam ze świecą nad brewiarzem, ale nie potrafiłam skupić się na książce, choć miała wspaniałe kolory i złocone ilustracje. Dostałam ją przed laty w prezencie od księcia.

To było dziwne, ale w myślach wciąż często nazywałam go księciem, jak w czasach, gdy byłam młodą żoną Hugh Swynforda. Podejrzewałam, że już tak zostanie na zawsze. Tylko w chwilach, kiedy byliśmy razem albo kiedy byłam na niego zła, nieodmiennie stawał się Janem.

Uśmiechnęłam się. Świeca już zaczynała się dopalać. Znalazłam pióro i pergamin i napisałam wiadomość, o której wcześniej rozmawiałam z Tomaszem. Po krótkim wahaniu podpisałam się imieniem.

Znów nadstawiłam uszu. Ktoś jednak był na zewnątrz. Podniosłam się szybko, by zawołać służącego i kazać mu sprawdzić, co się dzieje, ale zaraz westchnęłam na dźwięk młodych głosów. To nie był wróg. Moje serce uspokoiło się. Wyszłam z salonu i otworzyłam drzwi przed Agnes, Joanną i moim synem Janem. Za nimi wszedł sir Tomasz, wciąż śmiejąc się z jakiegoś żartu, który wymienił z sir Robertem. Była również Filipa, smukła i wspaniała w sukni z adamaszku wyszywanego złotą nicią.

Uścisnęłam Joannę, bo tylko ona jedna z całego tego towarzystwa nie miała nic przeciwko temu.

– Wejdźcie. W salonie płonie ogień. Poślę po piwo. Pewnie zjedliście tyle, że nie będziecie głodni przez tydzień.

W ich głosach wciąż brzmiało podniecenie. Filipa promieniała. Można by sądzić, że lata nieszczęśliwego życia odeszły w niepamięć. Znów wyglądała tak jak w młodości, gdy lubiła śmiać się i tańczyć.

Podeszłam do drzwi, by je zamknąć, i naraz zatrzymałam się jak wryta z ręką na zasuwce. Oczywiście przysłano z nimi z zamku uzbrojoną eskortę. Wyciągnęłam rękę, żeby zaprosić tego mężczyznę na piwo, ale zaraz ją opuściłam.

– Czy zechcesz mnie wpuścić, czy też mam tu zaczekać, a potem odprowadzić Tomasza i Roberta do zamku? – Przerwał na chwilę, jakby walczył ze śmiechem. – Na dworze jest bardzo zimno.

– Nie powinieneś tu przychodzić.

Mógł przysłać służącego lub uzbrojonego giermka ze swojego orszaku. Mógł poprosić Olivera Bartona, konstabla Lincoln, o eskortę złożoną z miejscowej milicji. Tymczasem przyszedł sam razem z moimi dziećmi, wykazując się brakiem rozsądku i dyskrecji. Oto zyskałam kolejny przykład niczym nieograniczonej pewności siebie Plantagenetów. Choć miałam ochotę złajać go za to, omal nie zadławił mnie przypływ opiekuńczości. Mogłam sobie wyobrazić błysk w oczach Walsinghama, gdyby się o tym dowiedział.

– Nie powinieneś tu przychodzić – powtórzyłam, jakbym miała przed sobą małego Henryka.

– Nie zrobiłbym tego, gdybym miał odrobinę rozsądku – zgodził się. – I możliwe, że tego pożałuję. Jeśli mnie nie wpuścisz do środka, to będę musiał schronić się w stajni.

Otworzyłam drzwi szerzej, ale wciąż stał bez ruchu w bladym świetle dochodzącym z okien katedry, gdzie jakiś ksiądz kończył wieczorne czuwanie. Pod ciemnymi fałdami płaszcza księcia dostrzegłam lśnienie błękitu i srebra. To były szaty, które miał na sobie podczas ceremonii. Niewiele więcej widziałam, ale znałam każdy rys jego twarzy i wiedziałam, że włosy wciąż ma nietknięte siwizną. Był o dłoń wyższy niż ja i wciąż trzymał się prosto. Lata bitew toczonych zarówno za granicą, jak i w kraju, przeciwko parlamentowi i płodom pióra Walsinghama, obeszły się z nim łagodnie.

Jakże go kochałam. Nie mogłam go nie kochać. Westchnęłam cicho, niemal niedosłyszalnie.

– W takim razie wejdź i zamknij drzwi.

Zawahał się.

– Może jednak byłoby lepiej, gdybyś ty wyszła.

– Dlaczego?

– Sądzę, że w stajniach znajdziemy odrobinę prywatności.

– Mówiłeś, że jest zimno – zauważyłam przekornie.

Zsunął płaszcz z ramion i wyciągnął w moją stronę.

– Chyba że odmówisz, tak jak wcześniej sądziłem, że odmówiłaś noszenia moich soboli. Ale zdaje się, że miałaś je dzisiaj na sobie. Może chłód w domu kanonika zmusił cię do zmiany decyzji? – Mówił prostymi zdaniami, ton głosu miał rozbawiony. Starał się ułatwić mi tę rozmowę. – Czy jest tu jakieś miejsce, gdzie moglibyśmy porozmawiać na osobności?

– Możesz dołączyć do nas w salonie. Tam jest piwo i ogień.

Oddychałam z trudem, trzymając płaszcz w dłoniach. Zauważył mnie. Zwrócił uwagę na to, co miałam na sobie. Moje myśli rwały się i pędziły we wszystkich kierunkach.

– Twój salon jest już pełen i tak będzie przez najbliższą godzinę. Czy te dzieci nigdy nie przestają mówić?

– Nie. Beaufortowie są bardzo gadatliwi.

Uspokoiłam się i pozwoliłam mu narzucić sobie płaszcz na ramiona tak bezosobowo, jakby był służącym, i wyprowadziłam go na zewnątrz. Poszliśmy przez dzielnicę katedralną w stronę stajni. Po tak długim rozdzieleniu można byłoby oczekiwać, że będziemy czuli się nieswojo w swoim towarzystwie, ale mieliśmy dość umiejętności towarzyskich, by przezwyciężyć niepewność, a krótka rozmowa na progu pozwoliła przełamać pierwsze lody.

Słyszałam na trawie ciche kroki Jana, gdy szedł za mną. Zostawialiśmy ślady na szronie, a potem w stajniach, przy akompaniamencie szurania kopyt, otoczeni znajomymi zapachami koni, zboża i siana, stanęliśmy twarzą do siebie. Na Boga, było zimno! Ale gruby płaszcz był wciąż rozgrzany ciepłem jego ciała, futrzana wyściółka otaczała moją szyję.

– Uczyniłeś dzisiaj mojej rodzinie wielki zaszczyt – powiedziałam pośpiesznie, bo to przede wszystkim pchało mi się na usta. – Większy niż cokolwiek, co mogę sobie wyobrazić.

– Miałem dług do spłacenia – odrzekł. – Nawet nie wiesz, ile dla mnie znaczył twój list.

Jego głos brzmiał spokojnie. Poczułam ulgę. Mogłam ufać, że uda mu się utrzymać emocje na wodzy. Tego właśnie potrzebowałam. Chciałam, żebyśmy rozstali się spokojnie, akceptując naszą nową sytuację.

– Próbowałam być dyskretna. Czy zrozumiałeś, co chciałam ci powiedzieć?

– Tak. Między królikami i odwodnieniem terenów.

Potrząsnęłam głową i zapadła chwila milczenia. W końcu przerwał ją kot stajenny, który przemknął pod ścianą. Zapewne wyruszał na łowy.

– Wybacz mi – powiedział książę cicho w ciemnościach. – Wybacz mi.

Wezbrały we mnie wszystkie minione emocje.

– Tak. Tak, wybaczam ci.

– Katarzyno – westchnął z głębi serca.

– Kiedyś sądziłam, że nie będę potrafiła ci wybaczyć. Ale to było dawno. Teraz dobrze wiem, że potrafię.

Mięśnie jego szczęki rozluźniły się. Trzeba było go dobrze znać, żeby to zauważyć, ale ja naturalnie zauważyłam. Przez cały czas był bardzo spięty, choć po mistrzowsku to ukrywał.

– Katarzyno, czy zechcesz na mnie spojrzeć?

Uświadomiłam sobie, że przez cały czas patrzyłam na światło odbijające się od klejnotów na jego piersi. Natychmiast podniosłam oczy, ale gdy dostrzegłam wyraz jego oczu, umknęłam wzrokiem, jakbym znów była młodą dziewczyną, która czuje lęk na widok namiętności w męskim spojrzeniu.

– Nie. Pozwól patrzeć mi na siebie – szepnął. – Pozwól mi czytać w twoich myślach. Na Boga, Katarzyno, jesteś równie piękna jak tego dnia, gdy po raz pierwszy cię ujrzałem i pokochałem. Wciąż widzę cię w mojej głowie.

Nie, nie! To był błąd. Obawiałam się, że nie zniosę tych emocji, i sądziłam, że on też nie. Toteż dla dobra nas obojga desperacko uniosłam dłoń.

– Nie mogę o tym mówić.

– W takim razie mów o tym, co dla ciebie jest ważne. Bez względu na to, co powiesz, wiem, co nosisz w sercu.

– Czy wszystko u ciebie dobrze? – wykrztusiłam.

Przez wysokie okno do stajni wleciała sowa, cicha jak duch. Książę podążył na bezpieczniejsze ścieżki i odpowiedział na pytanie, którego nie zadałam.

– Jesteśmy gotowi. Flota zgromadziła się w Plymouth. Król jest zadowolony, że wyjeżdżam. Modli się o mój sukces, żebym mógł pozostać w Kastylii. Nie lubi rad, chyba że pochodzą z ust Roberta de Vere'a.

– Słyszałam o zamachach na twoje życie.

– Nie udało się – odrzekł lekko.

– Niech Bóg zachowa cię bezpiecznie w Kastylii, Janie. Czy zobaczę cię jeszcze, zanim wyjedziesz?

– Nie. Nie wrócę już na północ. Najpierw jadę do Londynu przekonać Ryszarda, by dał mi więcej statków, a potem, w czerwcu, wypływamy.

Zupełnie jakbyśmy byli luźnymi znajomymi, wybieraliśmy tematy, które miały znaczenie polityczne, ale nie angażowały nas osobiście. Nie było w tej rozmowie emocji. Dobierałam słowa bardzo ostrożnie. W moim głosie brzmiało uprzejme zainteresowanie.

– Jak długo będziesz za granicą?

– Nie sposób przewidzieć. To nie będzie krótka kampania.

– Słyszałam, że Konstancja jedzie z tobą. Filipa mi mówiła.

– Tak. Moje córki również z nami jadą. – Przez chwilę na jego twarzy odbiło się wahanie. – Muszę ci powiedzieć o mojej żonie.

Postąpiłam o krok do przodu i uniosłam dłonie, by powstrzymać jego słowa, zanim zniszczą delikatny, kruchy most, który udało się między nami zbudować.

– Nie ma potrzeby. Wiem, a przynajmniej potrafię odgadnąć.

– W takim razie wiesz, dokąd prowadzi moja droga.

Pozwoliłam, by moje ręce opadły.

– Tak, przecież jesteśmy dorośli. Zawsze braliśmy pod uwagę tę możliwość.

– Ona tego chce. Nie mogłem jej odmówić.

Cały mój rozsądek i spokój uleciały.

– Och, kochany! – szepnęłam, choć nie powinnam tego robić.

– Moja najdroższa Katarzyno!

Moje łzy lśniły równie mocno jak jego klejnoty. Było coś, co potrzebowałam zrobić, zanim zacznę szlochać na jego piersi. Coś, co dałoby nam chwilę oddechu.

– Zaczekaj tutaj.

Zostawiłam go i pobiegłam do salonu po wiadomość, którą napisałam tego wieczoru, potem zajrzałam do sypialni, a potem znów znalazłam się w stajniach. Oddech miałam przyśpieszony nie tylko od wysiłku.

Stał w tym samym miejscu, w którym go zostawiłam.

– Myślałem, że już nie wrócisz – powiedział łagodnie.

– Nie, nie zrobiłabym tego. – Wyciągnęłam w jego stronę złożony pergamin. – Tylko tyle mogę zrobić, by pokazać ci moje uczucie. Mówienie o nim jest zbyt niebezpieczne, ale tu masz dowód.

Rozwinął pergamin. To była obietnica pięciuset marek, pożyczka, która miała mu pomóc sfinansować wyprawę do Kastylii.

– Daję ci to za zgodą Tomasza Swynforda.

Wpatrywał się w pergamin tak długo, że już zaczęłam się obawiać, że odmówi. Gdy znów złożył arkusz, jego głos brzmiał ochryple.

– Zwrócę ci te pieniądze. To bardzo wielkoduszne z twojej strony.

– Wiem, że zwrócisz.

Wiedziałam również, że rozumiał wagę tego daru.

Znów zapadło między nami milczenie.

– Muszę zabrać Roberta i Tomasza i wracać – powiedział w końcu.

Po raz pierwszy poczułam w piersi drgnienie lęku. Tęsknota zagłuszyła rozsądek i powiedziałam to, o co obiecywałam sobie nigdy nie prosić.

– Nie pocałujesz mnie na pożegnanie?

Klejnoty na jego piersi błyszczały równym blaskiem.

– Nie.

Jego surowa odpowiedź zaparła mi dech. Nie oczekiwałam odmowy. Być może odbiło się to na mojej twarzy, bo szybko dodał:

– Nie, nie pocałuję cię, bo obawiam się, że gdybym to zrobił, to już nigdy bym cię nie wypuścił z ramion. – Jego usta drgnęły. – Przypominam sobie, że kiedyś już coś takiego powiedziałem. Miałem wtedy rację i mam ją teraz. Nie powinienem rozniecać płomienia w pożar, którego nie da się opanować. Sądzę, że żadnemu z nas nie wyszłoby to na dobre.

Jego oczy napotkały moje. Oddałam mu spojrzenie pełne rozpaczy i wdzięczności. Okazałam bezmyślną słabość, a on mnie wyratował.

– Wiedziałem, że to zrozumiesz.

– Tak.

– Żegnaj, moja miłości. Myślę, że Bóg wybaczy mi to, że spotkałem się z tobą po raz ostatni.

– Sądzę, że tak. Będę o tobie myślała.

– A ja o tobie.

Ktoś zapalił latarnię na zewnątrz. W blasku odległego światła twarz Jana wydawała się wzburzona.

– Pamiętaj, że gdzie ja będę, tam będziesz również ty. – Bardziej zobaczyłam, niż usłyszałam jego westchnienie i poczułam na sobie ciężar jego spojrzenia. – Nigdy się nie dowiesz, jak trudno mi było cię odesłać. To była najtrudniejsza rzecz, jaką zrobiłem w życiu.

Poczułam ściskanie w gardle i do oczu napłynęły mi łzy. Nie potrafiłam nic odpowiedzieć na te wydarte z głębi serca słowa i rozumiałam, że książę nie oczekuje odpowiedzi. Niektóre wspomnienia z przeszłości były zbyt bolesne. Podeszłam do niego szybko i zanim zdążył się cofnąć, przypięłam do jego tuniki Najświętszą Panienkę z tombaku. To była mała odznaka pielgrzyma, którą wraz z dobrymi radami dostałam dawno temu od pani Saxby na drodze do Kettlethorpe. Warta była niewiele, ale teraz w niej spoczywały wszystkie moje nadzieje.

– Najświętsza Panienka zachowa cię bezpiecznie. – Ręce mi drżały, ale bardzo uważałam, żeby nie dotknąć jego ciała, jedynie materiału tuniki. – Zdaje się, że przez całe życie tylko się z tobą żegnam. – Otarłam odznakę rękawem, ale cyna i tak nie błyszczała.

– Zawsze dotychczas wracałem.

Ale czy wróci tym razem? Skłonił się nisko, ja zaś dygnęłam, jakbyśmy byli na dworze, a nie w stajni na słomie. A potem wyszedł.

A jednak nie wyszedł. Zanim zdążyłam odzyskać równowagę, pochwyciły mnie jego ramiona i wszystkie dawne emocje znów wróciły pod wpływem tego znajomego dotyku. Może była to tylko desperacja z powodu rozstania, ale dotyk jego ust na moich wystarczył, by rozpalić wszystkie dawne namiętności. Upajałam się nim, jakby tych ostatnich lat w ogóle nie było.

– Katarzyno – wymruczał z ustami na moich ustach, przyciskając mnie do piersi. – Zaryzykuję ten pożar.

– Janie, mój kochany... – Wpiłam palce w jego rękaw, jakbym chciała go zatrzymać w tej stajni w Lincoln na zawsze.

– Jak mogę odejść od ciebie?

Zaraz jednak mnie puścił i usłyszałam jego oddalające się kroki, szybkie, jakby chciał jak najrychlej znaleźć się daleko ode mnie. Czekałam i nasłuchiwałam z dudniącym sercem, gorąca krew pulsowała mi w żyłach, aż w końcu ostatnie dźwięki ucichły i pozostało tylko wspomnienie twardego ciała przy moim, pieczęci ust Jana na moich.

Wojna była ryzykowna, podobnie jak pokój. Jeśli książę odniesie zwycięstwo, to może zostać królem Kastylii nie tylko z nazwy. Możliwe, że nigdy więcej się nie zobaczymy. Jako ukoronowany król Kastylii być może nigdy już nie wróci do Anglii. Mój dar miał mu pomóc osiągnąć tron – albo śmierć na obcym polu bitwy za morzem. Miłość wymagała wielkich poświęceń.

Czułam się jednak odrodzona. Byliśmy jednością. Szłam przez życie sama, ale nie samotna. Nie mogłam być z moim księciem, ale otchłań została zasypana i wiedziałam, że Jan pozostanie w moim sercu, chroniony przed wszystkimi okropnościami zamorskiej kampanii.

Gdy wróciłam do ciemnego budynku kanonii, moje serce biło z radości na myśl o tym, że Janowi nie wystarczyło jednak sił, by opuścić mnie bez uścisku. Przycisnęłam wnętrze dłoni do ust, jakbym wciąż czuła jego dotyk. Ja również bardzo chętnie zaryzykowałabym pożar.

Czego mi nie powiedział? Czego się domyśliłam?

Tego, że Konstancja nosiła jego dziecko. Na chwilę przyłożyłam dłoń do płaskiego brzucha, przypominając sobie to wrażenie. Powinnam być jej wdzięczna, i byłam. Moje dni zazdrości już dawno minęły, za co dziękowałam Bogu.

Nie chciałam tego zrobić.

Wymieszałam inkaust i zaostrzyłam pióro ostrym nożem, ale ponieważ ręka mi drżała, nie wyszło najlepiej. Mimo wszystko, jako że nie miałam pod ręką innego pióra, zmusiłam się, by otworzyć okładkę mszału na pierwszej stronie, która kiedyś była pusta.

Teraz wypisane tam były chwile z mojego życia z ostatniego roku, od czasu, kiedy książę wypłynął z Anglii.

Nie chciałam zapisywać tej chwili.

Zanurzyłam pióro w inkauście. Na stronę spłynął brzydki kleks jak pojedyncza ciemna łza. Nie mogłam tego zrobić. Nie mogłam się zdobyć, żeby to napisać.

Wytarłam inkaust, odłożyłam pióro i popatrzyłam na kamienie milowe mojego życia, które zdecydowałam się tu zaznaczyć. Chwile radości, chwile osobistego szczęścia, uroczystości z życia ludzi, których znałam i kochałam.

Ale dotychczas nie napisałam niczego takiego jak teraz. Teraz serce wyrywało mi się z piersi, a krew płynęła powoli jak lodowaty strumień pod zimowym lodem.

Zmusiłam się, by przeczytać wszystko, próbując przywołać minione radości.

Pisałam o wypłynięciu księcia do La Coruny, ale krótko, bo nie był to czas radości, choć w umyśle wciąż dźwięczały mi jego słowa:

„Pamiętaj, że gdzie ja będę, tam będziesz również ty".

Te słowa niosły mi pociechę, gdy nic innego nie mogło jej dać.

Potem zaczynała się lista ślubów i urodzin, a także osiągnięć moich dzieci, które dorastając, zostawiały swój ślad w świecie. Zapisany tu było ślub mojej drogiej Filipy Lancaster z królem Janem z Portugalii we wspaniałej katedrze Oporto. To małżeństwo miało przypieczętować sojusz. Cieszyłam się z narodzin zdrowego syna Henryka, hrabiego Derby, i jego ukochanej Marii, Henryka Monmoutha, a potem z nadania mi przez króla Ryszarda prestiżowego tytułu Damy Orderu Podwiązki.

Wszystko to należało zachować i cieszyć się tym. Ale gdy znów sięgnęłam po pióro, nie byłam w stanie się uśmiechać.

Niektórych rzeczy nie zapisałam, bo były zbyt bolesne, na przykład tego, że Konstancja straciła tak bardzo wyczekiwane dziecko. Kolejna córka urodziła się martwa w La Corunie. Nie pisałam też o przerażających dniach, kiedy próbowano otruć księcia i Konstancję. Nie było wzmianki o tragicznym poronieniu Filipy, która straciła dziedzica Portugalii. Nie musiałam o tym pisać; wiedziałam, że nigdy nie zapomnę.

Nie pisałam też o porażce w wojnie. Księciu nie dane było zdobyć Kastylii siłą. Jego ambicje i ambicje Konstancji osiągnęły kres. Udało się uzyskać przez mądre negocjacje tylko sojusz z Kastylią za sprawą małżeństwa Kataliny, która teraz miała piętnaście lat, z Henrykiem, synem króla Kastylii Jana. Konstancji nigdy nie będzie dane władać Kastylią, ale jej córka miała dzielić tron. Wydawało mi się, że to jest najlepsze możliwe zakończenie tej historii.

Ale to... Choć serce mi się rozdzierało, musiałam to zapisać, bo inaczej nie pozostałoby żadne świadectwo dobrze przeżytego życia. Toteż napisałam ręką ciężką od żalu:

W sierpniu roku 1387 zmarła Filipa Chaucer, urodzona jako Filipa de Roet. Zmarła na dyzenterię w służbie Konstancji, księżnej Lancaster, królowej Kastylii. Miejsce jej pochówku nie jest znane.

Napisałam to najładniej, jak potrafiłam, a potem z chłodną precyzją odłożyłam pióro.

I tak oto zakończyło się życie mojej trudnej, niespokojnej, kochającej siostry o ostrym języku.

Tak niewiele wiedziałam o jej ostatnich dniach. Próbowałam pamiętać ją taką, jaką znałam, nie taką, jaką sobie wyobrażałam, szarpaną bólem i cierpieniem. Jej ciało ani serce nie miały wrócić do Anglii, tak jak wróciło serce Hugh. Nie miałam dostępu do jej doczesnych szczątków, ale miała żyć na zawsze w moim sercu i w swoich dzieciach.

Skłoniłam głowę.

To było zupełnie nierzeczywiste.

Podkreśliłam wszystkie zdania grubą linią. Nie zamierzałam pisać już nic więcej w tym mszale. Co mogło się równać z tą stratą?

ROZDZIAŁ OSIEMNASTY

Minęły trzy lata od dnia, gdy książę pocałował mnie na pożegnanie w Lincoln. Czy serce mogło pozostać takie samo, niezmienione? Moje drżało z wyczekiwania.

Powtarzałam sobie, że nie ma powodu do niepokoju. Byliśmy przyjaciółmi – kiedyś kochankami, ale teraz tylko przyjaciółmi, których łączyły wspomnienia.

Zostałam zaproszona do Hertford jako przyjaciółka. A właściwie wezwana, tak jak kiedyś, w innym życiu.

Lady Katarzyna Swynford jest proszona o towarzyszenie monseigneurowi de Guienne w Hertford podczas uroczystości bożonarodzeniowych i noworocznych. Hrabiostwo Derby powitają ją w naszym imieniu.

Uśmiechnęłam się blado na widok nowego tytułu. To była oznaka kapryśnych łask Ryszarda. Jan był teraz księciem Akwitanii i zwracano się do niego monseigneur de Guienne. Dla mnie na zawsze miał pozostać księciem Lancasterem.

Na miejscu przyjęli mnie Henryk i Maria. Przez wszystkie dni, zanim świętowanie rozpoczęło się na dobre, czekałam na mojego księcia. Za każdym razem, gdy przybywał nowy gość, wszystkie moje zmysły stawały się wyczulone. Wpatrywałam się w każdą nową twarz, która pojawiała się przy kolacji w wielkiej sali, i w duchu łajałam się za głupotę, tak jakby mógł wśliznąć się tu niepostrzeżenie i bez zamieszania zająć swoje miejsce na podwyższeniu. O ile nie zmienił się zanadto w ciągu ostatnich trzech lat, monseigneur de Guienne z pewnością przybędzie przy dźwiękach fanfar i równie ceremonialnie jak zawsze.

A potem pojawił się wśród nas. Trzymałam się z tyłu aż do chwili, gdy Maria, popędzając do działania resztę rodziny, czy ktoś tego chciał, czy nie, znalazła wszystkim coś do roboty. Były to najbardziej niezręczne pozory, jakie widziałam w życiu, ale w rezultacie książę został sam ze mną w wielkiej sali. Byłam wytrącona z równowagi. Po wielu latach, kiedy kształtowałam swoje życie wedle własnej woli, teraz znów znalazłam się w sytuacji, w której czułam się nieswojo, co bardzo mi się nie podobało.

Popatrzyłam na niego, a on na mnie.

Miałam rację co do przybycia z fanfarami. Przyjazd księcia został zapowiedziany przez herolda. Jan miał na sobie tunikę sięgającą ud, z jedwabnego adamaszku, lamowaną futrem i haftowaną złotem. Pierś przecinała haftowana szarfa. W haftach wyraźnie wybijał się na pierwszy plan smukły biały jeleń, symbol samego króla Ryszarda. Ten strój aż krzyczał o bogactwie, władzy i pozycji.

Ale to nie było ważne. Żył i był tutaj.

– Wróciłem do domu, Katarzyno – powiedział.

Takie proste stwierdzenie wypowiedziane lekkim tonem po tych wszystkich latach, kiedy nie było między nami żadnego kontaktu. Miało to doniosłe znaczenie, ale w tamtych dniach byłam zbyt ostrożna, by dopatrywać się w jego słowach ukrytych znaczeń.

– A ja przybyłam, by cię powitać, panie. – Moje dłonie również były lekko splecione. Przechyliłam głowę na bok i przypomniałam sobie, jak wymienialiśmy podobne słowa w Pontefract, gdy wszystko wydawało mi się mroczne i pełne bólu. Ale teraz przez okna sali wpadało zimowe słońce, ozłacając nas poświatą, choć rumieniec na moich policzkach nie miał nic wspólnego z pogodą.

Książę nie okazywał nic więcej poza nieskazitelną uprzejmością. Skłonił się z wielką gracją.

– No i cóż, lady Swynford, co widzisz?

Zarumieniłam się jeszcze mocniej. Niczego nie potrafiłam ukryć.

– Wybacz mi.

– Patrz, ile chcesz. – Zapraszającym gestem podniósł ręce wnętrzem do góry. Zatem patrzyłam. Książę się postarzał. Ostatnie trzy lata wyraźnie się na nim odbiły – przyszło mi do głowy, że właściwym słowem jest „zedrzeć". Kłopoty, napięcia, a także trucizna zdarły z niego wierzchnią warstwę, pozostawiając to, co najistotniejsze. Jego twarz poznaczona była zmarszczkami, których wcześniej tam nie widziałam. Linie między nosem a ustami jeszcze nigdy nie były tak głębokie, a ponieważ schudł, nos mu się wyostrzył. Surowy wyraz twarzy w połączeniu z dawną wspaniałością i ostentacją lśniącego futra i fantastycznych rękawów stworzyły między nami dystans. Wyglądał jak paw z rozłożonym ogonem, poznaczony bliznami wieku i bitew, ale wciąż triumfujący i majestatyczny. Nie potrafiłam go sobie wyobrazić inaczej.

Ale patrzyłam dalej.

Nie miał na sobie cynowej odznaki pielgrzymiej. Naturalnie, że nie.

– Czy mój widok cię przeraża?

Stanął w znajomej postawie, z dłońmi zatkniętymi za pas i wysoko uniesioną głową. Dopiero teraz dostrzegłam, że energii miał równie wiele jak zawsze. W jego ciemnych włosach pojawiły się ślady siwizny, ale same włosy wciąż były gęste, bez śladów łysiny. Dłonie wciąż miał piękne i pełne wdzięku, a pewności siebie nie mniej niż zwykle.

Musiałam przyznać, że wciąż jest najprzystojniejszym mężczyzną, jakiego kiedykolwiek widziałam. Nie byłam za stara na to, by podziwiać urodę mężczyzny, którego kiedyś znałam lepiej niż siebie samą, ale od tamtej pory minęło już mnóstwo czasu. Przez osiem lat byliśmy rozdzieleni. Nie znaliśmy się w intymny sposób. Namiętność, która kiedyś nas łączyła, z pewnością już uleciała, i nie można jej było wskrzesić. Zresztą dla żadnego z nas nie byłoby to dobre.

Na tę myśl zmarszczyłam brwi. Zauważył to.

– Widzę, że patrzysz na mnie z żalem. Muszę cię prosić o wybaczenie.

Znów się skłonił bardzo ceremonialnie i mocno zacisnął usta. Przynajmniej pod jednym względem prawie zupełnie się nie zmienił: jego arogancja była równie wielka jak zawsze. Potrząsnęłam głową zadowolona, że zmusiłam go do refleksji, ale nie zdobyłam się na uśmiech. Stąpałam po zbyt niepewnym gruncie.

– Źle zrozumiałeś mój wyraz twarzy, panie. Czy ty również zechcesz na mnie popatrzeć? – zapytałam nieco prowokująco.

– Patrzę, pani.

Cóż mógł zobaczyć? Niestety, rodzenie dzieci odbiło się na moich biodrach, ale w sukni o miękkich fałdach i wysokim kołnierzu wciąż wyglądałam modnie i elegancko. Upływ czasu zaznaczył się na moich włosach, ale byłam na tyle próżna, że wciąż się nimi szczyciłam, gdy były dobrze przykryte siatką i wysadzaną klejnotami opaską. Nie byłam już młoda, ale nie musiałam unikać zwierciadła. Nie byłam też zaniedbaną kwoką. Nikt by nie nazwał mnie wdową, patrząc na bogatą szatę w kolorach zieleni i błękitu, haftowaną w kwiaty przy szyi i na rękawach. Któż jednak mógł wiedzieć, ile młodych Kastylijek, ciemnowłosych i ciemnookich, o nieskazitelnej skórze, przyciągnęło przez te lata uwagę księcia?

– Wciąż jesteś piękna – powiedział. – Nawet kiedy się chmurzysz.

Więc znów się zachmurzyłam.

Leciutko zmrużył oczy.

– Jeśli naleję ci puchar wina i poproszę, byś usiadła obok mnie na tej wyściełanej ławie przy ogniu, czy wtedy wreszcie zechcesz się do mnie uśmiechnąć? Od chwili, gdy wszedłem do tej komnaty, patrzysz na mnie tak, jakbym popełnił jakieś kolejne występki. Chciałbym się zrehabilitować w twoich oczach.

– Nie potrzebuję wina – odrzekłam. – I nie muszę siadać, ale mogę osądzić twoje występki, jeśli sobie tego życzysz. Czy pogodziłeś się już z utratą Kastylii? – zapytałam tak, jak mogłabym to uczynić w przeszłości, i zaraz tego pożałowałam, bo jego twarz skryła się za maską opanowania i braku zainteresowania.

– Nie miałem wyjścia – odpowiedział ponuro. – To był najlepszy, a najpewniej jedyny sposób, żeby wyplątać się z sytuacji, która zdawała się niemożliwa do rozwiązania. – Zawahał się, jakby chciał dodać coś jeszcze, po czym zręcznie zwrócił rozmowę na inne tory. Och, wcale nie zrobił tego zręcznie, tylko szorstko, celowo szorstko: – Wyglądasz dobrze, równie godnie jak zawsze.

Było dla mnie jasne, że ta szorstkość miała skryć rozczarowanie. Tyle zmarnowanych lat, zmarnowanych istnień ludzkich, i wszystko na próżno. Ale ponieważ najwyraźniej nie chciał o tym mówić, zgodziłam się na zmianę tematu.

– Dziękuję, panie. Jestem w dobrym zdrowiu. – Po wielu latach publicznych upokorzeń doskonale umiałam zachowywać się z godnością.

– Czy wszystko dobrze u dzieci?

– Tak. Gdy chodzi o zdrowie, Beaufortowie są jak zaczarowani.

– Wraz z Konstancją opłakiwaliśmy panią Chaucer. Ty zapewne też.

– Tak. – Nie wiedziałam, co jeszcze mogłabym powiedzieć o tej stracie, która wciąż leżała mi ciężarem na sercu.

– Omal nie straciłem mojej córki Filipy.

– To było tragiczne – zgodziłam się. – Ale straciła dziecko.

– Wróciła już do zdrowia.

Czy po to właśnie prosił, bym przyjechała do Hertford? By opowiadać sobie historie rodzinne? Nasza rozmowa była oficjalna i uprzejma, pozbawiona smaku jak legumina. Starannie omijaliśmy osobiste sprawy. Czy rozmawiał o mnie z Konstancją, która po powrocie do Anglii zamknęła się w domu jak zakonnica? Z pewnością nie. Toteż, wciąż z tym samym bladym uśmiechem, ciągnęłam tę wymianę nic nieznaczących zdań.

– Słyszałam, że przywiozłeś do domu wielkie bogactwa.

– Tak.

– I że jesteś w łaskach u króla. – Wskazałam na jego kołnierz. Był to znajomy kołnierz w barwach Lancasterów, ale obok innych haftowanych postaci widniał na nim biały jeleń króla Ryszarda. – Zostałeś członkiem jego rady.

– Owszem. – Wydawał się zdziwiony, że zahaczyłam o meandry władzy, o sprawy publiczne, ale nie unikał tego tematu. – Widzę, że jak zwykle żywo interesujesz się polityką. Dzisiaj jestem w łaskach u króla. Wyjechał z Reading na dwie mile, żeby powitać mnie w domu, i włożył mój kołnierz Lancasterów. – Ironicznym gestem dotknął królewskiego symbolu. – Ryszard deklaruje miłość do mnie, toteż obowiązek wymagał, bym uczynił to samo i nosił białego jelenia.

To już było lepsze. Nic osobistego, ale w tych słowach pojawiła się znajoma ironia.

– Zatem czego Ryszard chce od ciebie?

– Chce, żebym zbudował most między nim a pozostałymi jego wujami.

– Czy to jest możliwe?

– To się jeszcze okaże, ale będziemy nad tym pracować. Spróbujemy doprowadzić do pogodzenia.

Tylko tyle powiedział. Szukałam jakiegoś następnego bezpiecznego tematu, ale miałam pustkę w głowie.

– O czym teraz porozmawiamy, lady Swynford? – zapytał z błyskiem w oku.

Uczepiłam się pierwszego niewinnego tematu, który przyszedł mi do głowy:

– Henryk i Maria wydają się szczęśliwi.

– Są w sobie zakochani jak dwa gołąbki. Ona znów nosi dziecko.

– Wiem.

Nie pozostało już nic, o czym mogliśmy porozmawiać i co nie dotyczyłoby nas obojga – bo ten temat najwyraźniej był zakazany od chwili, kiedy wyraziliśmy sobie nawzajem uznanie z powodu godnego starzenia się. Mocno sfrustrowana, pytająco uniosłam brwi. Książę wskazał dwa stołki przy niszy okiennej. Usiadłam, bo tak łatwiej mi było oddychać. Kiedyś wziąłby mnie za rękę i poprowadził, ale teraz poszedł pierwszy i przywołał gestem służącego, żeby przyniósł nam coś do picia. Przyjęłam puchar i upiłam łyk wina, na które nie miałam ochoty, a potem podniosłam wzrok na księcia. Nie miałam zamiaru dłużej tańczyć do tej zastałej melodii.

– Zaprosiłeś mnie tu, Janie. Czy miałeś w tym jakiś cel?

– Tak. Nigdy nic nie czynię bez celu.

To była prawda. Czyżby się ze mnie śmiał? Ale w jego twarzy nie było śmiechu. Moja frustracja w końcu wzięła górę nad dobrymi intencjami.

– Czy mamy jeszcze o czym rozmawiać? Twoje konie, zdrowie twoich sokołów i chartów? Jeśli masz ochotę, mogę przez pół godziny opowiadać o rozbudowie Kettlethorpe.

Podniosłam się, ale zatrzymała mnie jego dłoń, która opadła na moje ramię. Był to tylko przelotny moment, ale poczułam poruszenie serca i zapragnęłam więcej, choć każda odrobina zdrowego rozsądku powtarzała mi, że nic więcej nie mogę dostać.

– Straciłem umiejętność czytania w twoich myślach, Katarzyno.

– Ja w twoich nie umiem czytać już od lat. – Zabrzmiało to ostrzej, niż chciałam. – Może wygodniej jest ci nie wiedzieć, co myślę.

Wyraz jego twarzy nie zmienił się.

– Pewnie tak. Zwłaszcza gdy twoje myśli nie są mi przychylne.

– Nie jestem ci nieprzychylna.

– W takim razie jaka jesteś, Katarzyno?

Jego oczy wciąż omiatały moją twarz. Przez moją głowę przebiegały wszelkie możliwe odpowiedzi, jak burzowe chmury gnane po niebie przez porywisty wiatr:

Lękam się, że wystarczy, byś dotknął mojego ramienia, i znów wrócę do przeszłości, gdy całym moim życiem rządziła miłość do ciebie. Nie jesteś moim przyjacielem. Jesteś wrośnięty w moje myśli, w moje serce, w moją duszę. Nigdy nie będziesz moim przyjacielem, a ja obawiam się kolejnego odrzucenia i nowego bólu. Nie wiem, czego ode mnie oczekujesz. Czasami przebywanie blisko ciebie jest zbyt trudne do zniesienia. Nie widzę swojej przyszłości u twego boku, choć zalewa mnie pożądanie.

Tak bardzo cię kocham.

Oczywiście nie powiedziałam tego wszystkiego głośno.

– Jaka jesteś dla mnie, Katarzyno, jeśli nie nieprzychylna? – powtórzył łagodnie.

Pożałowałam, że tu przyjechałam. Wolałabym, aby ta rozmowa nie miała miejsca. Znów się podniosłam, pragnąc uciec przed spojrzeniem Jana, które zbyt dobrze dostrzegało mój wewnętrzny zamęt.

I tym razem książę mnie nie powstrzymał. Również się podniósł, zabrał puchary z niewypitym winem i postawił je obok siebie na kamiennym parapecie okna, a potem podał mi złożony dokument, który wyjął zza tuniki na piersiach.

– Co to takiego?

– Częściowy zwrot pożyczki, której udzieliłaś mi na kampanię w Kastylii.

Zacisnęłam palce na pergaminie.

– A zatem spłaciłeś już wszystkie długi wobec mnie.

– Nie, nie wszystkie. To tylko sto marek, żebyś nie mogła zamknąć przede mną drzwi. Poza tym niektórych długów nie da się spłacić.

Nie pozwoliłam się uwieść tym łagodnym słowom. Utwardziłam swoje serce i głos.

– A więc dlatego mnie tu zaprosiłeś? Mogłeś przysłać pieniądze przez posłańca.

– Nie, nie dlatego cię zaprosiłem. Zaprosiłem, żeby cię o coś zapytać.

Podniosłam wzrok z dokumentu na twarz księcia, ale milczałam.

– Zaprosiłem cię, żeby pokornie zapytać, wiedząc, jak wiele już wycierpiałaś z mojej przyczyny: czy zechciałabyś znów być przy moim boku jako kochająca towarzyszka?

– Pokornie? – powtórzyłam, oddychając z trudem.

Książę uśmiechnął się, ale jeśli nawet miał ochotę złapać przynętę, nie zrobił tego.

– Chcę, żebyś do mnie wróciła, Katarzyno. Chcę, żebyś znowu żyła ze mną jako pani mego serca.

Patrzyłam na niego w milczeniu.

– Kocham cię. Pragnę cię. – Przypomniał sobie o pokorze i dodał: – Czy zechcesz zastanowić się nad moją prośbą, Katarzyno?

W głowie mi wirowało. Ruszyłam w stronę prywatnych sypialni. To proste zaproszenie znów zrodziło we mnie wybuch pożądania, ale zimny rozsądek trzymał mnie stalową ręką.

Nie poszedł za mną.

Książę nie wiedział, co to pokora.

Czyżby nie zdawał sobie sprawy, o co mnie prosi?

Nowy Rok nadszedł i przeminął. Zgodnie ze starym zwyczajem wymieniono prezenty. Wkrótce, po dniu Trzech Króli, będę mogła pożegnać Hertford. Siedziałam w dziecinnej izbie w towarzystwie księżnej Joanny, która ściągnęła mnie tam, by porozmawiać ze mną przed rozstaniem. Lady Maria zajęta była organizowaniem ostatnich rozrywek dla swych wymagających gości. Na moich kolanach spało ich najmłodsze dziecko, kolejny Tomasz.

– Wracasz do Kettlethorpe? – zapytała księżna Joanna.

– Nie. Jadę na kilka tygodni do Lincoln.

– Możesz pozostać tutaj, z Marią – odpowiedziała swobodnie i po chwili dodała: – Chyba że sobie tego nie życzysz. Wydaje mi się, że nie byłaś tu szczęśliwa.

Czyżby nie udało mi się ukryć mojego stanu umysłu? Nie wiedziałam, co odpowiedzieć. Bardzo ceniłam sobie przyjaźń księżnej i nie chciałam wydawać się niewdzięczna.

– Może wciąż tęsknisz za siostrą? – podpowiedziała.

– Tak.

Tęskniłam za Filipą. Czasami jej brak był jak ukłucie świeżej pokrzywy, tak ostry, że zapierało mi dech.

– Dzieci są zadowolone – zauważyła. – Widzę, że Joanna z dumą nosi suknię, którą dał jej książę.

– Tak. To mała dama.

– A Tomasz dostał miecz.

– Doskonały dar – zauważyłam sucho. – Będę go musiała skonfiskować, kiedy wrócimy do domu.

Tomasz Beaufort miał dziewięć lat i nie wiedział, co to rozsądek.

Księżna złożyła ramiona na piersiach obciągniętych jedwabiem i popatrzyła na mnie tak jak Agnes, gdy zamierzała mi przemówić do rozumu. Uciekłabym z tej komnaty, gdyby nie śpiące dziecko na kolanach.

– O co chodzi?

– O nic.

– Katarzyno?

Potrząsnęłam głową.

Pochyliła się w moją stronę.

– Wszystko, co powiesz, zostanie między nami. Znamy się od dawna i przeszłyśmy razem przez trudne chwile, wspierając się wzajemnie. Jeśli chodzi o Jana, możesz rozmawiać ze mną swobodnie. Wiesz, że będę ci współczuć, i jeśli zechcesz, możesz się wypłakać na moim ramieniu. – Patrzyła na mnie, ale ja zachowywałam uparte milczenie. – Nie kochasz go już?

– Nie sądzę, by moje uczucia do księcia miały jakiekolwiek znaczenie.

– W takim razie może sądzisz, że on ciebie nie kocha?

Te słowa przerwały zaporę, która do tej pory pozwalała mi panować nad własnymi myślami. Bo o to właśnie chodziło, czyż nie? Prosił, żebym wróciła do jego łóżka, ale od tamtej pory nic. Czy oczekiwałam, że będzie się do mnie zalecał? Tak, i bardzo mnie poruszyło, że nie próbował tego czynić.

Może jednak zmienił zdanie. Może gdy zauważył moją kwaśną minę i brak reakcji, zastanowił się jeszcze raz. Może czarne chmury gromadzące się nad królewskim rządem sprawiły, że miał ważniejsze rzeczy na głowie, albo ostrzegły go, że lekkomyślne przebywanie w moim towarzystwie mogłoby na nowo sprowokować Walsinghama do analizy jego charakteru i ambicji. Tak, z pewnością o to chodziło. Książę był człowiekiem obdarzonym polityczną przenikliwością i nie zrobiłby nic głupiego. Gdyby chciał mieć kochankę, to były młodsze i ładniejsze kobiety, które mógł zaprosić do swojego łóżka, kobiety nieobciążone ciągnącymi się za nimi skandalami.

A jednak moje głupie serce tęskniło. Taka jest natura odrzuconej kobiety.

Ani razu ze mną nie zatańczył. Trubadurzy nie śpiewali moich pochwał. Na polowaniach z sokołem nie szukał mojego towarzystwa, lecz jechał obok Marii albo zadowolonej z siebie księżnej Gloucester.

Wciąż sobie powtarzałam, że wezwano mnie tu, bo moje doświadczenie mogło się przydać w szybko zagęszczającym się pokoju dziecinnym. Po to zaproszono mnie do Hertford i tym powinnam się zająć. Cieszyłam się przecież z tego, że udało mi się nabrać dystansu wobec wszelkich emocjonalnych burz, jakie zatem miałam prawo narzekać? Nie wolno mi dopuścić, by znów się pojawiły stare duchy księcia i jego kochanicy. Pod żadnym pozorem nie mogłam powiedzieć księżnej Joannie, że czuję się rozdarta między rozsądną akceptacją sytuacji a głębokim rozczarowaniem.

Ona jednak powtórzyła:

– Powiedz.

– Nic mi nie dał – odrzekłam wbrew wszystkim moim dobrym intencjom.

– Ach!

Podniosłam się i odłożyłam dziecko do kołyski, oddając je pod opiekę rzeźbionych ptaszków na drewnianych podpórkach.

– Każdemu dał jakiś podarek na Nowy Rok, ale nie mnie. – Poczułam na twarzy rumieniec wstydu i przyklękłam obok kołyski, by go ukryć. Sama się dziwiłam, jak bardzo mnie to bolało. – Sama widzisz. Czy spotkałaś się kiedyś z większym samolubstwem i niewdzięcznością? – Rzuciłam księżnej szybki uśmiech nad głową śpiącego dziecka. – Wymusiłaś na mnie wyznanie, którego niezmiernie się wstydzę.

Na twarzy księżnej widziałam niewzruszoną powagę.

– W takim razie powiedz mi jedno. Co dostałaś od Henryka?

– Złoty pierścień z brylantem. Jest piękny. – Miałam go na palcu. Podniosłam rękę i światło rozjarzyło się w głębi kamienia.

– I?

– A także sztukę białego adamaszku na suknię.

– I czy nie przyszło ci do głowy, że to niezwykle hojne dary?

– Tak. – Z pewnością były bardziej niż hojne, ale z drugiej strony Henryk zawsze był dobrym chłopcem.

– Naprawdę cię to nie zdziwiło? – ciągnęła księżna Joanna.

– Sądziłam, że do dowód wdzięczności za moją opiekę nad Marią i nad tym maleństwem. – Poruszyłam kołyską.

– Z pewnością tak. Henryk ma dla ciebie wiele uczuć. Ale pierścień z brylantem? Zastanów się, Katarzyno.

Zatrzymałam kołyskę i wpatrzyłam się w jej twarz.

– Młodzi mężczyźni nie poświęcają takim sprawom zbyt wiele uwagi. Chyba że ktoś kopnie ich w kostkę, żeby odciągnąć myśli od turniejów, polowań i tak dalej. – Jej oczy błysnęły. – Przypuszczam, że ktoś wpłynął na Henryka. Moim zdaniem Jan zmienił się w ostatnich latach i można by go nazwać mistrzem dyskrecji. Nie wiem, na co ma nadzieję, to dzieje się tylko między wami i niech tak zostanie, ale niewątpliwie jest bardzo ostrożny.

Mój umysł natychmiast zaczął to przetrawiać. Ostrożny. W przeszłości nie byliśmy ostrożni.

– Czyżbym miała do czynienia z adoracją w ukryciu? – zapytałam wprost, zirytowana, że wcześniej nie zaświtała mi taka myśl. – Jeśli tak, to jak na mój gust została ukryta zbyt głęboko.

– Kim jestem, by to rozsądzać?

– A jeśli tak – ciągnęłam wciąż nieprzekonana – to w niczym mu nie pomagam.

– To możliwe. – Urwała na chwilę. – Czego chcesz, Katarzyno? Czego chcesz od niego?

– Nie wiem.

Tak długo zamykałam umysł na to pytanie, które mi zadała. Czy byłabym w stanie znów zaufać księciu, powierzyć mu swoje szczęście?

– Nie ufasz mu? Czy nadal go kochasz? – Księżna Joanna zmusiła mnie, bym zaczęła się nad tym zastanawiać.

– Tak.

– Czy byłabyś z nim, gdyby cię poprosił?

To było trudne pytanie, którego starałam się unikać.

– Ale jak miałoby się to stać? Wiesz przecież, że wywołałoby to publiczny skandal. Jan wciąż jest żonaty. Nie możemy wrócić do cudzołóstwa z nadzieją, że uda nam się uniknąć konsekwencji.

– Przecież nie mówię, że macie to ogłaszać przez heroldów. Pytam tylko, czy kochasz go na tyle mocno, by się nad tym zastanowić?

– Tak. – Ukryłam twarz w dłoniach. – Nigdy nie przestałam go kochać, nawet wtedy, gdy sądziłam, że jest moim najgorszym wrogiem. Po prostu nie jestem pewna.

– Oczywiście, że jesteś pewna. – Księżna Joanna potrafiła być uderzająco bezpośrednia. – I musisz mu to powiedzieć, zanim w stajniach zabraknie miejsca na konie przeznaczone do twojego użytku.

Opuściłam ręce, zdumiona tym komentarzem.

– Nie przyszło ci to do głowy? – ze śmiechem spytała księżna. – Jak to jest, że za każdym razem, gdy wyjeżdżasz, siedzisz na innym koniu? A każdy z nich jest doskonałej krwi i świetnie ułożony.

Zupełnie się nad tym nie zastanawiałam.

– Wydawało mi się, że dostaję po prostu konia, który został, gdy wszyscy inni już zasiedli w siodłach.

– Idź do stajni i sama się przekonaj. Pójdę z tobą, bo chcę zobaczyć twoją minę.

Poszłam natychmiast, a księżna razem ze mną. W stajniach panował spokój, zakłócany tylko odgłosami przeżuwania paszy przez konie stojące w boksach, czasem też postukiwaniem podków o posadzkę. Praca na ten dzień była już zakończona, zwierzęta nakarmione i napojone. Koniuszy z Hertford wyszedł nam na powitanie.

– Sądzę, że mój pan zostawił tu konia do mojego użytku – powiedziałam, ignorując krótki śmiech księżnej za moimi plecami.

Chłopak stajenny, siedzący na stołku w jednym z pustych boksów, też parsknął tłumionym śmiechem.

– Chodź ze mną, pani. – Koniuszy poprowadził mnie wzdłuż boksów i zatrzymał się obok niedużej siwej klaczki, której dosiadałam poprzedniego dnia. – Tu jest koń dla ciebie.

– Jeździłam na niej.

Ujął mnie pod łokieć i prowadził dalej po przysypanych słomą kamieniach.

– A także ten. I ten.

Razem naliczyłam ich pół tuzina.

– Jest jeszcze sześć, pani, w Kenilworth. Jeśli nabierzesz ochoty na przejażdżkę, nie zabraknie ci koni w żadnym miejscu Anglii.

Koniuszemu udało się zachować powagę. Spojrzałam na księżną i zawtórowałam jej śmiechem. Po raz pierwszy od wielu dni śmiałam się z tak beztroskim rozbawieniem i szczerą radością w sercu.

– Teraz widzisz, co mam na myśli? – stwierdziła księżna.

– Tak, teraz rozumiem.

I rzeczywiście zrozumiałam. Książę zalecał się do mnie w swój niepowtarzalny sposób, a ja ze wstydem musiałam przyznać, że nie zauważyłam tego.

To odkrycie sprawiło, że ostatnie dni świętowania, zabawy i flirty młodzieży w wieczór Trzech Króli nabrały dla mnie nowych barw. Zachowanie księcia wobec mnie w miejscach publicznych nie zmieniło się, ale wreszcie dostrzegałam jego dyskretne zaloty. Nie, nie jechał przy moim boku, gdy wybieraliśmy się na polowanie z sokołem, nadal wolał zabawiać swoim dowcipem księżną Gloucester, ale sokół, którego mi przydzielono, był bardzo piękny. Jechałam na żwawym gniadym ogierze, którego po raz pierwszy widziałam na oczy. Rękawice, które koniuszy dał mi do użytku, były haftowane złotem. Moim zdaniem zupełnie nie nadawały się na polowanie, bowiem szpony sokoła mogły poszarpać haft, ale był to przemyślany podarek, hojny, wręcz rozrzutny, a zarazem tak oczywisty, że nie mógł przyciągnąć niczyjej uwagi.

Książę Jan Lancaster rzeczywiście stał się mistrzem dyskrecji.

Ale czas szybko uciekał. Wkrótce miałam wyjechać, a mnie ogarniał coraz większy niepokój. A jeśli księżna Joanna się myliła? Może jednak niewłaściwie zrozumiała intencje księcia? Starałam się być przez cały czas zajęta, żeby odciągnąć myśli od tak dobrze mi znanych i przygnębiających tropów.

– Kiedy wyjeżdżasz?

Wszystkie moje nerwy drgnęły. Upuściłam łyżkę, którą odmierzałam szczyptę ambry. Znajdowałam się w dobrze zaopatrzonej zielarni w zamku Hertford. Towarzyszyła mi Joanna, która wierciła mi dziurę w brzuchu, by ją nauczyć, jak się robi perfumy. Próbowałam właśnie przekonać moją zdeterminowaną córkę do lżejszych zapachów róży i cynamonu, gdy Jan zaszedł mnie znienacka.

– Jutro, panie – odparłam.

– Co robisz, panno Beaufort? – zwrócił się do Joanny, która zaśmiała się na tę oficjalną formę i podniosła fiolkę.

– To – odrzekła enigmatycznie.

– Wygląda interesująco – stwierdził książę z godną uznania powagą. – Czy pozwolisz mi porozmawiać przez chwilę z twoją matką? Byłbym ci bardzo wdzięczny. Tak wdzięczny, że mogę w zamian dać ci to.

Wyjął z sakiewki przy pasie srebrnego pensa. Joanna pochwyciła go bez namysłu i natychmiast wsunęła do własnej sakiewki.

Zostaliśmy sami w zamkniętym ciasnym pomieszczeniu przepełnionym mocnymi zapachami ambry, piżma i różanych płatków kojarzących się z letnim upałem. I jakby za sprawą magii perfum zniknęło między nami wszelkie udawanie, zniknęły też błahe słowa, takie, które nie dążą bezpośrednio do celu, takie, które nie są zabójczo potężne.

– To było przekupstwo – oskarżyłam Jana.

– Z całą pewnością. Nie wyjeżdżaj, Katarzyno. Zostań ze mną.

Czy to była prośba, czy rozkaz? Książę ujął moje dłonie, a ja się nie cofnęłam.

– Czy wiesz, o co prosisz?

– Wiem doskonale. Spłaciłem już swoje długi wobec Anglii i Konstancji.

– Ale Walsingham nie będzie tak na to patrzył. Jeśli ktoś nas zobaczy razem, znów rozpęta burzę i potępi cię. Czy gotów jesteś zaryzykować zbawienie swojej duszy?

– Moją duszą zarządza Bóg, a nie Walsingham.

Ta nieoczekiwana lekkomyślność zmartwiła mnie.

– Janie...

Ale on wcale nie był lekkomyślny. Podniósł moje palce do ust, najpierw jedną rękę, a potem drugą.

– Na Boga, Katarzyno, zbyt długo już żyłem z dala od ciebie. Spełniłem swój obowiązek wobec kraju i rodziny. Ponieważ nie udało mi się oddać Konstancji Kastylii, ona już mnie nie potrzebuje. Zgodziliśmy się, że będziemy mieszkać osobno, oprócz tych okazji, kiedy musimy się pokazywać publicznie. Będziemy prowadzić osobne domy.

– Tak mi przykro – powiedziałam zupełnie szczerze.

– Teraz muszę pogodzić się z tobą. Czy zechcesz mi wybaczyć całe zło, które ci wyrządziłem? Czy przyjmiesz to, co mogę obecnie ci dać? Nie jestem już młody, nie mam tyle sił co kiedyś, ale płomień mojego uczucia pozostaje równie gorący. Czy zechcesz, najdroższa Katarzyno, znów być moją ukochaną towarzyszką?

Nie odpowiedziałam słowami, ale zbliżyłam się do niego o krok. Moje usta przyciśnięte do jego ust wyrażały całą moją miłość. Jego usta odpowiadały mi bezgłośnymi obietnicami z żarem, o którym zdążyłam już zapomnieć. Przez moje żyły przepływały na przemian fale niedowierzania i radości.

W zielarni nie było tego, czego potrzebowaliśmy, więc Jan wziął mnie za rękę i wyprowadził z ciężkich zapachów i ostrych aromatów do swojej komnaty.

– Jak długo byliśmy osobno? – zapytał, zamykając drzwi.

– Sumując czas rozłąki?

– Tak.

– Osiem lat od spotkania w Rochford Hall.

– To całe życie. Zalecałem się do ciebie przez dwa tygodnie. Czy to wystarczy?

Nie podawałam tych zalotów w wątpliwość, ponieważ teraz już rozumiałam, czym były.

– Wystarczy? Na co?

Puścił moją rękę i stanęłam w tej pięknej izbie pełnej tapiserii i polerowanych skrzyń, z ogromnym łóżkiem, nad którym wisiał błękitno-złoty baldachim.

– Wystarczy, byśmy mogli być razem do końca życia. Straciliśmy tak wiele czasu. Nie traćmy go więcej.

Odetchnęłam głęboko, poruszona jego determinacją, a także tym, że pozwolił mi dyktować tempo, choć widziałam w jego oczach głód i dawną namiętność.

– Czy pozwolisz, bym znów cię kochał? – Wyciągnął rękę. – Nigdy nie przestałem cię kochać, ale czy pozwolisz, bym ci to okazywał?

Nie odparłam od razu, rzekłam natomiast:

– Pytałeś, co zobaczyłam, kiedy na ciebie patrzyłam.

– Pytałem, ale nie odpowiedziałaś. – Pod żarem jego spojrzenia czaiły się iskierki humoru. – Może chciałaś mnie uchronić przed prawdą?

Ja jednak zachowałam powagę.

– Teraz powiem ci zupełnie szczerze. Widzę człowieka honoru, człowieka uczciwego i mądrego, który wie, jak używać posiadanej władzy. Widzę człowieka, którego serce i umysł przemawiają do mego serca i umysłu. – Jakże potrzebowałam wypowiedzieć te słowa. – Obydwoje popełnialiśmy błędy i raniliśmy się, ale moja miłość nigdy się nie zmieniła. Należy do ciebie, jak zawsze.

Wysadzany klejnotami łańcuch na piersi księcia uniósł się i zabłysnął przy głębokim oddechu, a jego usta zacisnęły się, jakby oczekiwał odrzucenia.

– Zatem jaka jest twoja decyzja?

W rzeczy samej, jaka była moja decyzja? Dni mojej młodości i głupich marzeń o dworskiej miłości, jaką opiewają trubadurzy, już dawno minęły. Od tego czasu przebyłam długą drogę zarówno z księciem, jak i sama – drogę, na której radość mieszała się z cierpieniem. Obawiałam się, że upływ czasu, widoczny na wciąż przystojnej twarzy księcia, na mojej odcisnął znacznie gorsze piętno, pozostawił ślady często jakże trudnych doświadczeń, nauki tolerancji i akceptacji. Byłam już inną kobietą, nie tą, która czytała poezję trubadurów i sądziła, że świat pragnie przede wszystkim miłości. Może nie lepszą, ale dojrzalszą, bardziej zaprawioną w życiowych potyczkach i uczciwszą w osądzie. Doskonale wiedziałam, że miłość, z całą swą głębią, niuansami i zwrotami akcji, jest ciężarem dla tych, którzy zostaną pochwyceni w jej sieci. Ale czy ktoś, kto był kochany tak jak ja, mógł się od niej odwrócić?

Uśmiechnęłam się na tę myśl.

– Na Święty Krzyż! – Znów wziął mnie za ręce. – Czy znowu każesz mi czekać, madame Swynford? – Gdy roześmiałam się na ten kolejny dowód braku cierpliwości, książę dodał: – Zdaje się, że przez całe życie czekam na twoje decyzje.

– Nie, Janie – powiedziałam w końcu. – Nie będziemy dłużej czekać. Gdybym zamierzała ci odmówić, to nie przyszłabym do twojej komnaty i nie wystawiłabym się na plotki wszystkich domowników w Hertford. Weź mnie do łóżka, najdroższy, i ulecz wszystkie moje rany.

Nie, nie byliśmy już tak młodzi jak kiedyś, ale nie byliśmy też starzy. Może mniej zwinni, mniej piękni dla oczu. Ciało Jana pokryte było nowymi ranami i otarciami, moja talia i biodra dawały świadectwo upływowi lat, ale było tak wiele pieszczot i reakcji, które poznawaliśmy na nowo, tak wiele rzeczy, które przypominaliśmy sobie i które znów przywodziły do nas radość, jakiej kiedyś zaznawaliśmy w swoich ramionach. Nigdy nie zapomniałam, jak krew w moich żyłach wrzała pod jego dłońmi. I nie rozczarowałam się, bo nie było między nami żadnej rezerwy. Skąd miałaby się wziąć? Byliśmy pewni siebie i wymagający w namiętności. Pochłanialiśmy się nawzajem nieskończenie powoli, aż nagie pożądanie zniszczyło całą kontrolę. To, że brakowało mi tchu, nie było spowodowane wiekiem. Z Janem było tak samo.

W końcu zabrakło nam sił i musieliśmy odpocząć. Moja głowa spoczywała na jego piersi.

– Nie wolałbyś wziąć sobie do łóżka młodszej kobiety? – westchnęłam prowokująco.

– Ty jesteś moją młodszą kobietą.

Mimo wszystko pozostała we mnie odrobina lęku. Książę Lancaster nie należał tylko do siebie. Czy Anglia znów zgłosi do niego pretensje i odbierze mi go?

– Janie, jeśli będziesz tego żałował, jeśli znów się ode mnie odwrócisz... chyba tego nie przeżyję.

– Niczego nie żałuję. Nigdy więcej cię nie opuszczę.

Od jego pocałunków zaczęłam szlochać.

– Czy musimy się z tego wyspowiadać? – Pamiętałam rozdzierające serce spowiedzi z przeszłości. Jak mogłam spowiadać się z grzechu, który zamierzałam znów popełnić jeszcze tego samego dnia?

– Jeśli chcesz. – Otarł moje łzy. – Ale jesteś moją prawdziwą miłością. Nie wierzę, by Bóg chciał nas za to ukarać. Nikogo nie krzywdzimy. Kochamy w duchu prawdy.

Pociągnęłam nosem i uśmiechnęłam się. Wciąż nie mogłam uwierzyć, że dzielimy tę samą przestrzeń, oddychamy tym samym powietrzem i nigdy już się nie rozstaniemy.

Książę pochylił się i powąchał moje włosy.

– Czym one pachną?

– Ambrą. Perfumami Joanny. – Roześmiałam się. – Mówią, że to afrodyzjak.

– Sprawdzimy, czy tak jest?

Okazało się, że to prawda. Ten zapach czarował nasze zmysły. Może zresztą tak naprawdę nie potrzebowaliśmy afrodyzjaków. Kochałabym Jana nawet na słomie w mojej stajni w Kettlethorpe.

– Będziesz moją miłością, ale w ukryciu – powiedział, gdy wreszcie mógł się odezwać. – Tym razem nie okażemy się lekkomyślni. Nie będziemy jeździć razem po mieście.

W ciągu następnej godziny nic nie pozostawało między nami w ukryciu.

Byliśmy odrodzeni. Gdy musieliśmy się rozdzielić, nasze umysły dotykały się i stapiały w jedno, a gdy czas i obowiązki na to pozwalały, jednością stawały się nasze ciała. Była to dziwna chwila przejścia od rozdzielenia do pojednania, na początku znaczona nieśmiałymi krokami.

Kiedyś raniliśmy się nawzajem. Jakże okrutne rany sobie zadawaliśmy! Teraz musieliśmy się nauczyć znów stąpać razem w zaufaniu, odnowionej lojalności i harmonii, wychwytując te same nuty z miłosnych pieśni trubadurów.

– Żałuję tego czasu, który spędziliśmy osobno, każdą kroplą krwi w moich żyłach – powiedział książę.

– To była śmierć za życia – przyznałam. – Bez nadziei, bez szczęścia.

Ale teraz nasza miłość, której pozwoliliśmy rozkwitać, nie miała w sobie nic fałszywego. Łagodna jak błogosławieństwo, żarliwa jak modlitwa zakonnicy, leczyła wszystkie rany.

– Jesteś muzyką, która swoim pięknem porusza moje serce do łez – powiedział.

Nie pozwoliłam mu długo zachować powagi.

– A ty jesteś jak soczyste mięso królika, które ożywia mój zimowy jadłospis.

– Myślałem, że wolisz dziczyznę – jęknął, przykładając usta do mojej szyi.

– Tylko wtedy, gdy dostarcza mi ją bogaty patron.

– Patron? – Jego brwi powędrowały wysoko.

– Albo kochanek.

– Taką mam nadzieję. Dlaczego kojarzysz mi się z pulchną pieczoną perliczką? – W jego oczach znów pojawił się błysk, którego już nie miałam nadziei nigdy zobaczyć.

Unosząc brwi nad moimi fantazjami kulinarnymi, Jan powiódł mi ręką po biodrze. Krew rozgrzała się we mnie i serce zaczęło bić mocniej. Uległam i odpłaciłam mu czymś bardzo podobnym:

– A ty, mój drogi, jesteś słodką poezją, która pobudza mój umysł do chwały miłości.

Nasze dusze spoczywały w sobie nawzajem tak mocno ze sobą spojone, jak pióra na piersi gołębicy.

ROZDZIAŁ DZIEWIĘTNASTY

Dlaczego w ludzkiej naturze nie leży zadowolenie z tego, co mamy?

Lęk zakrada się, by psuć i niszczyć, jak czynią to pierwsze podchody moli do pięknej wełnianej tapiserii, niedostrzegalne gołym okiem aż do chwili, gdy szkoda została już wyrządzona i wspaniała scena z polowania poznaczona jest dziurami jak sito. Tak właśnie lęk zakradał się do moich myśli. A jeśli mój kochanek, najdroższy przyjaciel, jedyne pragnienie mojego serca, źrenica oka, znów się ożeni? Jeśli książę Lancaster weźmie do swego małżeńskiego łoża następną księżną?

Odżegnywałam się od tej myśli, ale nie potrafiłam jej od siebie odpędzić. Nie widziałam powodu, dla którego nie miałoby się tak stać. Zaaranżowanie takiego małżeństwa byłoby sprytnym politycznym krokiem ze strony króla Ryszarda. Gdyby chciał skorzystać ze swojej władzy nad rodziną, mógłby się tego domagać.

Księżna Konstancja nie żyła. Konstancja, która we własnych oczach nie zaspokoiła swego największego pragnienia, zmarła. Nikt tego nie przewidział, bo i jak? Nic nie było wiadomo o jej słabym zdrowiu. Dowiedzieliśmy się dopiero wtedy, gdy nadszedł koniec. Konstancja wydała swój ostatni oddech na angielskiej ziemi w marcu, w zamku Leicester, otoczona swymi kastylijskimi damami.

Usłyszałam o jej śmierci w Lincoln, wcześniej niż książę, on bowiem wyjechał na kontynent, by podpisać długo wyczekiwany czteroletni rozejm z Francuzami. Jakim ciosem był dla niego powrót w obliczu takiej straty! Pełen zadowolenia z udanych zabiegów dyplomatycznych trafił prosto na pogrzeb. Choć od czasu, gdy kampania kastylijska poniosła porażkę, żyli osobno, jednak Konstancja była jego księżną przez ponad dwadzieścia lat i ogromnie ją szanował. Nie był mężczyzną, który mógłby pozostać obojętny na taką stratę. Doskwierało mu przy tym sumienie, co mimowiednie zdradzał w chwilach niekontrolowanej szczerości. Konstancja nie miała przy nim lekkiego życia.

Choć wyjawiał ten ból, nie rozmawiał o tym ze mną, a ja bardzo uważałam, by bezmyślnie nie wejść tam, gdzie nie byłam mile widziana. W tych dniach moja dyskrecja osiągnęła szczyty.

Ale teraz książę był wolny. Już od czterech miesięcy był wolny, w doskonałym zdrowiu ciała i umysłu, i znakomicie nadawał się do tego, by Ryszard mógł go wykorzystać, planując europejskie sojusze. Czy król będzie nalegał, by książę znów się ożenił z kobietą, którą mu wskaże? Przypuszczałam, że Ryszard ma już jakiś plan i nie minie wiele czasu, nim książę po raz trzeci przystąpi do sakramentu małżeństwa.

Nie byłam w stanie o tym myśleć. Jeszcze nie.

Taka perspektywa byłaby zbyt bolesna, a już szczególnie w roku, który i tak przynosił tylko cierpienie. To był rok śmierci, łez, grobów i żałoby. Rok złych omenów, choć jeszcze wtedy, gdy Jan wyjeżdżał do Francji, ja zamierzałam cieszyć się odzyskanym szczęściem. Ale szczęście nie jest udziałem człowieka, gdy Bóg odbiera, co mu należne. Zamiast pławić się w szczęściu i zadowoleniu, obydwoje spędzaliśmy większość czasu na kolanach. Śmierć uderzała bez ostrzeżenia, nagle jak letnia burza.

Klęczałam w opactwie westminsterskim razem z całym dworem. Królowa Anna zmarła na zarazę, która nie zważała na jej pozycję ani na to, że miała zaledwie dwadzieścia osiem lat. Ryszard, wytrącony z równowagi do granic szaleństwa, kazał spalić do gołej ziemi komnaty pałacu Sheen, gdzie wydała ostatni oddech.

Moje spojrzenie zatrzymało się na sztywnych łopatkach księcia. Choć trzymał się prosto, on również pogrążony był w rozpaczy, nie tylko po odejściu księżnej Konstancji. Maria, kochana słodka Maria, młoda żona Henryka, zmarła w Hertford ze swoim siódmym dzieckiem, córką Filipą w ramionach. Byłam przy niej, również i ja miałam złamane serce. Henryk był niepocieszony. Przysyłał przecież Marii kosze delikatnych ryb, które uwielbiała, by pomóc jej przejść przez brzemienność. Lecz zmarła.

Cóż to był za okropny powrót do domu dla księcia, który dzień po dniu musiał pochować Konstancję i Marię, co stało się w Leicester.

Ceremonia dobiegała już końca. Przede mną stał Ryszard. Wydawał się rozproszony. Czy kreślił już w głowie nowe kontrakty małżeńskie dla siebie i dla księcia? O wielkiej polityce wiedziałam tyle, że Ryszard potwierdził nadanie mojemu panu tytułu księcia Akwitanii. Książę przygotowywał się już, by wypłynąć i ustanowić tam swoją władzę. A jeśli wróci z żoną, z jakąś akwitańską pięknością, tak jak kiedyś wrócił z Konstancją?

Były plotki. Zawsze krążyły jakieś plotki.

Bądź rozsądna, upomniałam się. Plotki czasem bywają prawdziwe, ale równie często fałszywe.

Moje próby przywołania się do porządku nie przyniosły wyraźnego efektu.

– Czy zamierzasz znów się ożenić? Czy znowu wrócisz z żoną? – zapytałam, ledwie przekroczyłam próg komnaty księcia w Leicester w przeddzień jego wyjazdu. Przelotnie tylko przywitałam się z moim synem Janem, którego minęłam między stajnią a wielką salą.

Książę podniósł wzrok, ale nie poruszył się z miejsca. Wiedziałam, że miał wiele spraw na głowie. Był zdenerwowany.

– Również cię witam, lady Swynford – mruknął.

Podeszłam do długiego stołu na kozłach, który jak zwykle stał pośrodku sali i od brzegu do brzegu zarzucony był dokumentami.

– Słyszałam, że Ryszard zaaranżował dla ciebie nowe małżeństwo. Czy to prawda?

– A któż miałby być tą szczęśliwą wybranką? – Odrzucił pióro, oparł łokcie na stole, a podbródek na dłoniach, i popatrzył mi w oczy.

– Nie mam pojęcia. Sądziłabym, że ty powinieneś wiedzieć wcześniej niż ja.

– Zapewne tak. Po cóż mi żona, skoro ty już wystarczająco mnie prześladujesz?

– Mnie wolno cię prześladować, bo jestem twoją ukochaną. – Uśmiechnęłam się z fałszywą słodyczą. – Powiedziano mi, że zamierzasz znów się ożenić, bo Anglia musi zawrzeć jakiś sojusz.

– Zamierzam pojechać do Akwitanii, o ile uda mi się zgromadzić flotę i odpowiednie siły, a Ryszard myśli o żonie raczej dla siebie niż dla mnie.

Miałam wielką ochotę zapytać, kogo król ma na oku, ale nie dałam się odwieść od tematu. Książę był niecierpliwy i wybuchowy, ale ja też. Widziałam pod jego dłonią dokumenty, listy i rachunki. W tej chwili zapewne wolałby, żeby mnie tu nie było. Usiadłam na jednym ze stołków przy ścianie z przygarbionymi ramionami, jakbym była skrybą czekającym na instrukcje.

– Kiedy wrócisz?

– Nie wiem. Najpierw muszę tam dotrzeć.

– A kiedy wyjeżdżasz?

– W przyszłym tygodniu. Wypływam z Plymouth, jeśli nic mi nie pokrzyżuje planów.

Wypuściłam oddech. Myśl o jego nieobecności nie była łatwiejsza do zniesienia niż przed dwudziestu laty, i właśnie to było źródło mojego złego humoru. Miałam zostać sama, nie wiedząc, co się dzieje z Janem, i trwać to będzie nie wiadomo jak wiele miesięcy. Było dużo takich, którzy po raz kolejny mogliby próbować pozbyć się z tego świata nowego księcia Akwitanii za pomocą pucharu z trucizną albo ukrytego sztyletu.

Książę ułożył dokumenty na stertę, potem uczynił to samo z listami i wplótł palce we włosy. Słońce ukazało w nich wiele srebrnych nitek, więcej niż pamiętałam. Westchnęłam.

– Wybacz mi – powiedziałam równie zirytowanym tonem jak on. Zupełnie nie brzmiało to jak przeprosiny.

– Co mam ci wybaczyć?

– To, że ci przeszkadzam, chociaż pewnie wolałbyś zostać sam. Ale musiałam przyjść.

Patrzył na mnie nieruchomo. Wiedziałam, że będzie czekał, dopóki nie powiem wszystkiego.

– A także to, że sądziłam, że się ożenisz, nie uprzedzając mnie o tym. – Na mojej twarzy pojawił się lekki grymas. – W dalszym ciągu obawiam się, że możesz tak zrobić.

Odrzucił na bok dokumenty i wstał. Jednym płynnym ruchem obszedł stół, podniósł mnie na nogi i wziął w ramiona. Wciąż potrafił poruszać się zaskakująco szybko.

– Jeśli wezmę sobie żonę, ty dowiesz się o tym pierwsza. – Pocałował mnie łagodnie, a ja wygładziłam palcem zmarszczkę między jego oczami. – Czy to ci poprawia humor?

– Odrobinę. – Byłam już prawie ułagodzona.

– A ty dokąd pojedziesz? – zapytał.

– Do Lincoln. To miejsce bardzo mi odpowiada. Przyślij wiadomość, kiedy będziesz mógł.

– Wiesz, że to zrobię. – Znów mnie pocałował, po czym dodał: – Módl się za mnie.

Żarliwość w jego głosie zdziwiła mnie.

– Robię to nieustannie.

– Módl się, żeby Ryszard nie zaczął widzieć we mnie wroga, któremu marzy się królewska władza. Módl się za mnie i za Ryszarda, Katarzyno. Nie można ufać jemu ani jego ministrom. Kto mu doradzi rozsądnie, gdy mnie tu nie będzie?

Nie znałam odpowiedzi na to pytanie.

– Będę się modlić za ciebie i za rozsądek króla Ryszarda.

– A także za to, by Henryk zachował zimną głowę i nie sprowokował Ryszarda do jakiegoś nikczemnego postępku, od którego nie będzie odwrotu.

– Będę się modlić.

Przyłożył policzek do mojego policzka i staliśmy tak przez długą chwilę, oddychając razem. Obejmował mnie mocno, a ja pozwoliłam sobie wyryć tę chwilę w pamięci, bo wiedziałam, że stanie się dla mnie cennym wspomnieniem na nadchodzące miesiące.

– Czuję się przygnieciony troską o królestwo – powiedział w końcu.

– Tym bardziej gorąco będę się modlić. – Uśmiechnęłam się, pragnąc zdjąć z niego choć odrobinę ciężaru. – Ale musisz mnie pocałować i przynajmniej udawać przez kilka najbliższych godzin, że masz dla mnie czas.

Zrobił jedno i drugie. Ale następnego ranka, gdy zostawiłam go przy pracy, objął mnie tylko zdawkowo. Jego myśli błądziły gdzie indziej. Zamierzałam modlić się również o to, by nie wrócił z nową żoną ważną dla całej Europy, żoną-sojuszem niosącą pokój i stabilizację. Rozumiałam tę potrzebę, mogłam to znieść, ale nie byłabym zachwycona.

Był styczeń i ziemię pokrywał śnieg, ale książę, który wreszcie wrócił z Akwitanii, pomimo kiepskich dróg przybył do Lincoln z imponującym orszakiem. Tym się nie zdziwiłam, natomiast zdziwiło mnie to, że wybrał się w drogę przy takiej pogodzie.

Cóż go do tego skłoniło? Przyglądałam się uważnie nadjeżdżającej grupie, siedząc przy oknie w salonie kanonii. Książę jechał oczywiście pośrodku świty w ciężkim, podbitym futrem płaszczu i kapeluszu. Miał przy sobie kilku żołnierzy, sierżanta, skrybę, spowiednika, koniuszego oraz gromadę giermków i paziów.

Serce biło mi mocno pod ciężką suknią, ale uspokoiło się, gdy nie zauważyłam żadnej kobiecej postaci. Nie przywiózł ze sobą nowej żony. Był sam i wreszcie był ze mną. Z uśmiechem wciągnęłam go do salonu i zmarszczki znamionujące niepokój wygładziły się na mojej twarzy jak nowa wełna. Gdy zostaliśmy sami, ucałował moje policzki i usta w oficjalnym pozdrowieniu i usiadł na krześle, które mu przysunęłam. Nie zarzucałam go pytaniami ani żądaniami. Zawsze potrzebowaliśmy trochę czasu, by przekroczyć dystans stworzony przez miesiące separacji. Chwile intymności w końcu się pojawiały, tym słodsze, że wyczekane.

– Katarzyno.

Tylko tyle powiedział. Tylko tyle musiał powiedzieć, by przywrócić więź, która wciąż istniała między nami po roku rozdzielenia. Jego oczy, pełne światła i miłości, spoczęły na mojej twarzy.

– Janie – powiedziałam podobnym tonem, opierając dłoń na jego ramieniu.

Po chwili odsunęłam się cicho, żeby nalać mu piwa. Wychylił prawie cały kufel i odstawił go na palenisko, a potem wyciągnął przed siebie nogi i skrzyżował kostki przed ogniem. Z jego butów i z całej odzieży unosiła się para. Komnata wypełniła się ostrym zapachem koni, skóry i mokrej wełny.

– Dobrze jest nie ruszać się dłużej niż przez dwie minuty.

Opadłam na wyściełane siedzisko naprzeciwko niego przygotowana na czekanie.

Na chwilę przymknął oczy i na jego twarzy odbiło się takie znużenie, że mocno zacisnęłam dłonie na kuflu. Łatwo było zapomnieć, że lata mijają i stajemy się coraz starsi, ale to wrażenie zaraz minęło, gdy książę otworzył oczy i uśmiechnął się do mnie.

Jego spojrzenie było przenikliwe i jasne, bez śladu zmęczenia. Surowe linie twarzy złagodniały i znów stał się przystojnym mężczyzną, którego znałam tak dobrze.

– I cóż? – odpowiedziałam, oddając mu uśmiech. Bardzo za nim tęskniłam, a teraz wszystko w moim świecie wracało do normalności.

Pochylił się naprzód, opierając ramiona na udach.

– Czy wiesz, co najbardziej w tobie podziwiam?

– Bystrość? – podpowiedziałam, a moje dłonie leżące na kolanach rozluźniły się.

– Twoja bystrość jest niezrównana, ale nie to miałem na myśli.

– Moje włosy?

– Też nie. Nawet ich nie widzę, bo są przykryte czymś haftowanym, co zdaje się jest ostatnim krzykiem mody. Podobają mi się te koraliki. Wyglądasz w nich jak prezent na Trzech Króli. – Jego oczy błysnęły tak jak kiedyś, rozpraszając obraz starości i śmierci. – Później z przyjemnością owinę sobie twoje włosy dokoła przegubu i pokażę ci, jak bardzo je podziwiam.

Pozostałam stosownie poważna.

– W takim razie zapewne podziwiasz sposób, w jaki radzę sobie z odwadnianiem pól, kiepskimi zbiorami i sporami dzierżawców.

Wybuchnął śmiechem.

– Nigdy! Nigdy nie rozwiążesz problemów z odwodnieniem.

– W takim razie musisz mi powiedzieć, co to takiego.

– Twoja niewyczerpana cierpliwość, a także wielkoduszność.

Przechyliłam głowę na oparciu siedziska. Gdyby tylko Jan wiedział, jak często biegałam do okna przyzywana dźwiękiem kopyt, jak często zakopywałam się w dokumentach, żeby odciągnąć od niego myśli, gdy nie mógł być ze mną.

– Wróciłem już przed miesiącem, ale nie mogłem przyjechać wcześniej. A ty nigdy nie narzekasz.

– Agnes z pewnością by się z tobą nie zgodziła – zauważyłam sucho.

– Tym bardziej podziwiam twój temperament. Zostałem wezwany na dwór przez naszego wspaniałego króla.

– Co tam znowu?

– Wszyscy są przeciwko wszystkim, więc Ryszard szuka mojego poparcia. – Król uparcie nie chciał zauważyć niebezpieczeństw, które piętrzyły się wokół niego, ale napięta twarz Jana sugerowała, że jest coś jeszcze. – Chce sojuszu z Francją, może francuskiej żony.

– A ty co o tym sądzisz?

– Że to, co ja sądzę, nie ma już żadnego znaczenia, choć mój brat Gloucester odżegnuje się od takich sugestii. Jednak Ryszard ma nadzieję, że uda mi się go przekonać, a w każdym razie że zaprowadzę między nim a Gloucesterem jakąś równowagę. Gdy tam pojechałem, skakali sobie do gardeł jak wściekłe psy.

– Ale czy on będzie cię słuchał?

– Ryszard czy Gloucester? Któż to może wiedzieć? Rozstaliśmy się dość przyjaźnie, ale myślę, że dni mojego wpływu na Ryszarda są już policzone. Pojechałem do Canterbury. Modlitwa do świętego Tomasza nigdy nie zawadzi.

Uważnie patrzyłam na jego twarz, próbując odczytać z niej to, czego nie mówił w słowach.

– O co dokładnie się modliłeś?

Nie odpowiedział.

– Chodź tu, ukochana.

Przyklękłam u jego stóp jak wiele razy wcześniej. Spodziewałam się, że sięgnie po moje dłonie i że będzie to wstęp do intymnych chwil, ale on sięgnął za tunikę i wsunął mi w rękę jakiś dokument. Rozwinęłam arkusz. To był list, a raczej kopia listu, ponieważ nie było tu żadnych pieczęci, napisany ręką skryby, ale podpisany przez samego Jana. Potem zobaczyłam nagłówek, a w nim jedno szczególne słowo. Starannie złożyłam arkusz i podniosłam wzrok, starając się zapanować nad głosem.

– Rzecz jasna wiedziałam, że tak się stanie, ale miałam nadzieję, że nie tak szybko. Powinnam czuć radość z twojego powodu. – Usiłowałam utrzymać uśmiech przyklejony do twarzy. – Wiesz, że nie zrobię ci awantury. – Miałam wrażenie, że łzy wypełniają mnie całą. To była prośba o dyspensę papieską i pozwolenie na małżeństwo. – Ryszard ceni cię wyżej, niż sądzisz – ciągnęłam. – Kim ona jest?

Zapewne jakaś potężna dama z Burgundii albo Aragonii. Może krewna wielkiej rodziny Walezjuszów lub nawet księżniczka, monarsza córka. A może angielska dama, której rodzinę Ryszard życzył sobie powiązać z Koroną. Kto miał wystarczająco wysoką pozycję dla Jana Lancastera, syna króla, księcia Akwitanii?

Nie, to nie było nieoczekiwane, ale mimo to był to dla mnie bolesny cios. Wyciągnęłam dokument w jego stronę. Powinnam być wdzięczna, że przebył tak długą drogę, by mi o tym powiedzieć. Oczywiście nie mógł odmówić, jeśli Ryszard nalegał.

Książę jednak nie wziął ode mnie dokumentu. Zdziwiłam się, gdy pochylając się nade mną, położył dłoń na mojej dłoni z pergaminem i zacisnął palce na moich palcach.

– Katarzyno, moja najdroższa.

– Wszystko w porządku. Jesteś zbyt potężny, by pozostawać w bezżennym stanie. Przeżyłam jako twoja kochanka tyle lat, że nie potrafię nawet policzyć. Z pewnością wiesz, że nowa żona w niczym nie zmieni moich uczuć. Czy papież wydał już dyspensę? – Skoro potrzebował dyspensy, dama musiała być z nim blisko spokrewniona, ale nie mogłam odgadnąć, kto to taki. Koligacje Plantagenetów sięgały wszystkich najważniejszych europejskich rodów. Westchnęłam. Miałam nadzieję, że przez jakiś czas odpocznę od małżeńskich burz. Zazdrość nie zważała na wiek ani doświadczenie. – Czy ją znam?

– Katarzyno, moja najdroższa miłości – powtórzył. – Moja najdroższa i najbardziej tępa miłości. To dla ciebie.

Wciąż nie rozumiałam. Popatrzyłam na jego twarz, szukając na niej wyjaśnienia.

– To prośba o papieską dyspensę – wyjaśnił powoli, poważnie i uroczyście, jakby mówił do półgłówka. – Dla nas, Katarzyno. O pozwolenie na nasze małżeństwo.

– Dla mnie? – wychrypiałam, patrząc przez łzy na jego czuły uśmiech. Przełknęłam i spróbowałam jeszcze raz. – Dlaczego chcesz się ze mną ożenić?

Tylko tyle przychodziło mi do głowy, bo, na Boga, nie mogłam w tym dostrzec żadnego sensu.

– Chcę się z tobą ożenić – stwierdził książę, starannie dobierając słowa – bo nic innego nie ma w tym życiu, co bardziej pragnąłbym uczynić. Nie muszę już zadowalać nikogo oprócz siebie. Z pewnością jestem już w takim wieku, że mogę podążać za własnym sercem.

– Ale dlaczego potrzebna nam dyspensa? Przecież nie jestem twoją krewną.

– Bo byliśmy ze sobą bardzo blisko przez wiele lat, nawet zanim trafiłaś do mojego łóżka. Nie chcę, by ktokolwiek mógł twierdzić, że nasze małżeństwo jest niezgodne z prawem. Może wreszcie przeczytasz?

Przeczytałam i dowiedziałam się, co go niepokoiło. Lata, które spędziliśmy razem, stały się przyczyną, dla której nie był pewien legalności naszego związku, przede wszystkim dlatego, że jeszcze zanim wstąpił w cudzołożny związek ze mną i ożenił się z Konstancją, był ojcem chrzestnym mojej córki Blanki. Niektórzy mogliby kwestionować naszą bliskość i długi czas trwania naszego związku. Książę chciał, żeby wszelkie tego typu przeszkody zostały usunięte, dlatego napisał prośbę o papieskie pozwolenie.

Jednak trudno mi było to zrozumieć. Pozwolenie, żeby ożenić się ze mną? Kobietą, która nie była już w kwiecie młodości? Kobietą bez znaczącego statusu, bez istotnej pozycji? W milczeniu podniosłam wzrok znad dokumentu. Jan wiedział, że moje serce należy do niego. Po cóż potrzebny mu był ślub ze mną? Książęta nie żenili się z kochankami ani z kobietami o tak wielkiej różnicy pozycji, jak w naszym przypadku. W wyobraźni słyszałam już liczne głosy na dworze królewskim potępiające tak niedorzeczny, nie do zaakceptowania krok.

Książę Lancaster nie mógł się ożenić z guwernantką swoich córek.

– Ale nie możesz tego zrobić – usłyszałam własny głos.

– Dlaczego? Chcę się z tobą ożenić.

– Czy jesteś pewny? – Tylko na tyle potrafiłam się zdobyć.

Książę głośno wypuścił powietrze. Objął moją twarz i ucałował usta.

– To najgłupsze pytanie, jakie od ciebie usłyszałem, lady Swynford. Oczywiście, że nie jestem pewny. W każdej chwili mogę zmienić zdanie. Lepiej się pośpiesz i bierz mnie, zanim wycofam tę ofertę.

Nie byłam w stanie się roześmiać.

– Co powiedział Jego Świątobliwość?

– Tak. Powiedział „tak".

– Pokaż mi tę zgodę. – Wciąż nie potrafiłam przyjąć tego do wiadomości. Papieska dyspensa dla mnie, na mój ślub z księciem Lancasterem.

– Nie mogę, mój ty niewierny Tomaszu. Zgoda nie była wydana na piśmie, lecz przysłana ustnie przez papieskiego posłańca, który przybył w klejnotach i ze wszelkimi należnymi atrybutami.

– Czy to legalne?

– Ależ tak.

– Czy król wie?

– Tak. Dał nam swoje błogosławieństwo.

– Dał?

– Dał. Może nieco chłodne, ale nie musiałem zanadto nalegać. – Z cichym śmiechem znów sięgnął po moje dłonie i podniósł palce do ust. – Nie ma żadnego prawnego powodu, byś nie mogła się zgodzić. Tylko podszept serca i wolna wola mogą wpłynąć na decyzję lady Swynford. Oczywiście jeśli uznasz, że po tych wszystkich latach nie jesteś już w stanie mnie tolerować, albo jeśli twoje serce zbłądziło i oddałaś je któremuś z moich giermków...

Siedziałam u jego stóp z listem na kolanach, mokrymi policzkami i w końcu udało mi się uśmiechnąć.

– Myślałam, że ożenisz się z jakąś ważną damą zza morza.

– Wiem, że tak myślałaś.

– Jeśli ożenisz się ze mną, znajdą się tacy, którzy będą się burzyć. Uznają to za upokorzenie dla twojej krwi.

– O tym też wiem. Ale czyż nie jesteśmy im równi? Czy pozwolimy, by tak ciasne umysły dyktowały, co mamy począć z resztą naszego życia? – Pociągnął mnie w górę i stanęliśmy obok siebie. Wilgoć z jego szat przechodziła na moją suknię. – Katarzyno, ukochana, czy wyjdziesz za mnie? Nie jestem już młody...

– Nie jesteś stary – przerwałam, ale uciszył mnie lekkim pocałunkiem.

– Myślę, że mogłabyś znaleźć lepszego kandydata, gdybyś chciała mieć męża, który będzie spędzał z tobą czas. Wyrządziłem ci też wielką krzywdę. Moje grzechy są liczne. – Jego uśmiech był ostry i bezlitosny. – Chciałbym naprawić to, co było złe przez te wszystkie lata. Tylko że to nie było złe, prawda? To było słuszne. To zawsze było słuszne. W jakimś dziwnym zakątku niebios przesądzono o tym, że nasze losy muszą być ze sobą nierozerwalnie połączone. Katarzyno, moja droga i stała towarzyszko, czy zechcesz za mnie wyjść?

Tak długo. Tyle lat. Jak to będzie, gdy w końcu oficjalnie będę z nim połączona? Nie docierała do mnie waga tego, co proponował mi książę. Łzy znów popłynęły.

Jak można było się spodziewać, Jan uniósł brwi.

– Cóż ja, na litość boską, powiedziałem takiego, że znów płaczesz?

– Że kochasz mnie na tyle, by się ze mną ożenić.

– A czy ty kochasz mnie na tyle, by się zgodzić?

– Nie wiem, co mam ci powiedzieć. – Oszołomienie jeszcze nie minęło. Ile czasu potrzebowałam, by dać mu taką odpowiedź, jakiej pragnął?

– Powiedz „tak", Katarzyno. Powiedz „tak". Jak długo każesz mi czekać? – domagał się, ale w jego wzroku nie widziałam wątpliwości. Wiedział, że nie mogę mu odmówić.

– Tak, Janie. – Łzy spływały po moich policzkach, ale uśmiechałam się. – Tak, wyjdę za ciebie.

Nadszedł ten dzień.

Klęczałam w znajomym wnętrzu katedry w Lincoln, drżąc na całym ciele. Wciąż nie mogłam uwierzyć, że to się naprawdę dzieje, ale książę nagiął wszystkich do swojej woli. Teraz, oświadczył, skoro już dotarliśmy do tego punktu, nic i nikt nie może stanąć na drodze do naszego małżeństwa. I tak oto zostaliśmy połączeni w oczach Boga przez biskupa Buckingham w katedrze w Lincoln w deszczowym miesiącu lutym.

To była bardzo cicha uroczystość, pozbawiona wszelkiego splendoru oprócz szat biskupa, które usunęły nas wszystkich w cień. Wciąż zachowywaliśmy się zdumiewająco dyskretnie, choć ten ślub miał wszystko uprawomocnić, jak oświadczył książę takim tonem, jakby rzucał wyzwanie samemu Wszechmogącemu. Biskup potwierdził to skinieniem głowy w mitrze.

Klęczeliśmy przed ołtarzem. Moje dłonie zostały połączone z jego dłońmi. Złożyłam mu przysięgę, a on mnie. Otrzymaliśmy błogosławieństwo. Książę ucałował moje policzki, a potem usta.

Stało się.

Książę podniósł mnie, Katarzynę, księżną Lancaster, na nogi.

– Czy zdajesz sobie sprawę – wymruczał, gdy wychodziliśmy z kościoła do domu kanonika, bez dźwięku trąbek ani dzwonów kościelnych – że dopóki Ryszard znów się nie ożeni, ty jesteś najważniejszą kobietą w Anglii?

Moje serce zadrżało.

– Czy w ten sposób chcesz mi dodać pewności siebie?

Nie czułam się inaczej. Tylko że... Zatrzymałam się w końcu nawy, gdzie jeden z paziów księcia już czekał, by otworzyć przed nami drzwi.

– Co takiego?

– Czy zdajesz sobie sprawę, że po raz pierwszy w życiu mogę wziąć cię za rękę i wyjść stąd na oczach wszystkich? I nawet jeśli będą jakieś plotki, a z pewnością będą, nikt nie może oskarżyć mnie o niemoralność. – Popatrzyłam na niego. Wyglądał wspaniale w rdzawobrązowej szacie lamowanej sobolim futrem przy szyi i na dole. Szaty biskupa przyćmiły moją suknię, ale nie mogły przyćmić tego mężczyzny, który teraz był moim mężem. – Ani ciebie, jeśli już o to chodzi.

– Chcesz powiedzieć, że przechytrzyliśmy Walsinghama?

Szturchnęłam go lekko w ramię, aż łańcuch na jego szyi zadrżał. Nawet cień naszego prześladowcy nie mógł zniszczyć mojej radości.

– Nie będziemy wspominać jego nazwiska w ten najszczęśliwszy z dni.

– Nie, nie będziemy. A ponieważ możemy już ogłosić nasz stan prawny, zrobimy to z odpowiednią pompą.

Podniósł moją dłoń do ust, splótł palce z moimi i wyprowadził mnie na świat poza mury katedry. Roześmiałam się z radości, bowiem nikt na nas nie patrzył oprócz księdza, który zajęty był psałterzem, i kilku kur grzebiących w ziemi.

Czy to się działo naprawdę? Tak. Moja dłoń wciąż spoczywała w dłoni księcia. Jego uśmiech i błysk dumy w oczach przeznaczone były dla mnie. Jak mogłam kiedykolwiek myśleć, że książę Lancaster jest zbyt dumny, by uczynić mnie swoją księżną? Wreszcie dotarłam do bezpiecznej przystani. A jednak ogarniały mnie najdziwniejsze myśli. W młodych latach, kiedy zamartwiałam się, tęskniłam i wątpiłam, to małżeństwo byłoby spełnieniem pięknego snu, dowodem naszej miłości, marzeniem, które nigdy nie miało się spełnić. Teraz byłam starsza i mądrzejsza. Czułam się znacznie bezpieczniej i nie potrzebowałam już małżeńskiej pieczęci na naszej miłości. Mimo wszystkich rozstań, mimo przewrotnych zakrętów losu i katastrof, nasza więź okazała się tak silna jak życie i śmierć. Przysięgi złożone przed księdzem nie mogły umocnić jej bardziej.

Ale oczywiście nie miałam zamiaru zrzekać się mojego nowego statusu.

Znów się roześmiałam. Książę uniósł brwi.

– Jestem tak szczęśliwa, że zostałam twoją żoną – wyjaśniłam.

– W tych okolicznościach to doskonale się składa.

Jakże wiele nauczyłam się podczas tej długiej podróży, która nie była puchowym łożem szczęścia, lecz pozwoliła mi dorosnąć od tamtego dnia, gdy dałam księciu zimową różę, tym samym przedkładając miłość nad rodzinę, nad własną opinię i nad twarde zasady moralności. Byłam zaślepiona. Czy w tamtych pierwszych dniach zawrotu głowy zdawałam sobie sprawę, czego ta miłość będzie ode mnie wymagać? Teraz, mocno trzymając męża za rękę, zrozumiałam, jak wiele musiałam się nauczyć: współczucia dla Konstancji; siły, by wytrzymać gorzkie chwile; zaufania i wewnętrznego przekonania, gdy wszystko dokoła zdawało się mroczne, a nasza miłość przeklęta; wybaczenia, którego potrzebowałam i o które musiałam prosić moje dzieci i Jana za to, że w niego wątpiłam. Sądziłam, że mam prawo do miłości. Teraz rozumiałam, że miłość niełatwo jest zdobyć. Trzeba sobie na nią zasłużyć, wykuwając łańcuch tak mocny jak ten, który błyszczał na kołnierzu księcia, łańcuch, którego nie da się rozerwać.

Czyż nam się to nie udało? Naszą miłość mocno podtrzymywały nasze dzieci i moje palce, teraz splecione z palcami księcia w poranek naszego ślubu. Książę i ja zasłużyliśmy sobie na prawo, by się kochać.

Moje myśli wróciły do chwili obecnej, do księdza i kurczaków. Znów byłam żoną. Byłam księżną Lancaster.

– Co teraz zrobimy? – zapytałam. – Co robi księżna po ślubie, gdy nie ma żadnej uczty ani innej uroczystości?

Książę nie odpowiedział. W milczeniu poprowadził mnie przez mój równie milczący dom do sypialni. Dopiero gdy zamknął drzwi przed całym światem, który i tak w żaden sposób się nami nie interesował, powiedział:

– Będziemy świętować sami. To pierwszy raz w ciągu tych wszystkich lat, kiedy możemy dzielić prześcieradła zgodnie z prawem.

Uświęceni, napawaliśmy się luksusem legalnego rozbierania się nawzajem.

– Jestem bardzo wdzięczny tym, którzy wyznaczają modę.

– A to dlaczego? – zapytałam, wstrzymując oddech, gdy jego palce przesuwały się po moich żebrach od piersi aż po udo.

– Rękawy bez guzików to cudowna rzecz. – Jęknął, gdy paznokcie mojej prawej ręki wytyczyły podobny szlak na jego ciele. – Ale zapewne i tak poodrywałbym guziki. W końcu takie jest prawo męża.

– Ale jako mój mąż musiałbyś wtedy kupić mi nową suknię.

– Kupię ci tuzin sukien.

Dar, który otrzymałam od niego tego dnia, był bezcenny. Fizyczny wyraz naszej miłości był równie potężny, jak kiedyś, gdy byliśmy młodzi.

– Co będziemy robić? – zapytałam znowu następnego ranka, gdy wstałam jako mężatka i zjadłam śniadanie w towarzystwie domowników, wciąż oszołomionych wydarzeniami z poprzedniego dnia. – Pojedziemy na dwór?

Sądziłam, że zapyta, jakie są moje życzenia, ale nie zapytał. Nigdy o to nie pytał i wątpiłam, by teraz miał zacząć.

– W końcu tak, ale najpierw odwiedzimy moje ziemie. Chcę przedstawić nową księżną moim ludziom w Pontefract.

– Nie mam dobrych wspomnień z Pontefract.

Wszystko, co stamtąd pamiętałam, to dni pełne lęku i coraz większego osamotnienia. Dni rozdartej lojalności. Sumienie wciąż mi przypominało, że nie wpuściłam do zamku Konstancji, gdy bardzo tego potrzebowała. Wciąż prześladowały mnie oskarżenia, którymi obrzuciłam księcia w zakurzonej izbie.

– Sprawię, że będziesz miała lepsze wspomnienia. – Przywołał giermka i wydał mu rozkazy, które miały nas doprowadzić do Pontefract, gdzie rozpocznę nowe życie jako księżna Lancaster.

ROZDZIAŁ DWUDZIESTY

Jakąż zadziwiającą różnicę sprawiła przysięga małżeńska wśród domowników Jana, jeśli chodzi o stosunek wobec mojej osoby! Masywny zamek Pontefract stał się zupełnie innym światem niż wtedy, kiedy przebywałam tu poprzednio.

– Dobrze znacie tę damę – powiedział książę do ochmistrza i konstabla, kiedy zsiedliśmy z koni.

– Tak, panie. – Sir William Fincheden, obecnie mój ochmistrz, skłonił się, a kapitan za nim. Znali mnie doskonale.

– Lady Katarzyna jest teraz moją księżną. – Musiałam przyznać, że książę nie owijał w bawełnę.

Na twarzach mężczyzn odbiła się niepewność.

– Pozwól, pani, życzyć sobie wszystkiego dobrego. – Twarz sir Williama była imponująco nieruchoma. Dlaczego spośród wszystkich urzędników właśnie ochmistrze mieli największy kłopot z zaakceptowaniem mojego statusu, czy był on skandaliczny, czy też zupełnie legalny?

Konstabl skłonił się bez wahania.

– Witaj w zamku, pani.

Książę ujął mnie pod ramię i poprowadził do środka, ale najpierw skinął głową.

– Macie jej służyć tak samo jak służycie mnie.

Było to ostrzeżenie, wprawdzie podane lekkim tonem, ale w zupełności wystarczyło.

– Czy moja pani zechce przyjąć ten puchar? – Ochmistrz podał mi puchar, gdy siedziałam na podwyższeniu przed wniesieniem kolacji.

– Może moja pani zechciałaby spróbować dziczyzny? – Krajczy księcia nie mógł się już doczekać, by zaprezentować swoje umiejętności.

– Czy moja pani zechciałaby opłukać palce? – Najnowszy z giermków Jana przyklęknął przy moim boku z misą do mycia rąk i nieskazitelnie czystą serwetką.

Dostałam własnego pazia Guyona, który szedł za mną, gotów podnieść z ziemi wszystko, co upuszczę. Gdy się zbliżałam, wszystkie drzwi otwierały się przede mną.

– Jak sobie życzysz, pani.

– Głowa ci spuchnie jak kapusta – stwierdziła Agnes, gdy odwiedził mnie zarządca kurnika, prosząc o wybór dwóch gęsi na kolację. Tak, tak, dostałam własnego zarządcę kurnika, a także łowczego i Stephena, mistrza sosów, który gorliwie udowadniał swoją przydatność, biegając za mną z drewnianą łyżką.

Siedziałam przy boku księcia na podwyższeniu, klęczałam obok niego w kaplicy. Jego kapelan uśmiechał się promiennie do nas obojga. Mogłam się wyspowiadać z radosnym sercem.

– Czy moja pani woli dziś rano wziąć sokoła, czy jastrzębia?

Miałam również sokolnika, a także chłopca stajennego, który podtrzymywał mi strzemię, gdy wsiadałam na konia. Nie musiałam trząść się z zimna, czekając, aż koń zostanie osiodłany.

Byłam księżną Lancaster. W domu księcia moje życzenia były najważniejsze. Jan nie widział w tym wszystkim niczego nadzwyczajnego, ja jednak, po latach sekretnych działań i subtelnych obelg, dostrzegałam ogromną różnicę. Prawdę mówiąc, nie było mi to potrzebne do szczęścia, ale dowodziło, że mój nowy status nie jest tylko snem.

Bez żadnych oporów nazywałam teraz księcia Janem w myślach i w mowie. Dawniej też to się zdarzało, ale nie było takie naturalne. Odkąd został moim mężem, myślałam o nim już prawie zawsze jak o Janie, choć nawyki całego życia wciąż trzymały się mocno niczym pajęczyna, która przyczepiła się do skraju sukni. Jan wzmacniał się z dala od dworskich intryg i głupich żądań Ryszarda. Jego znużenie znikało od dobrego jedzenia. Polowania były udane. Jednak pośród tych wygód, gdy mój umysł powinien odpoczywać, ja pozostawałam niespokojna.

– Czy martwi cię perspektywa pojawienia się na dworze? – zapytał Jan. Powinnam już przywyknąć do jego bezpośredniości, ale wciąż potrafił zbić mnie z tropu.

– Tak.

Nie było sensu zaprzeczać. Często o tym myślałam, nawet jeśli on się nad tym nie zastanawiał. Widocznie jednak i jemu przychodziło to na myśl.

– Nie będzie tak źle. Spróbuję wygładzić ścieżkę przed tobą. Ryszard nigdy nie traktował cię wrogo.

Wiedziałam, że mówi szczerze, ale czy to było możliwe? Kobiecy instynkt podpowiedział, że wielu osobom nie spodoba się mój zdumiewający awans. To nie Ryszarda się obawiałam.

– Będą zaskoczeni, ale to będzie tylko krótkotrwała sensacja – oświadczył Jan i skupił uwagę na ważniejszych rzeczach, skrobiąc za uchem jednego ze swych chartów.

I tak oto mąż odsunął moje troski na bok, uznając je za nieistotne w porównaniu z dobrym polowaniem na jelenia. Jakże to było typowo męskie! Ja jednak wiedziałam, że mieszkańcy tego arystokratycznego kurnika będą mieli wiele do powiedzenia na temat mojego małżeństwa i szybko postarają się pokazać mi, gdzie ich zdaniem jest moje miejsce.

Moje córki również o tym wiedziały.

Gdy przybyliśmy do Pontefract, Joanna dygnęła przede mną jak przed królową i dopiero potem wpadła w moje ramiona, ale błysk w jej oczach zaprzeczał powadze na twarzy. Cofnęła się o krok i przyjrzała uważnie. Była już wdową i miała dwie małe córeczki, ale w dalszym ciągu ze spokojnym optymizmem traktowała życie.

– A więc teraz jesteś księżną – zauważyła, wsuwając dłoń pod moje ramię. Weszłyśmy do zamku. Na zewnątrz wiał ostry wiatr i zanosiło się na śnieg.

– Widać tak mi było pisane.

– Jak się czujesz na tym godnym miejscu?

– Znasz swoją matkę. – Jan podszedł do nas i pocałował córkę. – Wciąż ma ochotę doglądać wszystkiego osobiście.

Nie mogłam temu zaprzeczyć. Pocałował mnie w policzek pomimo obecności chłopców stajennych, żołnierzy i uśmiechającego się krzywo łowczego, po czym zapewnił, że wróci przed zmierzchem. Zawsze miał na uwadze mój spokój umysłu.

– Poplotkuj sobie z córką – dodał.

– Chyba nigdy nie widziałam go tak szczęśliwego – powiedziała Joanna, patrząc za nim, gdy wyjeżdżał z dziedzińca.

– Tak. – Ja również za nim patrzyłam, aż cała kawalkada znikła w szarym zimowym dniu. To była prawda. Zmarszczki, które od powrotu z Akwitanii wydawały się na stałe wyryte na jego twarzy, wygładziły się i odzyskał dawnego ducha. Myśl o tym, że choćby w niewielkim stopniu przyczyniło się do tego nasze wspólne szczęście, sprawiała mi przyjemność.

– Ty też wydajesz się szczęśliwa – dodała Joanna, jakby przeniknęła kierunek moich myśli.

– Szczęśliwa? To słowo nawet w połowie nie oddaje stanu moich uczuć. – Nic więcej nie mogłam powiedzieć.

Córka zerknęła na mnie.

– Zastanawiałaś się już, co powiedzą na dworze?

Nie myślałam o niczym innym.

– Co się stało, Katarzyno?

Joanna, z widokami na nowe małżeństwo, wróciła do domu, a ja udałam się na przejażdżkę w towarzystwie księcia. Na naszych rękawicach siedziały sokoły, wokół koni biegało stado chartów. Był piękny wiosenny dzień i polowanie na króliki udało się nad wyraz. Twarz Jana była zarumieniona od wiatru. Jechałam obok niego, próbując zdobyć się na entuzjazm. Oddał nasze sokoły sokolnikom i zatrzymał konia.

Uniosłam brwi, udając, że nie rozumiem, o czym mówi.

– Nic. Cóż miałoby się stać?

Zdjął mi rękawice, wsunął je za pazuchę tuniki i roztarł moje zimne dłonie.

– Od jak dawna jesteśmy razem? – zapytał pozornie bez związku.

– Chyba od dwudziestu czterech lat.

– No widzisz. Wiedziałem, że będziesz dokładnie pamiętała. – Usłyszałam w jego głosie uśmiech. Znów włożył mi rękawice i powiedział stanowczo: – W takim razie zacznijmy jeszcze raz od początku. Co cię martwi, ukochana?

Odwróciłam twarz, żeby nie zauważył mojego zdenerwowania. Teraz już wiedziałam o wiele więcej o tym, jakie przyjęcie czeka mnie w Londynie. Nie bądź śmieszna, powtarzałam sobie, stawałaś już przed znacznie gorszymi wyzwaniami. Masz doskonałe maniery i potrafisz zachować się na dworze.

Jednak wbrew rozsądkowi nie miałam apetytu, źle spałam i dręczyły mnie nieprzyjemne sny. Sądziłam, że potrafię to skutecznie ukrywać pod pozorami gładkiej rozmowy i życzliwości do świata. Na królewskim dworze nic nie mogło wzbudzić mojego przerażenia. Skoro potrafiłam zachować twarz, gdy Jan wyrzekł się mnie publicznie, a Walsingham napiętnował jako dziwkę, to tym bardziej mogłam się uśmiechać jako prawnie poślubiona księżna Lancaster. W każdym razie tak mi się wydawało.

Ale nie mogłam ukrywać przed mężem prawdy, chociaż nie chciała mi przejść przez gardło.

– Dowiedziałam się z oficjalnych źródeł, że jestem nikczemną, nisko urodzoną kobietą, zupełnie nieodpowiednią do tego, by zająć miejsce świętej Blanki czy dzielnej Konstancji. Przykro mi – dodałam, gdy zmarszczył brwi. – Nie chciałam, żeby to tak zabrzmiało.

– Wiem. A któż tak twierdzi?

– Ten kurnik z królewskiego dworu.

Chrząknął i jego dłoń znów otoczyła moją w geście pociechy.

– A kto konkretnie?

– Księżna Gloucester, księżna Arundel i inne. Każdy, kto ma w żyłach choć kroplę królewskiej lub arystokratycznej krwi. – Zacisnęłam zęby, usiłując powstrzymać wybuch irytacji. – Kobiety, których nie uważałam za wrogów. Kiedyś wymieniałyśmy z księżną Arundel doświadczenia na temat leczenia chorego dziecka. Wówczas z zadowoleniem przyjęła moją pomoc, a także porcję gotowanego korzenia wrotycza na robaki.

– Na robaki?

Książę miał skłonności do wybuchania śmiechem w najbardziej nieodpowiednich momentach. Skrzywiłam się, uświadamiając sobie, jak banalne jest to, co mówię.

– Ale teraz księżna Arundel i jej podobne ostrzą sobie na mnie języki i szpony. Może to nie kwoki, tylko sokoły? – Spojrzałam na mojego nowego sokoła, który przysiadł na grzędzie obok towarzyszy. Wszystkie były ładniejsze od księżnej Gloucester. – Albo jędze – dodałam. – Nawet księżna Hereford do nich dołączyła. Tak przynajmniej słyszałam.

To raniło mnie najbardziej. Uważałam ją za swoją przyjaciółkę. Moja córka nosiła jej imię. Razem cierpiałyśmy przy umierającej Marii, a wcześniej radowałyśmy się z narodzin jej synów. Jak to możliwe, by po tym wszystkim odwróciła się ode mnie?

– W takim razie chodzi o małżeństwo, tak jak przypuszczaliśmy – ze śmiechem skomentował Jan.

– Nie ma się z czego śmiać. Tobie też mają to za złe. – Plotki docierały do mnie za pośrednictwem Joanny, która z pewnością łagodziła ich brzmienie, ale nie miałam złudzeń. Jej relacje były bardzo szczegółowe i udało mi się zmusić Agnes, by powtórzyła mi je wiernie. – Jesteś winien, bo sprzeciwiłeś się konwenansom i postawiłeś mnie wyżej od wszystkich innych kobiet w tym królestwie, choć nie nadaję się na tę pozycję.

Wzięłam głęboki oddech zirytowana tym, że te kwoki swoim gdakaniem potrafiły podkopać we mnie poczucie własnej wartości. Było jasne, że mnie nienawidzą, bo Jan przedłożył mnie ponad je wszystkie. Powinnam mieć wystarczająco wiele godności, by nie zważać na ich wrogość, ale nie spodziewałam się aż takiego jadu ze strony kobiet, które znałam dobrze i które znały mnie.

– To nie ma znaczenia. – Jego gładkie palce pogładziły moje nadgarstki po wewnętrznej stronie, tam gdzie tętnił puls.

– Może mieć. – Ta myśl nie przestawała mnie niepokoić. – Mężczyźni obdarzeni władzą i tytułami nie żenią się ze swoimi kochankami. Och, Janie, powinniśmy o tym pomyśleć wcześniej. Teraz ja zostałam potępiona jako uzurpatorka, a ciebie uznano za głupca.

– Doprawdy?

Aksamitne fałdy eleganckiego chaperonu nie zdołały ukryć zmarszczonego czoła. Jan nigdy dobrze nie reagował na krytykę, ale sądziłam, że powinnam go ostrzec.

– Mówią, że jesteś głupcem, bo mogłeś się ożenić dla majątku albo dla sojuszu. – Nie zamierzałam mu powtarzać, że głupcem nazwał go jego brat, książę Yorku. – Ale nie rozpaczaj. Tobie na pewno wybaczą z uwagi na szlachetną krew i pozycję, a ja na zawsze pozostanę kobietą o wątpliwej moralności i splamionym dziedzictwie, wywodzącą się z nisko postawionej rodziny. Moja reputacja jest nieodwracalnie zszargana. Ty jesteś głupcem, ale ja jestem i zawsze będę tylko odrobinę lepsza od ladacznicy, którą wyniesiono na wysokie miejsce.

Brwi Jana ściągnęły się ze zdumienia.

– Gdzie to wszystko usłyszałaś?

– Od tych, którzy piszą plotkarskie listy. Ten skandal jest zbyt smakowitym kąskiem, by miał się nie roznieść. Zdaje się, że przez całe życie tylko wywołuję skandale. – Mój głos załamał się od nadmiaru emocji. Ostatnie słowa poniósł ostry wiatr. – Przykro mi. Powiesz, że nie warto sobie tym zawracać głowy, a jednak to boli.

– Przypuszczam, że to Walsingham.

– A któż by inny? Wielebny plotkuje bardziej niż kobiety i niestety ma większe wpływy.

– Teraz jesteś moją żoną. Jego słowa nie mogą cię zranić.

To jednak mnie nie uspokoiło.

– Właśnie dlatego, że jestem twoją żoną, księżna Gloucester i jej koteria próbują się zemścić i udowodnić mi, że nie jestem lepsza od nich. Czy wiesz, co złości je najbardziej? Cóż, sam mnie przecież ostrzegałeś, że dopóki król znów się nie ożeni, ja jestem najwyżej postawioną kobietą w tym kraju. Damy dworu, które znam, przygotowują się do ataku na mnie, żeby mi pokazać, że jestem niegodna swojej pozycji.

– Tak nie jest. Pochodzisz z bardzo szacownej rodziny.

– Ale niewystarczająco szlachetnej dla ciebie.

– Dasz sobie z tym radę. Cóż mogą uczynić, by podkopać twoją pewność siebie? Doskonale potrafisz się poruszać na dworze. Królowa Filipa nauczyła cię wszystkiego na temat dworskiej etykiety. Nie dasz się wystrychnąć na dudka i nie pozwolisz się wciągnąć w intrygi. Nie mogą cię upokorzyć ani sprawić, byś zachowała się niestosownie.

Powtarzał tylko to, co sama sobie wcześniej powtarzałam, a jednak...

– Wiesz, co one mówią? – Zdawało mi się, że jego współczucie zaczyna zanikać. Reagował tak, jak zareagowałby każdy mężczyzna zalany potokiem żalów i skarg przez kobietę, która uważała się za bardzo bystrą, ale wiedziałam, że gdy wyznam mu, czego boję się najbardziej, będzie wstrząśnięty. – Księżna Gloucester twierdzi, że uznanie mnie za pełnoprawną księżną Lancaster splamiłoby jej honor. – Wbiłam paznokcie w jego dłoń, ale uświadomiłam to sobie dopiero wtedy, gdy skrzywił się i poruszył ręką. Myśl o zemście, jaką planowały, nie dawała mi spokoju. – Zapowiadają, że nie wejdą do żadnej komnaty ani nie wezmą udziału w żadnej ceremonii, na której ja będę obecna. Obrócą się do mnie plecami. Czy mogę coś takiego tolerować? Nie będą się poniżać, stąpając po tej samej posadzce co ja, tak nisko urodzona. – Wzięłam głęboki oddech. – I mówią, że nasze małżeństwo nie jest legalne, bo słowo z ust papieża nie daje pełnej dyspensy. Musiałby to napisać świętym inkaustem, a dopóki tak się nie stanie, nadal żyjemy w grzesznym związku.

Po moich policzkach spływały łzy. Zresztą płakałam bardziej z gniewu niż z żalu. Miałam nadzieję, że jako ślubna żona księcia zostanę zaakceptowana. Papieska dyspensa miała stworzyć podstawy dla mojej nowej pozycji, teraz jednak okazało się, że rzekomo w ogóle nie istnieje, a moje małżeństwo nie jest pobłogosławione przez papieża. Wciąż byłam ladacznicą i na zawsze miałam pozostać *persona non grata*.

Otarłam rękawem uparte łzy. Jan przez cały czas zachowywał irytujący spokój, jakby ta ostatnia strzała wymierzona w nasze szczęście nie była dla niego żadnym zaskoczeniem.

– Powiem ci, co zrobimy, moja droga. Poprosimy Jego Świątobliwość, jeśli będzie trzeba, to z tuzinem sakiewek pełnych złota, by zechciał użyć dla nas swego świętego inkaustu. – Pochylił się na grzbiecie konia i pocałował mnie w policzek. – Ryszard chętnie powita cię na dworze i podaruje ci ceremonialny strój Damy

Orderu Podwiązki. Która z tych kwokośmieli się podnieść głos przeciwko tobie, gdy sam król uzna twoją pozycję?

Nie udało mu się mnie uspokoić. Nie chciałam stać się celem ogólnej nienawiści. Przypomniały mi się lata spędzone na dworze Konstancji, która nienawidziła ziemi, po której stąpałam. Nie chciałam znów przez to przechodzić na oczach każdej wścibskiej plotkary w Windsorze czy w Westminsterze, w której żyłach płynęła błękitna krew.

– Chyba już jestem na to za stara. – Z przykrością usłyszałam we własnym głosie rozpacz.

Jan postanowił wstąpić na bezpieczniejszy grunt i przyjął władczy ton. Było to mądre, ale zirytowało mnie. Pstryknął palcami na sokolnika.

– Jesteś moją żoną i moją księżną, Katarzyno. Stoi za tobą cały mój autorytet i władza. Nikt nie odważy się ciebie upokorzyć. Twoja pozycja w moim domu i na dworze jest poza dyskusją. Jeśli o mnie chodzi, nie ma o czym więcej rozprawiać. Nic nie może zmącić spokojnych wód twojego życia. – Wyciągnął przed siebie rękę. Na jego przegubie siedział młody sokół z nastroszonymi piórami. – Weź tego ptaka. Zobaczymy, czy dobrze poleci. Możesz sobie wyobrażać, że każdy królik, którego złapie, to księżna Gloucester.

Nie wątpiłam w Jana, a ponieważ kochałam go i żałowałam już, że wylałam na niego wszystkie swoje zmartwienia, udało mi się uśmiechnąć, by uspokoić jego serce, tak jak robią wszyscy kochankowie, nawet ci z długim stażem, albo szczególnie ci z długim stażem. Sokół wygładził pióra i poleciał. Króliki rzeczywiście przypominały księżną Gloucester i jej futrzane kołnierze.

Tej nocy przyśniło mi się, że stoję sama pośrodku wielkiej sali, w błękitno-złotej szacie Orderu Podwiązki z wyraźnym motywem heraldycznym na ramieniu. Pod ścianami stały grupki ludzi, którzy uśmiechali się i kiwali głowami. Nie znałam nikogo z nich. Potem obraz rozmył się i nie widziałam już żadnych twarzy.

– Janie! – zawołałam we śnie.

Nie usłyszał mnie. Nie było go tam.

– Jestem nikim – powiedziałam przy śniadaniu z wielkim przygnębieniem.

– Dla mnie jesteś wszystkim – odrzekł.

Na parę dni zatrzymaliśmy się w domu Jana w Rothwell, na zachód od Pontefract. Dom nie był duży, a dokoła rozciągały się tereny dogodne do polowań. Teraz jednak trzeba już było wyjeżdżać do Windsoru, a ja się spóźniałam. Wiedziałam, że na dole jeden z giermków trzyma klacz, którą Jan dla mnie wybrał na pierwszy etap podróży. Niemal przemknęłam przez salę na dole, wyszłam na schody i zatrzymałam się tak gwałtownie, że paź idący tuż za mną nastąpił na brzeg mojej spódnicy.

– Wybacz mi, pani. – Pochylił się i podniósł upuszczony płaszcz, a potem pośpiesznie strzepnął z niego kurz. Nie zwróciłam na to uwagi, skupiona na czymś zupełnie innym, mrugając ze zdumienia.

Jan był na dziedzińcu. Poklepał giermka po ramieniu i podszedł do mnie powoli. Stałam na schodkach jak posąg, wpatrując się w niego szeroko otwartymi oczami.

– Na Boga, przyciągasz wzrok – zauważył z uśmiechem. – Założę się, że w tym płaszczu nie będzie ci zimno.

Nie byłam w stanie wykrztusić ani słowa.

– Rzadko się zdarza, żeby zabrakło ci języka w gębie.

– Ty to zrobiłeś?

– Naturalnie, a któż by inny? Dla twojej przyjemności, pani. – Ujął moją bezwładną rękę i poprowadził mnie naprzód. – Nie jesteś nikim, Katarzyno. Czy wybrałbym sobie kobietę pozbawioną zalet? Nigdy nie byłaś nikim i nie będziesz. Oto twój herb, który ma pokazać światu, że Katarzyna, księżna Lancaster, jest kobietą na własnych prawach.

Cały dziedziniec lśnił czerwienią i złotem, od zasłon mojej lektyki aż po uzdę i czaprak wierzchowca. Ten sam symbol widniał na proporcach niesionych przez moją eskortę. Stajenni jadący na ciężkich, pociągowych koniach ciągnących lektykę mieli na sobie czerwono-złote tuniki. Błękitne i białe barwy Jana zupełnie przy tym ginęły.

– Nie wiem, co powiedzieć.

Wciąż trzymając mnie za rękę, jakby się obawiał, że mogę zasłabnąć w obliczu tak uderzającego przepychu, poprowadził mnie do konia. Stajenni również uśmiechali się szeroko.

– Podoba ci się?

– Ty to zrobiłeś? Dla mnie? – Tylko tyle potrafiłam wykrztusić.

– No cóż, nie wystarczały ci moje ubogie herby Lancasterów i Akwitanii, więc teraz masz własny.

Ciepło emanujące z jaskrawej czerwieni i złota otoczyło moje serce i na tę chwilę rozproszyło wszystkie lęki.

– Chciałaś mieć własną tożsamość – wyjaśniał Jan. – Wydawało mi się, że święta Katarzyna będzie najodpowiedniejsza.

To właśnie było złoto w polu mojego widzenia: mój herb tworzyły trzy złote koła świętej Katarzyny lśniące na czerwonym tle. Mój własny, nie dzielony z herbem Jana ani Hugh. Mój własny, Katarzyny de Roet, Katarzyny Swynford, świadczący o mojej tożsamości, nawet jeśli jednocześnie byłam księżną Lancaster. Wybrał moją świętą patronkę, którą czciłam bardziej niż innych świętych. Dziewicę, męczennicę, świętą Katarzynę z Aleksandrii, która nie wyrzekła się wiary chrześcijańskiej, nawet gdy ją torturowano na nabijanym szpikulcami kole.

Roześmiałam się, gdy sobie to uświadomiłam.

– Co takiego?

– Ten herb przypomina koła Roetów – wyjaśniłam, mając na myśli herb mojego ojca.

– Bo tak powinno być – zgodził się Jan. – Przemienione w złoto dla córki Roeta i żony Lancastera o imieniu Katarzyna.

Pomyślałam o tym, że wybrał dla mnie świętą Katarzynę: dzielną, wykształconą, pobożną i szlachetnie urodzoną kobietę, która wykazała zdumiewający hart ducha, gdy prześladowano ją za przekonania. A teraz jej symbol stał się moim. Nie mogłabym sobie wybrać lepszego. Była to dla mnie chwila wielkiej radości.

– Czuję się zaszczycona – wyjąkałam, gdy już udało mi się zaprowadzić jaki taki ład w głowie.

Jak to możliwe, by Jan tak dobrze odczytał moje myśli, obawy, pragnienia? Znałam odpowiedź: kochał mnie. Kochał i poszedłby na kraniec świata, by dać mi szczęście.

– Jedną chwilę – powiedział, zanim podsadził mnie na siodło. Otworzył sakiewkę przy pasie i wyjął dwie odznaki przedstawiające błyszczące złotem koło świętej Katarzyny obrzeżone czerwienią. Jedną przypiął do mojego kołnierza, a drugą przyczepił do szarego futra na wygiętym do góry rondzie swojego kapelusza. A więc on również zamierzał nosić moje barwy.

Lekko dotknął mojego policzka i jego twarz rozświetliła się pięknym uśmiechem.

– Jedźmy zatem i niech wszyscy stąd aż do Windsoru przecierają oczy, oślepieni naszą wspaniałością. Będą myśleć, że to wizyta papieża i uderzą w kościelne dzwony.

Błysk czerwieni i złoconych kół ogromnie dodał mi pewności siebie. Niewątpliwie było to głupie, ale jechałam do Windsoru z sercem napełnionym odwagą świętej Katarzyny i jej kołami na proporcach, by wszyscy mogli je widzieć.

Jan uczynił to dla mnie. Przysięgłam sobie, że bez względu na to, co mnie czeka, udowodnię, że jestem dla niego odpowiednią księżną.

Oczekiwano nas, izba była zatłoczona. Były tam również damy, które przysięgły, że nie splamią swoich dostojnych stópek, krocząc po tej samej ziemi, po której chodziłam ja. No cóż, przybyłam i niech się dzieje, co chce. Zobaczymy, co zrobią i kto wygra tę rundę. Byłam gotowa do bitwy.

Jan wziął mnie za rękę i poprowadził naprzód. Gdy się do mnie uśmiechnął, odpowiedziałam mu zupełnie szczerym uśmiechem. Doskonale pamiętałam wszystko, czego przed laty nauczyła mnie królowa Filipa. Szłam powoli w sukni haftowanej w złote koła. Skraj eleganckiej spódnicy ocierał się o posadzkę, włosy miałam nakryte siatką wysadzaną szafirami. Nie śpieszyłam się. Moje usta wygięły się w lekkim uśmiechu, jakbym była pewna swojej wartości jako księżna Lancaster. Nie obawiałam się, że okażę się niezręczna albo nie będę wiedziała, jak się zachować w oficjalnej sytuacji. Maniery dworskie miałam we krwi, a jeśli nie byłam czegoś pewna, doskonale potrafiłam udawać, że się tym nie przejmuję.

Zresztą miałam u boku mistrza ceremonii dworskich.

Czułam się wystarczająco swobodnie, by zwrócić uwagę na otoczenie. Różana sala jak zawsze wyglądała ekstrawagancko, bardzo w guście króla. Niebieskie, zielone i czerwone dekoracje z dużym dodatkiem złotych liści sprawiały, że bardzo trudno było dobrać suknię, która nie gryzłaby się z tym wystrojem. Mimo wszystko włożyłam suknię z niebieskiego adamaszku z wzorem splecionych liści i kwiatów.

Przede mną na podwyższeniu siedział król Ryszard.

– No widzisz, nie wyrzucili cię – mruknął Jan, prawie nie poruszając ustami, gdy przeciskaliśmy się między rzędami dworzan.

Mój uśmiech stał się szerszy. Jan był ważniejszą osobą ode mnie, ale wiedziałam, które z nas tego dnia bardziej przyciąga wzrok. Czułam na sobie ciężar tych spojrzeń od pierwszej chwili, gdy zapowiedział nas urzędnik w barwach Ryszarda. Największe rody Anglii oddychały tym samym powietrzem co ja, ale to jeszcze nie znaczyło, że chcą mnie przyjąć na swoje zbiorowe łono.

– Oni mnie nienawidzą. Popatrz tylko – odszepnęłam. – Już ostrzą na nas sztylety.

Jan potrząsnął głową, ale nie zdążył odpowiedzieć. Spojrzał w bok i skłonił się przed swym bratem Edmundem Langleyem, księciem Yorku, który odpowiedział krótkim ukłonem, a potem jeszcze krótszym, przeznaczonym dla mnie. W każdym razie nie zignorował mnie zupełnie. Moja twarz wyrażała spokojne zadowolenie z powrotu na dwór. Zbliżając się do króla, przebiegłam tłum wzrokiem, ale nikomu się nie ukłoniłam.

– Wyglądasz wspaniale – zdążył jeszcze szepnąć Jan, nim podeszliśmy do podwyższenia.

– Wiem – odpowiedziałam, ale moje serce nieco drżało.

Przy boku króla stał brat Jana, książę Gloucester, razem ze swoją księżną, która przysięgła, że nie chce mieć ze mną nic wspólnego. Po lewej stronie widziałam księżną Arundel, lady Mortimer. W jej żyłach płynęła krew króla Edwarda III, mocno jednak zaprawiona jadem. Była tam również księżna Hereford, niegdyś moja przyjaciółka. Jej obecność w tej sali wydawała mi się policzkiem, gorzką zdradą. Obok stały pozostałe damy.

Objęłam ich wszystkich przyjaznym, spokojnym spojrzeniem, po czym dygnęłam przed Ryszardem, z wdziękiem zgarniając fałdy sukni. Wszystko zależało od tego, jak mnie powita. Jeśli okaże chłód, będzie kpił albo wyrazi w jakiejkolwiek formie lekceważenie wobec moich przodków, wszyscy na dworze pójdą za jego przykładem. Wyprostowałam się i uniosłam wyżej głowę.

Ale Ryszard patrzył na Jana.

– Wreszcie wróciłeś, mój szanowny wuju. – Miał dwadzieścia dziewięć lat, był arogancki jak każdy Plantagenet i uśmiechał się gładko. Błysk w jego oczach skojarzył mi się z kotem polującym na smakowitą mysz. – Ostatnio bardzo potrzebowałem twojej rady. – Nieoczekiwanie zmarszczył brwi. – A ciebie tu nie było i nie mogłeś mi jej udzielić.

– Jestem tu teraz i mogę jej udzielić, sir. – Twarz Jana wyrażała łagodny żal. Ignorował chmurę na czole króla, jak zapewne czynił to przez ostatnich dziesięć lat. – Wiem, że zrozumiesz moją nieobecność i wybaczysz mi ją, gdy przedstawię ci moją żonę.

– Twoją żonę? A kim jest ta szczęśliwa wybranka?

Ryszard wiedział to doskonale. Jego żywe spojrzenie przesunęło się powoli i z błyskiem kpiny zatrzymało na mojej twarzy. Zdziwienie w głosie również było udawane.

– Witaj na dworze, moja pani Lancaster.

– Dziękuję, sir.

Włosy miał ciemnozłote, o podobnym odcieniu jak złocone ozdoby dokoła niego. Osiągnął już wiek odpowiedni dla silnego władcy. Suknia, którą miał na sobie, naszywana oszałamiającą ilością klejnotów czystej wody, podobno była warta trzydzieści tysięcy marek. Jego drobna postać niemal ginęła w obfitych fałdach. Jasnowłosy i uśmiechnięty, wyglądał jak uosobienie młodego króla, który zamierza wywrzeć swoje piętno na własnym kraju i wpływać na wydarzenia w całej Europie. Ale jakie miał intencje? Jak szybko jego żartobliwy nastrój zmieni się w złośliwy? Ryszard nosił fałszywy uśmiech z równą swobodą jak szaty.

– Cieszymy się bardzo, że po wielu latach, gdy przewijałaś się po obrzeżach naszego dostojnego kręgu, wreszcie do nas dołączyłaś.

– Tak, sir. – Ostry kolec prześlizgnął się po mojej skórze, nie zahaczając jej jednak. Poczułam, że moja szyja pod haftowanym kołnierzem czerwienieje, ale uśmiechnęłam się, jakbym usłyszała czystej wody komplement. – Ja również jestem zaszczycona, że przyjmujesz mnie na dworze jako księżną Lancaster.

Jego oczy błysnęły. Potem rozpromienił się. Czyżbym zasłużyła sobie na królewską reprymendę? Ale nie.

– Sądzę, że znasz wszystkich tu zgromadzonych? Powinnaś ich znać.

– Tak, sir.

– To dobrze, to dobrze. – Zatarł ręce i klejnoty błysnęły. – Przyjechałaś w samą porę. Zamówiłem już dla ciebie ceremonialną szatę Orderu Podwiązki na uroczystość w przyszłym tygodniu.

Zupełnie o tym zapomniałam, a właściwie w ogóle o tym nie myślałam. Teraz zarumieniłam się, bo doskonale wiedziałam, dlaczego Ryszard o tym wspomniał. Królewski kociak, który wyrósł na statecznego kocura, prostował pazury. Obrzucił wzrokiem całą grupę stojącą dokoła nas, najwyraźniej oczekując reakcji na okazaną mi wspaniałomyślność, a gdy spotkał się z wymownym, napiętym milczeniem, podniósł rozpostartą dłoń.

– Muszę porozmawiać z moim wujem, lordem Lancasterem, o rozejmie we Francji i o moim ewentualnym małżeństwie z damą z rodu Walezjuszów. – Utkwił niewinne spojrzenie w Gloucesterze i Yorku, którzy nie popierali tych planów. – Z wami także, moi wujowie Gloucester i York. Może Lancaster przekona was o wartości tego sojuszu. – Zwrócił się do mnie. – Zostawię cię teraz, pani, byś mogła odnowić swoją znajomość z damami mojego dworu. – Wstał, skłonił się przede mną i podniósł moją rękę do ust, mrucząc pod nosem: – Przecież wiesz, że wszyscy przyszli tu po to, by spotkać się z tobą.

Wiedziałam o tym aż nazbyt dobrze. Gdy Jan oddalił się w ślad za Ryszardem, stanęłam twarzą przed damami. To była niewinna złośliwość Ryszarda. Czekałam w napięciu. Etykieta wymagała, by dygnęły przede mną. Świat stanął na głowie. To mnie należał się ich szacunek, ale czy uznają mój nowy status? Popatrzyłam wprost na księżną Gloucester. Ciężkie, cenne pierścienie lśniły na wszystkich jej drobnych palcach. Wiedziałam, że inne damy czekają na to, co zrobi, i śmiało utkwiłam spokojne spojrzenie w jej twarzy.

Eleonora de Bohun oddała mi spojrzenie z ostrożnym wyrazem twarzy i gniewnie zaciśniętymi ustami. Uniosłam głowę nieco wyżej, tylko odrobinę, ale to wystarczyło. Dygnęła ledwie dostrzegalnie, ale jednak zgięła kolano.

Przesunęłam wzrok na księżną Arundel, która dygnęła w identyczny sposób, ale wystarczyło jej przyzwoitości, by dodać z napięciem:

– Pani.

No cóż, w każdym razie to był krok do przodu.

Następna była księżna Hereford, której nielojalność tak mnie zabolała. Nie potrafiłam pogodzić się z myślą, że mogłaby mnie odrzucić po wszystkim, przez co przeszłyśmy razem.

– Witaj na dworze, pani – powiedziała miękko i uścisnęła mnie po bardzo krótkiej chwili wahania.

Przez moment stałam sztywno i dopiero potem dotarło do mnie, co zrobiła. Pozwoliłam odciągnąć się od grupy i z ulgą pochwyciłam ją za ręce.

– Czekałyśmy na ciebie przez ostatni miesiąc, Katarzyno. Brakowało mi ciebie. Byłam zdumiona, gdy się dowiedziałam. – Utrata córki odbiła się na jej twarzy, ale w tej chwili malował się na niej zachwyt. – Wydajesz się szczęśliwa, nie muszę pytać. Choć nie wiem, jak ci się to udało w otoczeniu tego skwaszonego stada sępów. Co do króla, to nikt obecnie nie wie, do czego może być zdolny. – Emocje odebrały mi mowę. – Nie masz nic do powiedzenia? A może małżeństwo odebrało ci język i poczucie absurdu?

W końcu wybuchnęłam śmiechem.

– Czy jesteś pewna, że powinnaś to robić?

– Co?

– Powitać życzliwie czarną owcę w śnieżnobiałym królewskim stadzie.

– A dlaczegóż by nie?

– Miałam wrażenie, że dostanę tutaj twardą lekcję. – Spojrzałam przez ramię na damy, które zamierzały mi owej lekcji udzielić. – Powiedziano mi, że również do nich należysz.

– I uwierzyłaś w to? Nonsens, Katarzyno. Moje nazwisko pojawiło się tam, gdzie nie powinno się pojawić.

– Bardzo się z tego cieszę. Mnie też ciebie brakowało.

– To dobrze. Porozmawiamy później – dodała, bo Ryszard skończył już rozmowę z wujami i stanął obok mnie, obrzucając wszystkich promiennym uśmiechem.

– Zamierzam wybrać się do Francji, by zakończyć negocjacje w sprawie mojej nowej żony, francuskiej księżniczki Izabeli. – Wciąż się uśmiechał. – Chciałbym, lady Lancaster, byś mi towarzyszyła w tym wyjeździe razem z twoją córką Joanną. Nie przychodzi mi do głowy nikt bardziej odpowiedni.

Udało mi się ukryć zdziwienie i nie stracić dobrych manier. Dygnęłam w podzięce.

– Jestem zaszczycona, sir.

– Moja przyszła narzeczona jest bardzo młoda. Ma zaledwie sześć lat. Przyda jej się twoja znajomość życia na angielskim dworze i twoja życzliwość. Wezmę z nią ślub w Calais – ciągnął, choć z pewnością wiedział, że większość zgromadzonych odnosi się do jego planów z mocną dezaprobatą. – Wiem, że powitasz ją życzliwie jako pierwsza dama podczas tej uroczystości. Oczywiście wraz z moją lady Gloucester. – Skłonił się w stronę sztywnej księżnej.

– Dziękuję, sir – wyszemrałam. – Zrobię, co w mojej mocy.

– Wiem, że tak będzie. Polegam na tobie.

Skłonił się i poszedł dalej, ja zaś wykorzystałam sytuację, którą rozmyślnie stworzył.

– A zatem będziemy razem odpowiedzialne za powitanie małej królowej – zwróciłam się do księżnej.

Odpowiedziało mi ponure skrzywienie ust.

– Na to wygląda, pani.

– Spotkamy się po kolacji – rzuciłam lekko, wzorując się na manierach Jana.

– Oczywiście, pani.

Twarz księżnej Gloucester nie złagodniała i wiedziałam, że nigdy nie nazwie mnie siostrą, ale jasno rozumiała, że nie byłoby mądrze mnie ignorować. Odwróciłam się i pochwyciłam spojrzenie Jana, który rozmawiał ze swoim bratem Gloucesterem. W jego wzroku dostrzegłam dumę ze mnie i satysfakcję równą mojej własnej. Nie uśmiechał się jednak, co miało być dla mnie ostrzeżeniem. Gry Ryszarda były oczywiste i bardzo niebezpieczne. Musiałam uważać, by nie dać się nabrać.

Król, czujny i jak zawsze w gotowości do intryg, skinął na mnie.

– Będę zaszczycony, jeśli zechcesz mi towarzyszyć, lady Katarzyno, i wydać swoją opinię o apartamentach, które kazałem przygotować dla mojej małej narzeczonej. Wiem, że twój gust w takich sprawach jest niezrównany.

Wyszłam z malowanej izby z dłonią w jego dłoni. Oczywiście to otwierało przede mną wszystkie drzwi w pałacu.

– Czy jesteś zadowolona? – zapytał głośnym szeptem, wyraźnie obliczonym na to, by wszyscy zauważyli naszą familiarność.

– Tak, panie.

– Zmącenie tej wody sprawiło mi wielką przyjemność – dodał ze śmiechem.

Skinęłam głową. Dobrze się rozumieliśmy. Zrobił, co mógł, by wygładzić przede mną ścieżkę, i uczynił to bardzo zręcznie. Od tej chwili żadna z dam, które ceniły sobie własną czy też męża pozycję przy królu, nie mogła sobie pozwolić na zlekceważenie mojej osoby.

– No i cóż? – zapytał Jan, gdy było już po wszystkim i mogliśmy schronić się we własnych komnatach.

– Dobrze – odrzekłam. – Ryszard przyszedł mi na ratunek.

– Wyratował cię własny rozsądek – odrzekł cierpko. – A wiem, że masz go dosyć, by zanadto nie ufać naszemu złośliwemu królowi, który kieruje się wyłącznie własnymi kaprysami. Dzisiaj przyjemność sprawiło mu zirytowanie tych kocic, ale kto wie, co wpadnie mu do głowy jutro.

Nic mnie to nie obchodziło. Zostałam zaakceptowana i wyznaczono mi rolę na dworze przy powitaniu małej królowej. Spojrzałam w lustro, podziwiając wysadzaną klejnotami siatkę pokrywającą moje włosy. Ta rola bardzo mi odpowiadała. Jan również miał zająć przynależne mu miejsce u boku Ryszarda. Żadna z moich obaw się nie potwierdziła.

– Dlaczego się uśmiechasz? – zapytał.

– Bo udało mi się przekonać Ryszarda, żeby zabrał tapiserię z bitwą pod Halidon Hill z komnat przeznaczonych dla przyszłej królowej.

– Ta tapiseria zawsze mi się podobała.

– Bo nigdy nie byłeś sześcioletnią dziewczynką. Właśnie w tej chwili wieszają tam ładny widoczek damy z kwiatami i sokołem na ręku.

– Czy to takie ważne?

– Dla mnie nie, ale może być ważne dla jego małej żony. Pewnie śniłyby jej się koszmary, gdyby co noc musiała patrzeć na sceny śmierci i okrucieństwa. Na szczęście Ryszard wziął moje zdanie pod uwagę.

– A teraz o co chodzi? – zapytał, gdy wybuchnęłam głośnym śmiechem.

– Teraz jeszcze ważniejsze jest, żebyś ty wziął moje zdanie pod uwagę.

– Na jaki temat?

– Na ten. – Rzuciłam zwierciadło na łóżko i pocałowałam go. – Księżna Lancaster domaga się twojej uwagi.

Dał mi ją chętnie. A jednak leżąc w jego ramionach, musiałam się zgodzić z tym, co powiedział wcześniej. Dlaczego wydawało mi się, że Ryszard bawi się z nami wszystkimi jak kot z myszą i że jeszcze nie skończył tej zabawy, a może nawet nie zaczął jej na dobre?

Mogłam jednak odsunąć te myśli od siebie i zasnąć, bo Jan w swojej niezmierzonej mądrości obiecał mi, że uczyni jeszcze jeden, ostatni krok, który doprowadzi do wymazania naszych przeszłych występków i uczynienia mnie pełnoprawną księżną Lancaster.

– A co z naszymi dziećmi? – zapytałam go kiedyś. – Czy ich pochodzenie zawsze będzie podawane w wątpliwość?

– Naturalnie, że nie – odpowiedział wtedy.

ROZDZIAŁ DWUDZIESTY PIERWSZY

Duma wypełniała moją pierś do tego stopnia, że nie mogłam złapać tchu. Przedpokój pałacu w Westminsterze był chłodny i przynajmniej raz pusty. Zwykle tłoczyli się tu pełni nadziei petenci, ale dzisiaj należał tylko do nas. Zdawało się, że zgromadzenie Beaufortów wypełnia go od ściany do ściany. Moja rodzina, familia Beaufortów, była potężną siłą, a dzisiejszy dzień należał do nas. Dzisiaj moje życie z Janem miało zostać ostatecznie przypieczętowane, a nasze dzieci uznane publicznie.

Staliśmy tam, Jan, ja i czworo dzieci, które urodziłam mu poza małżeństwem, wszyscy w biało-błękitnych barwach Lancasterów, bowiem nie byli już bękartami. Z jasną cerą i ciemnymi włosami, w słońcu rozświetlającymi się rudawym odcieniem, bez wątpienia byli dziećmi swego ojca. Nigdy nie widziałam czworga młodych ludzi, którzy tak dobrze czuliby się z tym, co otrzymali od życia. Bez względu na to, czy byli ślubni, czy nie, ich pewność siebie była lustrzanym odbiciem pewności siebie Jana. Nigdy nie przestało mnie to zadziwiać. Może był to skutek troski i miłości, jaką ich obdarzałam, a może chodziło o to, że nigdy nie musieli kwestionować swojego miejsca na świecie. Jan zawsze był dla nich hojny i cieszył się nimi od dnia narodzin, nawet gdy pozostawaliśmy rozdzieleni i wybuchałam stekiem przekleństw na sam dźwięk jego imienia. Jeśli kiedykolwiek istniała kochająca się rodzina, to właśnie nasza. A odkąd udało się w końcu przekonać Jego Świątobliwość, by usankcjonował nasze potomstwo, ta rodzina była również w pełni legalna. Nie zapytałam Jana, czy niezbędna do tego była sakiewka wypchana złotem.

A dzisiaj w tym diademie miał zostać umieszczony ostatni klejnot.

Urzędnik czekający na nas głośno odchrząknął. Joanna uśmiechnęła się z zadowoleniem. Młody Jan stał dumnie wyprostowany, emanując poczuciem, że jest ważną personą, bowiem był już rycerzem, a od niedawna także mężem królewskiej krewnej Małgorzaty Holland. Henryk chyba czuł się trochę nieswojo w szacie innej niż strój kleryka, ale uśmiechnął się do mnie i wzruszył ramionami. A Tomasz był po prostu Tomaszem, zuchwałym, niezgrabnym nastolatkiem o wdzięku jesiennego żurawia. Wciąż jeszcze rosły mu nogi i ręce.

Duma na twarzy Jana odzwierciedlała moją dumę. Wziął mnie za rękę, skłonił się i poprowadził mnie naprzód.

Lordowie czekali na nas w izbie parlamentu. Wszystkie miejsca były zajęte, a całe zgromadzenie pod śmiałymi łukami sklepienia iskrzyło się od kolorów. Z wysiłkiem rozluźniłam palce spoczywające w dłoni Jana i skłoniłam głowę na prawo i na lewo, witając znajome twarze. Thomas Arundel, arcybiskup Canterbury, poprowadził nas na środek sali, gdzie skłoniliśmy się przed lordami. Zapadła uroczysta cisza. Na sygnał skryby podeszło do nas czterech lordów. Jeden z nich przez ramię przewieszony miał płaszcz.

– Zgromadziliśmy się tu dzisiaj, by przeprowadzić tradycyjną ceremonię przyznania prawowitości tym oto dzieciom.

Rozpostarli płaszcz z białego adamaszku oznaczającego czystość, ze złotym lamowaniem i obszyty gronostajami, które mówiły o królewskiej władzy. Każdy z czterech lordów trzymał za jeden róg. Podnieśli płaszcz na złoconych drążkach wysoko nad naszymi głowami, aż wszyscy znaleźliśmy się w jego cieniu.

– Ryszard, z łaski Boga król Anglii i Francji, do naszych drogich kuzynów...

Jan patrzył na mnie. Arcybiskup donośnym głosem wypowiadał słowa z listu patentowego samego króla. Nikt nigdy nie będzie mógł podważyć prawomocności tej ceremonii. Nasze dzieci zostaną włączone w prawną strukturę Anglii na wszystkie czasy.

– Uważamy za słuszne i stosowne, by was wyposażyć...

O to bowiem chodziło. Uznanie Jego Świątobliwości wyrażone w końcu na piśmie zdjęło z naszych dzieci Beaufortów piętno bękartów, ale nie wystarczało, by dać im jakąkolwiek pozycję w świetle praw dziedziczenia. Jeśli kiedykolwiek miały otrzymać prawo do dziedziczenia ziemi albo tytułu, by zapewnić byt własnym dzieciom, niezbędna była ta ceremonia pod rozpostartym płaszczem.

– Uznajemy za stosowne nadać wam, drodzy kuzyni zrodzeni z królewskiej krwi, na mocy naszych królewskich prerogatyw łaskę...

Wyszliśmy do tego samego przedpokoju, który opuściliśmy przed godziną, bogatsi o uprawomocnienie. Szafiry przyszyte do mojego gorsetu zalśniły, gdy z euforią odetchnęłam głęboko. Przeszłe mroczne nieprawości zostały usunięte. Moje życie z Janem zostało usankcjonowane prawnie, a ja niczego więcej nie pragnęłam. Uśmiechnęłam się do dzieci, nie wiedząc, jak jeszcze mogłabym wyrazić poczucie spełnienia.

– Teraz istniejecie w świetle prawa jako drodzy kuzyni króla – zauważył Jan z odrobiną cynizmu. – A wasza matka jest bardzo szczęśliwa.

– Ja zawsze istniałem. – Młody Jan nie zauważył ironii.

– A ja wątpię, żeby Ryszard był teraz naszym drogim kuzynem. Nie bardziej niż wcześniej. On ma zmienne nastroje – zauważył Henryk.

– Czego jeszcze chcecie? – Joanna wzruszyła ramionami. – List patentowy, biało-złoty płaszcz opieki, a na jutro mamy obiecany akt parlamentu.

Euforia, która ją przepełniała, była zaraźliwa. Miała zaledwie dziewiętnaście lat, ale zdążyła już wyjść za mąż, owdowieć i wyjść za mąż po raz drugi, a także urodzić dwie córeczki. Od roku była też macochą dwanaściorga dzieci Ralpha Neville'a, barona Raby'ego. Była niezależną kobietą, a ja podziwiałam jej siłę. Trzeba było wiele, by poruszyć stalowe serce mojej córki, skryte dzisiaj pod haftowanym adamaszkiem.

Popatrzyliśmy z Janem na siebie. Wszystko, czego potrzebowaliśmy, znajdowaliśmy w sobie nawzajem i dla siebie nie pragnęliśmy już nic więcej, ale dla tej czwórki przystojnych Beaufortów, zrodzonych z miłości i w grzechu, od tej pory nie miało być w życiu żadnych przeszkód.

Dla mnie była to niezmiernie radosna ceremonia.

– Jestem głodny – oświadczył Tomasz.

– W takim razie musimy coś zjeść – zaśmiał się Jan. – Czy nie jesteśmy warci tego, by świętować?

To był szczęśliwy dzień. Co życie miało przynieść tym dzieciom? Naturalnie nie koronę, bowiem były wykluczone z dziedziczenia tronu. Ale jakie to miało znaczenie? Stał przed nimi otworem świat władzy i polityki. Nie mogłam życzyć sobie nic więcej. Jan był żołnierzem, Henryk duchownym, Joanna żoną, a Tomasz? Któż mógł wiedzieć, gdzie życie zaprowadzi moje najmłodsze dziecko?

Jakże ulotne jest szczęście. Tego dnia po raz ostatni czułam się tak wolna od trosk, upojona uznaniem, które spotkało moją rodzinę. Nie wiedziałam, co czeka w przyszłości mnie albo Jana. Sądziłam, że nasze życie okryte jest błogosławieństwem, i nie widziałam końca łask, które na nas spływały.

– Janie! – Pochyliłam się do przodu, opierając łokcie na blankach, i przymrużonymi oczami popatrzyłam na drogę przesłoniętą poranną mgłą. Stałam na murach Kenilworth i patrzyłam na południe. Mąż pogrążony był w rozmowie z konstablem na temat kruszącego się muru. – Janie! – podniosłam głos, naraz zatroskana. Nie myliłam się. Na drodze pojawił się tuman kurzu zwiastujący szybko jadącą grupę jeźdźców.

Co kazało mi zaalarmować Jana? Może przeczucie, bo na ten widok nieoczekiwanie serce drgnęło mi mocno w piersi.

– Milordzie! – zawołałam znowu, chociaż nie było takiej potrzeby. Mąż i konstabl stali już przy moim ramieniu.

Wyraz twarzy Jana wskazywał, że również spodziewa się jakichś kłopotów.

– To hrabia Derby, milordzie.

Konstabl potwierdził to, co sami już mogliśmy dostrzec. Na chorągwiach i proporcach widać było jelenie i łabędzie, symbole Henryka. Jechali szybko.

– Coś się stało. – Jan był już w połowie schodów, zanim wreszcie zgarnęłam spódnice i poszłam za nim.

Spotkaliśmy się z Henrykiem w wielkiej sali. Oczy miał wciąż szeroko otwarte ze zdumienia pomimo kilku godzin spędzonych w siodle, głos ochrypły i pełen niedowierzania. Nawet nie zdjął czapki, rękawic ani zbroi, tylko stanął pośrodku sali, zaparł się stopami o ziemię, wyprostował plecy i zacisnął dłoń na głowni miecza. Nie próbując zniżać głosu, powiedział tak głośno, że wszyscy służący znajdujący się w pobliżu zatrzymali się w miejscu.

– Jest spisek, ojcze. Morderstwo. Chodzi o Ryszarda.

– Spisek, by zamordować króla? – zdumiałam się. Słychać było głosy krytykujące sposób, w jaki Ryszard sprawował władzę, ale taka intryga oznaczała zdradę stanu.

– Nie! – Henryk wziął głęboki oddech i spróbował wyjaśnić to, co dla żadnego z nas nie miało sensu. – Jest spisek, by zniszczyć Lancasterów. – Wyciągnął rękę gestem obejmującym nas wszystkich. – To ma być masakra, na Chrystusa! Ty, sir, ja, a także ty, pani, i zapewne moi synowie, jeśli uda mu się dostać ich w ręce. Ma się to zdarzyć na drodze do Windsoru, gdy będziemy tam jechać w Nowy Rok.

W wielkiej przestrzeni sali zapadła cisza.

– Nie – westchnęłam, czując bolesne ściskanie w brzuchu.

– Na jakiej podstawie chce nas zabić? – parsknął Jan. Zauważyłam, że nie spytał nawet, kto wymyślił tę odrażającą intrygę.

– Oskarża nas o zdradę stanu – odrzekł Henryk. – Ale nie będzie procesu przed sądem, sir. Najpierw zabije, a potem będzie pytał.

Jan również i tego nie poddawał pod dyskusję.

– Kto ci o tym powiedział?

– Thomas Mowbray. Nie traktowałbym lekko jego ostrzeżeń.

Thomas Mowbray, potężny książę Norfolk, należał wraz z Henrykiem do niebezpiecznej grupy Lordów Apelantów, którzy próbowali ukrócić władzę Roberta de Vere'a, hrabiego Oksfordu i królewskiego faworyta. Czy można było wierzyć Mowbrayowi? Henryk sądził, że tak, ja jednak spojrzałam na Jana, by sprawdzić, co o tym myśli. Zmarszczył czoło, ale nigdy nie pokładał zbyt wielkiej wiary w głupich plotkach. Może to był tylko złośliwy żart, by skłócić go z królem?

– Wierzysz w to? – zapytałam Henryka, gdy już uspokoił oddech i odzyskał nieco równowagi umysłu.

– Mowbray w to wierzy. Zatrzymał mnie na drodze do Windsoru, żeby mnie ostrzec. – Potrząsnął głową, rzucił czapkę, rękawice i miecz na ławę i obrócił dłonie wnętrzem do góry, jakby chciał ujrzeć w nich prawdę, a potem zacisnął je w pięści. – Co zrobimy?

Jan wpatrywał się w podłogę u swoich stóp.

– Chodźcie, porozmawiamy o tym na osobności.

Drzwi wewnętrznej izby zamknęły się za nami.

– Powiemy Ryszardowi o tym, co usłyszałeś – stwierdził Jan.

Henryk chrząknął z niezadowoleniem.

– Jeżeli on sam jest w to zamieszany...

– Jeżeli. – Jan pochwycił syna za ramię. Kości jego twarzy ostro rysowały się pod skórą, ale powiedział władczym tonem: – Jeśli Ryszard zamierza zwrócić się przeciw własnej krwi, to fakt, że znamy jego plan, może sprawić, że się zastanowi. Damy mu szansę, by odzyskał rozum i wycofał się z tej intrygi. Ujmę to tak: odwaga Ryszarda nie jest zbyt wielka, ale za to nieprzewidywalna. Jeśli go do tego skłonimy, to może skorzysta z okazji, by zmienić zdanie, i okaże królewską łaskę, by zyskać sobie przychylność, w tym również Lancasterów. Może stwierdzi, że nic o tym nie wie i na tym cała sprawa się zakończy. Jeśli się przekona, że jesteśmy ostrzeżeni i przygotowani, może uświadomi mu to, że wypowiedzenie wojny własnej rodzinie wznieci burzę, która może wymknąć mu się spod kontroli i przynieść wiele szkód.

Zdawało mi się, że to rozsądna rada, ale z twarzy Henryka nie znikał cień niepokoju.

– Ale czy się wycofa? Ja bym nie dał za to głowy. Ryszard nie przykłada żadnej wagi do więzów rodzinnych. Uważa je za zagrożenie dla własnej władzy i korzysta z każdej okazji, by wyrównać rachunki. Bez żadnych skrupułów kazał zamordować mojego wuja Gloucestera.

– Za co będę się winił do ostatniego tchu – mruknął Jan i znów opadł na krzesło. Żal na jego twarzy był tak wyraźny, że stanęłam za nim i położyłam dłoń na jego ramieniu. Mięśnie miał mocno napięte. Podniósł na mnie wzrok, próbując się uśmiechnąć, ale w jego słowach wciąż brzmiał żal. – Powinienem zrobić coś, by go powstrzymać, a tymczasem odwróciłem się plecami z nadzieją, że Ryszard tylko chce ściągnąć na siebie uwagę, jak zawsze. Pomyliłem się i mój brat zapłacił życiem za moją bezczynność. Nie mówisz mi nic nowego, Henryku.

W tamtym czasie niebezpieczeństwo czaiło się blisko. Ryszard twierdził, że Gloucester spiskuje przeciwko niemu, i poprosił Jana o radę. Jan próbował wylać oliwę na wzburzone wody surowymi słowami. Twierdził, że Gloucester nigdy nie skrzywdziłby ani króla, ani małej królowej Izabeli Francuskiej, ale Ryszard kazał aresztować trzech rzekomych intrygantów: Gloucestera, Warwicka i Arundela. Wkrótce potem Gloucester został zamordowany w swoim łóżku w Calais.

– Czy wierzysz, że Gloucester rzeczywiście spiskował przeciwko Ryszardowi? – zapytał Henryk, siadając naprzeciwko ojca.

– Nie – odrzekł cicho. – Sądzę, że to był tylko pretekst ze strony Ryszarda. Chodziło o to, że mój brat Gloucester był jednym z Lordów Apelantów.

Henryk podniósł na niego wzrok.

– Ja też byłem jednym z Lordów Apelantów.

Poczułam, że mięśnie w ramieniu Jana napinają się jeszcze mocniej. Nie próbował tego ukryć. To najlepiej świadczyło o jego lęku o Henryka i o nas wszystkich.

– Wiem, że brałeś w tym udział. Jak sądzisz, dlaczego zachowałem się jak dyplomata albo jak niektórzy twierdzili, jak tchórz i prawie nie skomentowałem śmierci Gloucestera? I dlaczego teraz zachowuję taką ostrożność? Każdego dnia spodziewam się kolejnego kroku Ryszarda, który próbuje intrygami pozbyć się wszystkich ludzi w królestwie, w których żyłach płynie odpowiednia krew i którzy są wystarczająco potężni, by zagrozić jego władzy. A najbardziej obawiam się tego, że Ryszard ostrzy kolejną strzałę na ciebie, synu. Nigdy ci nie wybaczy tego, co zdarzyło się w Radcot Bridge.

To był ten sam Ryszard, który uśmiechał się do Beaufortów i przyznał ziemię oraz tytuł hrabiego mojemu synowi Janowi, a mnie nowy i cenny tytuł współwłasności majątku męża. Ten tytuł miał mi przysługiwać dożywotnio, bym nigdy nie musiała cierpieć niedostatku. Ten sam Ryszard, który nadał Henrykowi tytuł kanclerza Oksfordu, a Tomasza włączył do swojego orszaku. Gdy jedna jego ręka hojnie obdarzała, druga wymierzała złośliwości i dopuszczała się mściwych czynów. Ryszard, pomazaniec Boży, porzucał wszelkie współczucie i zrywał wszelkie więzy lojalności, mszcząc się na tych, którzy odważyli mu się przeciwstawić i pozbawili go uwielbianego faworyta, Roberta de Vere'a, w nadziei, że przywrócą dobre rządy w Anglii.

Henryk był jednym z Lordów Apelantów, którzy zwracali się do Ryszarda o przywrócenie dobrych rządów i przeciwstawili się królowi, co niektórzy uznali za zdradę stanu. Połączył siły z kilkoma lordami, u jego boku stanęli York, Nottingham, Warwick i Arundel, i wspólnie zebrali wojsko. Pod Radcot Bridge pokonali de Vere'a i zmusili go do opuszczenia kraju.

Gniew Ryszarda i pragnienie zemsty osiągnęły nowy poziom. Wypowiedział wojnę Henrykowi i Janowi, jedynemu człowiekowi w tym królestwie, który przewodził mu i strzegł od dziecka.

Teraz słowa Jana były jak dźwięk dzwonu sygnalizujący czyjąś śmierć. Podobnie jak syn, zacisnął dłonie w pięści. Moje palce wbiły się mocno w tkaninę jego kaftana. Poruszyłam nimi, ale nie oderwałam ich od ramienia męża. Wszystko, co zbudowaliśmy razem, cała nasza miłość i rodzina, a nawet nasze życie, znalazło się w niebezpieczeństwie przez gniew Ryszarda.

– Nic ci nie grozi – powiedział Jan, podnosząc na mnie wzrok. – Nie pozwolę, by stała ci się krzywda.

Ale jak mogę ocalić ciebie? – miałam ochotę zapytać. Jak miałabym żyć, gdybym go straciła po tak krótkim czasie spędzonym razem? Serce biło mi mocno. Jan miał nadzieję przemówić do rozsądku Ryszarda, ale choć w jego słowach dźwięczało przekonanie, w oczach widziałam troskę. Groziła nam śmierć na drodze, zapewne z ręki jakichś rzezimieszków opłaconych przez króla.

– Tak mi przykro – wykrztusiłam, gdy Jan boleśnie podsumował prawdomówność swojej rodziny i lojalność Plantagenetów.

Jego ramię znów się poruszyło pod moją dłonią.

– To ciężar, który muszę nieść.

– Który musimy nieść razem.

Nakrył moją dłoń swoją i przycisnął ją mocno do piersi w miejscu, gdzie jego serce biło równym rytmem. Spokojne spojrzenie męża uługodziło moją panikę. Uśmiechnął się ze zrozumieniem. Odpowiedziałam mu podobnym uśmiechem i lęk w moim sercu zelżał. Istniało między nami zrozumienie, więź zdolna przetrzymać wszelkie uderzenia losu. Nic nie mogło jej zniszczyć. Nie pozwoliłabym na to.

Chyba że sztylet mordercy.

Moje rozmyślania przerwał zniecierpliwiony gest Henryka.

– Przybyłem tu po twoją radę. Co mam zrobić, panie? – Niepokój kazał mu zwrócić się do ojca oficjalnie.

Jan podniósł się.

– Sprawdzimy go. Powiemy królowi o tym, co usłyszeliśmy, i przysięgniemy, że nie ma w tym ani odrobiny prawdy. Przekonamy go o naszej bezgranicznej wierze w jego miłość do rodziny, ale niech Bóg broni, byśmy choćby wspomnieli przy tym mojego brata Gloucestera. Zgadzasz się? – Popatrzył na mnie.

Tak rzadko pytał mnie o zdanie. Znaczyło to, że mimo pozornej pewności siebie jest bardzo zatroskany.

– Zgadzam się. – Nie widziałam żadnej innej drogi wyjścia z tego śmiercionośnego obłędu.

– Pojedziesz do Londynu czy ja mam jechać? – Henryk szedł już do drzwi energicznym krokiem. Od śmierci Marii postarzał się. Nie był już chłopcem i choć miał niewiele lat, jego jasność umysłu i umiejętność podejmowania właściwych decyzji godne były najwyższego uznania.

Jan uśmiechnął się sucho.

– Stary lew zrobił już swoje. Ty jedź, synu. Mam do ciebie zaufanie. – Objęli się. – Ale powściągnij emocje.

Tak więc Henryk pojechał do Windsoru, by rozplątać intrygę, Jan otoczył się murem milczenia, a ja w duchu przeklinałam Ryszarda i życzyłam mu, by się smażył w ogniu piekielnym za to, że zniszczył nasze szczęście.

– Uważaj na siebie – szepnęłam Henrykowi do ucha, gdy wsiadał na konia. – I wróć do nas.

Wiedziałam, że Jan byłby załamany, gdyby ukochanemu synowi coś się stało, a wówczas ja musiałabym być silna za nas oboje. Wiedziałam też, że nigdy nie wybaczę tego Ryszardowi i będę go nienawidzić do końca moich dni.

Wrzesień 1398, Gosford Green, Coventry

Matko Święta, modliłam się w duchu, zaciskając dłoń na paciorkach przypiętego do pasa różańca. Otocz swoją boską ochroną tych dwóch mężczyzn. Jeśli Henryk zginie na polu walki, złamie serce Jana. Nie mogłabym znieść jego i własnego cierpienia.

Jeśli miałam coś przedsięwziąć, to tylko teraz.

Siedząc na podwyższeniu w ciężkiej sukni z biało-niebieskiego adamaszku, którą nosiłam podczas ceremonii uznania dzieci, gdy wspólnie przeżywaliśmy radość z powrotu do łask Boga i angielskich lordów, patrzyłam na wspaniałą scenografię, którą Ryszard stworzył na ten dzień. Nie można było nic zarzucić jego wyobraźni ani wyczuciu dramatyzmu, ani też przewrotności, przez którą stał się niebezpieczny dla Henryka, hrabiego Derby.

Siedziałam na tyle blisko Ryszarda, że gdybym wyciągnęła ramię, mogłabym dotknąć podbitej gronostajami szaty. Przez chwilę zastanawiałam się, czy król potrafi wyczuć moje myśli. Natomiast ja nie potrafiłam przeniknąć myśli Jana, ukrytych za ściągniętą twarzą, ale w myślach Ryszarda czaiło się czyste zło pod maską łagodnego uśmiechu.

Całe ciało miałam napięte. Ze wszystkich stron otaczały nas chorągwie i proporce z herbami angielskiej arystokracji w połączeniu z bogatą symboliką królewską i białym jeleniem Ryszarda w złotej koronie. Na baldachimie nad moją głową trzepotały lamparty Plantagenetów i lilie Walezjuszów, rzucając cienie na mój welon i na welon małej francuskiej żony Ryszarda, która siedziała obok we wspaniałej sukni. Jej drobne dłonie z wyraźną przyjemnością gładziły aksamitne spódnice. Moje dłonie były zaciśnięte, a kostki pobielałe. Gdy to zauważyłam, rozprostowałam je i oparłam na sztywno haftowanej tkaninie.

Między mną a Ryszardem siedział Jan w oficjalnych ciemnych szatach ozdobionych klejnotami, lecz dostojnie surowych. W każdym calu wyglądał na doradcę króla, królewskiego wuja, księcia Lancaster i Akwitanii. Nie mógł przynieść ujmy swojej godności ani nazwisku, okazując emocje tego okropnego dnia. Przybyliśmy tu z lękiem w sercu, by ujrzeć pokaz królewskiej sprawiedliwości. A rzecz oczywista, sprawiedliwości Ryszarda nie można było ufać. Drżałam pomimo upału. Któż mógł wiedzieć, czego świadkami staniemy się za chwilę? To nie miał być zwykły turniej zorganizowany dla rozrywki dworu, rytualne starcie na miecze, prezentacja umiejętności dwóch przeciwników, lecz pojedynek na śmierć i życie. Nie można było wykluczyć, że tym, który zginie, będzie ukochany syn Jana, Henryk Derby.

Jak do tego doszło? Wszystko ułożyło się po myśli Ryszarda, gdy Henryk i Mowbray stanęli naprzeciwko siebie. Mowbray wiedział, że Henryk powiedział królowi o jego ostrzeżeniu, i w odruchu samoobrony oskarżył Henryka o zdradę stanu. Henryk odpowiedział mu tym samym. Wynikł z tego zajadły impas i Ryszard jak drapieżny kot natychmiast rzucił się na tę okazję. Oświadczył, że Henryk i Mowbray mają przystąpić do pojedynku w Coventry na oczach całego dworu. Walka ma być śmiertelna i rozstrzygnąć o winie. Jednego z nich czekała śmierć, drugiego wygnanie. Tym sposobem Ryszard z cichą radością mógł zniszczyć dwóch Lordów Apelantów za jednym zamachem. A teraz siedzieliśmy tu, patrząc na kulminację jego intrygi.

Przedstawiono publiczności obydwu przeciwników. Henryk i Thomas Mowbray, książę Norfolk, śmietanka angielskiej arystokracji. Każdy z nich trzymał w ręku kopię. Choć dzień był ciepły, cała krew odpłynęła mi z twarzy. Obawiałam się, że jestem blada jak płótno, ale nie mogłam być bledsza niż Jan. Jego twarz wydawała się wykuta z granitu.

Jeśli miałam działać, to tylko teraz. Skoro Jan nie zamierzał prosić o łaskę dla swojego syna, ja musiałam to uczynić.

– Nie będziesz apelował do Ryszarda? – zapytałam.

– Nie – powtórzył z uporem. – Nie splamię honoru mojego syna ani własnego. Nie będę czołgał się w kurzu, gdy jesteśmy niewinni zarzucanych nam czynów. Plantageneci nie padają na kolana i nie błagają, gdy król łamie prawo.

A zatem ja musiałam to zrobić. Podniosłam się z szelestem spódnic, ale na moim nadgarstku zacisnęła się twarda, nieubłagana dłoń.

– Nie – powiedział tak cicho, że nikt poza mną tego nie usłyszał, ale ten nieledwie szept miał potężną moc.

– Ktoś musi to zrobić. – Mimo wszystko nie usiadłam.

– Nie – powtórzył ponuro. – Wiem, dlaczego włożyłaś dzisiaj tę suknię, ale to na nic się nie zda.

Dotknął grubego złotego łańcucha, który błyszczał dumnie na adamaszku. Nie były to moje barwy, złoty i czerwony, ani błękit i srebro Jana, lecz barwy Ryszarda. Na piersi miałam białego jelenia, którego otrzymałam od króla w dowód szacunku. Miałam go na sobie na jego ślubie z małą Francuzką, która teraz siedziała obok niego niewinnie zachwycona, choć wszystko dokoła niej pogrążone było w nieznośnym napięciu.

– Ale może...

– Nie.

Mimo wszystko nie usiadłam.

– Katarzyno! Nie zrobisz tego! – To był ton królewskiego rozkazu, jakim Jan nigdy dotychczas się do mnie nie zwracał. Wciąż mówił cicho, ale jego głos był nieubłagany. – Nie wiadomo, jakiego drapieżnika w duszy Ryszarda możesz uwolnić.

Drapieżnik? To był ciekawy dobór słowa.

– Może uda mi się go okiełznać.

– Albo tylko rozwścieczysz go do czerwoności.

Siła w jego ramieniu była równie wielka, jak milczący przekaz w spojrzeniu. To spojrzenie ostrzegało przed mieszaniem się w sprawy, o których nic nie wiedziałam. W końcu usiadłam. Zbuntowana i wzburzona, ugięłam się jednak przed wiedzą większą od mojej.

Jeśli nawet Ryszard to zauważył, to nie dał niczego po sobie poznać. Przymrużonymi oczami wpatrywał się w dwóch mężczyzn, na których chciał pomścić wszystkie swoje urazy. Zajęli miejsca po przeciwnych stronach pola. Zauważałam wszelkie nieistotne szczegóły. Ostry wiatr szarpał chorągwiami i plątał frędzle. Pióra na hełmie Henryka trzepotały i uginały się. Przytrzymałam welon przy szyi. Jan nie odrywał oczu od syna. Ryszard uśmiechał się.

Kopie ani miecze nie były tępe. To nie była zwykła dworska rozrywka. Jeden z nich musiał zginąć albo odnieść śmiertelną ranę.

Henryk jest mistrzem we władaniu kopią i wytrawnym szermierzem, miecz słucha jego dłoni. Nic mu się nie stanie, pomyślałam, trzymając się resztek nadziei. Słyszałam lekki i płytki oddech Jana. Twarz miał tak napiętą, jakby sam wybierał się na bitwę. Słońce odbijało się od zbroi Henryka i od czapraka białego konia, jednego z dwóch koni Jana wyszkolonych do turniejów. Czaprak z niebieskiego i zielonego aksamitu haftowany był w jelenie i łabędzie, symbole Henryka. Daj Boże, by Abrax poniósł go tego dnia ze zręcznością i siłą łabędzia.

Popatrzyłam na drugą stronę, na Mowbraya przybranego w szkarłatny aksamit. Jego krępa sylwetka wyglądała jak plama krwi. Nie mogłam życzyć mu źle, bo tak samo jak Henryk był ofiarą mściwości Ryszarda.

Na sygnał trąbki herolda Henryk zgarnął wodze w jedną rękę, a drugą ustawił kopię przy ciele. Dokoła zapadła cisza. Wstrzymałam oddech i znów zacisnęłam dłonie na biało-błękitnych fałdach sukni. Z oddali nie sposób było dostrzec gry mięśni w zadzie

Abraxa, widziałam za to, jak napinają się mięśnie mocnej dłoni Jana opartej o udo. Potem rozległ się tętent kopyt, coraz głośniejszy wraz z nabieraniem szybkości przez wspaniałe ogiery.

Bardziej poczułam, niż zauważyłam poruszenie Ryszarda. Podniósł się i stanął na skraju podwyższenia. Pochylił się, wyrwał buławę z ręki herolda i rzucił ją na ziemię, gdzie rozbłysła pośród kurzu. Zdumiony herold opanował się szybko i znów rozdzierająco zadął w trąbkę.

Przeciwnicy ściągnęli konie, zatrzymali je z trudem i dokoła zaległo pełne wyczekiwania milczenie.

– Zbliżcie się. – Głos króla brzmiał wyraźnie. – Uklęknijcie, panowie.

– Przebaczy im – szepnęłam, chwytając rękaw Jana. W moim sercu zaczęło kiełkować ziarno nadziei, choć mąż przełknął z wysiłkiem, aż na jego szyi wyraźnie zarysowały się ścięgna. – Zrozumiał swój błąd.

Jan jednak mocno zacisnął usta. Na ten widok musiałam pogodzić się z prawdą. Tego dnia nie mieliśmy być świadkiem królewskiej dobrej woli. Miało się zdarzyć to, czego mąż się obawiał, a ja zaraz dowiem się, co to takiego. Cofnęłam dłoń. To była jego tragedia, i skoro tego chciał, musiał stawić jej czoło samotnie.

Ryszard przemówił.

– Wystarczy już tego, panowie. Wasz brak lojalności jest dla mnie obelgą i zagrożeniem dla pokoju w królestwie. Oto moja decyzja... – Urwał, a gdy znów się odezwał, jego głos brzmiał donośnie jak trąbka herolda. – Za wasze występki przeciwko mojej królewskiej osobie opuścicie ojczystą ziemię i będziecie żyć na wygnaniu. Lordzie Norfolk, będziesz banitą do końca życia. Jeśli tu wrócisz, czeka cię kara śmierci. Tobie zaś, kuzynie Derby, od którego powinienem oczekiwać honoru i lojalności ze względu na naszą wspólną krew i na uczucie, jakim darzę twojego ojca, złagodzę wyrok. Skazuję cię na dziesięć lat wygnania.

Dokoła mnie zaległo dziwne napięcie, jakby nikt nie potrafił uwierzyć w to, co usłyszeliśmy. Miałam rację, lękając się.

– Na Boga – wymamrotał Jan.

– Sir – rzekł Henryk, nie spuszczając oczu z twarzy ojca przypominającej maskę.

– Od tej decyzji nie ma odwołania, panowie. Czy to jest jasne?

Dziesięć lat. Zawrzała we mnie wściekłość, gdy zrozumiałam intrygę, która się za tym kryła. Bowiem chodziło o oszałamiającą nagrodę, o skarb, który Ryszard zawsze chciał przechwycić dla siebie. Dziesięć lat! Dziesięć lat wygnania dla spadkobiercy i jedynego syna-spadkobiercy Lancastera. Jakaż to była doskonała sposobność dla króla Ryszarda, by przechwycić majątek i posiadłości Lancasterów dla siebie, jeśli Jan podupadnie na zdrowiu.

Bowiem ta właśnie troska nie pozwalała mi spać spokojnie. Zdrowie Jana nie było najlepsze.

Ryszardowi nie chodziło tylko o ukaranie Henryka i Mowbraya jako Lordów Apelantów. Miał na oku znacznie większy skarb, o czym Jan zawsze wiedział i o czym nie chciał ze mną rozmawiać. W przypadku jego śmierci, gdyby spadkobierca był banitą, Ryszard przejąłby cały wielki spadek. Nie byłam w stanie sobie wyobrazić okrutniejszego posunięcia. Dotąd coś takiego nawet nie mogłoby mi się przyśnić, ale Jan wiedział.

Podniósł się i stał twarzą do Ryszarda, nie okazując wewnętrznego wzburzenia, które wyczuwałam pod surową twarzą. Wykazał się zadziwiającą samokontrolą, bowiem tym jednym posunięciem Ryszard wymazał trwające długie lata dobre stosunki między wujem a bratankiem i całą troskę, jaką Jan go darzył.

Mój mąż stawił temu czoło z niezwykłą prostotą, powiedział bowiem:

– Panie, radziłbym ci to jeszcze przemyśleć.

– O co chodzi, wuju? Chcesz mi doradzać w sprawach zdrady? Czy wolałbyś, bym pobłażliwie patrzył na zbrodnie przeciwko mojej osobie?

– Proszę cię, byś okazał miłosierdzie, jak przystało na wielkiego króla. Ani mój syn, ani lord Norfolk nie zostali o nic oskarżeni i nie udowodniono im żadnej winy. Tak surowy wyrok nie jest sprawiedliwy.

– Wiem, komu mogę ufać, sir – odrzekł Ryszard tonem nieprzyjemnie gładkim, jak pieczona legumina, którą zbyt długo obraca się w ustach.

– Dziesięć lat albo całe życie to wątpliwy wyrok wobec braku dowodów winy – nie ustępował Jan. – Nie jest dobrze, gdy król nie okazuje szacunku wobec prawa.

Ryszard pochylił się i pochwycił go za ramię. Dostrzegłam błysk w oku króla.

– Czy śmierć czai się za twoim ramieniem, wuju? – Leciutki uśmiech był kiepską imitacją współczucia. – Czasem zapominam, że wiek daje ci się we znaki, tak jak nam wszystkim. A zatem niech będzie. Ze względu na ciebie okażę pobłażliwość. Czyż nie jesteś krwią z mojej krwi? Skrócę termin wygnania twojego syna.

– Dziękuję, sir.

– Do sześciu lat – wychrypiał Ryszard. – Czy w dalszym ciągu masz ochotę odwoływać się do mojej wielkoduszności, wuju?

Jan skłonił się uroczyście, choć twarz miał spopielałą.

– Mogę tylko wyrazić wdzięczność za twoje współczucie, sir.

Wiedziałam, czego się boi, bo ja bałam się tego samego. Sześć lat dla Jana znaczyło tyle samo co dziesięć. Mógł już nigdy więcej nie zobaczyć syna. Serce mi się ścisnęło.

Ryszard zdjął Izabelę z podwyższenia, wyraźnie zadowolony z siebie. Miałam ochotę uderzyć go w uśmiechniętą twarz.

– Zniszczył mnie – powiedział Jan bezbarwnym tonem, gdy wychodziliśmy z pola turniejowego.

Nie mogłam temu zaprzeczyć. Wyglądało na to, że taka jest prawda. Nie potrafiłam otrząsnąć się z przygnębienia.

Po rozstaniu w Waltham, które ojciec i syn znieśli z godnym podziwu opanowaniem i spektakularnym brakiem emocji, choć przyszłość ich obu malowała się w złowieszczych barwach, Jan zamknął się w swojej komnacie w Leicester. Zablokował drzwi nawet przede mną. Płakałam, choć nie płakałam wcześniej, gdy ogłaszano banicję Henryka, a potem zaczęłam krążyć przy jego drzwiach z coraz większą złością. Pozostawały jednak przede mną zamknięte, jakby mąż nie był w stanie znieść mojego towarzystwa. Jeden z giermków, którego imienia ze wzburzenia nie mogłam sobie przypomnieć, wciąż z kamienną twarzą odmawiał mi wstępu.

Rozstanie było bolesne. Jan objął syna i na jego twarzy odbił się wyraźny lęk, ale żadne słowa nie padły, choć atmosfera przepełniona była cierpieniem. Wszyscy obawialiśmy się, że może to być ich ostatnie spotkanie.

– Jedź do Paryża – poradził synowi. – Gdyby Ryszard wezwał cię z powrotem, wrócisz bez kłopotów.

Przewrotność Ryszarda była jak rozpięte nad nami skrzydła czarnego kruka. Wiedzieliśmy, że nie odwoła banicji Henryka.

– On nie pozwala sobie pomóc – żaliłam się Agnes, która z początku odnosiła się do mnie ze współczuciem. – Próbowałabym apelować do Ryszarda. Może nic by to nie dało, ale...

Ostatnim złośliwym gestem Ryszarda było wezwanie Henryka Monmoutha, wnuka Jana, na dwór, gdzie miał mieszkać jako zakładnik gwarantujący dobre zachowanie na wygnaniu jego ojca, hrabiego Derby. Łańcuch dokoła domu Lancasterów z każdym mijającym dniem zaciskał się mocniej.

– Petycja do króla Ryszarda mogłaby spowodować jeszcze więcej złego – upomniała mnie Agnes. Lata odebrały kolor z jej włosów i przygarbiły ramiona. Palce już miała mniej zręczne, ale umysł jak zwykle ostry i przenikliwy. – Książę to zrozumiał. Dlaczego ty nie możesz tego zrozumieć?

– Czego? – Roztarłam bolące skronie.

– Zaufałabyś królowi? – zapytała Agnes. – Gdyby Ryszard znudził się wysłuchiwaniem apelacji, mógłby zapomnieć o swoim długu wdzięczności wobec księcia i powrócić do dziesięcioletniego wyroku albo nawet go przedłużyć. Ja myślę, że najlepiej brać, co dają. Mogłaś uczynić wiele złego, Katarzyno.

Nie patrzyłam na to wcześniej w takim świetle. Chciałam tylko ulżyć Janowi w cierpieniu. Opadłam na stołek i przymknęłam oczy, przyznając, że w sprawach polityki i znajomości królewskich kaprysów mąż był znacznie bardziej przenikliwy ode mnie. Niewątpliwie Ryszard miał na oku ziemie i majątek Lancasterów.

– Nie miałam racji.

– To już nie pierwszy raz i pewnie nie ostatni.

Te słowa przywróciły mnie do równowagi.

– Ale teraz on nie chce mnie widzieć ani ze mną rozmawiać.

– Z tym może sobie poradzić każda sprytna kobieta. Chodź ze mną.

Spędziłam pożyteczną godzinę w spiżarni z Agnes. Jej spuchnięte palce wciąż potrafiły przyrządzić potężne lekarstwo. Potem z kubkiem w dłoni poszłam do komnaty Jana i podniosłam rękę, żeby zastukać do drzwi, choć serce mi się ściskało. Ale miałam pretekst. Drzwi otworzyły się, zanim zdążyłam ich dotknąć.

– Chciałabym rozmawiać z... – powiedziałam i od razu przeszłam przez próg, zdecydowana nie pozwolić, by znów zamknięto mi je przed nosem.

Ale nie zobaczyłam przed sobą zgiętego w ukłonie giermka ani zmieszanego pokojowego. Na progu stał Jan – schludny, w imponującej adamaszkowej szacie, choć twarz miał bladą. Uświadomiłam sobie, że moje suknie są w nieładzie po godzinie ucierania i mieszania.

– Potrzebujesz mnie, Katarzyno? – Smutek po wyjeździe Henryka już minął. Jan patrzył na mnie z życzliwym uśmiechem.

– Zawsze cię potrzebuję. Zamierzałam wejść, z twoim pozwoleniem czy bez niego.

– Muszę cię przeprosić – powiedział łagodnie.
– Tak. Ja ciebie też.
Widząc go w zwykłej formie, poczułam ulgę, która rozlała się po mojej duszy jak balsam. Poszłam za nim do komnaty, jak zawsze pedantycznie czystej i posprzątanej. Zasłony przy łóżku wisiały w schludnych fałdach. Kufer, krzesło, klęcznik i otwarta książka, chyba z poezją. Nic nie świadczyło o cierpieniu potężnego człowieka, którego świadkiem były te cztery ściany. Ale to cierpienie cały czas było widoczne na jego twarzy.
– Wybaczam ci wszystko, za cokolwiek chcesz przeprosić. Wypij to. – Wysunęłam kubek w jego stronę.
– To ma być pokuta?
– Można tak powiedzieć. Jest gorące i ostre – ostrzegłam.
Wypił tynkturę rozpuszczoną w ciepłym winie, wzdrygnął się i skrzywił.
– Czy mogę zapytać, jak ma mi to pomóc?
– To wyciąg z czarnej gorczycy. Wzmacnia serce.
– Na Boga, moje serce potrzebuje wzmocnienia.
Jego uśmiech rozgrzał moje serce.
– A także odtruwa – dodałam dla porządku.
Usiedliśmy przy oknie. Pocałunkiem przeprosiłam go za samowolne zachowanie podczas turnieju, on zaś przeprosił za to, że zamknął przede mną drzwi.
– Miałeś rację – przyznałam. – Ryszard jest drapieżnikiem, a my nic z tym nie możemy zrobić. – Gdy zamilkł, zapytałam: – Czy jesteśmy w tym razem?
Splótł palce z moimi.
– A cóż mogłoby nas rozdzielić? Nie możemy dopuścić do tego, by Ryszard stanął między nami – dodał po chwili.
– Nie dopuścimy, ale nie zamykaj się więcej przede mną.
– Obiecuję. Och, Katarzyno, potrzebuję cię bardziej niż wcześniej.
Zrozumiałam, co te słowa oznaczały – ostateczne odrzucenie arogancji Plantagenetów i akceptację mojej pozycji w jego życiu.

Po wszystkich latach, burzliwych i szczęśliwych Jan zrozumiał, że mnie potrzebuje, i zamierzał dzielić się swoimi myślami jak nigdy wcześniej. Nie chciał już ukrywać przede mną pragnień ani lęków. Miałam wziąć ten ciężar na siebie. Naiwna, młoda Katarzyna Swynford nigdy w życiu by nie przypuszczała, w jak potężne uczucie może się przerodzić jej zauroczenie. Wciąż poruszała mnie wspaniałość Jana, ale głębia naszej miłości wstrząsała mną ogromnie. Teraz stałam obok niego przed całym światem, jako milczący świadek jego trosk. Musiałam go pielęgnować i łagodzić, nie dodając mu własnych ciężarów. Miałam być dla niego promykiem światła na ciemnym niebie. Moja miłość miała być jego siłą i zbawieniem.

A on mnie kochał i instynktownie rozumiał moje radości i smutki. Niczego więcej nie mogłam sobie życzyć.

W milczeniu cieszyłam się tą bliskością, którą osiągnęliśmy, choć jednocześnie rozpaczałam nad jego wielką stratą, która miała znacznie skrócić nasze wspólne dni.

ROZDZIAŁ DWUDZIESTY DRUGI

Październik 1398, zamek Leicester

– Co ty robisz?

To, co zobaczyłam, gdy weszłam do wielkiej sali, przeciskając się z trudem między porozkładanymi wszędzie stertami bagażu i sprzętu odpowiedniego na długą podróż, zmroziło mi krew w żyłach. Pośrodku tego chaosu stało wielkie podróżne łóżko.

Nie, tego nie zrobi!

Zawróciłam na pięcie i pobiegłam szukać Jana, by mu powiedzieć, co o tym myślę. Znalazłam go w komnacie ochmistrza, ale na jego widok słowa zamarły mi na ustach, a krew w żyłach zlodowaciała. Wyglądał na bardzo znużonego. Oczy miał podkrążone, twarz ściągniętą, niemal przezroczystą, a nos cienki jak ostrze sztyletu, ale jego duch i temperament pozostawały niezłomne.

– Jak widzisz, przygotowuję się do podróży. – W jego głosie zabrzmiał dobrze mi znany ton zniecierpliwienia.

– Czy to bardzo pilne?

– Nie tak pilne, bym nie mógł ci poświęcić chwili czasu. – Westchnął i skinął na ochmistrza, by zostawił nas samych. Na widok wyrazu mojej twarzy ochmistrz wycofał się pośpiesznie.

– Czy to dobry pomysł? – Udało mi się opanować głos.

– Zapewne nie.

Promień światła podkreślił ostre zarysy zapadniętych policzków Jana. Moim zdaniem przyczyną jego stanu nie był nietypowy o tej porze roku chłód ani pochmurne, deszczowe dni. Uważałam, że winien temu jest Ryszard. Wygnanie Henryka złamało Janowi serce, ale choć nie potrafił się uwolnić od smutku i poczucia straty, nasze małżeństwo na tym nie ucierpiało, a miłość była równie silna jak zawsze. Przysięgliśmy sobie, że tak będzie, i nawet Ryszard nie mógł tego zmienić.

Nalałam mu wina z kutego srebrnego dzbana, myśląc, że zapewne odzyskałby siły, gdyby Ryszard pozwolił mu odpocząć. Po zakończeniu wrześniowej sesji parlamentu w Shrewsbury Jan wybrał się ze mną do opactwa Lilleshall, co znacznie podniosło go na duchu. Modlitwa i okres spokoju rozproszyły gorączkę, która wstrząsała jego członkami i od której cała jego twarz pokrywała się potem, choć dni były chłodne.

Ale czy rzeczywiście wrócił do zdrowia? Bywały dni, gdy zimna rzeczywistość wdzierała się w moje myśli i kazała przyjąć do wiadomości nieuniknione. To był jeden z tych dni.

– Dlaczego to robisz? – zapytałam, podając mu puchar. Próbowałam zachować spokój, choć podróż, zapewne długa, wzbudzała we mnie lęk i miałam wielką ochotę wykrzyczeć, że nie może jechać. Nie nadawał się do żadnych podróży. Podejrzewałam w tym rękę Ryszarda.

– Bo na prośbę króla mam pojechać w październiku do Szkocji.

Znałam te plany. Miała to być dyplomatyczna misja, do której Jan był najodpowiedniejszym człowiekiem. Jeśli ktokolwiek mógł przekonać Szkotów do sojuszu, to tylko on. A zarazem najpewniej

Ryszard dostrzegł okazję, by odsunąć wuja od centrum władzy. Obydwoje o tym wiedzieliśmy, ale wola króla to wola króla.

Nie powiedziałam nic więcej. Jan znów skupił się na pakowaniu, choć wiedzieliśmy, że nic z tego nie będzie. Potężny książę Lancaster nie miał już sił na taką podróż. W następnym tygodniu sterty bagażu zostały zabrane i rozpakowane, a łóżko wyniesione do schowka. Kazałam to zrobić, a skrajnie wyczerpany Jan nie był w stanie mi się przeciwstawić. Zdarzały się dni, gdy musiał zebrać wszystkie siły, by pokroić mięso albo podnieść puchar do ust.

– Na Boga, nie tak powinno się świętowań narodziny Dzieciątka Jezusowego – oznajmił, gdy zbliżały się święta, a nalewka ze szczawiu, którą w niego wmuszałam, nie dodawała mu ani sił, ani apetytu.

– Mimo wszystko będziemy świętować. Nie musimy tańczyć – odrzekłam.

Jego oczy zabłysły.

– Wciąż mogę tańczyć z tobą w myślach, moja droga.

– W takim razie będziemy tańczyć w myślach.

Nie zamierzałam pozwolić, by w domu zapanował żałobny nastrój. Jeszcze nie.

Bywały dni, gdy Jan czuł się lepiej. Siadywaliśmy wtedy razem nad pucharem wina i przywoływaliśmy wspomnienia, ale tylko te dobre, którymi mogliśmy cieszyć się razem. Nie była to odpowiednia pora, by przywoływać minioną gorycz i żale. I w gruncie rzeczy takie wspomnienia do nas nie przypływały. Czas i cierpienie zbliżyły nas do siebie, choć nasza intymność ograniczała się do uścisku dłoni i delikatnego, niewinnego pocałunku. Dni fizycznej miłości już dawno minęły, ale moje ciało było z tym pogodzone. Przez długie lata żyłam w celibacie i dobrze sobie z tym radziłam. Gdy Jan brał mnie w ramiona, cieszyłam się bliskością naszych dusz.

– Czy mam powiedzieć Henrykowi? – zapytałam w końcu, przyznając się do głębi mojej rozpaczy. Po raz pierwszy któreś z nas wspomniało o nieobecności dziedzica Jana i uczyniło aluzję do jego zbliżającej się śmierci. Ale teraz już nie mogliśmy odwracać myśli od tych tematów.

– Nie ma takiej potrzeby. Po cóż martwić go bez powodu – odrzekł Jan. – Poczytaj mi. – Otworzył brewiarz i pchnął go w moją stronę po łóżku. – Przeczytaj mi psalm... ten psalm.

To był Psalm 38, którego wolałabym teraz nie pamiętać. Zaczęłam czytać:

– Nie karć mnie, Panie, w Twoim gniewie i nie karz mnie w Twej zapalczywości! Utkwiły bowiem we mnie Twoje strzały i ręka Twoja zaciążyła nade mną. Nie ma w mym ciele nic zdrowego na skutek Twego zagniewania, nic nietkniętego w mych kościach na skutek mego grzechu... – Urwałam przerażona. – Janie, nie!

– Czytaj dalej. Muszę się pogodzić ze śmiercią. Wiem, dlaczego cierpię. Mój medyk mówi, że to kara Boża za złamanie świętych praw. Potrzebuję boskiego przebaczenia.

Czytałam zatem dalej, pełna niechęci, ale skoro tego właśnie pragnął...

– Serce się me we mnie trzepoce: moc mnie opuściła, zawodzi nawet światło moich oczu[2].

Nie mogłam czytać dalej. Po raz pierwszy w tych ostatnich tygodniach w obecności Jana nie udało mi się powstrzymać łez. Zamknęłam brewiarz i odłożyłam na bok. Wymieniliśmy długie spojrzenie, które mówiło wszystko, czego nie chcieliśmy powiedzieć słowami.

– To nie tak – rzekł w końcu. Jego uśmiech był dla mnie błogosławieństwem. – Światło moich oczu nie zawodzi. Ty jesteś światłem moich oczu, jesteś jasnym słońcem na moim firmamencie. Zawsze jesteś ze mną.

– I będę z tobą do końca – szepnęłam.

---

[2] Księga Psalmów, Psalm 38, w: Biblia Tysiąclecia.

Siedzieliśmy w milczeniu. Nasze umysły były ze sobą zestrojone. Porzuciłam lament psalmisty, rozpacz fizycznego cierpienia i przemijania w okowach grzechu i gniewu Bożego, i w zamian śpiewałam o miłości, nadziei i pewności, że czeka nas wspólna przyszłość:

Twoja miłość i moja zjednoczone w wieczności,
Stąd me serce i dusza pławią się w radości.
Niezrównaną pociechę, balsam na zło wszelkie,
Stateczność twych uczuć niesie mi, kochany,
A ma wierność w twych dłoniach spoczywa na wieki.
Rozpraszasz wszystkie smutki wokół mnie krążące,
Twe oddanie niezmienne jest, potężne, niezłomne.
Twoja miłość i moja wierność ślubowały,
I w tych ślubach rozstania nigdy nie zaznają.

Powtarzałam sobie, że wszystko będzie dobrze. Henryk wróci z wygnania. Ciało Jana wyzdrowieje i stanie się równie mocne jak umysł. Nie wypuszczę go, nie pozwolę mu ode mnie odejść. Przez całe życie pragnęłam być z nim i za nic nie chciałam pogodzić się z rozstaniem, nie byłam na to gotowa. Nigdy nie będę.

Mocno trzymałam go za rękę. Nie mogłam pozwolić mu odejść. Jego umysł był tak przenikliwy jak zawsze, jego wola równie silna. Śmierć nie mogła go zabrać.

Drugiego dnia lutego weszłam do jego komnaty, wiedząc, że nie ma tam medyka ani pokojowego. Ale był skryba. Jan dyktował coś równym głosem, a skryba pisał.

Popatrzył na mnie, ale nie przerwał dyktowania. Gdy podniósł rękę, by przywołać mnie bliżej, zobaczyłam, że ledwie starczyło mu na to siły. Stałam obok niego, dopóki nie skończył dyktowania, nie odrywając oczu od jego twarzy i chłonąc każde jej drgnienie.

– Co to ma być? – zapytałam w końcu, gdy przysiadłam na skraju łóżka i zauważyłam porozrzucane na kołdrze złoto i srebro.

Przesunęłam się, widząc, że usiadłam na szarfie wysadzanej rubinami, i próbowałam ją odłożyć na bok.

– Nie, zostaw ją na razie. To ma być spakowane do kufra. Przeznaczam to wszystko dla Ryszarda.

Popatrzyłam na kosztowności i nie kryjąc zdumienia, wybuchnęłam śmiechem na widok złotego pucharu, który Jan dostał ode mnie w prezencie na Nowy Rok. Obok leżała brosza do spinania płaszcza ze wspaniałym kamieniem i złoty półmisek grawerowany w motyw podwiązki. Na pokrywie rozpościerała skrzydła gołębica.

– Mój puchar? – Wciąż się uśmiechałam. – Dostałeś go zaledwie przed miesiącem.

– To najlepszy, jaki mam.

– Chcesz ułagodzić Ryszarda?

– Tak.

– Czy myślisz, że da się przekonać?

To był piękny puchar. Z niechęcią myślałam o tym, że zajmie dumne miejsce w skarbcu Ryszarda, ale nie mogłam odmówić mężowi prawa, by go oddał.

– Złoto nic dla mnie znaczy – mruknął. – Jakie to dziwne, że kiedyś dostrzegałem jego wartość i gromadzenie takich przedmiotów sprawiało mi radość. Teraz, najdroższa Katarzyno, ty jesteś moim skarbem, bezcenną perłą. – Wziął moją rękę i podniósł do ust, jak kiedyś, w dniach, gdy nasza miłość kwitła w pełnej chwale. – Tobie daję dar, którego nie mogę dać nikomu innemu. Daję ci najcenniejszą rzecz, jaką mam. Siebie samego, moją wierność i miłość, stałość pragnień i niezmienność, nawet gdy śmierć niepostrzeżenie podchodzi coraz bliżej.

Siedziałam przy nim w milczeniu. Nie było słów, które mogłabym wypowiedzieć.

Byłam ostrzeżona, wszystko rozumiałam w najgłębszej istocie znaczenia. Widziałam przecież, jak śmierć zbliża się do nas. Niewielkie dawki czarnej gorczycy i dzikiej waleriany może były skuteczne, ale nie mogły przedłużyć życia poza wyznaczoną granicę. Wkrótce po odejściu starego roku nadeszły ostatnie dni wielkiego księcia.

Siły uchodziły z niego coraz szybciej, wiedzieliśmy to oboje. Nie mówiliśmy o tym, bo na nic żadne protesty czy zaprzeczenia, więc pozwalaliśmy, by wydarzenia rozwijały się swoim tempem.

Mój pan, mój kochanek odszedł w śmierć tak łagodnie, jakby zapadał w sen. Siedziałam przy jego boku, patrząc na ukochaną twarz. W ostatnim oddechu poprosił, żebym zagrała mu na lutni. Jego dusza odeszła w chwili, gdy komnatę wypełniły żałosne akordy. Odszedł bez walki i bólu, jakby jego ciało rozpoznało wyznaczoną godzinę i bez oporu uwolniło duszę.

Siedziałam przy nim jeszcze długo ubrana w piękną szatę, jakby wciąż żył, z dłonią zaciśniętą na strunach lutni, by uciszyć jej wibracje. Mój pan, mój ukochany również był nieruchomy i milczący. Ale choć mogłam ożywić lutnię i sprawić, by wydała dźwięk łagodny lub głośny i radosny, wedle mojego kaprysu, mój ukochany nigdy już nie miał do mnie przemówić. Majestatyczna polifonia naszego wspólnego życia ucichła na zawsze.

Ja również czułam się zagubiona, samotna i milcząca.

Nie potrafiłam wyrazić głębi mojej rozpaczy.

EPILOG

Luty 1399, zamek Leicester

Uklękłam w kaplicy obok katafalku, na którym spoczywał mój pan, mój kochanek, mój mąż, zimny i martwy. Czuwałam przy nim, tak jak powinna to uczynić dobra żona i jak kazało mi serce. Następnego dnia mieliśmy rozpocząć powolną podróż na południe do Londynu, gdzie miałam się z nim rozstać na zawsze.

W lutym dni są krótkie. Zapada już zmierzch. Kształty kolumn i łuków zacierają mi się w oczach. We wdowich szatach jestem zaledwie cieniem pośród innych cieni.

Przesuwam w palcach paciorki mojego różańca, pierwszego podarku, jaki od niego dostałam, gdy jeszcze zdecydowana byłam oprzeć się jego urokowi. Moje usta poruszają się bezgłośnie. Modlę się za duszę Jana i za siłę dla siebie, by wytrzymać nadchodzące dni. Mój umysł jest jasny, ale w sercu zalega mrok, nieprzenikniony jak czas Wielkiego Postu. Moje serce jest równie martwe jak serce mego księcia, choć moje wciąż bije, a jego stanęło na zawsze. Nie potrafię sobie wyobrazić, jak będzie teraz wyglądało moje życie.

Siedzę oparta na piętach. Usta mam lekko wydęte, a wzrok osądzający.

– Zobacz raz jeszcze, jak wyglądam we wdowich szatach – mówię. – Nie podobają mi się, ale nie dałeś mi wyboru. Chyba nie chcesz, żeby znów wzięto mnie na języki. – Zmuszam się, by sobie wyobrazić życie bez niego. – Będę musiała trzymać ptaki w klatce dla towarzystwa. Pamiętasz, jak Małgorzata je kochała? Zarzucałeś zasłonę na klatkę, by je uciszyć. Teraz już nikt nie będzie na to narzekał.

Jego wspaniałość przyćmiewa mnie nawet teraz. Wyglądam jak ciemna wrona przy barwnym pawiu. Zawsze lubił, gdy nosiłam suknie w barwach klejnotów – szmaragdowe, szafirowoniebieskie, krwistoczerwone i szkarłatne, z tuniką ze złotogłowiu.

– Możliwe, że skazałeś mnie na noszenie tego do końca moich dni, ale popatrz tylko! – Unoszę ciężkie spódnice. Pod spodem mam halkę z czerwonego jedwabiu. Jej skraj ozdobiony jest rzędem kół świętej Katarzyny wyszytych złotą nicią. – Nie porzucę swojego wspaniałego herbu. Wiem, że to ci się podoba.

Układam czarny jedwab na kolanach tak, by czerwono-złoty szlak wystawał spod niego buntowniczo. Wyciągam rękę i dotykam misternych haftów na tunice Jana. Gładząc srebrną lilię na niebieskim tle i gibki grzbiet złotego lamparta Plantagenetów, mówię ze skargą w głosie:

– Widzę, że życzyłeś sobie być pochowany obok Blanki w katedrze Świętego Pawła. – Mój głos odbija się dziwnym echem od niewidocznych łuków sklepienia. Oglądam się szybko przez ramię, sprawdzając, czy nie słyszy mnie żaden ksiądz. Ale właściwie dlaczego żona nie miałaby rozmawiać z mężem? – Dlaczego nie mogę cię pochować w Lincoln i dołączyć do ciebie, gdy przyjdzie na mnie pora?

To małostkowa skarga, ale sądzę, że zrozumiała. Wzdycham i znów wyciągam palce w stronę haftowanego jedwabiu. Ciężka tkanina jest zimna jak lód.

– Nawet przez chwilę nie wątpię w twoją miłość do mnie, Janie, chociaż zostawiłeś mi dwie gorsze brosze. Uznałeś, że król jest bardziej godny tej najlepszej. Ale dałeś mi złoty puchar, który dostałeś od Ryszarda. Szkoda tylko, że więcej w nim ostentacji niż piękna.

Na chwilę opieram czoło o krawędź katafalku, a potem, gdy moje kolana mają już dość długiego klęczenia na zimnej posadzce, siadam obok niego na podłodze, nie zważając na zimno i kurz. Układam wygodnie spódnicę i przyciągam do siebie niedużą cyprysową szkatułę, którą mi zostawił. Dał mi tak wiele. Jego hojność oszałamia moje zmysły. Oprócz złotych pucharów i brosz dał mi płaszcze z gronostajów, opaskę na głowę i łańcuch, który bardzo lubił nosić. Jestem bogatą wdową. Mogę sobie pozwolić na to, by bezczynnie siedzieć na zakurzonej podłodze w czarnych jedwabnych szatach.

– Nigdy nie będę musiała błagać o następny posiłek – mówię. – Nigdy nie będę musiała klękać przed jakimś szlachetnym panem i odwoływać się do jego miłosierdzia, tak jak odwoływałam się do twojego. Byłam przerażona, że odmówisz mi miejsca w swoim domu i odeślesz z powrotem do Kettlethorpe z pustymi rękami. – Moja twarz rozjaśnia się na to wspomnienie. – A potem uciekłam od ciebie i musiałeś przywołać mnie z powrotem.

Biorę klucz, który zawsze nosił w sakiewce przy pasie, i z uśmiechem otwieram zamek skrzyni. Jan zostawił mi swoje łóżko wraz z całym bogatym wyposażeniem, a także całą kolekcję łóżek podróżnych.

– Dokąd mam podróżować, gdy jestem sama? – pytam, śmiejąc się cicho. Jest to szczery, choć łzawy śmiech. – Jakie to podobne do ciebie: zostawiłeś mi łóżka.

Jeśli zamierzał podkreślić w ten sposób fizyczne pożądanie, które nas połączyło na tak wiele lat, że nie potrafię ich zliczyć, doskonale mu się to udało.

Śmiech zamiera mi na ustach, gdy patrzę na jego dar. Powietrze wokół mnie stoi zupełnie nieruchomo.

– Zastanawiam się, czy byłam warta tych dwóch tysięcy funtów, które mi zostawiłeś.

To ogromna suma, ale oddałabym ją bez wahania razem ze wszystkimi łóżkami, klejnotami i pucharami. Gotowa byłabym spać na tych zimnych kamieniach i do końca życia pić wodę z glinianego kubka, byle tylko znów mieć go przy sobie.

Ukrywam twarz w rękach. To się nigdy nie zdarzy.

Ocieram łzy rękawem, obracam klucz i podnoszę pokrywę. Nie miałam jeszcze czasu przejrzeć tego małego skarbczyka. Może to nie wydaje się ważne w obliczu śmierci Jana, ale wiem, że ta skrzyneczka miała dla niego wielką wartość osobistą. Teraz spoglądam na to, co jest w środku.

– Och, Janie. Mój kochany! – Łzy spływają coraz szybciej, zostawiając ciemne plamy na czarnym jedwabiu. Ta osobista, intymna kolekcja jest mapą naszego wspólnego życia. Zanurzam w niej palce. Te cenne przedmioty znaczą dla mnie więcej niż ziemie, puchar Ryszarda czy brosze.

Odznaka pielgrzymia pani Saxby, którą przypięłam do tuniki Jana w Lincoln, zmatowiała od starości, ledwie widoczna pośród klejnotów. Ocieram ją o rękaw, przypominając sobie, jak delikatnie przypinałam ją do jego szaty, by nie obudzić śpiącego smoka pożądania. Byliśmy wtedy już razem, ale jeszcze nie razem.

– Nie wiedziałam, że ją zatrzymałeś.

Odkładam odznakę i biorę do ręki srebrną broszę z pogrzebu, gdy Jan opłakiwał utratę swego ukochanego brata.

– Tamtego dnia nie wolno mi było stać przy tobie. Wtedy jeszcze staraliśmy się zachować dyskrecję, prawda?

Następna jest brosza wysadzana brylantami i rubinami. Pamiętam ją: to brosza matki Jana, królowej Filipy. Podnoszę ją w stronę świec, by wydobyć blask z kamieni.

– Sądziłabym, że zostawisz to Henrykowi, twojemu spadkobiercy. Może ja to zrobię za ciebie? Powinien ją mieć i przypiąć do gorsetu swojej żony, gdy znów się ożeni. Możliwe, że to będzie wszystko, co po tobie dostanie, skoro Ryszard położył chciwą rękę na wszystkim innym.

Bowiem Ryszard wypełnił wszystkie nasze obawy. Dziedzictwo Lancasterów bezpiecznie spoczywa w królewskich rękach.

Na samym dnie skrzynki leży ciasno zwinięty kawałek kruchego pergaminu. Ostrożnie rozprostowuję zagięcia i widzę w środku kupkę suchych płatków, które od samego kontaktu z powietrzem rozsypują się w pył.

– Co to takiego? – Dotykam ich palcem i już wiem. To pozostałości róży, którą zerwałam w Savoyu, gdy przekroczyłam granicę między pokorną wdową a skandaliczną kochanką, po nocy spędzonej nad kontemplacją *Powieści o Róży*.

– Zachowałeś ją! Zachowałeś ją przez tyle lat.

Naraz przeglądanie zawartości skrzyneczki staje się zbyt bolesne. Serce nabrzmiewa mi łzami. Zamykam pokrywę.

– Nie dzisiaj – mówię. – Dzisiaj moje serce zbyt mocno krwawi.

Któregoś dnia, gdy już będę silniejsza i będę potrafiła patrzeć na przeszłość z zadowoleniem, a nie z rozpaczą, znów otworzę tę skrzynkę i porozkładam przed sobą wspomnienia. Biorę ją na kolana i niewidzącym wzrokiem spoglądam na ołtarz, gdzie tajemniczo lśni ciężki srebrny krucyfiks.

Jakiś ruch sprawia, że wstrzymuję oddech, ale to tylko gołąb. Rzuca się od ściany do ściany, próbując znaleźć drogę ucieczki.

Czy czegoś żałuję?

Teraz, gdy zostałam samotna, żałuję niektórych rzeczy. Żałuję tych lat – a było ich zbyt wiele – gdy w oczach dworu byłam zwykłą ladacznicą, i choć był to uczciwy osąd, nie mogłam się z nim pogodzić. Żałuję lat, które spędziliśmy osobno, w cierpieniu i goryczy, gdy Jan wyrzekł się mnie w imię Boga i wrócił do Konstancji, kobiety, której nie kochał i która nie kochała jego.

Życie jest zbyt ulotne. Gdybym mogła cofnąć te lata spędzone na pustyni, przeciwstawiłabym się Walsinghamowi i wszystkiemu, co reprezentował.

– Wybacz mi – szepczę. – Wybacz mi te wszystkie chwile, gdy cię raniłam.

Zdaje mi się, że skrzydła gołębia niosą odpowiedź:

– Wybaczam. Wybaczam. Wiem, że ja też cię raniłem.

Tak, ranił mnie, ale na koniec przywrócił mi godność i reputację. Jakże silna potrafi być miłość, która wiąże nas coraz mocniej, prowadząc przez przeciwności losu.

– Kocham cię – trzepoczą skrzydła gołębia. – Śmierć nie może zniszczyć tego, co było między nami. Ta miłość przeżyje lata, przetrwa na wieki. Echo mojego oddania na zawsze pozostanie w twoich myślach. Przysięgam ci to.

– Wiem – odpowiadam. – Zostanę ci wierna do śmierci i po śmierci. – Słowa, które kiedyś wypowiedział i których nigdy nie zapomniałam. – Teraz wiem, że miłość jest silniejsza niż śmierć.

W końcu podnoszę się zesztywniała i poprawiam żałobne szaty. Moje czuwanie dobiegło końca. Gołąb znalazł drogę ucieczki albo przysiadł na jakiejś belce. Dotykam zimnej dłoni Jana. Dotyk martwego ciała zawsze wydaje się dziwny. Po raz ostatni całuję jego policzki i usta. Zabalsamowanie w dziwny sposób przywróciło mu urodę. Z surowej twarzy o wyraźnie zarysowanych kościach znikły ślady cierpienia.

Jest najpiękniejszym mężczyzną, jakiego znałam.

– Czy wyjdziesz jeszcze za mąż? – zapytał mnie ktoś, chyba mój syn Henryk, który przyjechał tu, by zabrać mnie do Londynu. Nie brakuje mu wrażliwości, po prostu jest praktyczny.

– Nigdy – odpowiedziałam. – Nigdy nie znajdę lepszego mężczyzny niż mój pan Lancaster.

Ale nie popadnę też w letarg. Nie leży to w mojej naturze, a Jan też nie chciałby dla mnie takiego jałowego życia. Wrócę do Lincoln i spróbuję odnowić kontakty z przyjaciółmi i znajomymi. Poza tym są nasze dzieci i ich dzieci, które potrzebują mojego uczucia.

– Mój ukochany, mój najdroższy. Mówiłeś kiedyś: chodź ze mną. – Moje słowa przepełnione są cierpieniem. Po raz ostatni przykrywam jego dłoń swoją.

– Chodź ze mną – powtarza echo odbite od ścian i kolumn. – Bądź przy mnie zawsze.

Podnoszę głowę, jakbym na coś czekała, ale Henryk już po mnie przyszedł.

Zamykam wieko skrzyneczki, która mieści nasze wspólne życie, obracam klucz i pozwalam, by łzy swobodnie spłynęły mi po policzkach. Wychodzę z kaplicy i idę w stronę syna, który czeka na mnie, udając, że nie widział niestosownego przepychu mojej halki, teraz już skromnie ukrytej. Czuję wokół siebie trzepot świadomości – skrzydła ciem, skrzydła gołębi.

– Chodź ze mną...

Przysięgam, że on wciąż jest ze mną.